'한국근대문학과 중국' 자료총서 ❸

단편소설 I

이광일·김 강 엮음

역락

『'한국근대문학과 중국' 자료총서』편찬위원회

위원장: 김병민

위 원: 이광일 최창록 최 일 장영미 박설매 김 강

편찬자 소개

김병민 연변대학교 조선언어문학학과 교수. 문학박사.

이광일 연변대학교 조선언어문학학과 교수. 문학박사.

최창록 남경대학교 한국어문학과 교수. 문학박사.

최 일 연변대학교 조선언어문학학과 교수. 문학박사.

장영미 연변대학교 조선어학과 교수. 문학박사.

박설매 연변대학교 조선언어문학학과 부교수. 문학박사.

김 강 연변대학교 조선언어문학학과 전임강사. 문학박사.

배 홍 연변대학교 조선언어문학학과 전임강사. 문학박사.

김은자 하얼빈이공대학교 조선어학과 전임강사. 문학박사.

조영추 연세대학교 국어국문학과 박사.

박미혜 성균관대학교 국어국문학과 박사과정 수료.

'한국근대문학과 중국' 자료총서   03

단편소설 I

이광일·김 강 엮음

역락

한국근대문학과 중국체험서사

― 서문을 대신하여 ―

김병민

1. 중국체험의 의미

한·중 문화 교류는 수천 년의 유구한 역사를 가지고 있다. 특히 한국은 한자, 유·불·도, 각종 문물제도를 중국으로부터 수용함으로써 한(漢)문화권에 편입된 뒤 한(漢)문화를 중심으로 한 동아시아문화권의 형성과 발전에 중요한 역할을 하게 되었다. 따라서 한국문학의 발전 역시 중국문학 및 문화와 불가분의 관계에 놓이게 되었다.

한국문학의 발전에 있어서 역대 한국인들의 중국체험은 한국 한(漢)문학 전통의 확립에 결정적인 역할을 했다. 한국문인들의 중국체험은 다양한 양상을 보이고 있는바 최치원 등을 비롯한 문인들의 유학(留學)체험, 혜초, 의상 등을 비롯한 불교 문인들의 구도(求道)체험, 정도전, 허균, 김만중, 홍대용, 박지원 등을 비롯한 문인들의 사행(使行)체험 등을 들 수가 있다. 이들은 중국을 체험하는 과정에 중국의 문인들과 다양한 교류를 진행하게 되었고 한중 문학의 쌍방향적 영향관계를 밀접히 했다. 실제로 한국문학에서 굴지의 작가로 불리는 최치원, 이제현, 허균, 김만중, 박지원 등의 문학은 중국 문학 및 문화와 깊은 연관성을 보여주고 있다. 한국문인들은 중국체험을 통해 자신들의 창작을 전개해갔고 또한 창작을 통해 그들의 문화의식 즉 세계인식과 시대인식을 구축해 가기도 했다. 최치원의 한시가 『전당시』에, 이제현의 사가 『강촌총서』에 수록되었으며 김만중의 경우 중국체험과 중국문화 수용을 통해 세계적 영향을 지닌 『구운몽』을, 박지원의 경우는 사행체험을 통해 세계 기행문학의 백미로 불리는 『열하일기』를 창작했다. 최치원, 이제현, 김만중, 박지원의 문학이 세계적인 명작이 되기에 손색이 없다고 할 때, 한국문학 발전에 있어서 중국체험은 큰 의미를 가진다고 할 수 있다.

중국체험은 한국 문인들에게 시간과 공간에 대한 새로운 인식을 심어주었고 자아와 타자에 대한 새로운 인식을 불러일으키기도 했다. 예를 들어 18세기 후반기 '북학파'의 맹주들인 박지원, 박제가 등이 중국체험을 통해 전통적인 문화의식에서 탈피하여 자본시장의 형성과 과학문명에 대한 인식을 얻고 중세의 몰락과 근대의 여명을 확인한 것은 시대를 앞서나간 문화적 초월이라고 할 수 있다. 그것은 말 그대로 국가 간의 경계, 문화 간의 경계, 민족 간의 경계를 넘어설 수 있었던 탈경계 체험의 산물이라고 하겠다.

20세기를 전후하여 한국은 근대 식민지체계에 편입되기 시작하여 1910년 '한일합방'으로 일제의 식민지로 전락되고 말았다. 망국을 전후한 시기부터 중국은 한국독립투사들의 항일투쟁의 정치적 공간과 근대적 이민의 생활공간이 되기도 했다. 따라서 한국근대문학은 중국의 문학 및 문화와 더욱 밀접한 연관을 맺게 되었고 보다 더 새롭고 다양한 발전 양상을 보여주게 된다.

따라서 한국근대문학과 중국과의 관련양상에 대한 연구는 비단 한·중 근대문학교류사 연구뿐만 아니라 한국문학사 연구에 있어서도 지극히 중요한 가치가 있다고 할 수 있다. 현재까지 이에 대한 한국 학계의 연구는 대체적으로 한국근대문학의 공간적 이동이라는 시각에서 접근하여 중국에서 벌어졌던 한국문인들의 문학을 '이민문학' 혹은 재외 한국근대문학의 범주에 두고 고찰하였다. 반대로 중국 학계에서는 중국에 이주한 한국문인들의 문학을 '조선족문학' 혹은 그 전사(前史)로 범주화하고 연구를 해왔다. 이러한 연구는 한민족문학의 연구에서 극히 중요한 작업임이 분명하며 또한 현재까지 괄목할 만한 성과를 거두었다. 하지만 한국문학의 공간적 이동으로만 접근하게 되면 인적 교류, 이론과 사상의 유동 내지는 상상력의 탈경계 등 한·중 근대문학 교류의 보다 다양한 차원의 문제들을 간과하게 된다. 한 마디로 한·중 근대문학 교류는 문학의 공간적 이동의 시각보다는 탈경계 연구(Border—crossing studies)의 시각에서 접근하는 것이 더 효율적이라고 할 수 있다. 이른바 탈경계 연구는 민족, 국가, 언어, 문화, 이데올로기 및 윤리 등의 탈경계 그리고 그 과정에서 문화적 재건, 융합 및 가치창조를 밝히는 새로운 연구 시각이다.

근대 전환기 및 근대과정에서 이루어진 한국문학의 중국과의 교류는 고금의 인류문학사에서 보기 드문 문학적 현상이었으며 일종의 '증후성(Symptomatic)'을 가진 문학적 사건이라고 할 수 있는바 다음과 같은 특징을 띠고 있다. 우선, 교류의 지속시간이 길고 방대한 양의 텍스트를 형성하였다. 다음으로 그 교류는 일방적인 영향관계가 아닌 쌍방향적인 상호작용의 관계였다. 끝으로 그 교류는 '중심'과 '주변'의 관계가 아닌 '주변'과 '주변'의 관계였다. 그중 탈경계 서사(beyond boundaries narrative)로 특징지어지는 한국 근대문학의 중국체험서사는 한국문인들의 중국을 매개로 한 전통, 근대 그리고 미래와의 대화였다. 바로 이러한 의미에서 한국근대문학과 중국과의 문학·문화적 대화는 지극히 생산적인 것이었으며 근대 동아시아의 정신적 가치를 보여주는 소중한 유산이라고 할 것이다.

한국문학의 근대화 과정에서 일본을 통한 서양문학사조, 유파, 관념, 형식 등의 수용이 큰 역할을 하였음은 분명하나 식민지 출신의 한국문인들에게 있어 식민 종주국 일본이 생산적 가치를 가진 이상적인 공간이 될 수는 없었다. 오히려 비슷한 운명에 처한 중국이 생산적인 정치·문화공간이자 생존·생활공간이 될 수 있었다. 중국에 대하여 느낄 수 있었던 시대적 동질감과 유대감은 일본이 갖추지 못한 요소들이었다. 따라서 한국인들은 중국을 독립투쟁의 전장, 근대문명의 '박물관', 평등한 대화와 교류의 장소로 인식하였던 것이다. 한국근대문학과 중국과의 교류는 한국문학의 근대화 과정을 이해하는 데 있어 중요한 가치가 있을 뿐만 아니라 나아가 오늘날 한국과 주변의 관계를 이해하는 데 있어서 상당한 현실적 가치가 있다고 해야 할 것이다. 이에 『'한국근대문학과 중국' 자료총서』는 한국문인들이 중국과의 교류과정에서 생산한 중국서사와 한국문인들에 의한 중국문학 번역과 소개 등 텍스트를 그 대표성과 중요도에 따라 선별적으로 수록하였다.

2. 저항과 항일체험서사

항일서사는 한국의 독립투사들이 중국에서의 반일활동에 근거한 탈경계 서사로서 의열단(義烈團), 한국애국단(韓國愛國團), 독립군(獨立軍), 유격대(遊擊隊), 조선의용대/의용군(朝鮮義勇隊/義勇軍), 한국청년전지공작대(韓國靑年戰地工作隊), 한국광복군(韓國光復軍), 중국국민군(中國國民軍), 팔로군(八路軍), 항일연군(抗日聯軍) 등 항일부대의 활동과 밀접히 연관되어 있으며 소설, 시, 수필 등 장르를 포함하고 있다.

소설로는 중국에서 전개된 한국의 반일독립운동을 소재로 한 신채호, 최서해, 강경애, 심훈, 장지락 등의 작품이 있다. 우선 아나키즘계열의 항일투쟁을 반영한 소설로는 신채호의 「용과 용의 대격전」, 장지락의 「기묘한 무기」 등이 대표적이다. 신채호의 소설 「용과 용의 대격전」은 환상적인 구조 속에서 일제 침략자를 상징하는 미리와 한국 민중을 상징하는 드래곤 사이의 격전을 그리면서 민중의 승리를 확인하고 있다. 「꿈하늘」(1916)에서 신채호가 국민국가 상상을 보여주었다면 「용과 용의 대격전」에서는 무산민중 주체의 민족국가 상상을 보여주었다고 할 수 있다. 장지락의 소설 「기묘한 무기」는 1922년 김익상 등 한국의 반일지사들이 상하이 황포공원에서 일제 육군대장 다나카를 저격한 사건을 다룬 단편소설로 1930년 북경에서 창작된 작품이다. 이 소설에는 사회주의, 아나키즘, 인도주의 등 다양한 사상들이 혼재되어 있다. '만주'지역에서 전개되고 있던 독립투쟁을 소재로 한 소설로 최서해의 「해돋이」와 강경애의 「모자」, 「축구전」 등이 있다. 「해돋이」는 생활에 시달리다 독립운동에 투신한 주인공 만수의 형상을 통하여 '만주' 지역 한국 이주민들의 일제와 그 주구들에 대한 분노와 항거를 보여주고 있다. 강경애의 「모자」는 간도지역에서 벌어진 항일유격투쟁을 배경으로 하면서 희생된 남편의 못 이룬 뜻을 어린 아들로 하여금 이어가게 하겠다는 한 어머니의 불굴의 의지를 보여주고 있고 「축구전」은 일제의 주구들이 조직한 축구경기에 참가하여 경기는 졌지만 민중들에게 반일정신이 살아있음을 보여준 진보적인 한국 이주민 중학생들을 그리고 있다.

반일투쟁 승리의 강력한 의지를 표출한 시작품으로는 신채호의 「매암의 노래」, 이육사의 「청포도」, 김창숙의 「넋이여 돌아오라」, 이두산의 「당신은 의용의 전사래요」, 문정진의 「4명의 열사를 추모하여」 등을 들 수 있다. 이두산의 시 「당신은 의용의 전사래요」는 중국에서 활약하고 있는 항일부대 '조선의용대'의 영용한 모습과 필승의 신념을 노래하면서 항전의 승리와 조국 귀환의 절절한 정감을 읊고 있다. 김창숙의 시 「넋이여 돌아오라」는 중국

하르빈에서 독립운동을 지도하다 일경에 체포되어 옥사한 독립투사 김동삼을 기린 시로 일제에 대한 불타는 적개심과 구국의 염원을 노래했다. "신계(神溪)는 목 메이고/ 한수(漢水)는 슬픈데/ 한 치의 묻을 땅이 없어/ 다비(茶毘)에 부치더니/ 아, 나라 찾을 그날/ 다가오리니/ 넋이여 돌아오라/ 주저치 말고"라고 하면서 전편에 걸쳐 혁명동지에 대한 뜨거운 애도 그리고 원수격멸의 의지를 그려내고 있다.

이밖에 항일투쟁의 제일선에서 싸운 군인들의 실기, 수필 등은 실제적인 체험을 기록했다는 의미에서 상당한 가치를 가진다. 예를 들면 '조선의용대' 대원들이 창작한 「전선에서의 조선의용대」, 「중국 전장에서의 조선의용대」, 「화평촌통신」 등은 항일전장에서 조선인 대원들의 대적 무장선전, 중국 항일부대와의 협동작전, 민중교육 등 상황을 그려내고 있는바 한국 근대 독립투쟁의 역사와 한중관계를 조명함에 있어서도 중요한 가치를 가진다고 할 수 있다. 중국에서 전개된 한국인들의 독립투쟁을 반영한 작품 『청산리 혈전실기』, 「조선혁명일사」 등과 신채호의 수필 「단아잡감록」, 「조선의 지사」, 이두산의 연작수필 「억(憶)」(「산중 40일」, 「중국 항전에 참가하다」 등 11편) 등 작품들은 중국에서 한국 독립지사들의 투쟁과 생활 그리고 그들의 정신적 궤적을 반영하고 있다는 의미에서 높은 문학적 가치를 가진다고 할 수 있다.

3. 정착과 이민서사

한국근대문학의 탈경계 서사에서 가장 많은 비중을 점하는 작품은 한국 이주민들이 중국에서의 생존체험을 소재로 한 이민서사로 그 주제적 경향에 있어서도 다양성을 보이고 있다.

우선, 한국 이주민과 중국인들과의 갈등은 이민서사에서 가장 많이 보이는 소재이다. 토지의 주인인 중국인들은 '지주'의 신분으로 등장하여 민족·계급이라는 이중적인 갈등구조를 이룬다. 최서해의 소설 「홍염」, 강경애의 소설 『소금』 등이 대표적이다. 「홍염」의 중국인 지주 '은 서방', 『소금』의 중국인 '팡둥'은 토지의 주인이라는 절대적 우위를 이용하여 한국 이주민들을 억압하고 있고 극한적인 생존환경에 처한 한국인 이주민들의 자연발생적인 항거가 계급적 인식으로 나아가게 된다. 이런 의미에서 중국으로의 이주는 한국작가들로 하여금 계급적 대립에 의한 억압의 보편성을 확인할 수 있게 하였고 나아가 현실 인식에 대한 깊이와 정확도를 획득할 수 있게 하였다.

다음으로, 중국에서 새로운 삶의 터전을 건설하려는 정착의식을 그린 작품들이 많이 있다. 안수길의 「벼」, 「북향보」 등과 현경준의 「선구시대」, 이기영의 『대지의 아들』, 『처녀지』 등 소설이 대표적이다. 안수길의 「북향보(北鄉譜)」는 주인공 정학도를 비롯한 이주민들이 어려운 여건 속에서 '북향농장'을 운영하는 과정을 통해 '만주'에 뿌리를 내려야 한다는 정착의식 혹은 지역의식(locality)을 상징적으로 보여주고 있다.

하지만 '만주'의 실질적인 지배자가 일제였기 때문에 '만주'를 향한 정착의식은 '상상적인 탈식민'으로 흐르게 되고 자칫하면 '만주'에서의 일제의 식민주의 담론에 포섭되게 된다. 마약중독자들을 '만주국' 건설에 필요한 인재로 '갱생'시키는 과정을 그린 현경준의 「유맹」, '내부 식민주의'적인 시각에서 원시적인 초원에 사는 몽고인들을 '개량' 하는 주인공의 노력을 그린 한찬숙의 「초원」 등이 대표적이다. 이러한 정착의식은 일제에 대한 철저한 순응으로 타락하는 경우도 있어 박영준의 「밀림의 여인」과 같은 노골적인 친일문학작품을 낳기도 했다. 그럼에도 이러한 작품들은 '태평양전쟁' 이후 일제의 전시총동원체제 등 특수한 시대적 상황 속에서 한국문학의 현실대

응의 다양한 예시를 보여준다는 점에서는 상당한 가치가 있다.

중국 도시에서의 한국 이주민들의 삶을 그린 작품으로는 주요섭의 「봉천역식당」, 김광주의 「북평서 온 영감」, 「남경로의 창공」 등 소설이 있다. 주요섭의 「봉천역식당」은 화자가 봉천역 식당에서 우연하게 만난 한 한국 여인의 10년간의 변화를 그리고 있다. 처음 만났을 때 이 여인은 행복이 넘쳐흐르던 처녀였으나 점차 남성의 노리개로 전락하여, 나중에는 우울한 모습으로 목석처럼 변해버리고 만 비참한 운명을 그리고 있다. 김광주의 「북평서 온 영감」은 살 길을 찾아 '만주'와 북경 등지를 전전하다가 상하이에 온 한국 이주민의 정신적 소외를 보여준 작품으로서 식민주의와 봉건주의의 이중적 억압 하에 놓인 한국 이주민의 삶을 그리고 있다.

한국 시인들의 중국체험도 주목되는 바이다. 백석, 유치환, 이용악, 서정주 등은 중국체험을 통해 상상력의 확장, 이미지의 다양화 나아가 민족적, 시대적 인식의 전환을 이루게 되었다. 백석은 「조당(澡堂)에서」란 시에서 목욕탕의 벌거벗은 중국인들을 보면서 이방인인 '나'와 중국인들 사이의 역사와 문화, 언어와 몸짓, 그리고 표정 등의 차이를 느끼다가 인간은 결국 벌거벗은 우스운 몸에 지나지 않는다는 초월적 인식에 이르고 있다. 서정주는 취직을 위해 8~9개월 간 중국에 있었던 체험을 바탕으로 "저 만치의 쑥대밭 언덕에서는/ 역시나 때 절은 靑衣의 한 滿洲國 아줌마가/ 누구의 것인가 새 棺널 하나를 앞에 놓고/ <끅! 끅! 끄르륵……/ 끅! 끅! 끄르륵……>/ 꼭 그런 소리로 울고 있었다./ 우리 단군할아버님의 아내가 되신/ 그 잘 참으신 암곰님처럼/ 씬 쑥과 매운 마늘 많이 자신 소리 같았다."(「만주제국 국자가(局子街)의 1940년 가을」) 등 살아서 숨 쉬는 이국 이미지를 창조했다. 또 이용악은 중국 '만주'에서 목격한 망국노의 슬픈 모습을 "울 듯 울 듯 울지 않는 전라도 가시내야/ 두어 마디 너의 사투리로 때 아닌 봄을 불러줄게/ 손때 수집은 분홍

댕기 휘 휘 날리며/ 잠깐 너의 나라로 돌아가거라."(「전라도 가시내」)와 같은 주옥같은 시구에 담아내고 있다. 그런가 하면 유치환은 중국체험을 바탕으로 대체로 여성적인 한국 근대 시단에서 「생명의 서」, 「바위」와 같이 단연 돋보이는 역동적인 시를 써낼 수 있었다.

4. 타자와 중국서사

한국문인들의 중국체험은 중국과 중국인을 소재로 한 다양한 문학작품들의 출현을 가능토록 하였다. 이러한 작품은 중국에서의 전통문화체험을 통한 동양문화의 가치에 대한 재인식, 자본주의적 근대체험을 통한 서양적 가치에 대한 비판, 반식민지 반봉건 사회체험을 통한 현실사회의 부조리에 대한 비판, 항일투쟁체험을 통한 한·중 연대의식 등 다양한 주제를 표현하고 있다.

우선, 전통문화체험을 통한 동양적 가치의 재발견을 보여준 작품으로는 정래동의 수필집 『북경시대』, 한설야의 수필 「연경의 여름」 등과 주요섭의 소설 「진화」, 「죽마지우」 등을 들 수가 있다. 정래동과 한설야 등은 수필창작을 통하여 중국 전통문화의 거대한 힘에 대하여 예찬하였고 주요섭은 소설 「진화」에서 중국문화의 전통성을 인정하면서 동양의 정신적 가치를 발견하려고 했으며 소설 「죽마지우」에서는 북경을 자신의 정신적 고향으로 묘사하는 등 다원적인 문화정체성을 보이기도 했다.

다음으로, 반식민지 반봉건 사회체험을 통한 현실비판을 보여준 작품으로 심훈, 피천득, 박세형 등의 시편들과 최독견의 「벌금」, 주요섭의 「살인」, 「인력거꾼」, 강노향의 「상해야화」 등 소설 작품들을 들 수가 있다. 심훈은 시

「북경의 걸인」에서 걸인의 형상을 통해 하층민에 대한 동정을 보여준 동시에 동등한 운명에 놓인 자기 민족의 고통도 하소연하고 있다. 피천득의 시 「1930년 상해」는 옷을 전당 잡혀 먹을거리를 사야 하는 현실과 곧 팔려갈 어린 생명을 시적 대상으로, 하층민들의 비참한 생활에 대해 공소하였고 박세영의 시 「북해와 매산」은 군벌혼전으로 피폐해진 북경의 암울한 현실을 비판하였다.

이와 더불어, 최독견과 주요섭은 소설 창작을 통해 제국주의 침략과 문화 헤게모니로 하여 식민지화된 상하이 도시문명의 가치결손에 대하여 비판함과 동시에 하층민들의 소외를 적나라하게 폭로하고 있다. 이러한 소설들은 참신한 시각과 심각한 문제의식을 보여주고 있는바, 최독견은 소설 「벌금」에서 중국옷을 입고는 공원으로 들어갈 수가 없는 현실과 서양 여인이 개에게 먹이던 빵조각을 고맙다고 받는 중국인 여성을 통해 굴욕적으로 살아가야 했던 하층민에게 연민의 정을 보이고 있으며 중국의 반식민지 사회현실을 신랄하게 비판하고 있다. 또한 강노향은 소설 「상해야화」에서는 조계지 프랑스인 집에서 노예살이를 하는 중국인과 프랑스 여인의 부정당한 관계 등을 통해 서양의 가치결손과 식민지 조계지에서의 남성의 소외 내지는 타락을 보여주기도 했다. 한편, 주요섭은 소설 「살인」에서 도시 최하층 기생인 우뽀의 형상을 통해 버림받고 소외당한 하층민들의 운명을 보여주면서 그들의 각성을 촉구하기도 했다. 작가의 다른 한 소설인 「인력거꾼」 역시 자본주의 문명이 최하층 인간에게 들씌운 불행에 대하여 묘사하고 있다.

이처럼 상기 다양한 소설작품들은 근대 도시인 상하이를 배경으로 그 속에서 살아가는 하층민들의 불행한 운명, 특히는 생존권을 박탈당하고 소외되어가는 인물들을 통해 식민주의의 죄행을 공소하고 있다. 물론 이러한 문제의식은 한국문인들의 중국에서의 근대적 도시체험에서 얻어진 것이라 해야 할 것이다.

또한, 유자명, 이두석, 이관용, 문일평, 이광수, 최남선, 주요섭, 김광주, 정래동, 강경애 등 쟁쟁한 한국문인들의 수백 편의 기행문들에서는 중국체험과 시대인식이 다양하게 보이고 있다. 즉 이러한 기행문은 중국전통문화와 서양문명에 대한 새로운 인식, 시국에 대한 인식과 비판, 망국 국민으로서의 애환, 민족에 대한 뜨거운 사랑, 민족독립에 대한 열망 등으로 일관되어 있다. 특히 이러한 기행문들은 근대 중국사회를 인식하는 역외시각(域外視角)으로서 귀중한 문헌적 가치가 돋보이는 바이다.

5. 가치 수용으로서의 번역과 비평

한국근대문학과 중국의 관련 양상은 중국근대문학에 대한 번역과 비평에서도 잘 드러나고 있다. 한국에서의 중국근대문학작품에 대한 번역은 주로 양건식, 정래동, 유수인, 이육사, 김광주 등 중국 유학경력이 있는 문인들에 의해 전개되었다. 소설로는 루쉰의 「아Q정전」, 「광인일기」, 「고향」, 궈모뤄(郭沫若)의 「목양애화(牧羊哀話)」, 딩링(丁玲)의 「떠나간 후」, 위다푸(郁達夫)의 「피와 눈물」, 린위탕(林語堂)의 「북경호일」, 샤오쥔의 「사랑하는 까닭에」 등이 있으며, 시작품으로는 후스(胡適)의 「등산」, 「11월 24일 밤」, 궈모뤄(郭沫若)의 「봄 맞은 여신의 노래」, 「죽음의 유혹」, 쉬즈모(徐志摩)의 「가거라」, 「우연」, 주즈칭(朱子淸)의 「잠자라, 작은 사람아」, 저우쥐런(周作人)의 「소하」 등이 있으며, 연극으로는 궈모뤄(郭沫若)의 「탁문군 삼경」, 톈한(田漢)의 「상상의 비극」, 어우양위첸(歐陽予倩)의 「반금련」 등이 있다. 그 외에도 루쉰 등의 산문이 번역 소개되었다.

이외, 중국근대문학과 관련된 비평으로는 양건식의 「호적 씨를 중심으로 한 중국의 문학혁명」(1920, 번역문), 김태준의 「문학혁명 후의 중국문예관」(1930), 정래동의 「중국 양대 문학단체 개관」(1931, 번역문), 「노신과 그의 작품」(1931), 「중국문단의 신작가 파금의 창작태도」(1933), 김광주의 「중국 좌익문예운동의 과거와 현재」(1931), 이육사의 「노신 추도문」(1936) 등이 있다.

이러한 중국근대문학 작품의 번역과 비평을 통해 한국 근대 문인들의 중국문학에 대한 인식과 수용 자세, 한국 근대에 있어서의 중국의 사회사상과 미학사상이 미친 영향, 나아가서 한국 근대 문학번역사와 문체의 변천과정도 이해할 수가 있다. 주지하다시피, 한국 근대 문인들은 대부분 일본을 통해 서구문학을 수용하였고 또한 서구문학에 대한 번역과 소개도 적지 않게 진행한 바이다. 그럼에도 프로문학 등 특수한 영역을 제외하고는 한국 근대 문단에서 일본문학이 별로 번역·소개되지 않았음은 주목이 필요한 대목이다. 이에는 식민지시기라는 특수한 시대적 상황 속에서 형성된 이질감과 거부감이 작용했을 것이다. 이러한 점을 염두에 둘 때 한국에서의 중국 근대문학의 전파와 수용은 근대 한국 문인들이 중국 근대작가들과 함께 20세기의 동아시아적 가치를 창출하고 공유하고자 한 시대의식과 무관하지 않을 것이다. 바로 이런 의미에서 중국근대문학에 대한 번역·소개와 비평은 한국근대문학과 중국근대문학, 나아가 중국과의 관련을 해명하는 데 불가결한 중요한 영역이기도 하다.

6. 편찬 동기와 총서의 구성

일찍 2014년 연변대학 통문화센터에서는 중국어로 된 『'중국현대문학과 한국' 자료총서』(1~10권)를 간행한바 있다. 베이징에서 열린 이 총서의 출판기념 좌담회에서 중국의 근대문학 연구자들은 필자에게 『'한국근대문학과 중국' 자료총서』를 편찬할 것을 제안한 바가 있다. 이에 상기 자료집 편찬의 중요성과 절박성을 깊이 인식하게 된 나머지 편찬위원회를 묶어 총서의 편찬사업을 시작했다. 한국근대문학과 중국 관련 자료는 이미 적지 않은 자료집에서 수록되기도 한 바이다. 예하면 연변대학 문학연구소에서 편찬한 『중국조선족문학대계』, 북경민족출판사에서 편찬한 『중국조선족 문학유산 정리편찬』 등에 수록된 적지 않은 작품들은 편찬자 나름의 시각에 따라 중국 조선족문학의 출발점으로 인식되어 중국 조선족문학 권역에 귀속시켰지만, 한국근대문학사에 있어서도 중요한 작가와 작품들이다. 물론 상기 자료집들은 한국근대문학과 중국 관련 연구를 위해 정리된 자료 총서가 아니며 한국근대문학과 중국과의 관련 양상을 살피기에는 전체적이지 못함도 짚고 넘어가야 할 것이다.

한국근대문학과 중국 관련 연구는 1990년대부터 학계의 주목을 받기 시작하여 적지 않은 연구 성과를 내고 있다. 그럼에도 아직까지 중요한 자료들에 대한 발굴과 정리가 진일보 요청되고 있으며 일부 연구들은 충분한 자료적 검토가 확실하지 못한 점도 없지 않다. 이러한 상황은 한국근대문학과 중국 관련양상의 전반적 검토와 연구의 심화에 장애로 작용하고 있으며, 이에 본 자료집은 그에 대한 극복을 목적으로 하고 있다.

『'한국근대문학과 중국' 자료총서』는 편찬 의도를 구현하기 위해 작품 선정에서 첫째로, 한국근대작가들의 중국체험을 바탕으로 중국의 시간과 공간에서 벌어진 인물과 사건들이어야 하며, 둘째로, 중국인들의 생활 혹은 중국에서의 한국인들의 생활을 소재로 해야 하며, 셋째로, 중국체험을 기반으로 하는 동서양 관련 문화인식을 다룬 작품도 가능하다는 원칙을 지키고자 했다. 한편, 편찬과정에서 적지 않은 애로에도 봉착하였는바, 일부 작품들은 당시의 중국 경내에서 꾸려진 신문, 잡지들에 발표되었으나 신문과 잡지의 보존상태가 완전치 못하여 그 전모를 알 수가 없으며, 아울러 신문, 잡지의 경우 여러 곳의 도서관과 서류관에 분산되어 있었다. 또한 일부 작품들은 유고로서 분실된 것도 있었기 때문에 편집자들은 이러한 난제를 풀기 위해 국내외 도서관들을 찾아다녀야 했고 따라서 관련 인사들을 찾아 방문하기도 해야 했다. 비록 편찬자들이 많은 노력과 심혈을 기울였지만 아직 미비한 점이 적지 않다.

본 총서는 총 16권으로서 창작편 11권(소설 4권, 시 3권, 기행문 2권, 정론·실기·수필·희곡 2권)과 비평집 5권이다. 편집과정에서 편찬자는 발표 당시의 원본 형태를 그대로 보여주기에 노력을 경주하였으며, 섣불리 개정이나 첨삭을 시도하지 않았다.

본 총서는 편찬과정에서 국내외 많은 한·중 문학관계를 연구하는 전문가들의 열정적인 관심과 도움을 받았으며 특히 국내외 도서관, 서류관의 지지와 성원을 받은 바 있다. 총서의 편집에 도움을 주신 모든 이들에게 진심으로 되는 감사를 드리는 바이다. 앞으로 본 총서가 한·중 문학관계 연구자들과 독자들에게 도움이 되기를 진심으로 바라며, 미진한 점에 대해 전문가들과 독자들의 기탄없는 비평을 기대하는 바이다.

2020년 2월 1일

차례

●

서문을 대신하여 _ 김병민
한국근대문학과 중국체험서사 ················· 5

1919년~1929년 소설

白野生 一年后 ················· 25

최서해 고국 ················· 35

최서해 탈출기 ················· 41

주요섭 인력거꾼 ················· 53

주요섭 殺人 ················· 69

최서해 기아와 살륙 ················· 79

주요섭 첫사랑 값 ················· 94

최서해 해돋이 ················· 103

崔承一 鳳姬 ································· 145

신채호 용과 용의 대격전 ················· 170

최서해 홍염 ································· 193

최상덕 황혼 ································· 215

1930년~1939년 소설

炎　光 기묘한 무기 ····················· 229

김동인 붉은 산 ························· 259

강경애 채전 ··························· 267

강경애 축구전 ························· 276

김광주 鋪道의 憂鬱 ··················· 284

강경애 母子 ··························· 293

강경애 원고료 이백 원 ················· 304

김광주 남경로의 창공 ················· 314

안수길 장 ····························· 325

김광주 북평서 온 '영감' ··············· 332

김국진 설 ································· 351

강경애 지하촌 ····························· 357

안수길 함지쟁이영감 ···················· 399

김광주 野鷄 ······························· 405

김창걸 수난의 한 토막 ·················· 423

강경애 어둠 ······························· 434

주요섭 봉천역 식당 ······················ 453

강경애 마약 ······························· 465

최명익 逆說 ······························· 475

박영준 중독자 ····························· 492

김창걸 스트라이크 ······················ 522

김창걸 그들이 가는 길 ·················· 543

김창걸 두 번째 고향 ···················· 561

현경준 密輸 ······························· 588

작가 색인(가나다라 순) ················· 601

일러두기

1. 본 총서는 1919년 중국의 '5·4운동' 전후시기부터 시작하여 1948년 남북한 단독정부 수립에 이르기까지 중국인 및 중국에서의 체험을 소재로 창작한 문학작품 중 문헌적, 문학적 가치가 높은 작품들을 수록하였다.

2. 본 총서는 총 16권으로 구성되었는바 소설(1~4권), 시(5~7권), 기행문(8-9권), 평론(10-14권), 정론·실기·수필·희곡(15-16권)으로 나누었다.

3. 초간본을 저본으로 하여 원본의 표기를 최대한 보류하는 것을 원칙으로 하였으나 일부 초간본을 확인할 수 없는 작품의 경우 초간본에 가장 가까운 판본을 수록하였다.

4. 독자들의 읽기와 이해를 돕기 위하여 표기법은 아래와 같은 원칙을 적용하였다.
   - 근대 모음을 현대 모음으로 바꿨다.
     예: ·→ㅏ
   - 근대 겹자음을 현대 겹자음으로 바꿨다.
     예: ㅺ→ㄲ, ㅽ→ㅃ
   - 띄어쓰기는 현행 한국어 표기법의 기준을 따랐다.
   - 소설의 경우 문장부호를 현행 한국어 표기법의 문장부호로 통일하였다. 대화는 " ", 간행물과 단행본의 명칭은 『 』, 기사와 작품의 명칭은 「 」, 음악작품의 제목은 < >, 연극작품은 ≪ ≫로 통일하였고, 명확하지 않으면 ✻ ✻를 사용하였다.
   - 기행문, 평론, 수필, 정론, 시가, 희곡의 경우 원본의 문장부호를 보류하였다.
   - 원본에서 판독이 불가한 문자는 □로 표시하고 판독 불가한 문자가 1행 이상일 경우에는 주해에 "이하 × 자 판독 불가"를 밝혔다.
   - 원본의 오탈자, 오식은 보류하고 해석이 필요한 경우에는 주해에 "편자 주"를 밝혔다.
     예: 1) "浙江"은 "浙江"의 오식 — 편자 주

5. 외래어는 원본의 표기를 보류하였다.

6. 인명, 지명 등 고유명사는 원본의 표기를 보류하였다.

7. 한자는 원본의 표기를 보류하였다.

8. 잘못된 인명, 작품명, 신문·잡지명 등과 한자들을 중국어 원문과 대조해 바로잡았다.

1919년~1929년
소설

白野生

一年后

　데이고 찔 듯한 더위는 上海全市街를 通하야 구석구석 뿌렸다. 피할 수 없는 더위를 맛보면서 電車 인스팩터의 책임을 꾸준히 행하는 安義根은 해지기만 기다린다. 벌써 해는 누르고 붉은 오렌지 빛을 뻗혀놓고 서쪽들 우로 고요히 넘어갔다.

　의근은 저녁, 어둑어둑 해서야 보던 일을 마치고 주인집으로 향하여 돌아온다. 그의 시선은 어떠한 꽃다운 젊은 여자와 그와 상반한 젊은 청년 한 분이 각각 왼손에 라켓트(球拍)를 들고 활발히 걸어가는 것을 보았다. 그리고 그 두 사람이 웃으며 재미있게 이야기하는 것도 보았다. 그는 갑자기 뛰는 심장에 기쁨의 느낌을 가졌다. 그리고 작년 봄, 조선 있을 때 작고 저러한 꽃다운 여자와 같이 만국공원 한 모퉁이에서 저렇게 웃고 이야기함을 회상하였다.

　의근이 재미있게 구경하던 천연색 활동사진은 침침한 지름길속으로 숨어가 버렸다. 그러나 그의 꿈꾸는 연상의 막은 점점 재미있어 갔다. 그는 일 년 전 조선에 있을 때 일을 연상한다. <아-벌써 일 년이 지났구나. 그때가 5월인지, 6월인지 아무렇든지 빗등 같은 달은 흐리침침하였을 때, 만국공원 동편언덕 그윽한 아카시야 나무 밑, 푸릇푸릇 나온 금잔디위에 펄썩 앉아있었겠다. 그리고 나의 무릎이 玉貞씨의 따뜻한 무릎에 슬근슬근 대였겠다. 그리

고 나는 그의 고은 뺨, 트러앉은 머리, 검웃한 눈썹, 앵두 같은 입, 솜씨 있게 지은 조그마한 적삼, 얌전하게 고름지은 옷고름, 차례차례 보았겠다. 그리고 다시 그의 검은 깃도 구두에 흰 버선신은 발까지 유심히 보았겠다. 아-그때 나는 어찌나 기뻤던지! 그가 어찌나 아름다웠는지, 선녀 같은, 달 공주 같은 그를, 물어뜯고 싶으리만치 예뻤었겠다. 그래서 나는 떨리는 팔을 그의 보송 보송한 어깨위에 슬그머니 놓았겠다. 그는 빙그레 웃는 낯으로 나를 힐끗 보았겠다. 아-그뿐인가! 나의 거친 입이 그의 고은 뺨 위에…… 아-그것이-무어라든가? 오-키스! 응-그것이 키스>

의근이는 이와 같이 일 년 전 사랑의 꿈을 회상하는 동안에 벌써 주인집에 이르렀다. 그는 무엇이 즐거운지, 공연히 웃으면서 문안으로 들어섰다. 그리고 오랫동안 기다리고 궁금해 하는 옥정이의 편지나 아니 왔나-하는 바라는 눈으로 넙적 할멈을 찾으며 <홰래홰래>(回來, 回來) 하였다. 주인노파는 벌써 밥을 차려놓고 기다리다가 의근이 돌아옴을 보고 이빨 없는 옴을 입을 샐쭉샐쭉하면서 <씽래씽래>(信來, 信來) 한다. 의근이는 미친 듯 취한 듯 넙적 할멈의 떠는 손으로 주는 편지를 받았다. 그는 얼른 편지봉투후면을 보았다. 그러나 徐玉貞은 아니요 가장 가까운 친구 崔仁浩의 편지이다. 의근은 실심한 낯으로 시름없이 봉투를 뜯고 편지를 읽었다.

上略. 兄님!
형님! 놀라시지 마십시오. 세상일은 그러하며, 여자란 그런 물건이외다. 형님! 너무 괴로워 마십시오. 여자의 본질은 그러하외다. 부탁하신 바는 알만한 곳으로 물어보았습니다.
서옥정은 세주일전에 서울 사는 K와 혼인을 하였습니다. 지난달 22일 오후 2시 C예배당에서 결혼식을 했다합니다. 요사이는 평양으로 신혼여행을 갔다합니다. 형님! 이것이 자연의 지배를 받은 연고올시다. 형님이 아무리 서러워하시고 분해하시더라도 그는 벌써 남의 손으로 갔습니다. 그렇습니다. 공연히 괴로워하시지 마시옵소서. 세상의 여자는 많습니다. 참으로 형님을 사랑할 여자는 저기 있습니다. 그는 형님이 찾기만 기다립니다.

형님! 서옥정이는 생각도 마세요. 죽은 자로 아십시오. 그리고 웃으시옵고 다른 자를 찾으시옵서소. 네? 형님의 분해하시는 것이 눈에 선합니다. 형님! 웃으셔요! 형님! 下略.

의근이는 어린 친구의 숨기지 않고 사실대로 쓴 무섭고 분한 말을 들었다. 그의 정신은 혼미하여 편지를 든 채로 멀거니 앉아있을 뿐이다. 주인노파는 김이 무럭무럭 나는 밥을 가지고 오면서 <칭파칭파>(請吧, 請吧) 한다. 의근이는 들은둥 만둥 그저 멀거니 앉아있을 뿐이다. 그리고 그의 머리에는 여자, 금전, 서울 K결혼, 실패, 고통들이 번갈아 괴롭게 지배한다. 시름없이 쳐다보는 전등은 의근이의 숨은 눈물에 번쩍번쩍 할뿐이다. 아무 영문을 모르는 넙적할멈은 밥이 식으니 어서 먹으라고 재촉한다. 의근이는 여전히 침묵에 쌓였다. 비극의 마지막을 알리는 시간은 여덟시를 울린다. 주인노파는 역정이 나서 의근이의 어깨를 흔들 며 <닝싸디망쓰, 칭파칭파>(你啥的忙是, 請吧 請吧)라고 소리를 버럭 지른다. 의근이는 멀거니 앉은 채로 가만히 <뿌요>(不要)라고 넙적 할멈에게 말한다. 그의 머리를 강하게 지배하는 波瀾들은 고요하게 잠들고 다만 생을 떠난 죽음 같은 고요한 침묵이 의근이의 주위를 싸고 말았다.

의근이는 며칠 후에 가장 친애하는 벗 ○군에게 이와 같이 긴 편지를 부쳤다.

친애하는 벗 ○君이여!

오랫동안 감추어 있던 것을 숨길 수 없이 마침내 吐說하게 되었습니다. 이제야 알려드림이 늦은 것도 같으나, 나는 말할 수 없는 고통바다에 빠지게 된 고로 마침내 형에게 救하여주심을, 위로하여 주심을 빕니다. 형님! 내게 소망의 빛, 쾌락의 맛, 구원의 그물을 주십시오. 어서 주십시오! 외로운 나에게!

○형님!

형님도 아시는 바와 같이 서옥정과 나는 단꿈을 오래 꾸었으며 사랑의 줄이 단단히 매어있었나이다. 그러함으로 그와 나, 두 사이는 끊을 수 없는 강한 사랑이 오랫동안 이어있었습니다. 이제 말씀이지 내가 상해온 동기도 여기 있습니다. 옅은 마음으로 말하면 나의 이상, 나의 장래는 서옥정이를 위한 이상, 장래였으며 그도 그러하였을 것이외다. 나의 머리에 깊이깊이 인상된 것은 지난해 5월인지, 6월인지 으스름달밤, 만국공원 한 모퉁이의 자리였습니다. 그는 나에게 뜨거운 사랑으로 그의 붉은 입술을 가만가만 놀리면서 나더러 "그러면 저는 믿습니다. 저의 연약한 몸을 부탁합니다."라고 똑똑히 말하였습니다. 나는 이 말을 잊을 수 없습니다. 그뿐인가요. 내가 상해온 뒤에 그에게서 받은 편지에 씌어있는 말이 있지요. 그 편지에는 분명히 이렇게 씌어있습니다. 〈옥정이의 편지에, 이장, 저장〉

이 몸을 半島한편에 버려두시고 훌훌히 떠나신 후로 가슴에 사무친 생각은 자나 깨나 사라지지를 않습니다. 마음과 뜻 같아서야 계신 곳으로 달려가서 당신의 따뜻한 가슴에 푹 쓰러지고 싶습니

다. (9월에 부친 편지 第一頁)

저는 웬일인지 저의 이상이란 것이 당신의 품속으로 들어가고 말았습니다. 전에도 늘 하시는 말씀은 "여자는 허영심이 많다." 하셨지요? 네, 과연 그러합니다. 세상이 이것을 공인합니다. 그러나 저의 허영심은 온통 당신의 뜨거운 사랑에 아주 죽고 말았습니다. 아주 죽었어요. (같은 페이지 第三頁)

아! 괴롭습니다. 괴로워요. 나를 잡아먹을 듯한 무서운 악마의 커다란 입이 달려듭니다. 달려드려요. 나를 괴롭게 하는 世波亂潮가 무럭무럭 날려옵니다. 날려와요. 무섭고 두려운 고통의 아구리가 바득바득 내 몸을 꾀이려 합니다. 뜬 구름 같은 내 마음이 넓은 淸空에서 방황합니다. 그러나 믿는 바는, 위로되는 바는 저 황하건너편 산 설고 물 설은 곳에서 나의 조그마한 몸을 위하여 분투, 노력하시는 것을 곰곰이 생각할 때 저의 마음은 기쁩니다. 즐거웁니다. 홀로 머리 숙여 비는 바는 하루바삐 대성공하셔서 따뜻한 악수위에 기다리던 눈물이 떨어지기만 감히 바라옵니다. 부디부디 自重自保하옵소서.

○형님!

이것은 그의 마지막 편지올시다. 이 편지 받은 지는 다섯 달이나 되고 그 후는 엽서 한 장 오고는 아무 통지 없습니다. 그리함으로 그사이 저는 무한한 고통에 빠져있을 뿐이었습니다. 그뿐인가요, 지난해 겨울 크리스마스 날은 이러한 창가까지 지어 보냈습니다.

사랑하는 나의 친구, 변치마세 변치를 맙시다. 苦海같은 이 세상 앞으로 앞으로 전진하여 나갈 때 잊지 맙시다. (1918. 마지막 날)

○형님!

그이의 몸을 지난봄까지 지배하던 自然은 이와 같았습니다. 그
때는 퍽 좋았었어요. 그때는 나의 직무인 괴로운 일이 퍽 좋았으며
쾌락이었습니다. 그러나 이제 한번 그이의 속임에 빠진 나는 괴롭
습니다. 괜찮습니다. 앞에 보이는 저 황하수가 나의 마지막 목적을
마치는 운명인가 봅니다.

○형님!

여자는 온통 다 그러하겠지요? 여자는 다 악마인가요? 그들은
간사함과 속이는 것이 그들의 전부 생명인가요? 여자들의 생명은
얼굴에 회칠하고 붉은 입술로 남자를 홀리는 것이 그들의 본성인
가요? 과연 그렇다하면 나는 속았습니다. 속았어요. 그 무서운 악
마에게 홀리었습니다. 그 날카로운 붉은 입술에 속았습니다. 그러
므로 나는 이렇게 말합니다. (여자는 악마이다. 무서운 요물이다.
그들의 속에는 찌르고 꿰뚫는 가시를 품고 그들의 입에는 독사같
이 갈라진 두 혀를 가진 요물이다.) 나는 그러한 여성은 힘껏 저주
합니다. 내 과연 이렇게까지 심하게 말하면 일반 女子界에서는 나
를 퍽 미워하겠지요! 물론 그러할 것이외다. 물론 나를 욕할 것이
외다. 당연합니다. 그러나 나는 그 같은 악마에게 욕먹고 미움 받는
것보다 우리네 청년을 위함이 몇 갑절 더합니다. 그러므로 나는 우
리네들 가운데서 나같이 어리석게 속는 자가 없기를 충심으로 빕
니다.

○형님!

나의 마음은 심히 괴롭습니다. 나는 이 순간에 곧 그리로 가고

싶습니다. 그리고 그들이 지내는 것을 보고 싶습니다. 물론 그 두 사이가 일평생동안 원만한 생활을 잇는다하면 나는 스스로 다행하게 알겠습니다. 그렇지만 옥정이의 남편 된 K는 내가 잘 압니다. 그는 옥정에게 장래를 망치게 할 자, 눈물의 삶을 만들 자이외다. 이것은 내가 손톱에 장지지고 斷言합니다. 아! 불쌍하게 될 옥정이, 그렇지만 自作自孽이지요.

　　○형님!

　　이제 생각하니 그것까지도 속았습니다. 그는 항상 나에게 이와 같이 말했습니다. (나는 결코 금전이나 부귀스러운 몸은 원하지 않습니다. 나는 일시적 연애와 잠시 肉的性欲을 떠나 靈的眞戀愛와 理想的將來 삶을 바랍니다. 그러므로 당신께 금전, 부귀를 구함보담 참사랑과 완전한 스윗트홈을 이룰만한 자격을 바랍니다.) 이것이 그 요물의 붉은 입술로써 살살 새어나온 꾸민 말이요, 나를 속인 가면의 말이올시다. 그뿐인가요. 지난해 9월 20일인가 봅니다. 내가 그를 향하여 (옥정 씨! 나는 나의 장래, 나의 책임, 나의 본의 또 그리고 사랑하는 당신을 위하여 저 먼 나라로 가겠습니다. 나는 반드시 나의 운명을 개척하여야 하겠으며 나의 장래를 내손으로 빚어내야 하겠습니다. 분투, 노력하여야 하겠습니다. 그러므로 불가불 떠나가야 하겠습니다. 나는 당신을 믿고, 저 먼 길을 떠나갑니다.) ○형님! 참으로 이 고별의 막이 열릴 때 나의 어린 풋 마음에 무엇보다도 더한 자극을 주었습니다. 나는 떨리었습니다. 그리고 나의 뜨거운 눈물, 아니 피눈물이 그의 곱게 틀어얹은 양머리 위에 떨어져 대굴대굴 굴러 그의 연한 뺨 위로 부슬부슬 흐르는 것을, 멀리서 비치는 전등의 엷은 광선으로 힐끗 보았습니다. 이것이 남자의 약점이라 할까요, 그도 떨리는 목소리로 가늘고 곱게(네! 고맙습니다. 저 같은…… 부디 몸조심하십시오. 저로 해서는 부디부디 걱정 마시고 어서어서 목적만…… 저는 어떠한 괴롬과 여하한 시험이 있을지라도 참고 기다리겠습니다. 죽을지언정……) 아, 꼭 그는 나중 말에 (죽을지언정……)이라는 말을 똑똑하게 하였습니다.

○형님! (죽을지언정……)이라 하였으니 그는 죽었습니다. 벌써 죽었습니다. 벌써 썩었습니다. 그러면 옥정이란 여자는 이 세상에 찾을 곳이 없습니까? 서울 K와 결혼한 옥정이는 다른 여자입니까? 과연 그렇다하면 저는 옥정이 죽은 무덤에 가서 그의 자랑한 만한 무덤위에 엎드려 나의 삶의 끝을 마치겠습니다. 물론 一口二言할 사람 어디 있습니까? 만약 있다면 그는 사람이 아니지요. 아니야요.

○형님! 나는 이렇게 애원합니다. 우리 半島女子界에 대하여. <자각하시오. 반성하시오. 저 아메리카, 저 유럽 여자사회를 보고. 그리고 삶보다도 일에 누림을 각성하시오.> 내 압니다. 이와 같이 남자가 말하면 여자는 <남자는 무엇을 각성하였으며 일에 누림을 한 것이 무엇이냐! 공연히 여자만 가지고.> 하고 비웃을 줄 압니다. 또 그리하여야만 됩니다. 우리 반도, 아직 개척의 첫 막을 펴놓은 우리 곳에서는 물론 남자는 여자에게, 여자는 남자에게 서로서로 깨움이 있어야 될 줄 압니다. 그러므로 여자도 마땅히 남자를 평하여 남자로 하여금 화도 내고 여자를 저주도 하고 피차에 깨우치는 떠듦이 있어야 할 줄 압니다. 알뿐만 아니라 바랍니다.

○형님!

나는 갑자기 이런 생각이 납니다. 그리고 느끼는 눈물도 흘리지 않을 수 없습니다. 천한 娼妓의 신분으로 여자의 할 만한 정조를 지켜든 〈춘향〉이와, 春園선생이 지으신 〈無情〉에 〈박영채〉가 생각이 납니다. 그리고 요사이 ××일보에 실리여 나는 귀여운 형님의 붓끝으로, 特腦를 가진 형님의 진보한 생각아래서 쓰신 장편소설 〈裵承奎〉에 모범인물, 여자의 숭배인물, 女中英雄인 〈金明愛〉를 더욱이 칭찬할 뿐만 아니라 숭배합니다. 만약 지금에 어느 곳이든지 〈金明愛〉, 〈박영채〉, 〈춘향〉같은 여자가 있다하면 나는 조금도 주저치 않고 불원천리하고 달려가서 그이의 발 앞에 절하겠습니다. 백 번 천 번이나. 그리고 그를 향하여 〈당신은 女中君子, 女中英雄이오〉하겠습니다. 참말 그리하겠습니다. 과연 말씀인지 우리네 집을 개척하는 이 마당에 우리네 일을 비지는 이 처지에 그런 여성뿐만 아니라 남성들이 무럭무럭 생겨야 하겠습니다. 온통 우리네 남녀는 다 그러하여야 하겠습니다.

○형님! 나의 가슴속에 서리서리 덮여있는 이 많은 고통, 불평, 怨恨을 어찌 할런지요? 아무리 생각하여도 답답할 뿐이올시다. 아 나를 싼 자연아 아 나를 지배하는 나의 운명의 신아! 나를 이다지도 괴롭게-형님! 나의 앞에 광명한 한줄기 소원의 빛이 손짓을 합니다. 그러므로 나는 이러한 주먹을 쥐고 나아가야 하겠습니다. 이 어린 가슴에 서리고 엉킨 이 많은 고통, 불평, 원한을 꽁꽁 싸서 두었다가 내 힘 내 것으로 내 장래, 내 운명, 내 손으로 내가 개척, 분투, 노력하여 이후 만날 그날에 힘껏 싸우리다.

형님 고맙습니다. 분주하신 중에도 이 외로운 벗을 위하여 번역하여 보내신 〈엔듸미온〉의 마지막 두절은 오늘밤 슬픈 幕에 있는 비애로 찬 心靈은 새삼스런 느낌과 새삼스런 깨달음으로 무한히 위로가 되오며 스스로 웃게 됨을 깨닫나이다. (끝) (1919. 마지막 밤)

출처: 『창조』, 제6호, 1920.5.25.

최서해

고국

큰 뜻을 품고 고국을 떠나던 운심의 그림자가 다시 조선 땅에 나타난 것은 거해년 3월 중순이었다. 그는 처음으로 회령에 왔다. 헌 미투리에 초라한 검정중의, 때 아닌 복면모를 푹 눌러쓴 아래에 힘없이 껌벅이는 눈이며 턱과 코밑에 거칠거칠한 수염이며 그가 5년 전 예리예리하던 운심이라고는 친한 사람도 몰랐다.

간도에서 조선을 향할 때의 운심의 가슴은 고생에 몰리고 몰리면서도 무슨 기대와 희망에 탔다. 그가 두만강 건너편에서 고국산천을 볼 때 어찌 기쁜지 뛰고 싶었다. 그러나 노수가 없어서 노동으로 걸식하면서 온 그는 첫째 경제문제를 생각지 않을 수 없었다. 다음 그의 가슴을 찌르는 것은 패자라는 부끄러운 느낌이었다.

'아― 나는 패자다. 나날이 진보하는 도회에서 활동하는 모든 사람은 다 그새에 훌륭한 인물이 되었을 것이다. 나는 확실히 패자로구나……' 생각할 때 그는 그만 발 옮길 용기가 나지 않았다. 고국의 사람은 물론이요 돌이며 나무며 심지어 땅에 기어 다니는 이름 모를 벌레까지도 자기를 모욕하며 비웃으며 배척할 것 같이 생각난다. 그러나 이미 편 춤이니 건널 수밖에 없다 하였다. 그는 사동탄에서 강을 건넜다. 수지기 순사는 어디 거지런가 하여 그를 눈도 거들떠보지 않았다. 그것이 그에게는 다행이었다.

운심은 신회령역을 지나 이제야 푸른빛을 띤 물버들이 드문드문한 조그마한 내를 건넜다. 진달래봉오리 방긋방긋하는 오산을 바른편에 끼고 중국 사람 채마밭을 지나 동문고개에 올라섰다. 그의 눈에는 넓은 회령시가가 뵈었다. 고기비늘같이 잇대인 기와지붕이며 사이사이 우뚝 솟은 양옥이며 거미줄같이 늘어진 전봇줄이며 푸푸푸푸하는 자동차, 뚜뚜하는 기차소리며 이전에 듣고 본 것이지만 그의 이목을 새롭게 하였다.

운심은 여관을 찾을 생각도 없이 비스듬한 큰길로 터벅터벅 걸었다. 어느새 해가 졌다. 전기가 켜졌다. 아직 그리 어둡지 않은 거리에 드문드문 달린 전등, 이집 저집 유리창으로 흘러나오는 붉은 불빛, 황혼 공기에 음파를 전하여 오는 바이올린 소리, 길에 다니는 말쑥한 사람들은 운심에게 딴 세상의 느낌을 주었다. 그의 몸은 솜같이 휘주근하고 등에 붙은 점심 못 먹은 배는 꼴꼴 운다.

"객줏집을 찾기는 찾아야 할 터인데 돈이 있어야지……"

그는 홀로 중얼거리면서 길 한편에 발을 멈추고 섰다.

밤은 점점 어두워간다. 전등빛은 한층 더 밝다. 짐을 잔뜩 실은 우차가 삐걱삐걱 소리를 내면서 그의 앞을 지나갔다. 그의 머리 위 넓고 푸른 하늘에 무수히 가물거리는 별들은 기구한 제 신세를 엿보는 듯이 그는 생각났다. 어디로선지 흘러오는 누릿한 음식냄새는 그의 비위를 퍽 상하였다.

운심은 본정통에 나섰다. 손 위로 켠 등 아래 '회령여관'이라는 간판이 걸렸다. 그는 그 문 앞에 갔다. 전등 아래의 그의 낯빛은 창백하였다.

'들어갈까, 어찌면 좋을까?'

하고 그는 망설이었다. 이때 안경 낀 젊은 사람이 정거장으로 통한 길로 회령여관 문을 향하여 들어온다. 그 뒤에 갓 쓴 이며 어린애 업은 여자며 보퉁이 지고 바가지 든 사람들이 따라 들어온다.

"어서 들어가십시오. 여관을 찾습니까?"

그 안경 낀 자가 조그마한 보따리를 걸머지고 주저거리는 운심이를 보면서 말을 붙였다. 그러나 운심은 대답이 없었다.

"자— 갑시다. 방도 덥고 밥값도 싸지요."

운심은 아무 소리 없이 방에 들어갔다. 방은 아래위 양 간이었다. 그리 크지는 않으나 그리 더럽지도 않았다. 양 방에 다 천장 가운데 전등이 달렸다. 벽에는 산수화가 붙었다. 안경 낀 자와 함께 오던 사람들도 운심이와 한 방에 있게 되었다.

저녁상을 받은 운심이는 밥을 먹기는 먹으면서도 밥값 치러줄 걱정에 가슴이 답답하였다. 이를 어쩌노! 밥값을 못 주면 이런 꼴이 어디 있나! 어서 내일부터 날삯이라도 해야지…… 하는 생각에 밥맛도 몰랐다.

바로 '3.1'운동이 일어나던 해 봄이었다. 그는 서간도로 갔다. 처음 그는 백두산 뒤 흑룡강가 '청시허'라는 그리 크지 않은 동리에 있었다. 생전에 보지 못하던 험한 산과 울창한 산림과 듣지도 못하던 "홍우적(마적), 홍우적" 하는 소리에 간담이 서늘하였다.

그러나 하루 지나고 이틀 지나 차차 몇 달이 되니 고향생각도 덜하고 무서운 마음도 덜하였다.

이리하여 이곳에서 지내는 때에 그는 산에나, 물에나, 들에나, 먹을 것에나, 입을 것에나 조금도 부자유가 없었다. 그러한 부자유는 없었으되 그의 심정에 닥치는 고민은 나날이 깊었다. 벽장골 같은 이곳 온 후로 친한 벗의 낯은 고사하고 편지 한 장 신문 한 장 못 보았다. 이곳 사람들은 그의 벗이 되지 못하였다. 토민들은 운심이가 머리도 깎고 일본말도 할 줄 아니 탐정꾼이라고 처음에는 퍽 수군덕수군덕하였다. 산으로 돌아다니면서 사냥을 일

삼는 옛날 의병들도 부러 운심이를 보러 온 일까지 있었다. 이곳에 사는 사람은 함경도, 평안도, 황해도 사람이 많다. 거의 생활곤난으로 와 있고 혹은 남의 돈을 지고 도망한 자, 남의 계집 빼가지고 온 자, 순사 다니다가 횡령한 자, 노름질하다가 쫓긴 자, 살인한 자, 별별 흉한 것들이 모여서 군데군데 부락을 이루고 사냥도 하며 목축도 하며 농사도 하며 불한당질도 하였다. 그런 까닭에 윤리도 도덕도 교육도 없다. 힘센 자가 으뜸이요, 장수며 패왕이다. 중국 관청이 있으나 소위 경찰부장이 아편을 먹으면서 아편장사를 잡아다 때린다.

운심은 동리 어린아이들을 모아놓고 이야기도 하고 글도 가르쳤다. 그러나 그네들은 운심의 가르침을 이해치 못하였다.

운심이는 퍽 슬펐다. 유위의 청춘이 속절없이 스러져가는 신세되는 것이 그에게는 큰 고통이었다.

운심은 그 고통을 잊기 위하여 양양한 강풍을 쏘이면서 고기도 낚고 그림 같은 단풍 그늘에서 명상도 하며 높은 봉에 올라 소리도 쳤으나 속 깊이 잠긴 그 비애는 떠나지 않았다. 산골에 방향을 주는 내소리와 푸른 그늘에서 흘러나오는 유량한 새의 노래로는 그 마음의 불만을 채우지 못하였다. 도리어 수심을 더하였다.

그는 항상 알지 못한 딴 세상을 동경하였다.

산은 단풍에 붉고 들은 황곡에 누른 그해 가을에 운심이는 '청시허'를 떠났다. 땀 냄새가 물씬물씬한 여름옷을 그저 입은 그는 여름 삿갓을 쓴 채 조그마한 보따리를 짊어지고 지팡이 하나를 벗하여 떠났다. 그가 떠날 때에 그곳 사람들은 별로 섭섭하다는 표정이 없었다. 모두 문 안에 서서 "잘 가슈." 할 뿐이다. 다만 조석으로 글 가르치던 열세 살 나는 어린 것 하나가 "선생님, 짐을 벗소. 내 들고 가겠소." 하면서 '청시터'에서 십 리 되는 '다시터'고개까지 와서 "선생님, 편안히 가오. 그리고 빨리 오오." 하면서 운다. 운심이도 울었다. 애끓게 울었다. 어찌하여 울게 되는지 운심이 자신도 의식치 못하였다. 한참 울다가 주먹으로 눈물을 씻고 돌아서보니 그 아이는 그저 운다. 운심이는 그 아이의 노루 꼬리만 한 머리를 쓰다듬으면서 "어서 가거라, 내가 빨리 당겨오마." 말을 마치지 못하여 그도 또 울었다. 온 세계의 고독의 비애는 자기 홀로 가진 듯하였다. 운심이는 눈을 문지르는 어린애의 손을 꼭 쥐면서 "박돌아! 어서 가거라. 내달이면 내가 온다." "나는 아버지가 내 말만 들었으면 선생님과 가겠는데……" 하면서 또 운다. 운심이도 또 울었다.

이 두 청춘의 눈물은 영별의 눈물이었다.

물을 건너고 산을 넘어 허덕허덕 홀로 갈 때에 돌에 부딪치며 길에 끌리는 지팡이소리만 고요한 나무속의 평온한 공기를 울리었다. 그의 발길은 정처가 없었다. 해 지면 자고 해 뜨면 걷고 집이 있으면 얻어먹고 없으면 굶으면서 방랑하였다. 물론 이슬에도 잠잤으며 풀뿌리도 먹었다.

이때는 한참 남북 만주에 독립단이 벌떼같이 일어나서 그 경계선을 앞뒤에 늘인 때였다. 청백한 사람으로서 정탐꾼이라고 독립군 총에 죽은 사람도 많거니와 진정 정탐꾼도 죽은 사람이 많았다. 운심이도 그네들 손에 잡힌바 되어 독립단 감옥에 사흘을 갇혔다가 어떤 아는 독립군의 보증으로 놓였다. 그러나 피 끓는 청춘인 운심이는 그저 있지 않았다. 그는 독립군에 뛰어들었다. 배낭을 지고 총을 메었다.

그리고 그는 늘 이상을 품고 울었다. 그 이듬해 간도소요를 겪은 후로 독립단의 명맥이 일시 기운을 펴지 못하게 됨에 군대도 폐산되다시피 사방에 흩어졌다. 운심이 있는 군대도 해산되었다. 배낭을 벗고 총을 집어던진 운심이는 여전히 표랑하였다. 머리는 귀밑을 가리고 검은 낯에 수염이 거칠었다.

두 눈에는 항상 붉은 핏발이 섰다. 어떤 때 그는 아편에 취하여 중국 사람 골방에 자빠진 적도 있었으며 비바람을 무릅쓰고 사냥도 하였다. 그러나 이방의 괴로운 생활에 시화되려는 그의 가슴은 가을바람에 머리 숙인 버들가지가 되고 하늘이라도 뚫으려는 그 뜻은 이제 점점 어둑한 천인갱참에 떨어져 들어가는 줄 모르게 떨어져 들어감을 그는 깨달았다. 그는 신세를 생각하고 울었다. 공연히 소리를 지르면서 뛰어도 다녔다. 이 모양으로 향방 없이 표랑하다가 지금 본국으로 돌아오기는 왔다. 그러나 찾아갈 곳도 없고 그를 기다려주는 이도 없건만 그는 고국으로 돌아왔다. 알 수 없는 무엇이 그를 이리로 이끈 것이다. 그러나 이로부터 어디로 가랴.

운심이가 회령 오던 사흘째 되는 날이다. 회령여관에는 도배장이 나운심이라는 새 문패가 걸렸다.

1924.10.

출처: 『조선문단』, 1924.

최서해

탈출기

1

김군, 수삼 차 편지는 반갑게 받았다. 그러나 나는 한 번도 회답하지 못하였다. 물론 군의 충정에 나도 감사를 드리지만 그 충정을 나는 받을 수 없다.

-박군! 나는 군의 탈가(脫家)를 찬성할 수 없다. 음험한 이역에 늙은 어머니와 어린 처자를 버리고 나선 군의 행동을 나는 찬성할 수 없다.

박군! 돌아가라. 어서 집으로 돌아가라. 군의 부모와 처자가 이역 노두에서 방황하는 것을 나는 눈앞에 보는 듯싶다. 그네들의 의지할 곳은 오직 군의 품밖에 없다. 군은 그네들을 구하여야 할 것이다.

군은 군의 가정에서 동량이다. 동량이 없는 집이 어디 있으랴?

조그마한 고통으로 집을 버리고 나선다는 것이 의지가 굳다는 박군으로서는 너무도 박약한 소위이다.

군은 ××단에 몸을 던져 ×선에 섰다는 말을 일전에 황군에게서 듣기는 하였으나 그렇다 하여도 나는 그것을 시인할 수 없다. 가족을 못 살리는 힘으로 어찌 사회를 건지랴.

박군! 나는 군이 돌아가기를 충정으로 바란다. 군의 가족이 사람들 발아래서 짓밟히는 것을 생각할 때 군의 가슴인들 어찌 편하랴.

김군! 군은 이러한 말을 편지마다 썼었지. 나는 군의 뜻을 잘 알았다. 내 사랑하는 나의 가족을 위하여 동정하여주는 군에게 내 어찌 감사치 않으랴. 정다운 벗의 충고에 나는 늘 울었다. 그러나 그 충고를 들을 수 없다. 듣지 않는 것이 군에게 고통이 되는지 분노가 되는지 나에게 있어서는 행복일는지도 알 수 없는 까닭이다.

김군, 나도 사람이다. 정애가 있는 사람이다. 나의 목숨 같은 내 가족이 유린 받는 것을 내 어찌 생각지 않으랴? 나의 고통을 제3자로서는 만분의 일이라도 느낄 수 없을 것이다.

나는 이제 나의 탈가한 이유를 군에게 말하고자 한다. 여기 대하여 동정과 비난은 군의 자유이다. 나는 다만 이러하다는 것을 군에게 알릴뿐이다. 나는 이것을 군이 아니면 다른 사람에게라도 알리지 않고는 견딜 수 없는 충동을 받는 까닭이다.

그러나 나는 단언한다. 군도 사람이어니 나의 말하는 것을 부인치는 못하리라.

2

김군! 내가 고향을 떠난 것은 5년 전이다. 이것은 군도 아는 사실이다. 나는 그때에 어머니와 아내를 데리고 떠났다. 내가 고향을 떠나 간도로 간 것은 너무도 절박한 생활에 시들은 몸이 새 힘을 얻을까 하여 새 희망을 품고 새 세계를 동경하여 떠난 것도 군이 아는 사실이다.

간도는 천부금탕이다. 기름진 땅이 흔하여 어디를 가든지 농사를 지을 수 있고 농사를 잘 지으면 쌀도 흔한 것이다. 삼림이 많으니 나무걱정도 될 것이 없다.

농사를 지어서 배불리 먹고 뜨뜻이 지내자. 그리고 깨끗한 초가나 지어놓고 글도 읽고 무지한 농민들을 가르쳐서 이상촌을 건설하리라. 이렇게 하면 간도의 황무지를 개척할 수도 있다…

이것이 간도 갈 때의 내 머릿속에 그리었던 이상이었다. 이때에 나는 얼마나 기뻤으랴. 두만강을 건너고 오랑캐령을 넘어서 망망한 평야와 산천을 바라볼 때 청춘의 내 가슴은 이상의 불길에 탔다. 구수한 내 소리와 헌헌한 내 동정에 어머니와 아내도 기뻐하였다.

오랑캐령을 올라서니 서북으로 쏠려오는 봄새 찬바람이 어떻게 뺨을 갈기는지.

"에그, 칩구나! 여기는 아직도 겨울이로구나."

어머니는 수레 위에서 이불을 뒤집어썼다.

"무얼요. 이 바람을 많이 마셔야 성공이 올 것입니다."

나는 가장 씩씩하게 말하였다. 이처럼 나는 기쁘고 활기로웠다.

3

김군! 그러나 나의 이상은 물거품으로 돌아갔다. 간도에 들어서서 한 달이 못 되어서부터 거친 물결은 우리 세 생령의 앞에 기탄없이 몰려왔다.

나는 농사를 지으려고 밭을 구하였다. 빈 땅은 없었다. 돈을 주고 사기전에는 1평의 땅이나마 손에 넣을 수 없었다. 그렇지 않으면 중국인의 밭을 도조나 타조로 얻어야 한다. 1년 내 중국 사람에게서 양식을 꾸어먹고 도조나 타조를 지으면 가을추수는 빚으로 다 들어가고 또 처음 꼴이 된다. 그러나 농사라곤 못 지어본 내가 도조나 타조를 얻는대야 일 년 양식 빚도 못 될 것이고 또 나 같은 《시로도(문외한)》에게는 밭을 주지 않았다.

생소한 산천이요, 생소한 사람이니 어디 가 어쩌면 좋을는지? 의논할 사람도 없었다. H라는 촌 거리에 셋방을 얻어가지고 어름어름하는 새에 보름이 지나고 한 달이 넘었다. 그새에 몇 푼 남았던 돈은 다 불어먹고 밭은 고사하고 일자리도 못 얻었다.

나는 팔을 걷고 나섰다. 이리저리 돌아다니면서 구들도 고쳐주고 가마도 붙여주었다. 이리하여 호구하게 되었다. 이때 시장에서는 나를 《온돌쟁이》, 《구들 고치는 사람》이라고 불렀다. 갈아입을 옷이 없는 나는 늘 숯검댕이 꺼멓게 묻은 의복을 벗을 새가 없었다.

H장은 좁은 곳이었다. 구들 고치는 일도 늘 있지 않았다. 그것으로 밥 먹기는 어려웠다. 나는 여름 불볕에 삯김도 매고 꼴도 베어 팔았다. 그리고 어머니와 아내는 삯방아 찧고 강가에 나가서 부스러진 나무개비를 주어서 겨우 연명하였다.

김군! 나는 이때부터 비로소 무서운 인간고를 느꼈다. 아아, 인생이란 과연 이렇게도 괴로운 것인가 하는 것을 나는 생각하게 되었다. 나는 나에게 닥치는 풍파 때문에 눈을 흘린 일은 이때까지 없었다. 그러나 어머니가 나무를 줏고 아내가 삯방아를 찧을 때 나의 피는 끓었으며 나의 눈은 눈물에 흐려졌다.

"에구, 차라리 내가 드러누워 앓고 있지, 네 괴로워하는 꼴은 차마 못 보겠다."

이것은 언제 내가 병들어 신음할 때에 어머니가 울면서 하신 말씀이다. 이것을 무심히 들었던 나는 이때에야 이 말의 참뜻을 느꼈다.

"아아, 차라리 나의 고기가 찢어지고 뼈가 부서지는 것은 참을 수 있으나 내 눈앞에서 사랑하는 늙은 어머니나 아내가 배를 주리고 남의 멸시를 받는 것은 참으로 견디기 어렵구나." 나는 이렇게 여러 번 가슴을 쳤다. 나는 밤이나 낮이나 비 오나 바람이 치나 헤아리지 않고 삯김, 삯 심부름 삯 나무 무엇이든지 가리지 않았다.

"오늘도 배고프겠구나. 아침도 변변히 못 먹고. 나는 너 배 곯잖는 것을 보았으면 죽어도 눈을 감겠다."

내가 삯일을 하다가 늦게 돌아오면 어머니는 우실듯하게 말씀하셨다. 그러나 나는 흔연하게

"배가 무슨 배가 고파요." 하고 대답하였다.

내 아내는 늘 별말이 없었다. 무슨 일이든지 시키는 대로 소곳하고 아무 소리 없이 순종하였다. 나는 그것이 더욱 불쌍하게 생각되었다. 나는 어머니보다도 아내 보기가 퍽 부끄러웠다.

"경제의 자립도 못하는 내가 왜 장가를 들었누?"

이것이 부모의 한 일이건만 나는 이렇게도 탄식하였다. 그럴수록 아내에 대하여 황공하였고 존경하였다.

어떻게 하면 살 수 있을까? …이러한 생각은 이때 내 머리를 몹시 때렸다. 이때 나에게는 부지런한 자에게 복이 온다 하는 말이 거짓말로 생각되었다. 그 말을 지상의 격언으로 굳게 믿어온 나는 그 말에 도리어 일종의 의심을 품게 되었고 나중은 부인까지 하게 되었다.

부지런하다면 이때 우리처럼 부지런함이 어디 있으며 정직하다면 이때 우리식구 같이 정직함이 어디 있으랴? 그러나 빈곤은 날로 심하였다. 이틀 사흘 굶은 적도 한두 번이 아니었다. 한번은 이틀이나 굶고 일자리를 찾다가 집으로 들어가니 부엌 앞에 아내가(아내는 이때에 아이를 배어서 배가 남산만 하였다.) 무엇을 먹다가 깜짝 놀란다. 그리고 손에 쥐였던 것은 얼른 아궁이에 집

어넣는다. 이때 불쾌한 감정이 내 가슴에 떠올랐다.

　(무얼 먹을까? 어디서 무엇을 얻었을까? 무엇이길래 어머니와 나 몰래 먹구? 아! 여편네란 그런 것이로구나! 아니, 그러나 설마…그래도 무엇을 먹던데…)

　나는 이렇게 아내를 의심도 하고 원망도 하고 믿게도 생각하였다. 아내는 아무 말 없이 어색하게 머리를 숙이고 앉아서 씩씩하다가 밖으로 나간다. 그 얼굴은 좀 붉었다.

　아내가 나간 뒤에 나는 아내가 먹다가 던진 것을 찾으려고 아궁이를 뒤졌다. 싸늘하게 식은 재를 막대기로 뒤져내니 벌건 것이 눈에 띄었다. 나는 그 것을 집었다. 그것은 귤껍질이다. 거기는 베먹은 잇자국이 났다. 귤껍질을 쥔 나의 손은 떨리고 잇자국을 보는 내 눈에는 눈물이 괴었다.

　김군! 이때 나의 감정을 어떻게 표현하면 적당할까?

　오죽 먹고 싶으면 오죽 배가 고팠으면 길바닥에 내던진 귤껍질을 주어먹을까? 더욱 몸 비잖은 그가. 아아, 나는 사람이 아니다. 그러한 아내를 나는 의심하였구나! 이 몸이 어찌하여 그러한 아내에게 불평을 품었던가. 나 같은 간악한 놈이 어디 있으랴. 내가 양심이 부끄러워서 무슨 면목으로 아내를 볼까.

　이렇게 생각하면서 나는 느껴가며 눈물을 흘렸다. 귤껍질을 쥔 채로 이를 악물고 울었다.

　"야 어째 우느냐? 일어나거라. 우리도 살 때 있겠지. 늘 이렇겠냐." 하면서 누가 어깨를 친다. 나는 그것이 어머니인 것을 알았다. 나는 "아이구, 어머니, 나는 불효외다." 하면서 어머니의 발을 안고 자꾸자꾸 울고 싶었다. 그러나 나는 아무 소리 없이 가슴을 부둥켜안고 밖으로 나왔다.

　"내가 왜 우누! 울기만 하면 무엇 하나? 살자! 살자! 어떻게든지 살아보자! 내 어머니와 내 아내도 살아야 하겠다. 이 목숨이 있는 때까지는 벌어보자."

　나는 이를 갈고 주먹을 쥐었다. 그러나 눈물은 여전히 흘렸다. 아내는 말

없이 울고 서있는 내 곁에 와서 손으로 치마끈을 만적거리며 눈물을 떨어뜨린다. 농삿집에서 자라난 아내는 지금도 수줍은지 내가 울면 같이 울기는 하여도 어떻게 위로할 줄을 모른다.

4

김군! 세월은 우리를 위하여 여름을 항상 주지 않았다.

서풍이 불고 서리가 내리기 시작하였다. 찬 기운은 헐벗은 우리를 위협하였다.

가을부터 나는 대구장사를 하였다. 3원을 주고 대구 열 마리를 사서 등에 지고 산골로 다니면서 콩과 바꾸었다. 그러나 대구 열 마리는 등에 질수 있었으나 대구 열 마리를 주고받은 콩 열 말은 질수 없었다. 나는 하는 수없이 30~40리나 되는 곳에서 두 말씩 두말씩 사흘 동안이나 지어왔다. 우리는 열 말 되는 콩을 자본삼아 두부 장사를 시작하였다.

아내와 나는 진종일 맷돌질을 하였다. 무거운 맷돌을 돌리고 나면 팔이 뚝 떨어지는 듯하였다. 내가 이렇게 괴로울 적에 해산한 지 며칠 안 되는 아내의 괴롬이야 어떠하였으랴? 그는 늘 낯이 부석부석하였다. 그래도 나는 무슨 불평이 있을 때면 아내를 욕하였다. 그러나 욕한 뒤에는 곧 후회하였다. 콧구멍만한 부엌방에 가마를 걸고 맷돌을 놓고 나무를 들이고 의복가지를 걸고 하면 사람은 겨우 비비고 들앉게 된다. 뜬김에 문창은 떨어지고 벽은 눅눅하다. 모든 것이 후줄근하여 의복을 입은 채 미지근한 물속에 들어앉은듯하였다. 어떤 때는 애써 갈아놓은 비지가 이 뜬김 속에서 쉬어버린다. 두부물이 가마에서 몹시 끓어 번질 때에 우유빛 같은 두부물 위에 빠다(버터)빛 같은 노란 기름이 엉기면(그것은 두부가 잘 될 징조다.) 우리는 안심한다. 그러나 두부물이 희멀끔해지고 기름기가 돌지 않으면 거기만 시선을 쓰고 있는 아내의 낯빛부터 글러가기 시작한다. 초를 쳐보아서 두부발이 서지 않고 메케지근하게 풀러질 때에는 우리의 가슴은 덜컥한다.

"또 쉰 게로구나. 저를 어찌누?"

젖을 달라고 빽빽 우는 어린아이를 안고 서서 두부물만 들여다보시는 어머니는 목 메인 말씀을 하시면서 우신다. 이렇게 되면 온 집안은 스산하여 말할 수 없는 음울, 비통, 처참, 초조한 분위기에 싸인다.

"너 고생한 게 애달프구나! 팔이 부러지게 갈아서…그거(두부)를 팔아서 장을 보려고 태산같이 바랬더니…"

어머니는 그저 가슴을 뜯으면서 운다. 아내도 울듯 울듯이 머리를 숙인다. 그 두부를 판대야 큰돈은 못된다. 기껏 남는대야 20전이나 30전이다. 그것으로 우리는 호구를 한다. 20전이나 30전에 어머니는 운다. 아내도 기운이 준다. 나까지 가슴이 바짝바짝 죈다. 그 날은 하는 수없이 쉰 두붓물로 때를 에우고 지낸다. 아이는 젖을 달라고 밤새껏 빽빽거린다. 우리의 살림에 어린것도 귀치는 않았다.

5

울면서 겨자 먹기로 괴로운 대로 또 두부를 하지 않으면 안 된다. 그러나 이번에는 땔나무가 없다. 나는 낫을 들고 떠난다. 내가 낫을 들고 떠나면 산후여독으로 신음하는 아내도 낫을 들고 말없이 나를 따라나선다. 어머니와 나는 굳이 만류하나 아내는 듣지 않는다.

내손으로 하는 나무건만 마음 놓고는 못한다. 산 임자에게 들키면 여간한

경을 치지 않는다. 그러므로 우리는 황혼이면 산에 가서 도적나무를 하여 지고 밤이 깊어서 돌아온다. 아내는 이고 나는 지고 캄캄한 밤에 산비탈로 내려오다가 발이 미끄러지거나 돌에 채이면 나는 곤두박질을 하여 나뭇짐 속에 든다. 아내는 소리 없이 이었던 나무를 내려놓고 나뭇짐에 눌려서 버둥거리는 나를 겨우 끄집어 일으킨다. 그러나 내가 나뭇짐을 지고 일어나면 아내는 혼자 나뭇단을 이지 못한다. 또 내가 나뭇짐을 벗고 아내에게 이워주면 나는 추어주는 이 없이는 나의 짐을 질 수 없다. 하는 수없이 나는 어떤 높은 바위 위에 벗어놓고 아내에게 이워준다. 이리하여 산비탈을 내려오면 언제 왔는지 어머니는 애를 업고 우둘우둘 떨면서 산 아래서 기다리시다가도 "인제 오니? 나는 너 또 붙들리지 않는가 하여 혼이 났다." 하신다.

이때마다 내 가슴은 저렸다. 나는 이렇게 나무 도적질을 하다가 중국 경찰서까지 잡혀가서 여러 번 맞았다.

이때 이웃에서는 우리를 조소하고 경찰서에서는 우리를 의심하였다.

-흥 신수가 멀쩡한 년놈들이 그 꼴이야. 어디 가 일자리라도 구하지 않고 그 눈이 누래서 두부장사하는 꼬락서니는 참 더러워서 못 보겠네. 불알을 달고 나서 그렇게야 살리?

이것은 이웃 남녀가 비웃는 소리였다. 그리고 어떤 산 임자는 나무 잃은 고발을 하면 경찰서에서는 불문곡직하고 우리 집부터 수색하고 질문하면서 나를 때린다. 그러나 나는 호소할 곳이 없었다.

6

김군! 이러구러 겨울은 점점 깊어가고 기한은 점점 박두하였다. 일자리는 없고…그렇다고 손을 털고 앉았을 수는 없었다. 모든 식구가 퍼래서 굶고 앉은 꼴을 나는 그저 볼 수 없었다. 시퍼런 칼이라도 들고 하루라도 괴로운 생을 모면하도록 쿡쿡 찔러 없애고 나까지 없어지든지 그렇지 않으면 칼을 들고 나서서 강도질이라도 하여서 기한을 면하든지 하는 수밖에는 더 도리가 없게 절박하였다. 나는 일이 없으면 없으니만큼, 고통이 닥치는 만큼 내 번민은 컸다. 나는 어떤 날은 거의 얼빠진 사람처럼 눈을 감고 깊은 생각에 잠긴 일도 있었다. 이때 내 머리 속에서는 머리를 움실움실 드는 사상이 있었다. (오늘날에 생각하면 그것은 나의 전 운명을 결정할 사상이었다.) 그 생각은 누구의 가르침에 일어난 것도 아니거니와 일부러 일으키려고 애써서 난 것도 아니다. 봄 풀싹같이 내 머리 속에서 점점 머리를 들었다.

-나는 여태까지 세상에 대하여 충실하였다. 어디까지든지 충실하려고 하였다. 내 어머니, 내 아내까지도…뼈가 부서지고 고기가 찢기더라도 충실한 노력(勞力)으로 살려고 하였다. 그러나 세상은 우리를 속였다. 우리의 충실을 받지 않았다. 도리어 충실한 우리를 모욕하고 멸시하고 학대하였다. 우리는 여태까지 속아 살았다. 포악하고 허위스럽고 요사한 무리를 용납하고 옹호하는 세상인 것을 참으로 몰랐다. 우리뿐 아니라 세상의 모든 사람들도 그것을 의식하지 못하였을 것이다. 그네들은 그러한 세상의 분위기에 취하였었다. 나도 이때까지 취하였다. 우리는 우리로서 살아온 것이 아니라 어떤 험악한 제도의 희생자로서 살아왔다.

김군! 나는 사람들을 원망치 않는다. 그러나 마주에 취하여 자기의 피를 짜 바치면서도 깨지 못하는 사람을 그저 볼 수 없다. 허위와 요사와 표독과 게으른 자를 옹호하고 용납하는 이 제도는 더욱 그저 둘 수 없다.

-이 분위기 속에서는 아무리 노력(勞力)하여도 우리는 생의 만족을 느낄 날이 없을 것이다. 어찌하여 겨우 연명을 한다 하더라도 죽지 못하는 삶이

될 것이요, 그 영향은 자식에게까지 미칠 것이다. 나는 어미품속에서 빽빽하는 어린 것의 장래를 생각할 때면 애잡짤한 감정에 분함을 금할 수 없다. 내가 늘 이 상태면(그것은 거의 정한 이치다.) 그에게는 상당한 교양은 고사하고 다리 밑이나 남의 집 문간에 버리게 될 터이니 아! 삶을 받을만한 생령을 죄없이 찌그러지게 하는 것이 어찌 애달프지 않으며 분하지 않으랴? 그렇다하면 그것을 나의 죄라 할까?

김군! 나는 더 참을 수 없었다. 나는 나부터 살리려고 한다. 이때까지는 최면술에 걸린 송장이었다. 제가 죽은 송장으로 남(식구)들을 어찌 살리랴, 그리려면 나는 나에게 최면술을 걸려는 무리를, 험악한 이 공기의 원류를 쳐 부시려고 하는 것이다.

나는 이것을 인간의 생의 충동이며 확충이라고 본다. 나는 여기서 무상의 법열을 느끼려고 한다. 아니, 벌써부터 느껴진다. 이 사상이 나로 하여금 집을 탈출케 하였으며 ××단에 가입케 하였으며 비바람 밤낮을 헤아리지 않고 벼랑 끝보다 더 험한 ×선에 서게 한 것이다.

김군! 나도 사람이다. 양심을 가진 사람이다. 내가 떠나는 날부터 식구들은 더욱 곤경에 들 줄도 나는 알았다. 자칫하면 눈 속이나 어느 구렁에서 죽는 줄도 모르게 굶어죽을 줄도 나는 잘 안다. 그러므로 나는 이곳에서도 남의 집 행랑어멈이나 아범이며 노두에 방황하는 거지를 무심히 보지 않는다. 아! 나의 식구도 그럴 것을 생각할 때면 자연히 흐르는 눈물과 뿌직뿌직 찢기는 가슴을 덮쳐잡는다. 그러나 나는 이를 갈고 주먹을 쥔다. 눈물을 아니 흘리려고 하며 비애에 상하는 것은 우리의 박약을 너무도 표시하는 듯싶다. 어떠한 고통이든지 참고 분투하려고 한다.

김군! 이것이 나의 탈가한 이유를 대략 적은 것이다. 나는 나의 목적을 이루기전에는 내 식구에게 편지도 하지 않으려고 한다. 그네가 죽어도 내가 또 죽어도…

    나는 이러다가 성공 없이 죽는다 하더라도 원한이 없겠다. 이 시대 이 민중의 의무를 이행한 까닭이다. 아아, 김군아! 말을 다하였으나 정은 그저 가슴에 넘치누나!

    1925.1.

출처: 『조선문단 6』, 1925.3.

주요섭

인력거꾼

1

밤새고 두시에야 자리에 누웠던 아찡이 아직 날이 채 밝기도 전에 졸음 오는 눈을 비비면서 일어났다. 잠자리라는 것이 되는대로 얼거리 해놓은 막사리 속에 누더기와 짚을 섞어서 깔아놓은 돼지우리 같은 자리였다. 그 속에서는 그야말로 돼지처럼 뚱뚱한 동거자가 아직도 흥흥거리며 자고 있는 것을 억지로 깨워 일으켜가지고 아찡이는 코를 힝하니 풀어서 문턱에 때려뉘면서 찌그러진 문을 열고 밖으로 나왔다.

잠자던 거리가 깨기 시작하는 때이었다. 상해시가의 이백만 백성이 하룻밤 동안 싸놓은 배설물을 실어내가는 꺼먼 구루마들이 요란한 소리를 내며 잔돌 깔아 울툭불툭한 길 위로 이리 달리고 저리 달리고 하는 것이 아찡의 눈앞에 나타났다. 동편으로 해가 떠오르려고 하는 때이다. 일찍 일어난 동리집 부인들이 벌써 나무통으로 된 대변통들을 부시느라고 길가에 쭉 나서서 어성버성한 참대쑤시개로 일정한 리듬을 가진 소리를 내면서 분주스럽게 수선거렸다. 아찡이와 뚱뚱보는 한꺼번에 하품과 기지개를 길게 하고 바로 그 맞은편에 있는 떡집으로 갔다. 거리로 향한 왼편 구석에 널빤지 얼거리가 있고 그 얼거리 위에 원시적 기분이 농후한 꺼먼 질그릇 속에 삐죽삐죽

하게 콩기름에 지져낸 유자쾌(조반죽 반찬하는 떡)가 담뿍 꽂히어 있고 그 옆에
는 방금 구워놓은 먹음직스런 쪼빙(떡)들이 불규칙하게 담겨있는 우로는 벌
써 잠코 밝은 파리친구들이 날아와서 윙윙거리면서 이 떡 저 떡으로 돌아다
니면서 먹고 싶은 대로 실컷 그 고소하고 짭잘한 맛을 빨아들이고 있었다.
모진 아궁이에다 지금 떡 굽는 사람이 풀무를 갖다 대고 풀떡풀떡해서 불을
피우고 있고 가마 위 나무뚜껑 아래에서는 길쭉길쭉하게 빚어서 한편에 깨
알 몇 알씩을 뿌린 쪼빙들이 우구구 하면서 뜨거운 진흙 위에서 모래찜들을
하고 있었다. 그것들이 모래찜을 실컷 해서 엉덩이가 꺼머죽죽하게 되면 그
손톱이 세 치씩이나 자란 떡장수의 손이 들어와서 한 놈씩 한 놈씩 잡아내다
가 앞에 놓인 선반 위 파리무리의 잔치터 위에 던져주는 것이었다. 바로 이
떡가마 왼편에는 기다란 부뚜막을 가진 가마가 걸려있고 그 위에서 지금 유
자쾌들이 오그그 하면서 콩기름 속에서 부어오르고 있었다. 그리고 역시 행
길쪽으로 향한 이편 한 모퉁이에는 네모반듯한 부뚜막 위에 보름달만큼씩
이나 둥근 양철뚜껑을 덮은 깊다란 물솥들이 네다섯 개 줄느런히 걸려있고
부뚜막 바로 한복판에는 직경이 두 치밖에 안 될 쇠통이 뚫려있어서 가마지
기가 이따금씩 그 조그맣고 둥그런 뚜껑을 열고는 바로 그 부뚜막 안쪽에 쌓
아둔 물에 젖은 석탄가루를 한 부삽씩 쭈르르 쏟곤 하는 것이었다. 그리하면
그 구멍 속으로부터는 까만 연기와 붉은 불길이 힐끗힐끗 밖으로 내치 미는
것을 양철뚜껑으로 덮어 막아버리고는 놋으로 만든 물푸개를 바른손에 들
고 왼손으로 이편 솥뚜껑을 열고는 부글부글 끓는 맹물을 퍼서는 저편 솥 속
으로 쭈르르 붓고는 또다시 왼편 솥 속 물을 퍼다가 바른편 솥 속에 놓고 이
렇게 쭈룩쭈룩 소리를 내면서 분주스레 퍼 옮기고 쏟아 옮기고 하다가는 엽
전 두어 푼이나 나뭇조각 물표 서너 개씩을 가지고 와서 빙 둘러서있는 아가
씨들과 할머니들의 양철 물통(오리주둥이 같은 것이 달린 것.) 혹은 세숫대야, 혹

은 쇠주전자, 혹은 사기주전자 등에 엽전 두 푼에 물푸개 하나씩 그 설설 끓는 물을 담아주는 것이었다.

아찡이와 쫄루(돼지)라는 별명을 가진 동거자 뚱뚱보는 어두컴컴한 부엌 속으로 들어가서 둥그런 탁자를 가운데 놓고 뒷받침 없는 걸상이 빙 둘러앉은 때 묻은 옷 입은 친구들 틈에 끼어 앉아서 떡 두 개씩과 끼룩한 미음을 한 사발씩 먹고는 쩔렁쩔렁하는 전대 속에서 동전을 여섯 푼씩 꺼내서 탁자 위에 메치고 코를 힝힝 아무데나 풀어 붙이면서 거리로 나왔다.

둘이는 잠잠히 걸었다. 조약돌을 깔아서 올통볼통한 좁은 골목을 지나 나와서 전찻길을 끼고 한참 올라가다가 다시 조그마한 골목으로 조금 들어가서 인력거 세놓는 집 앞에 다다랐다. 벌써 수다한 인력거꾼들이 와서 널찍한 창고 속에 줄줄이 세워둔 인력거를 한 채씩 끌고 나갔다. 아찡도 거의 해져서 나들나들한 종이로 돌돌 싸둔 대양(大洋) 오십 전을 인력거세 하루 선금으로 지불하고 어둑시그레한 창고로 들어가서 제 차례에 오는 인력거 한 채를 들들 끌고 거리로 나왔다. 그는 잠깐 우두커니 서서 분주스럽게도 왔다 갔다 하는 군중을 바라다보다가 인력거 뒤채를 부득부득 밀면서 나오는 뚱뚱보에게 이렇게 말했다.

"오늘 어째 신수가 궁해. 어젯밤 꿈이 숭하더라니!"

뚱뚱보는 이 말 대답할 사이도 없이 벌써 맞은편 거리에서 오라고 손짓하는 서양 여자를 보고 설마 남에게 빼앗길 세라 줄달음질쳐 가서 인력거 앞채를 내려놓고 그 여자를 태웠다.

아찡이는 절반이나 잊어버려서 무엇이었던지 잘 생각도 안 나는 꿈을 되풀이해 생각해보려고 애쓰면서 정거장 쪽으로 향해갔다.

마침 남경에서 떠난 막차가 북정거장에 닿았다. 제섭원이 노영상을 들이친다는 풍설이 한창 돌 때인데 이번 차가 아마 마지막 차일지도 모른다는 염려로 소주에서 곤산에서 쓸어 밀리는 피난민들이 넓은 정거장이 찢어져라 하고 밀려나왔다. 정거장 정문이 있는 곳에는 벌써 그동안 각처에서 몰려든 피난민들의 잃어버린 짐짝으로 가득 차 있어서 교통단절이 되어버렸고 좌우 옆문으로 쏠려 나오는 군중이 문간에 수직하고 있는 군인들의 몸수색을 당하면서 이리 밀치고 저리 밀치고 흐늑흐늑하였다.

아찡은 이 기회를 안 놓치려고 이리 기웃 저리 기웃하며 기회만 엿보고 서있었다. 아니나 다를까 저편 한구석으로 늙은 할머니 한 분, 젊은 색시 한 분, 또 돈푼이나 있어 보이는 젊은 사내 하나이 고리짝, 참대 궤짝, 바구니 등 수십 개의 짐짝을 겨우 검사를 맞힌 후 세멘트 길바닥에 쌓아놓고 어쩔 줄을 몰라 안달을 하고 있는 것이 보이었다. 아찡은 곧 그곳으로 뛰어가려다가

"이놈아!" 하고 외치는 순사의 고함소리에 눌려서 한편으로 물러서면서 아까운 듯이 그쪽만을 바라다보았다. 짐은 산더미처럼 쌓아놓고 촌계 관청 식으로 두리번두리번하기만 하던 사내가 마침내 짐짝들을 여인더러 보라고 맡기고 인력거를 부르려고 정거장 구외로 나왔다. 아찡은 인력거를 내던지고 번개처럼 이 사내에게로 달려들었다. 벌써 네다섯 다른 인력거꾼들도 달려와서 이 젊은이를 에워쌌다.

"어데로 가오? 에데요? 여관으로요?"

젊은 사람은 어찌 해야 좋을는지 모르겠다는 모양으로 한참이나 어릿어릿하다가 겨우 상해말은 아닌 어떤 다른 지방사투리로 사마로(四馬路)까지 얼마에 가겠느냐고 물었다.

"사마로까지 육십 전만 내슈." 하고 한 인력거꾼이 즐거운 듯이 웃으면서 말했다.

젊은이는 딱하다는 듯이 잠시 망설이더니

"이십 전에 가면 가구 그렇잖으면 그만 둬." 하고 중얼거리었다. 인력거꾼

서넛이 펄쩍 뛰면서 한꺼번에 외쳤다.

"이십 전이라니? 어델, 우린 그렇게 에누리 없어요."

"그자 촌놈이다. 상해말은 할 줄도 모르는 모양이다." 하고 인력거꾼 하나가 외쳤다. 그래서 그들은 이 시골뜨기를 잠뿍 곯려먹으려고 그냥 육십 전을 내어야 한다고 떠들었다. 얼마동안 승강이 계속 되다가 값은 마침내 매 인력거에 사십 전씩(보통 값의 4배)에 작정이 되었다. 아찡이도 새벽부터 이게 웬떡이냐 하고 새벽부터의 운수를 웃고 떠들며 서로 축하하는 동무 인력거꾼들과 섞여서 정거장구내로 들어가서 고리짝을 한 개 들어 내왔다. 아찡은 큰고리짝 한 개와 또 어제 먹다 남은 것인지 생선 대가리 같은 것을 주어 싼 조그마한 보꾸레미 한 개를 인력거 위에 올려놓고 앞장을 서서 줄곧 달음질해 나갔다.

사마로에 즐비한 여관들은 여관마다 피난민으로 가득 차있었다. 그래 그들은 이 여관 저 여관으로 한참이나 왔다 갔다 하다가 마지막에 겨우 어떤 좁은 더러운 여관으로 가서 그것도 남은 방이 없다고 해서 응접실에 그냥 있기로 하고 겨우 짐을 풀어놓았다. 인력거꾼들은 그동안 미리 흥정한 장소까지 와가지고도 여기저기를 한참이나 끌려 다녔다는 것을 핑계로 해가지고 세상이 떠나갈 듯이 싸고 덤벼들어 떠들어낸 결과로 마침내 각 인력거꾼 앞에 대양 일 원씩을 떼어 냈다. 아찡은 그의 손바닥에 놓인 번들번들 빛나는 은전 일원짜리 한 푼을 눈이 부신 듯이 바라보면서 저고리 앞자락으로 흐르는 땀을 훔치었다.

그가 인력거채를 질질 끌면서 다시 큰거리로 나올 때 혼자서

"이게 웬 호박인구? 꿈자리가 사나우문 생시엔 되려 신수가 좋은 법인가?" 하면서 속으로는 좀 있다 밤에 방장이네게로 가서 한 잔 할 기쁨을 예상하면서 그 번들번들하는 큰돈을 허리춤전대에 잘 간수하였다.

참말로 그날은 특히 운이 좋았던지 큰거리에 척 나서자 마침 넓은 바지를 입고 팽갱이 같은 모자를 쓴 미국 해군 하나를 만나서 태우고 팔레스호텔까지 가서 해군들 보통 버릇으로 그냥 막 집어주는 돈을 받아서 헤어보니 이십 전짜리 은전이 한 푼, 동전이 열두 푼이었다.

그는 너무나 좋아서 벙글벙글 웃으면서 전차궤도를 건너 인력거정류소로 들어가서 차를 내려놓고 그 살대 위에 편안히 걸터앉아서 행상하는 어린애를 불러 동전을 여섯 푼 던져주고 쪼빙을 두 개 사서 맛있게 먹었다.

해가 벌써 오정이나 되었으리라 생각되는데 앞자리에 앉았던 인력거가 다 풀려나가고 마침내 아찡이 차례에 이르렀다. 방금 팔레스호텔 문지기인 인도인이 망치를 휘두르면서 "인력거꾼!" 하고 부르는 소리를 듣고 달려가려고 일어서다가 아찡은 그만 벌떡 나가자빠졌다. 아찡 바로 뒷자리에 참새 눈깔 같은 눈을 도록도록하며 앉아있던 뾰죽이가 번개같이 아찡 옆으로 뛰어나가서 손님을 태우려고 달려갔다.

아찡이는 저도 모르게 "에쿠쿠." 하고 신음하였다. 뒷자리에 차례로 앉았던 다른 인력거꾼들이 뺑 둘러서면서 눈이 둥그레서 아찡이를 내려다보았다. 아찡이는 겨우 몸을 일으켜 인력거채 위에 걸터앉으면서 "으륵" 하고 아까 먹었던 쪼빙 두 개를 그대로 토해버렸다. 머리가 휭 하고 온몸이 노곤해 들어왔다. 오분, 십분, 십오분! 그는 다시 제 기운을 차려보려고 노력했으나 소용없는 일이었다.

의아스런 눈으로 바라보고 있던 동료들 중에 그중 나이 많이 먹은 곰보영감이 마침내 가까이 와서 아찡의 싸늘하게 식은 손을 주물러 주면서 말했다.

"여보게, 요 골목을 돌아 들어가서 사천로 청년회로 가문 돈 안 받구 병 보아주는 의사어른이 계신다네. 그리 가보게. 그저께 우리 장손녀석이 갑자기 아프대서 거기 가서 약 두 봉지 타먹고 나았다네. 어서 가보게."

아찡이는 무의식하게 고개를 끄덕이었다. 아마도 이 곰보영감 말대로 하는 것이 좋을까보다 하고 흐릿하게 그는 생각하였다. 그러나…… 글쎄 어젯밤 꿈이 불길하더니…… 그는 마치 꿈속에서 길을 걷는 사람처럼 벌떡 일어나 남경로로 뛰어 들어갔다.

2

그가 어떤 모양으로 어떻게 여기까지 왔는지를 기억할 수가 없었다. 하여간 이 사람 저 사람에게 물어보아가며 핀잔을 먹어가면서 여기까지 찾아는 왔다. 방안에는 자기 이외에도 서너 노동자들이 먼저부터 와서 아무 말도 없이들 서로 번번이 쳐다들만 보고 앉아있었다. 한 사람은 어디서 무엇에 치었는지 그냥 피가 뚝뚝 흐르는 팔을 추켜들고 "호, 호." 하면서 부들부들 떨고 앉아있었다. 아찡은 한참동안이나 벽에 기대고 반쯤 누워 있다가 차차 정신이 드는 것을 깨달았다. 인제는 정신은 똑똑해졌는데 몸이 그저 사시나무 떨리듯 와들와들 떨리고 멎지를 않았다.

의사님은 어디를 갔나.

그곳 하인 비슷한 사람 하나가 비를 들고 들어왔다. 아찡은 거의 본능적으로

"의사님 어데 가셨수?" 하고 물었다. 하인은 아무 대답도 없이 비로 방바닥을 두어 번 긁적거리고 나더니 기지개를 하면서

"규칙이 의사님이 새루 두시가 돼야 오우! 갔다가 두시에들 오라구. 두시 전에는 의사님이 안 오시는 규칙이야." 하고는 다시 방을 쓴다. 아찡은 비가 가는 곳마다 풀썩풀썩 일어나는 먼지를 흠뻑 맞으면서 잇몸이 딱딱 마주 붙

어서 떨리는 소리로 다시 물었다.

"지금 몇 시쯤 됐소?"

"열두시." 하고 그 하인은 마치도 시간을 따로 외워가지고 다니기나 하듯이 빨리 거침없이 대답했다.

두 시간! 그러나 여기서 기다릴 수밖에 없었다. 지금 아무데도 갈 기력이 없다. 왜 이다지도 몸은 자꾸만 떨릴까?

아찡이 한참동안 정신없이 있다가 다시 정신을 차린 때에는 떨리는 증세는 모두 없어지고 그저 머리를 몽둥이에 얻어맞은 듯이 뗑할 뿐이었다. 팔 부러진 사람은 아직도 그냥 "호호." 하고 앉아있고 다른 사람들은 일체 상관 없다는 듯이 천장들만 쳐다보고 앉아있었다.

흐리멍덩한 아찡의 귀로는 바깥길 위로 뿡뿡 쓰르르 하며 오고가는 자동차소리들이 어디 멀리서 들려오는 소리같이 들렸다. 그는 침묵이 무서워졌다. 그래서 그는 이 답답한 침묵을 깨뜨리는 것이 자기의 책임이나 되는 것처럼

"지금 몇 시나 됐을까요?" 하고 공중을 향하여 물었다. 천장만 바라보던 사람들이 잠깐 얼굴을 돌려 표정 없는 흐리멍덩한 눈동자로 바라다볼 뿐이요, 누구하나 말대답하는 이가 없었다. 아찡은 무서운 생각이 나서 몸을 부르르 떨었다.

"글쎄 어젯밤 꿈자리가 사납더라니!"

문이 열리면서 깨끗이 양복을 입고 금테안경을 쓴 뚱뚱한 신사 한분이 들어왔다. 아찡은 직감으로 이 사람이 의사어른이려니 하고 벌떡 일어나면서

"의사나리님, 제가 오늘 갑자기……" 하고 말을 건네었더니 그 신사는

"아니요, 아니요. 의사는 아직 한 시간이나 더 있다가야 오십니다. 좀 더 기다리시오." 하고 대답하고 안으로 들어가 버렸다. 그러나 조금 후에 그 신

사는 다시 나타났다. 아픈 몸과 가슴을 가진 노동자들의 멀건 눈들이 이 젊은 신사의 일거일동을 멀거니 바라다보았다.

이 신사는 좀 뚱뚱하고 퍽 쾌활스러운 사람이었다. 그는 조그마한 세 다리 교의에 펄썩 주저앉으면서 구둣발로 마룻바닥을 한 번 쿵쿵 구르고 나서

"당신들 의사 뵈러 왔소? 좀 더 기다리시오. 아, 당신은 팔을 다쳤구려? 무슨 일 하오? 또 당신은?" 하면서 이 사람 저 사람 번갈아보면서 대답은 쓸데없다는 듯이 남이 미처 대답할 사이도 없이 혼자 주절대었다.

그러나 그도 입을 다물고 한참동안 다시 침묵이 계속되었다. 그래서 표정 없는 여러 눈들이 신사의 몸을 떠나서 천장으로 향하려 하는 때에 신사가 다시 비룩비룩 하면서 말을 꺼냈다.

"세상은 고해이지요. 죄 때문이외다. 아담 이브가 한 번 죄를 진 이후로 그 죄악은 온 세상에 관영해서 세상이 이렇게 괴로움 많은 세상이 되었습네다." 하고는 가장 동정이나 구하는 듯이 군중을 한 번 쭉 둘러보았다. 군중의 얼굴은 일체 '무슨 소린지 모르겠다.' 하는 그러면서도 약간 호기심에 끌린 표정이 나타난 것을 그는 간파한 모양이다.

"당신들은 기도를 해본 적이 있소?" 하고 신사는 일동에게 물었다. 아무도 대답하는 이는 없었다. 모두 신사의 얼굴만 열심히 바라다볼 뿐이었다. 신사는 잠깐 말을 멈추었다가

"기도함으로 죄 사함을 얻습니다. 『요한복음』 삼장 십육절에 말하기를 '하나님이 세상을 이처럼 사랑하사 독생자를 주셨으니 누구든지 그를 믿으면 멸망하지 않고 영생을 얻으리라.' 했습니다. 하나님의 독생자 예수 그리스도가 우리의 죄 짐을 지시고 골고다에서 십자가에 못 박혀죽으면서 그 피로 우리 죄를 속해주셨습니다. 그래서 누구든지 예수를 믿으면 세상에서는 이처럼 괴롭다가도 죽은 후에는 천당에 가서 금거문고를 뜯고 천군 천사와

함께 하나님을 찬양하면서 생명수가의 생명과를 먹으면서 살아가게 된답니다." 하면서 절반이나 설교하듯 혼자 흥분해서 한참 내리엮고는 다시 한 번 일동을 둘러보더니 벌떡 일어나며 눈을 하늘을 향하여 올려 뜨고

"오! 사랑하는 하느님이시여, 이 불쌍한 무리들을 굽어 살피사 당신의 거룩한 성신의 불로 그들의 죄를 태워버리고 그들의 마음을 감동시키사 하나님을 믿게 하시오며 풍성하신 은혜를 베푸소서." 하더니 다시 눈을 내리떠 군중을 둘러보면서

"여러분, 오늘부터 예수 품안으로 들어오시오. 예수 말씀하시기를 '내 멍에는 가볍고 쉬우니라.' 하셨습니다. 이 세상 괴로움을 모두 잊어버리고 예수만 믿었다가 이다음 죽은 후에 천당에 가서 무궁한 복락을 같이 누립시다." 하고 끝내고는 그만 불쑥 나가버렸다.

소눈깔같이 우둔한 눈으로 이 흥분한 신사의 머리짓, 손짓을 열심히 바라보던 눈들은 다시 일제히 어딘가 보이지 않는 곳을 물끄러미 바라다보면서 각기 입으로는 약속했던 듯이 한숨을 내쉬었다.

아찡이는 열심히 그 신사의 말을 들었다. 그러나 그는 그것이 모두 무슨 소리인지 잘 알아들을 수가 없었다. 무슨 "죽은 후에는 무궁한 복락을 누린다."는 소리를 들을 때에는 '그렇게 되었으면 오죽이나 좋으랴!' 하고 속으로 부러워했다. 그러나 지금 세상이 아담과 이브의 죄 때문에 괴롭게 되었다는 소리는 미련한 생각에도 믿어지지가 않았다. 자기 같은 인력거꾼들은 모두 아담 이브의 죄의 형벌을 받는 중이라고 하려니와 그러면 어찌하여 자동차를 타고 다니는 양고자들이나 또는 자기도 가끔 인력거에 태우는 비단옷 입은 색시들은 아담 이브의 죄형 벌을 받지 않고 잘사는지 알 수 없는 일이었다.

신사가 나간 후에도 아찡이는 한참이나 그 신사가 하던 말을 알아들은 대로 되풀이해보았다. "세상에는 괴롭게 지내다가 일후 죽은 후에 천장에 가

서는 금거문고를 타고……" 죽은 후에 금거문고를 타려면 살아서는 왜 꼭 고생을 해야 되는가? 죽은 후에 천군 천사와 함께 노래 부르면서 잘살려고 하면 왜 살아서는 매일 뚱뚱한 사람을 인력거 위에 태우고 땀을 흘려야 하며 발길에 채워야 하고 '홍도아째' 순사 몽둥이에 얻어맞아야만 되는가? 죽은 다음에 생명과를 배부르게 먹으려면 살았을 적에는 어찌하여 남다 먹은 아침 죽 한 그릇도 맘대로 못 먹고 쪼빙과 미음으로 요기를 하여야만 되는 것일까? 이것을 아찡이는 아무리 생각하여도 깨달을 수가 없는 것이었다. …… 그 신사가 말한바 그 소위 그 천당이란 데는 그러면 우리 같은 인력거꾼들만이 몰려가는 데일까? 그렇다면 양고자들과 양복 입은 젊은 사람들과 순사들은 죽은 후에는 어떤 곳으로 가는가? 그들도 예수만 믿으면 천당으로 가는가? 만일 그들도 천당으로 간다면 그들은 이 세상에서도 고생이라곤 아니 했으니 그것은 불공평하지 않은가? 옳다, 만일 천당이라는 데가 있다면 거기서는 필시 우리 이 세상 인력거꾼들은 아까 그 사람이 말한 모양으로 금고문거나 타고 생명과를 배불리 먹고 놀고 이 세상에서 인력거를 타고 다니던 사람들은 모두 인력거꾼이 되어서 누더기를 입고 주리고 떨면서 인력거를 끌고 와서 우리를 태워주게 되나부다! 그렇다. 그리만 된다면 나도 한번 그들을 "에잇끼놈." 하고 소리 지르면서 발길로 차고 동전 서 푼 던져주고 예수 만나보려 대문 안으로 들어가게 될 터이지. 정말 그럴까? ……하고 그는 혼자 흥분하여졌다. 그래서 그 신사가 아직 있으면 천당에도 인력거꾼이 있느냐고 물어보고 싶었다. 만일 그렇다고만 하면 그는 이제라도 어서 속히 죽을 것이었다. 그래서 그 좋은 천당으로 한시바삐 갈 것이다. 그는 호기심에 끌려서 미닫이칸 막은 안방에서 무슨 책인지 웅얼웅얼하면서 읽고 있는 하인에게 말을 건네었다.

"여보 영감님, 영감님도 예수 믿수?"

웅얼웅얼하던 소리가 뚝 끊어지고 잠시 가만있더니

"네, 왜 그러우?" 한다.

"천당에도 인력거꾼이 있답데까?"

"인력거꾼? 흥, 천당에도 인력거꾼이 있으문 천당이 좋을 게 무얼꼬? 없어요."

눈만 멀뚱멀뚱하고 앉아있던 다른 사람들도 빙그레 웃었다. 피가 뚝뚝 떨어지는 부러진 팔을 들고 앉아있는 사람만이 아무것도 귀찮다는 듯이 그냥 물끄러미 팔만 들여다보고 앉아있었다.

아찡이는 낙망했다. 천당에는 인력거꾼이 없다! 그러면 역시 고생하는 놈은 우리들뿐인 것이다. 돈 많은 사람들은 세상에서나 천당에서나 늘 즐거운 것뿐이니!

그는 그런 천당에는 가기가 싫었다. 천당에 가서도 낮은데 사람이 위로 가고 위에 사람이 아래로 가지 않는다고 할 것 같으면 그런 데까지 일부러 다리 아프게 찾아갈 필요는 조금도 없는 것이었다. 차라리 괴롭더라도 이 세상에서나 쪼빙이나마 잔뜩 먹고 몸이나 성해서 한 달에 한 번씩 이십 전짜리 갈보네 집에나 가서 자면 그것이 더 행복스러운 일이라고 그는 생각하였다.

몸이 퍽 거뜬해진 것처럼 생각되어서 아찡이는 오지도 않는 의사를 기다리기가 싫어져서 그만 밖으로 나와 버렸다. 그런데 그가 분주스런 거리로 이 사람 저 사람 피하면서 걸어 나갈 때 홀로 큰 고독을 깨달았다. 아찡이는 갑자기 이 세상 밖에 난 것같이 생각이 되어서 슬퍼졌다. 지나가는 사람, 지나오는 사람들이 모두 희미하게 멀리 딴 세상에 사는 사람들 같고 자기는 지구 밖 어떤 곳에 홀로 서서 이 사람 때를 바라보는 것처럼 생각되어졌다. 그는 이것이 흉조라고 생각되어 몸을 떨었다.

그는 정신없이 다리가 움직여지는 대로 걸었다. 팔레스호텔 앞에 버리고 온 인력거는 기억에 나오지도 않았다. 그 인력거를 잃어버리면 제 앞에 어떠한 비참한 일이 오리라는 것조차도 인식하지 못하였다. 저도 모르게 제 집 쪽으로 걸어오다가 건재약국에 들어가서 감초가루약을 동전 서 푼어치 사 들고 그냥 걸어갔다.

아찡이는 얼마나 오래 걸었던지 제집 동구 밖에까지 왔을 때 동구 밖에 울긋불긋한 기를 늘인 책상 뒤에 앉아있는 안경 쓴 점쟁이를 발견하였다. 아찡이는 저도 모르게 그리고 끌리어갔다.

전대에서 이십 전짜리 은전 한 푼을 꺼내 이 점쟁이 앞에 던져주고 우두커니 서서 점괘를 기다리고 있었다. 점쟁이는 누런 안경 속으로 그 큰 두 눈을 희번덕거리면서 아찡이의 아래위를 한 번 훑어보더니 자그마한 상자 속에 손을 넣어 돌돌 말린 종이 한 장을 꺼내서 펼쳐 읽어보고는 책상 밑에서 커다란 장지책 한 권을 꺼내들고 세 치나 자란 시커먼 엄지손톱으로 장장 들쳐가면서 고개를 끄덕끄덕하며 몇 곳 읽어보더니 책을 덮어놓고서 책사위에 놓인 유리판에다가 먹붓으로 글자 넉자를 써서 아찡 앞에 쑥 내밀었다. 아찡이가 그 글자를 알아볼 리가 없었다. 점쟁이는 가장 점잖을 빼면서 관화가 조금 섞인 듯한 영파 방언으로 점의 해석을 길게 늘어놓았다. 이러쿵저러쿵 중언부언한 해석을 다 모아보면 대략 이러한 뜻이었다. …… 아찡이가 지금은 전생의 죗값으로 고생을 하지만 인제 얼마 안 있으면 돈 많이 모으고 잘살게 되리라는 것이었다.

3

아찡이는 정신없이 제 방안으로 들어가서 꼬꾸라졌다. 그는 몸을 떨었다.

몸이 다시 으스스하고 구역이 나기 시작했다. 아찡의 눈앞에는 그의 전생애가 한 번 죽 나타났다. 어려서 시골서 남의 집 심부름하던 때로부터 상해로 굴러 들어와서 공장에 들어갔다가 거기서 쫓겨나서는 이내 인력거를 끌게 된 것…… 그것이 벌써 8년이라는 긴 동안이었다.

8년 동안 인력거를 끌던 신산한 기억이 다시금 생각났다. 애스톨하우스 호텔에서 어떤 서양 신사를 태우고 오 리도 더 되는 올림픽극장까지 가서 동전 열 푼을 받아들고 너무나 억울해서 동전 두 푼만 더 달라고 빌다가 발길에 채이던 생각이 났다. 또 언젠가는 한 번 밤이 새로 두시나 되어서 대동여사에서 술이 잠뿍 취해 나오는 꼬울리(조선 사람) 신사 세 사람을 다른 동무 둘과 함께 한 사람씩 태우고 불라서조계 보강리까지 십 리나 되는 길을 끌고 가서 셋이서 도합 십 전짜리 은전 한 푼을 받고 너무도 기가 막혀서 더 내라고 야단치다가 그 신사들에게 단장으로 얻어맞고 머리가 터져서 급한 김에 인력거도 내버리고 도망질쳐 달아나던 광경이 다시 생각났다. 그리고는 또 다시 언젠가 한 번 손님을 태우고 정안사로 가다가 소리도 없이 뒤로 달려온 자동차에게 떠밀리어서 인력거를 바수고 다리까지 삐인 후에 자동차 운전수의 발길에 채이고 인도인 순사에게 몽둥이에 매 맞던 일도 새삼스럽게 다시 생각이 났다.

길다면 길고 멀다면 멀 또는 짧다면 또 짧은 팔년 동안의 인력거꾼 생활! 작은 일, 큰일, 눈물 난 일, 한숨 쉰 일들이 하나씩 하나씩 다시 연상되어서 그는 어린애처럼 엉엉 울었다. 그러다가 그는 갑자기 목이 갈한 것을 느끼면서 몸을 일으키려 하다가 온몸에 쥐가 일어서는 것을 감감하여 "끙" 소리를 지르며 도로 엎어지고서는 다시 아무것도 인식하지 못하게 되고 말았다.

4

종일 인력거를 끌다가 새벽녘에야 집으로 돌아와서 아찡의 시체를 발견하고 공보국에 보고한 뚱뚱보를 따라서 공보국에서 순사와 의사가 검시를 하러 이 더러운 방안으로 들어왔다.

의사는 방안에서 검사하고 영국인 순사부장은 중국인 순사통역을 세우고 뚱뚱보에게 여러 가지를 물어서 조그마한 수첩에 적어 넣었다.

"아찡이가 언제부터 인력거를 끌었지?"

"글쎄 똑똑히는 모릅니다. 이 집에 같이 있게 되기는 바루 삼 년 전부터올시다. 그때 제가 인력거를 처음 끌기 시작하면서부터 함께 있게 되었사와요."

"그래 똑똑히는 모른단 말이야?"

"네, 네. 아찡이는 제 말로는 이 노릇을 시작한지가 금년까지 팔 년째라구 말을 합디다만, 나리!"

순사부장은 알았다는 듯이 고개를 끄덕끄덕하더니 안에서 검시하고 나오는 의사를 향해 웃으면서 영어로 이렇게 말했다.

"무얼요, 저 죽을 때가 다 돼서 죽었군요. 팔 년 동안이나 인력거를 끌었다니깐요. 남보다 한 일 년 일찍 죽은 셈이지만. 지난번 공보국 조사를 보면 인력거 끌기 시작한지 구 년만에는 모두 죽는다고 하지 않았습니까?"

의사는 고개를 끄덕거리면서

"흐흥! 팔년으로 십년, 그저 그이내이지요. 매일 과도한 달음질 때문으로……"

5

공보국에서 온 일꾼들이 아찡이의 시체를 거적에 담아 실어가지고 간 후 뚱뚱보는 한참이나 멀거니 앉아 있다가 벌떡 일어나서 밖으로 나갔다.

그날 오후 두시에 사람들은 그 뚱뚱보가 역시 아무 일도 없다는 듯이 인력거에 손님을 태우고 기운차게 달리고 있는 것을 볼 수가 있었다. 그는 아까 순사부장과 의사와의 회화를 못 알아들은 것이 그에게는 다행이었다. 오년이나 육 년 후에 그도 아찡이의 뒤를 따르게 될 것을 모르므로 뚱뚱보는 껑충껑충 아스팔트 매끈한 길 위를 기운차게 달리는 것이었다. …… 마치도 한 백 년 더 살 것같이……

1925.

출처: 『개벽 58』, 1925.4.

주요섭

殺人

一

우쁘는 갈보였다.

차티와 과도한 생식기 뇌동과 번민과 실없는 한숨이 소녀이던 그로 하여금 三年이 못되어 삼십이 넘어 보이는 노파로 만들어주고 말았다. 태양은 꽃을 피워 오르게 하되 구박과 무정의와 학대는 얼굴을 밉게 만드는 것이다.

三年前 湖南에 큰 기근이 있을 때 열여섯 살이던 우쁘는 열흘씩 굶어서 사람이라도 잡아먹을 듯이 눈이 뒤집힌 애비, 어미에게 보리 서 말에 팔리어 그때 기근구제 도로건육공사 십장이었던 양고자 팔에 딱딱 안기든 그 두려움, 그 부끄러움 또 그 어떤 알 수 없는 쾌미를 우쁘는 지금도 잊어버릴 수가 없었다. 그리고 그 훅훅하는 그놈의 입김에서 여호가죽내 같은 노랑내가 숨을 콱콱 막히게 하던 것과 영문은 모르고도 좀 대항해보다가 그가 시키먼 육혈포를 꺼내 헛방을 쏘면서 위협하던 것과 무서운 김에 찍소리도 못하고 바들바들 떨면서 그 짐승 같은 가슴에 부둥켜 안기우던 것, 그러고는 후끈후끈하는 뺨, 아찔한 아래, 아픈 허리 그러고는 기절, 이런 것들이 어린 그의 첫 경험으로는 잊어버리기에는 너무나 강한 인상을 남기고 갔다. 거기서 그놈에게 연속 사흘 밤을 고생을 하고 그러고는 뒷동리에서 또 보리 서 말을 주

고 저보다 더 고운 처녀를 사왔음으로 그는 그만 쫓겨나고 말았다. 쫓겨는 났으나 하여간 시원하다고 생각을 할 때 그 양고자의 심부름하던 퇴동자 하나가 이 양고자에게 청을 대서 그날 하룻밤을 또다시 그 퇴동자와 같이 자고 그런 후에는 집으로 돌아가도 상관없다는 허가를 얻었다. 그날 밤에 그는 그 퇴동자에게 연속 세 번을 거듭 치지 않으면 아니 되게 되었다. 그러고는 이튿날 새벽에 허덕거리며 그래도 부모의 집이라고 뛰쳐나간 때에는 벌써 병석에 눕지 아니치 못하였다.

그가 사흘인가 앓고 좀 나아서 문밖에 나앉게 된 때 그는 다시 대양 칠 원에 팔려서 있던 양복을 입은 신사를 따라가 같이 팔려가는 수십 명 면동리 가까운 동리 처녀들과 함께 백 리나 되는 길을 걸어 나와 생전처음 보는 기차를 타고 上海까지 와서 또다시 얼마인지는 모르나 지금 같이 있는 뚱뚱할미에게로 팔려 와서 이래 삼 년을 하루같이 하룻밤에도 서방을 적어서 네다섯씩, 많은 때는 한 여섯씩 같이 갈아대게 되었다.

곱던 그의 얼굴이 진흙에 말발굽자리 같아지고 말았다. 볼그레한 뺨이 뼈만 남도록 수척한 위에다 값싼 분을 매일 발라서 퍼러무리하고도 검어트트하게 되고 샛별 같은 눈이 공포를 비산하는 두려운 동굴처럼 우둔해졌다. 영양부족으로 눈 아래는 퍼—런 멍이 지고 벌써 한 이태 전에 올린 매독은 이곳 저 곳 뀌기를 시작해서 요새는 코와 입가에도 얼른 보이지는 않으나 근질근질한 보둡지가 맺히게 되었다.

처음에는 英界四馬路에서 밤마다 뚱뚱할미와 함께 사마로 아래위를 오르내리면서 수두룩한 人力車꾼들을 끌어들이고 있었으나 재작년 英界公務局에서 密賣淫을 禁한 이후로는 지금 있는 이 法界大世界 앞거리에 와있었다. 그러나 여기서도 마음 놓고 사는 것은 아니었다. 霞飛路로부터 英界, 法界에 걸리는 에드워드路까지, 죽西門에서 北停車場으로 다니는 電車길 左右便이 모두 이 갈보무리의 횡행지였다. 그래서 저녁이 어슬해지기만 하면 수백의 갈보들이 모두 제각기 제농당(농당은 上海세집의 변형이다. ㄷ字形으로 집을 총총히 연달아 짓고 사면팔방 복도어구에는 쇠문을 해달아서 밤에는 닫았다가 낮에는 열게 하게 되어 있다.) 복도어구에 마치 개미들이 개미구멍 밖에 나서듯 모둥켜서 지나가고 지나오는 부낭자들과 퇴동자들을 잡아끌고 추파 보내고 하는 것이 이곳 상업이다. 그러나 그것도 순사한테 더욱이 불란서 경부한테 들키면 벌금푼이나 톡톡히 무는 바람에 갈보 주인들은 사람을 하나사서 거리어구에 세워 두었다가 그 사람이 순사가 들어온다고 암호를 하면서 길 앞으로 빨리 지나가면 해 쪼이느라 구멍 밖에 나붙었던 파리들이 물리어 들어가듯 농당복도 어둑진 한쪽으로 우루루 쫓겨 들어갔다가 순사가 지나간 뒤에는 또다시 우루루 몰려나와서 방울을 잡아드렸다.

우뽀는 처음에 얼굴이 똑똑해서 하룻밤에도 퍽 많은 손님을 얻었다. 비슬비슬 엿보러 혹은 놀러 나와서 거리로 공연히 오르고 내리고 하던 젊은 사람들도 우뽀를 쫓아 들어가서 소매를 휘어잡고 얼굴을 쳐다보며 한 번 생긋 웃으면 그만 그를 거역하지 못하고 줄레줄레 따라 들어왔다. 그래 이것으로 어떤 때는 주인의 사랑도 받고 또 동무갈보들의 시기와 미움도 더러 샀다. 그러나 그것도 얼마 전 일이요, 요새 갑자기 그의 몸과 얼굴이 급전직하격으로 쇠퇴해가는 지금에는 그도 젊은 남자의 가슴을 끌만한 자태를 거의 다 잃어버리고 말았다. 그러나 아직 다른 애들처럼 매는 몹시 얻어맞지 않았다. 그러나 이 앞으로 어찌 될 지는 아무도 보증할 수가 없었다.

갈보들은 대개 밤 일곱시 가량부터 새로 세시까지가 대활동을 하는데 일이 분주한 사무시간이었다.

이 여섯 시간 동안에 잘 되면 사내 서넛은 늘 들어왔다. 값은 사내의 주제를 봐가지고 요구하는 것이다. 인력거꾼이나 공장 퇴동자가 오면 대게 한

四十錢 봐서 二十錢을 주어도 받고 또 흥정이나 없는 날은 동전 열두어 잎도 받고 했다. 그러다가 이따금(작년부터) 아라사 거러지 같은 것이 오면 한 五十錢 씩 내고 했다. 그러니 每日 밤수입이 대개 二十錢으로부터 六十錢 內外였다. 이렇게 번 돈인 만큼 할미가 가져가고 갈보들은 낮에 두르고 있는 누더기와 밤에 남자의 마음을 끌기 위한 육욕을 발동시키기 알맞은 각색의 비단옷 한 벌과 값싼 분과 머릿기름, 그러고는 그 좋아하는 담배, 한 달 먹어야 二元어치도 안될 밥만을 그 주인에게서 받았다.

우뽀의 삼 년 생활이 이상 무의 반복으로 다 지나갔다.

二

요새 우뽀의 몸이 이상해 들어가는 것과 한 가지로 그의 가슴, 그의 마음, 그의 靈이 또한 상해 들어가는 것이었다. 육체적 쇠퇴는 다만 靈의 번민의 그림자인지도 모른다.

벌써 한 두 주일 전부터 우연히 그는 오전이 좀 지나 그가 피곤한 몸을 더러운 침대에서 일으켜가지고 얼굴단장을 시작하려고 하는 때마다 그는 그의 창문 앞(그의 방은 가장 길거리 방이어서 그 조그마한 창틈으로는 바깥 電車길이 내다보이었다.)으로 어떤 美男子가 늘 지나가고 하는 것을 그는 보았다. 처음 볼 때는 그도 심상히 보아두었지만 얼결에 한두 번 보는 동안 차차 마음이 뒤숭숭해지기를 시작하였다.

사랑! 사랑은 유의 가슴에 영구히 잠겨있는 불멸의 씨이다. 이 씨가 구박과 무식과 자퇴, 아무럼 티라는 돌맹이 밑에 눌리어 있는 동안 자라지도 않고 따라서 당자도 그 씨의 존재를 인식하지 못한다. 그러나 이 씨가 어떤 우연한 기회를 만나 한 번 햇빛을 엮는 날에는 이 씨는 마치 비온 뒤 참대순과도 같이 하룻밤 사이에 싹이 쑥 솟아오르고 하루사이에 꽃이 피고 열매가 맺는 것이며 이 자람을 막을 자는 세상에 아무것도 없다. 이 자람의 세력은 세상 모—든 무력을 압도하고 부셔 없애고 마는 것이다.

이 죽은 줄 알았던 사랑의 씨가 지금 우뽀의 가슴땅 위에 기운차게 살아난 것이다. 그는 처음에는 울렁울렁하는 가슴으로 그가 지나갈 때쯤 해서는 창문구멍으로 바깥을 열심히 내다보다가 그가 힐끗 지나가는 것이 보이면 봄날의 종달새 모양으로 혼자 즐기고 창백한 얼굴의 순진한 처녀가 가지는 것과 꼭 같은 붓그림의 홍조가 떠올랐다. 이것이 그에게는 상상도 못했던 새 경험이었다. 그가 일찍 삼 년 동안이나 수천수백의 사람의 품에 안겼으나 조금도 이와 같은, 다만 그의 얼굴이라도 일순간 보이는 이런 흥분과 고민을 주지 않았었다.

며칠 후 견딜 수 없어서 그는 다른 때보다 일찍 일어나 단장을 잘하고 복도어구까지 나가서 그가 지나가는 것을 보았다. 아무리 삼 년 동안이나 가지각색 남자들의 소매를 붙들고 추파를 보내본 그도 웬일인지 그렇게 그립고 새벽에 잘 때에 꿈에까지 보든 그가 앞으로 올 때에는 무엇인지 알지 못할 힘이 그를 잡아끌어서 그만 낯을 다홍빛으로 붉히면서 뒤로 물러서서 벽 뒤에 숨어서 발딱발딱하는 가슴을 손으로 짚으면서 껑충껑충 빨리 걸어가는 그의 뒷모양을 물끄러미 바라다보았다. 사람들이 많이 왕래하는 거리가 되어서 늘 자세히 보이지는 않아도 이따금 힐끗 그가 보일 때에 우뽀는 그가 저를 바라다보는 것같이 생각이 되어서 몸을 흠칫하며 어린애 모양으로 방으로 뛰어 들어와 침대에 엎어져서 한참이나 씩씩거렸다. 그의 보드라운 손이 자를 어루만지고 그 향내 나는 입김이 제 머리카락을 날리는 듯하게 감아서 그는 혼자 극도로 흥분했다.

그 후 며칠을 계속해서 그 청년을 본 결과 우뽀는 대략 아래와 같이 그 청년을 지적했다. '그는 아마 어느 학교 교사이다. 그래 점심때마다 집으로 돌아가는데 전차를 타고 이 길거리어구까지 와서는 이 교차점에서 내려서 다시 법계 쪽에서 전차를 타면 한 백여 보밖에 안 되는 요 거리에 동전 너 푼 주고 그러고는 저편 英界에 가서 또 표를 사야 하는 고로 그는 경제하려고 이 교차점에서 저편 英界어구까지는 걸어간다.' 그런 돈 천 원하고 늘 속았는지라 못 미더워서 떠나간 때마다 우뽀는 그 청년을 다시 보지 못하곤 했다.

이 발견이 우뽀에게는 꽤 큰 명상을 주었다. 그보다도 매일 그를 볼 적마다 그는 자기를 본 체도 안하고 앞으로 쑥 지나가는 것을 보고는 울지 못했다. 그는 그가 청년이 지나가는 것을 볼 적에는 저 혼자 흥분해서 어쩔 줄을 모르다가 그 청년이 저—편에서 전차 속으로 사라진 후에는 늘 저 자신의 모양을 돌아다보고는 그만 낙망의 절통으로 방으로 뛰어 들어와 울며 자리에 쓰러지지 않을 수 없어서다.

"교육받은 장래가 구만 리 같은 깨끗한 청년! 그런데 나는—아—더러운 것—그것이…… 그것이…… 가능한가…… 만날 수나 있는가……?" 하고 그는 울부짖었다.

三

오늘 아침 주인 할미는 우뽀가 특별히 늦도록 일어나지 않는 것을 발견했다. 오후 두시가 되도록 소식이 없으므로 그는 어정어정 가파른 층층대를 내려와서 우뽀의 방으로 들어왔다. 우뽀는 실컷 울대로 울었다. 어미를 산산이 풀어헤치고, 눈이 뚱뚱 부었다. 그리고 아침에는 그가 몸을 비비꼬며 뭉게든 자리가 남아있다. 주인 할미는 놀랐다.

"얘, 네가 오늘 미쳤니? 이게 무슨 노름이냐? 어서 일어나서 세수하고 밥 먹어라. 그리고 이 머리도 빗고 해야지, 망할 년!"

우뽀는 대답할 기력도 없었다. 대답을 하면 무엇 하나!

실컷 두 다리 꼬집히고, 위협을 당하고, 마지막에는 장작으로 얻어맞고야 우뽀도 더 참을 수가 없어서 세수하고 머리 빗고 분 발랐다.

저녁에 역 복도어구에 나가 섰으나 마치 미친 여자 또 혹은 정신 빠진 여자처럼 멀거니 서있었다. 순사가 온다고 해도 별 생각도 없었다. 주인할미가 억지로 떠밀고 되뚜록되뚜록 하면서 농당 안까지 와서 쥐어지르면서 욕설을 퍼부었다.

"무슨 귀신이 붙었느냐? 얌전하던 애가 왜 오늘 이 모양이냐? 너도 네 몸값을 해야 하지 않겠니, 개 같은 년!"

밤 열두시나 되어 주인할미는 우당퉁탕하게 생긴 퇴동자를 하나 끌고 와서 억지로 우뽀에게 맡기었다. 우뽀는 몸부림을 해가면서 반항했으나 그 우악한 팔힘을 당해낼 수가 없었다. 우뽀가 기절을 했다가 다시 정신을 차린 때에는 그는 어떤 천근이나 되는 무거운 것이 저를 내려누르고 있는 것을 감했다. 그러고는 숨이 턱턱 막히는 고린내와 시시한 땀내, 콕콕 쏘는 아픔, 땡한 머리, 헐럭헐럭한 남자의 숨소리, 남자의 입에서 질질 흘러서 뺨 위를 적시는 타하고 더러운 침. 우뽀는 다시 정신없이 되고 말았다.

우뽀가 다시 정신을 차렸을 때는 벌써 사면이 고즈넉해진 때였다. 그렇게 떠들고 돌아다니던 행상인들의 길게 외치는 소리까지가 끊어지고, 그리 분주하던 상해의 거리가 평화스러운 꿈속에 잠긴 때였다. 우뽀는 어두운 방 안에 일어나 앉았다. 한 초도 잊지 못할 그 청년의 자태가 눈앞에 나타났다. 그는 자기로부터 너무 먼 곳에 있는 것 같았다. 중간에 건널 수 없는 구렁텅이가 있어서 제가 아무리 손을 내밀어도 그가 잡힐 것 같지도 않았다. 더욱이

그는

"더러운 년! 더러운 년!" 하면서 멀리멀리 몸을 피하는 것 같았다.

"더러운 년!" 하면서 그는 제 팔로 제 얼굴을 문질러보았다.

"더러운 년……"

그는 견딜 수 없다는 듯이 푹 마루 위에 꼬꾸라졌다.

사랑은 사람을 깨끗하게 한다. 삼 년 동안이나 아무런 생각이나 관념도 없이 이렇게 하는 것이 사는 것이니 하고 자기 몸을 수다한 남자들의 자유욕심에 내맡겨둔 그가 오늘밤의 당한 그 욕은 참말로 견딜 수 없이 부끄러운 일이요, 욕스러운 일처럼 생각이 되었다. 그는 입술을 꼭 깨물었다.

"오! 더러운 년! 더러운 몸! 더러운 피…… 아꿰씨(그는 그 청년을 언제부터인지는 모르나 이렇게 이름 지어 부르는 습관을 얻었다.) 이 몸은 정말 더러운 몸이외다!"

사랑은 사람을 깨끗하게 한다. 무식이 사랑 앞에서 쓰러진다. 우뽀는 이때껏 자기의 몸 또는 자기의 생활에 대해서 절실한 생각과 연구를 해본 적이 없었다. 그러나 오늘 그는 일생 처음으로 제 몸을 생각해보게 되었다.

한참이나 무엇인지를 분간할 수가 없었으나 차차차차 머리가 깨끗해지고 무엇인지 희미하게나마 깨달아지는 바가 있는 것같이 생각이 되었다.

"왜? 왜? 왜? 누구의 죄인가?……"

그는 마침내 무엇을 깨달았다……

"그러나!" 하고 그는 외쳤다. "그러나!"

삼 년이나 같이 살든 주인 할미의 뚱뚱한 몸집이 눈에 보이는 듯했다.

"아, 저 양도야지 같은 살, 내 피 빨아먹고 찐 살…… 오! 내 피 내 피!" 하고 그는 바르르 떨었다.

그는 모든 것을 깨달았다. 그것은 운명도 다른 아무것도 아니요, 다만 자기 자신이 엿든 것이다.

"왜 내가 이렇게 약했던가!" 하고 그는 혼자 이상하게 생각하였다.

"원수다! 원수다!" 하고 그는 생각했다.

모—든 것이 맑은 등불과 같이 그의 머리에 인식을 주었다. 조금도 의심나는 것이 없었다. 모—든 것을 안 것 같았다.

그는 전신을 부르르 떨었다.

사랑은 사람을 용감해지게 한다. 그것이 짝사랑이었든 희망 있는, 절망 없는 사랑이었든 그것이 관계있으랴. 사랑은 사랑 그것으로 위대한 것이었다. 우뽀는

"그래라, 그러면 너도 새사람이 되리라. 그러고 나를 따라오라." 하고 손짓하는 그 청년을 눈으로 보는 것 같았다.

"아, 삼 년 동안이나 내 살 내 피 빨아먹은 미운 저것!" 그는 다시 그 주인 할미의 뚱뚱한 몸집을 보았다. 그 통통한 볼을 물어뜯고 할퀴고 갈기갈기 씹어보고 싶었다.

그는 벌떡 일어났다. 미친 듯이 부엌으로 들어갔다. 어두운 속에서도 번들번들하는 식칼을 알아낼 수가 있었다. 그는 귀를 기울였다. 열대 삼림보다도 더 고즈넉한 침묵이 왼 집, 왼 거리, 왼 도시, 왼 도시된 세계를 둘러싸고 있었다. 벌써 새벽기운이 떠도는 것 같았다.

찌꿍찌꿍 하고 소리가 나는 층층대를 걱정하면서 우뽀는 번듯번듯 하는 것을 바른손에 들고 위층으로 올라갔다.

四

의마대소리와 끙끙하는 소리가 들리고 피비린내가 쫙 퍼지더니 우뽀가

황망히 층층대를 굴러 떨어지다시피 쿵쿵거리며 내려왔다. 다른 방에서 갈보들이 놀라 깨었는지 "엉엉" 하는 소리가 들렸다.

　장사보다도 더 억센 超自然的 힘으로 우뽀는 쇠대문을 떠밀어 열었다. 그리고 그는 생전 처음으로 제 맘대로 문밖으로 내달았다. 거리는 우둑 컴컴하고 좌우의 집들은 모두 시커먼 상판으로 "나는 모른다" 하는 듯이 나대고 있었다.

　우뽀는 에드와드路 전등이 있는 쪽을 향해 줄달음질쳤다. 그는 잔돌을 깐 밖에 나와 아꿰씨가 늘 서서 전차를 기다리던 곳을 지나 세멘트를 깐 번들한 길 위로 미끄러지듯이 내달았다. …… 조롱을 벗어난 종달새가 파―란 하늘 위로 노래하며 춤추며 울듯이…… 영원히 영원히 우뽀는 달음질했다. 끝

　(一九二五年 四月 十四日 밤)

출처: 『개벽 60』, 1925.6.

최서해

기아와 살륙

1

경수는 묶은 나뭇짐을 짊어졌다.

힘에야 부치거나 말거나 가다가 거꾸러지더라도 일기가 사납지 않으면 좀 더 하려고 하였으나 속이 비고 등이 시려서 견딜 수 없었다.

키 넘는 나뭇짐을 가까스로 진 경수는 끙끙거리면서 험한 비탈길로 엉금엉금 걸었다. 짐바가 두 어깨를 꼭 죄어서 가슴은 뻐그러지는 듯하고 다리는 부들부들 떨려서 까딱하면 뒤로 자빠지거나 앞으로 곤두박질할 것 같다. 짐에 괴로운 그는

"이놈 남의 나무를 왜 도적해가니?"

하고 산 임자가 뒷덜미를 짚는 것 같아서 마음까지 괴로웠다.

그의 가슴은 한껏 두근거렸다. 벗어버리고 싶은 마음이 여러 번 나다가도 식구의 덜덜 떠는 꼴을 생각할 때면 다시 이를 갈고 기운을 가다듬었다. 서북으로 쏘려오는 차디찬 바람은 그의 가슴을 창살같이 쏜다. 하늘은 담뿍 흐려서 사면은 어둑충충하다.

어수선한 중국 사람의 마을을 지나 5리 가까운 집까지 왔을 때 경수의 전신은 땀에 후줄근하였다. 몸을 움직일 때마다 의복 속으로 퀴지근한 땀냄새

가 물씬물씬 난다. 그는 부엌방문 앞에 이르러서 나뭇짐을 진 채로 펑덩 주저앉았다.

"인제는 다 왔구나." 하고 생각할 때 긴장되었던 그의 신경은 줄 끊어진 활등같이 흐뭇하여져서 손가락 하나 꼼짝할 용기도 나지 않았다.

"해해, 아빠 왔다. 아빠! 해해."

뚫어진 문구멍으로 경수를 내다보면서 문을 탁탁 치는 것은 금년에 3살 나는 학실이였다.

꿈같은 피곤에 싸였던 경수는 문구멍으로 내다보는 그 딸의 방긋 웃는 머루알 같은 눈을 보고 연한 소리를 들을 제 극히 정결하고 순화하고 부드럽고 따뜻한- 뭐라 형용키 어려운 감정이 그 가슴에 넘쳤다. 그는 문이라도 부시고 들어가서 학실이를 꼭 껴안고 그 연한 입술을 쪽쪽 빨고 싶었다.

"응, 학실이냐?"

그는 빙그레 웃으면서 바와 낫을 뽑아들었다. 이때 부엌문이 덜컥 열렸다.

"이제 오늬? 네 오늘 칩었겠구나! 배두 고프겠는데 어찌겠는구?" 하면서 내다보는 늙은 어머니는 어색해한다.

"어머니는 별걱정을 다 함매! 일없소."

여러 해 동안 겪은 풍상고초를 상징하는 그 어머니의 주름 잡힌 낯을 볼 때마다 경수의 가슴은 전기를 받는 듯이 찌르르하였다.

2

경수는 부엌에 들어섰다. (북도는 부엌과 구들사이에 벽 없이 한 데 이어있다.)

벽에는 서리가 들이돋고 구들에는 먼지가 풀썩풀썩 일어나는 이 어둑한

실내를 볼 때 그는 새삼스럽게 서양소설에 나타나는 비밀지하실을 상상하였다. 경수는

"아빠, 아빠." 하고 달룽달룽 쫓아와서 오금에 매여달리는 학실이를 안고 문 앞에 앉아서 부뚜막을 또 물끄러미 보았다. 산후풍이 다시 일어서 벌써 열흘 넘어 신음하는 경수의 아내는 때가 지덕지덕한 포대기와 의복에 싸여서 부뚜막에 고요히 누워있다. 힘없이 감은 두 눈은 쑥 들어가고 그리 풍부치 못하던 살은 쪽 빠져서 관골이 툭 나왔다.

"내 간연에 더하지 않았소?"

"더하지는 않았다만 사람은 점점 그르다."

창문을 멍하니 보던 그 어머니는 머리를 돌려서 곁에 누운 며느리를 힘없이 본다.

문구멍으로 흘러드는 바람은 몹시 쌀쌀하다. 여러 날 불 끓은 구들은 얼음장같이 뼈가 찌릿찌릿하다.

누덕치마 하나도 못 얻어 입고 입술이 파래서 겨울을 지내는 학실이는 방긋방긋 웃으면서 경수의 무릎에 올라앉았다가는 내려서 등에 가 업히고 업혔다가는 무릎에 와 안기면서 알아 못들을 어룰한 소리로 뭐라고 지껄이기도 한다.

"안채에서는 아께두 또 나와서 야단을 치구…"

그 어머니는 차마 못할 소리를 하듯이 뒤끝을 흐지부지 해버린다.

"미친놈들 같으니라구 누가 집세를 떼먹나! 또 좀 떼우면 어때?"

경수는 얼결에 내쏟았다.

"야 듣겠다. 안 그러겠늬? 받을 거 워쩌(어째) 안 받자구 하겠늬? 안 주는 우리 글치…" 하는 어머니의 소리는 처참한 처지를 다시금 저주하는듯하다.

"글키는? 우리가 두고 안 준답디까? 에그, 그게 트림하는 꼴들을 보지 말

구 살았으면…"

경수는 홧김에 이렇게 쏟았으나 그 가슴에는 천사만념이 우물거렸다.

어머니의 시대는 남부럽잖게 지내다가 어머니가 늙은 오늘날, 즉 자기가 주인이 된 이때에 와서 어머니와 처와 자식을 뼈저린 냉방에서 주리게 하는 것을 생각하는 때면 자기가 20년간 밟아온 모든 것이 한 푼의 가치가 없는 것 같고 차마 매가 주인이라고 식구들 앞에서 낯을 드러내놓기가 부끄러웠다.

"학교! 흥, 그까짓 중학은 다녔대 무얼 한 게 있누? 학비 때문에 오막살이까지 팔아가면서 중학을 마쳤으나 무엇이 한 것이 있나? 공연히 식구만 못 살게 굴었지!"

그는 이렇게 하루도 몇 번씩 자기의 소행을 후회하고 저주하였다. 그러다가도 "아니다, 아니다." 머리를 흔들면서 "내가 그른가? 공부도 있는 놈만 해야 하나? 식구가 빌어먹게 집까지 팔면서 공부하게 한 죄가 뉘게 있나? 내게 있을까? 과연 내게 있을까? 아아, 세상은 그렇게 알 테지 흥! 공부를 하고도 먹을 수 없어서 더 궁하게 되니 이것도 내 허물인가! 일을 하잖는다구? 일! 무슨 일? 농촌으로 돌아든대야 내게 밭이 있나? 도회로 나간대야 내게 자본이 있나? 교사노릇이나 사무원노릇을 한대야 좀 뾰로통한 말을 하면 단박 집이 세이고…그러면 죽어야 옳은가? 왜 죽어? 시퍼렇게 산 놈이 왜 그저 죽어? 살구멍을 뚫다가 죽어도 죽지! 왜 그저 죽어? 세상에 먹을 것이 없나, 입을 것이 없나? 입을 것 먹을 것이 수두룩하지! 몇 놈이 혼자 가졌으니 그렇지. 있는 놈은 너무 있어서 걱정하는데 한편에서는 없어서 죽으니 이놈의 세상을 그저 두나?"

경수는 이렇게 도쳐 생각할 때면 전신의 피가 막 끓어올라서 소리를 지르고 뛰어나가면서 지구덩어리까지도 부셔놓고 싶었다. 그러나 미약한 자기의 힘을 돌아보고 자기 한 몸이 없어진 뒤의 식구(자기에게 목숨을 의탁한)의 정상이 눈앞에 선히 보이는 듯할 때면 "더 참자!" 하는 의지가 끓는 감정을 눌렀다.

그는 어디서든지 처지가 절박한 사람을 보면 가슴이 찌르르하면서도 그 무리를 짓밟는 흉악한 그림자가 눈앞에 보이는듯해서 퍽 불쾌하였다.

"아아, 내가 왜 주저를 하나? 모두 다 집어치워라. 어머니, 처, 자식- 그 조그마한데 끌릴 것 없다. 내 식구만 불쌍하냐, 세상에는 내 식구보담도 백배나 주리는 사람이 있다. 이것저것 다 돌볼 것 없이 모든 인류가 다 같이 살아갈 운동에 몸을 바치자!"

그는 속으로 이렇게 결심을 하고 분개도 하였으나 아직 그렇게 나서기에는 용기가 부족하였다. 아니, 용기가 부족이라는 것보다도 식구에게 대한 애착이 너무 컸다.

지금도 어수선한 광경에 자극을 받은 경수는 무릎을 끌어안은 두 손 엄지손가락을 맞이어 배배 돌리면서 소리 없는 아내의 꼴을 골똘히 보고 있다.

철없는 학실이는 그저 몸에 와서 지근지근한다. 아까는 귀엽던 학실이도 이제는 귀찮았다. 그는 학실이를 보고

"내가 자겠다. 할머니 있는 데로 가거라." 하면서 부엌에서 불을 때는 어머니를 가리켰다. 그리고 그는 그냥 드러누웠다. 그는 이 생각 저 생각 끝에 모두 죽어라! 하고 온 식구를 저주했다. 모두다 죽어주었으면 큰 짐이나 벗어놓은 듯이 시원할 것 같다.

"아니다. 그네도 사람이다. 산 사람이다. 내가 내 삶을 아낀다 하면 그네도 그네의 삶을 아낄 것이다. 왜 죽으라고 해? 그네들을 이 땅에 묻어? 내가 데리고 이 북만주에 와서 그네들을 여기다 묻어놓고 나 혼자 잘 살아가? 아아, 만일 그렇다 해보자! 무덤을 등지고 나가는 내 자국 자국에 붉은 피가! 저주의 피가 콜짝콜짝 괴일 테니 낸들 무엇이 바로 되랴? 응! 내가 왜 죽으라고 했을까?! 살자! 뼈가 부서져도 같이 살자! 죽으면 같이 죽고!"

그는 무서운 꿈이나 본 듯이 눈을 번쩍 떴다가 다시 감으면서 돌아누웠다.

3

경수는 돌아누운 대로 꼼짝하지 않고 또 깊은 생각에 잠겼다.

"여보!"

잠잠하던 아내는 경수를 부른다. 그 소리는 가까스로 입 밖에 나오는 듯이 미미하다.

"또 어째 그러오?"

경수는 낮을 찡그리고 획 일어나면서 역증 나게 대답했다. 그러나 그것은 아내의 부르는 것이 역증 나거나 귀찮아서 그런 것이 아니었다. 가슴에 알지 못할 불쾌한 감정이 울근불근할 제 분에 못 겨워서 그렇게 대답한 것이다. 그 아내는 벌떡 일어나는 경수를 보더니 아무 소리 없이 눈을 스르르 감는다. 감는 그 두 눈으로서는 굵은 눈물이 뚝뚝 흘러 해쓱한 뺨을 스치고 거적자리에 떨어진다. 그것을 볼 때 경수의 가슴은 몹시 쓰렸다. 일없이 퉁명스럽게 대답한 것이 후회스러웠다. 자기를 따라 수천 리 타국에 와서 주리고 헐벗다가 드러누운 아내에게 의약을 못 써주는 자기가 말로라도 왜 다정히 못 해주었을까 하는 생각이 치밀 때 그는 죄송스럽고 애절하고 통탄스러웠다. 이때 그 아내가 일어나서 도끼로 경수의 목을 자른다 하더라도 그는 순종하였을 것이다. 그는 아내를 얼싸 안고 자기의 잘못을 백번 사례하고 싶었다.

"여보! 어디 몹시 아프우!"

경수는 다정스럽게 물으면서 곁으로 갔다.

"야, 이거 또 풍 이는 게다."

불을 때고 올라와서 학실이를 재우던 어머니는 며느리의 낯을 보더니 겁난 목소리로 부르짖는다.

이를 꼭 아문 병인의 이마에는 진땀이 좁쌀같이 빠직빠직 돋았다. 사들사들한 두 입술은 시우쇠 빛 같이 파랗다. 콧등에도 땀방울이 뽀직뽀직 흐른다. 그의 호흡은 몹시 급하다. 여러 날 경험에 병세를 짐작하는 경수의 모자는 포대기를 들고 병인의 다리를 보았다. 열 발가락 열손가락은 꼭꼭 곱아들었고 팔다리의 관절 관절은 말끔 줄어 붙어서 소디손 나무통에다 집어넣은 사람 같이 되었다.

어머니와 경수는 이전처럼 그 팔다리를 주물러 펴려고 애썼으나 점점 줄어 붙어서 쇠덩어리 같이 굳어만 지고 병인은 더욱 괴로워한다.

"여보, 속은 어떠오?"

경수는 물 퍼붓듯 하는 아내의 이마의 땀을 씻으면서 물었다. 아내는 무슨 말을 하려고 입술을 나붓거리나 혀가 굳어서 하지 못하고 눈만 번쩍 떠서 경수를 보더니 다시 감는다. 그 두 눈에는 피발이 새빨갛게 섰다. 경수는 가슴이 찌르르하고 머리가 띵할 뿐이었다.

"야! 학실 엄마! 늬 이게 오늘 웬 일이냐? 말두 못 하늬? 에구, 워쩐 땀을 저리두 흘리늬?"

어머니는 부들부들 떨면서 병인의 팔다리를 주무른다. 병인은 호흡이 점점 높아가고 전신에서 흐르는 땀은 의복 거죽까지 내배어서 포대기를 들썩거릴 때마다 김이 물씬물씬 오른다.

"에구, 네가 죽는구나! 에구! 어찌겠는구! 너를 뜨뜻한 죽 한술 못 먹이고 죽이는구나!! 하야, 학실 아빠! 가봐라. 응 또 가봐라. 가서 사정해라. 의원두 목석이 아니문 이번에야 오겠지! 좀 가봐라. 침이라도 맞혀보고 쥑에야 원통 찮지!"

경수는 벌떡 일어섰다. 무슨 결심이나 한 듯이 그의 눈에는 엄연한 빛이 돈다.

4

네 번이나 사절하고 응치 않던 최 의사는 어찌 생각하였던지 오늘은 경수를 따라왔다.

맥을 짚어본 의사는 병을 고칠 테니 의채 50원을 주겠다는 계약을 쓰라한다.

경수 모자는 한참 묵묵하였다.

병인의 고통은 점점 더 심해간다.

경수는 몸이 부르르 떨렸다. 한나라 한 땅에서 난 사람(최 의사)으로 다 같이 이국땅에 와서 그렇게 쌀쌀스런 짓을 부리는 최 의사를 단박 때려서 죽여버리고 싶었다. 그러나 일각이 시급한 아내를 살려야하겠다 생각하면 그의 머리는 숙어지지 않을 수 없었다. 그러나 이를 어찌하랴? 그리라 하면 50원을 내놓아야 하겠으니 50원은커녕 5전이나 있나? 못하겠소 하면 아내는 죽는다.

"아아, 그래 나의 아내는 죽이는가?"

생각 할 때 그의 오장은 칼에 푹푹 찢기는듯하였다.

"시방 돈이 없더래도 일없소. 연기를 했다가 일후에 줘도 좋지! 계약서만 써놓으면…"

의사는 벌써 눈치 채었다는 수작이다. 경수는 벼루를 집어다가 계약서를 써주었다. 그 계약서는 이렇게 썼다.

-의채 일금 50원을 한 달 안으로 보급하되 만일 위약하는 때면 경수가 최

의사 집에 가서 머슴 일 년 동안 살 일-

의사는 경수 아내의 팔다리를 동침으로 쑥쑥 찌르고 나서 약화제 한 장을 써주면서

"이것을 가지고 박 주사 약국에 가보오. 내 약국에는 인삼이 없어서 못 짓겠으니." 하고는 돌아다도 보지 않고 가버렸다.

병인의 사지는 점점 풀리면서 호흡이 순하여진다.

경수는 차마 발길이 떨어지지 않았다. 그 약국 문 앞에 이르러서 퍽 주저거리다가 할수 없어 방에 들어섰다.

약냄새는 코를 쿡 찌른다. 그는 주저거리다가 겨우 입을 열었다.

"약을 좀 지어주시오."

약국 주인은 아무 말 없이 화제를 집어서 보다가 수판을 짤가닥짤가닥 놓더니

"돈 가지고 왔소?"

하면서 경수를 본다. 경수의 낯은 화끈하였다.

"돈을 드릴 테니 좀 지어주시오."

경수의 목소리는 간수 앞에서 면회를 청하는 죄수의 소리 같다.

약국주인은 아무 말도 없이 이마를 찡그리면서 저편 방으로 들어간다. 경수는 모든 설움이 북받쳐서 눈물에 앞에 캄캄하였다. 일종의 분노도 없지 않았다. 세상은 너무도 자기를 학대하는 것 같았다. 그것이 새삼스럽게 슬프고 쓰리고 원통하였다. 방안에 걸어놓은 약봉지까지 자기를 비웃고 가라고 쫓는 것 같았다. 그는 소리 없는 눈물을 주먹으로 씻으면서 약국 문을 나섰다. 약국을 나선 경수는 빈손으로 집에 들어갈 일을 생각하면 또 부끄럽고 구슬펐다.

5

경수는 집으로 돌아왔다.

집안은 황혼빛이 어둑하여 모두 희미하게 보인다. 그는 아내의 곁에 가 앉았다.

"좀 어떻소? 어머니는 어디루 갔소?"

"어머님은 그 집(당신)에게 나간 담에 이에 나가서 시방 안 들어왔소. 약을 제왔소?"

아내의 소리는 퍽 부드러웠다. 경수는 무어라 대답하면 좋을지 몰랐다. 어서 괴로운 병을, 한 찰나라도 건실한 삶을 얻으려는 그 아내에게- 그가 먹어야만 될 약을 못 지어 왔소 하기는 남편 되는 자기의 입으로써 차마 말할 수 없었다.

"지금 지어요. 나는 당신이 더치 않은가 해서 또 왔소. 이제 또 가지러 가겠소."

경수는 아무쪼록 아내의 마음을 위로하려고 이렇게 말하였다. 그러나 그것이 경수에게는 더욱 고통이 되었다. 내가 왜 진실히 말 안 했누? 생각 할 때 그 순박한 아내를 속인 것이 무어라 할 수 없이 가슴이 아팠다. 아내는 그 약을 기다릴 것이다. 그 약에 의하여 괴로운 순간을 벗으려고 애써 기다릴 것이다. 이렇게 생각하면서도 그것이 거짓말이라고 고백할 수도 없었다.

"돈 없다구 약국쟁이가 무시기라구 안 합데?"

"흥!"

경수는 그 소리에 가슴이 꽉 막혔다. 그 무슨 의미로 흥! 했는지 자기도 몰랐다. 그는 아무 소리 없이 손가락만 비비고 앉았다. 어머니가 얼른 오시잖는 것이 퍽 조마조마하였다. 그는 불만 멍하니 쳐다보았다. 빤한 기름불은 실룩실룩하여 무슨 괴화같이 보이더니 인제는 윤곽만 희미하여 무리를 하는 햇빛 같다. 모든 빛은 흐리멍텅하다. 자기 몸은 꺼먼 구름에 사여서 밑 없고 끝없는 나라로 흥덩거려 들어가는 것 같다.

꺼지고 거무레한 그의 눈가장자리가 실룩실룩하더니 누른빛을 띤 흰자위에 꾹 박힌 두 검은자위가 점점 한곳으로 모여서 모들떴다. 그의 낯빛은 점점 검푸르러가며 두 뺨과 입술은 경련적으로 떨린다.

그는 모들뜬 눈을 점점 똑바로 떠서 부뚜막을 노려보고 있다. 그의 눈에는 새로 보이는 괴물이 있다. 그 괴물들은 탐욕의 붉은 빛이 어리어리한 눈을 날카롭게 번쩍거리면서 철관으로 경수 아내의 심장을 꾹 찔러놓고는 검붉은 피를 쑥쑥 빨아먹는다. 병인은 낯이 새까맣게 질려서 버둥거리며 신음한다. 그렇게 괴로워할 때마다 두 남녀는 피에 물든 새빨간 혀를 내두르면서 "하하하" 하고 손뼉을 친다. 경수는 주먹을 부르쥐면서 소름을 쳤다. 그는 뼈가 찌릿찌릿하고 염통이 쏙쏙 찔렸다. 그는 자기 옆에도 무엇이 있는 것을 보았다. 눈깔이 벌건 자들이 검붉은 손으로 자기의 팔다리를 꼭 잡고 철관으로 자기의 염통피를 빨면서 홍소를 친다. 수염이 많이 나고 낯이 시뻘건 자는 학실이를 집어서 바싹바싹 깨물어먹는다. 경수는 악 소리를 치면서 벌떡 일어섰다. 그것은 한 환상이었다. 그는 무서운 사실을 금방 겪은 듯이 눈을 비비면서 다시 방안을 보았다. 불빛이 어스름한 방안은 여전하다.

그의 어머니는 그저 오지 않았다. 오늘은 어머니가 어떻게 기다려지는지 마음이 퍽 죄였다. 너무도 괴로워서 윗집 우물에 가서 빠져죽은 것 같기도 하고 어느 나뭇가지에 가서 목이라도 맨 것 같게도 생각났다. 그럴 때면 기구한 어머니의 시체가 눈에 보이는듯하였다. 그는 뒷간에도 가보고 슬그머니 앞집 우물에도 가보았다. 그 어머니는 없었다. 없을 리가 없겠지? 하고 자기의 무서운 상상을 부언할 때마다 그러한 생각을 하는 자기가 고약스럽고 악착스러웠다.

이렇게 마음을 죄이는 경수는 잠든 아내의 곁에 앉았다. 학실이도 그저 깨지 않고 잘 잔다. 뼈저리게 차던 구들이 뜨뜻하니 수마가 모든 사람을 침범한 것이다. 경수도 몸이 노근하면서 졸음이 왔다.

"경수 있나?"

밖에서 부르는 소리에 경수는 깜짝 놀라 일어섰다. 이때 그의 심령은 그에게 무슨 불길을 가르치는듯하였다.

경수는 문밖에 나섰다.

쌀쌀한 어둠 속에서 사람들이 수군거렸다. 그는 공연히 가슴이 덜컥하고 두근두근하였다. 그는 앞뒤를 얼결에 돌아보았다.

누군지 희슥한 것을 등에 업고 경수의 앞에 나타났다.

"아이구, 어머니!"

그 사람의 등에 업힌 것을 들여다보던 경수는 이렇게 소리를 지르면서 정신없는 어머니에게 매달렸다.

6

경수의 어머니는 방에 들여다 눕히었다. 다리와 팔에서는 검붉은 피가 그저 줄줄 흘러서 걸레 같은 치마저고리에 피 흔적이 임리하다. 낮의 고기도 척척 덜어졌다. 그는 정신없이 척 늘어졌다. 사지는 냉랭하고 가슴만 팔딱팔딱하였다.

경수는 갑갑하여 울음도 나지 않고 말도 나오지 않았다.

"이게 어쩐 일이요?"

죽 모여선 사람가운데서 누가 묻는다. 입을 쩍쩍 다시고 앉았던 김참봉은 말을 내었다.

"하, 내가 최 도감하구 물남에 갔다 오는데요. 물 건네 중국사람 집 있는 데루 가까이 오니 그 놈의 집개가 어떻게 짖는지! 워낙 그 놈의 개가 사나운 개니까 미리 알아차리느라구 돌째기(돌멩이)를 찾느라구 옆에서 낑낑하는데 <사람 살리오!>하는 소리가 개소리가운데 모기소리만치 들린단 말이야! 그래 최도감하구 둘이 달아가 보니까 웬 사람을 그 놈의 개들이 뜯겠지! 그래 소리를 쳐서 주인을 부른다 개를 쫓는다 하구 보니 아 이 늙은이겠지." 하며 김참봉은 경수 어머니를 가리킨다.

"에구, 그놈의 개가 상년에두 사람을 물어 줴였지-" 누가 말한다.

"그래 님자는 가만히 있었나?" 또 누가 묻는다.

"그래 몸을 잡아 일으키니 벌써 정신을 잃었겠지요! 그런데두 무시긴지 저거는 옆구리에 껴안고 있어!" 하면서 땅바닥에 놓은 조그마한 보퉁이를 가리킨다.

"그게 무시기오?" 하면서 누가 그것을 풀었다. 거기서는 한 되도 못 되는 누런 좁쌀이 우시시 나타났다. 경수 어머니는 앓는 며느리를 먹이려고 자기 머리의 다리를 풀어가지고 물남에 쌀 사러 갔었던 것이다.

자던 학실이는 언제 깨었는지 터벅터벅 기어와서 할머니를 쥐어흔든다.

"할머니 일어나라 이차! 이-차."

학실이는 항상 하는 것이 잠든 할머니를 깨우는 모양으로 할머니의 머리를 들어 일으키려고 한다. 경수의 아내는 흑흑 운다. 너무도 무서운 광경에 놀랐는지 그는 또 풍증이 일어났다. 철없는 학실이는 할머니가 일어나지 않고 대답도 없으니 어미 있는 데 가서 젖을 달라고 가슴을 매어 달린다. 괴로워하는 그 어미의 호흡은 점점 커졌다.

모였던 사람은 하나 둘씩 흩어진다. 누가 뜨뜻한 물 한술 갖다 주는 이가 없다.

경수는 머리가 띵하였다. 그는 사지가 경련되는 것을 느꼈다. 그의 가슴에서는 연 덩어리가 쑤심질하는 듯도 하고 캐한 연기가 팽팽 도는 듯도 하고 오장을 바늘로 쏙쏙 찌르는 듯도 해서 뭐라 형언할 수 없었다. 갑자기 하늘은 시꺼멓게 흐리고 땅은 쿵쿵 꺼져 들어간다. 어둑한 구석구석으로서는 몸서리치도록 무서운 악마들이 뛰어나와서 세상을 깡그리 태워버리려는 듯이 뻘건 불길을 활활 내뿜는다. 그 불은 집을 불사르고 어머니를, 아내를, 학실이를 자기까지 태워버리려고 몰켜온다. 뻘건 불속으로서는 시퍼런 칼 든 악마들이 불끈불끈 나타나서 온 식구를 쿡쿡 찌른다. 피를 흘리면서 혀를 가로물고 쓰러져가는 식구들의 괴로운 신음소리는 차마 들을 수 없어 뼈까지 저리다. 그 괴로워하는 삶을 어서 면케 하고 싶었다. 이러한 환상이 그의 눈앞에 활동사진같이 나타날 때

"아아, 부셔라, 모다 부셔라!"

소리를 지르면서 그는 벌떡 일어섰다. 그의 손에는 식칼이 쥐었다.

"모두 죽여라! 이 놈의 세상을 부시자! 복마전 같은 이 놈의 세상을 부시자! 모두 죽여라!"

밖으로 뛰어나오면서 외치는 그 소리는 침침한 어둠속에 쌀쌀한 바람같이 처량히 울렸다. 그는 쓸쓸한 거리를 나섰다. 좌우에 고요히 늘어있는 몇 개의 상점은 빈지를 반을 닫고 반은 열어놓았다.

경수의 눈앞에는 아무 거리낄 것 아무 주저할 것이 없었다. 그는 허둥지둥 올라가면서 닥치는 대로 부신다. 상점이 보이면 상점을 짓부수고 사람이 보이면 사람을 찔렀다.

"홍으적(도적놈)이야!"

"저 미친놈 봐라!"

고요하던 거리에는 사람의 소리가 요란하다.

"내가 미쳐! 내가 도적놈이야? 이 악마 같은 놈들 다 죽인다!"

경수는 어느새 웃장거리 중국 경찰서 앞까지 이르렀다. 그는 경찰서 앞에서 파수 보는 순사를 콱 찔러 눕히고 안으로 들어 뛰어갔다. 창문을 부신다. 보이는 사람대로 찌른다.

"꽝…꽝…꽝꽝…"

경찰서안에서는 총소리가 연방 났다. 벽력같이 울리는 총소리는 쌀쌀한 바람과 함께 쓸쓸한 거리에 처량히 울렸다.

모든 누리는 공포의 침묵에 잠겼다.

1925.5.17.

출처: 『조선문단 9』, 1925.6.

주요섭

첫사랑 값

유경이가 죽었다는 소식은 내게 쇼크를 주었다. 나는 그가 아직 해외(海外)에 있는 줄로만 알았었는데 갑자기 그의 부고를 받고는 어찌할 줄을 몰랐다.

"원 그럴 수가 있나?" 하고 생각했으나 사실이 사실인데는 할 수 없다. 더욱이 그가 언제 고향으로 돌아왔으며 또 어떻게 그렇게 갑자기 죽었는지 그것이 내게는 큰 의문이었다. 더욱이 그동안 한 일 년 동안 웬일인지 서로 서신이 끊어졌고 나도 또 이럭저럭 편지를 못 쓰고 있었는데 그가 고향에 돌아온 줄도 전혀 모르고 있었고 또 만일 돌아온 줄을 알았던들 좀 더 속히 내려가서 반가운 그를 만나보았을 것인데 퍽 섭섭했다. 그와 나는 소학교시대부터 제일 가까운 친구였다.

여러 가지 의문이 내 머리를 차고 돌았으나 좌우간 내려가 보면 알 터이지 하고 바로 그날 밤차로 평양으로 내려갔다.

초상난 집에는 사람들이 뜰에 앉아 웅성웅성하고 있고 사랑에는 젊은 사람들이 모여서 장기들을 한가히 두고 있었다. 나는 본래 유경이 부모와 가깝고 유경이가 七八년이나 해외에 있는 동안에도 여러 번 평양에 갈 기회가 있을 때마다 유경이 어머니를 차차 보고했음으로 그 집은 흠 없이 드나들던 터이라 서슴없이 방안으로 들어섰다.

유경이 어머니는 나를 보고는 설움이 또다시 북받쳐서 다시 소리쳐 울었다. 유경이 아버지는 일어서면서 "오나!" 하고 길게 한숨을 쉬었다. 나는 들어가서 앉았다. 그러나 어떻게 말을 해야 할지 몰라 가만히 있었다. 흐늑거리는 유경이 어머니의 잔등과 또 그 풀어헤친 부스러진 머리털을 보고 눈물이 핑 돌았다.

널에 넣어둔 유경이 시체를 내게 보이려고 다시 뚜껑을 떼었다. 나는 그의 죽은 얼굴을 보고 놀라지 않을 수 없었다. 바로 작년에 그에게서 보낸 사진을 받아본 적이 있었다. 그때 사진으로 보면 두 볼에 살이 통통 지었었다. 어렸을 적에도 몸이 통통해서 동리 할머니들에게 복스럽게 생겼다는 말을 늘 들었었다. 그리고 내 어머니도 늘 나더러 유경이는 저렇게 몸이 튼튼한데 너는 어째 이리 약골이느냐는 말을 늘 들었었다. 그러나 유경이가 해외로 떠나가서 이래 몇 해 동안 서북간도로 다니며 몸에 과한 고생을 했으나 그 육체적 고생이 결코 그의 복스러운 두 뺨을 빼앗아가지 못했었다. 그러던 것이 바로 일 년 전 사진으로 보아도 통통한 미남자(美男子)이던 그가 불과 일 년에 이렇게까지 되리라고는 상상할 수 없었다.

뼈만 남아 툭 내민 광대뼈, 핏기 없는 입술, 만일 반쪽이라는 것이 있다면 유경이는 지금 반쪽이 되었다. 나는 너무 악착해서 고개를 돌렸다.

방 한편 구석에는 아직도 그가 마시고 죽었다는 유리약병이 놓여있다. 나는 그 병을 들고 자세히 검사해 보았으나 본래 약학에 지식에 없는 나로는 무엇인지 알 수가 없었다. 그러고 또 그가 자살한 이유에 對해서도 아무도 아는 사람이 없었다. 경철서에서 검시를 와서 찬찬히 검사를 해보았으나 그럴듯한 단서를 얻지 못했다한다. 그리고 그가 남긴 서류로는 종이뭉텅이 하나와 '金만수 형에게'라고 쓴 죽는 날 밤의 유서 한 장이 있는데 그 유서에도 자살하는 이유에 對해서는 아무런 소리도 쓰여 있지 않았고 또 다른 종이뭉텅이는 꽁꽁 차고 종의로 싼 것인데 겉에다가 '金만수君께', '他人은 勿開할

事'라 썼음으로 아직 아무도 떼어보지 않고 내가 온 후에 보기로 했다고 한다.

종이 뭉텅이를 펴서 보니 그것은 그의 日記였다. 原稿紙에다가 例의 그의 有名한 惡筆로 홀로 쓴 日記였다. 日記는 한 一年 前부터 最近의 것까지인데 그것도 急하게 뒤적거려가지고는 그 죽은 원인에 對해서 十分之一의 빛을 던져주기에도 不足했다. 그래 日後 틈 있는 대로 천천히 다 읽어보아서 혹시 무슨 사실을 찾으면 편지로 알게 하기로 하였다.

죽은 친구를 서장대묘지에 묻고 그 이튿날 아침 즉시 서울로 돌아오는 車를 탔다. 나는 車 속에서 그의 日記를 모두 읽었다. 惡筆로 홀로 쓴 것이 되어서 서울에 다 오기까지에 겨우 모아 읽었다. 그리고 나는 놀라지 않을 수 없었다.

나는 이 日記를 이렇게 공개하는 것이 옳은 일인지는 모른다. 그러나 내가 사랑하는 유경君의 一生을 왔던 보람도 없이 그냥 흙속에 묻혀버리기는 싫다. 만일 유경君의 魂이 日記를 公開하는 것을 不合當하게 생각한다면 나는 그 責함을 달게 받을 터이다.

그의 日記는 이러하다.

八月 二十八日

상해(上海)로 돌아왔다.

항주(杭州)는 퍽 아름다운 곳이었다. 더욱이 서호(西湖)에서 해 지는 구경하는 것은 참으로 신선놀음이었다. 그러나 웬 일인지 나는 고독을 느꼈다. 나이를 차차 먹어서 그런지 어떤 알지 못할 이성(異性)이 그립다. 저녁에 서호가에 나갈 때마다 젊은 남녀들이 쌍쌍히 공원 안을 거니는 것을 볼 때마다 나는 슬그머니 서운하고도 클클한 감정이 났다. 아! 그 아름다운 해떨어지는

구경을 나 혼자 말고 누가 같이 있어서

"아름답지요!"

"네!" 하고 이야기하면서 보았으면 했다.

찻간은 무던히 좁았다. 정거장마다 피난민들이 들이밀린다. 아무래도 전쟁은 시작되나보다. 나는 찻간에서도 형형색색의 참담한 구경을 보았다. 인생생활이란 본래 이런 것인가 하고 생각하니 한껏 가엽다. 발을 옮겨놓을 틈도 없어서 내내 우뚝 서서 오는데 더구나 차가 다섯 시간이 연착이 되어서 퍽 괴로웠다. 상해는 피난민으로 우글우글 한다.

九月 二十日

어젯밤 한잠도 못 잤다.

이런 경험은 처음이다.

어젯밤 일이었다. 강당에서 청년회 주최로 시 입학생 환영회를 열었다가 열시가 넘어서 회를 마치고 나오려고 막 일어서다가 우연히 바로 앞줄에 앉았다가 일어서는 어떤 여학생 한 분하고 눈이 마주쳤다. 나는 총각의 수줍음으로 평상시같이 얼른 눈을 옮겼다. 그도 얼른 외면은 했다. 그러나 나는 그 깜빡하는 일순간에 무슨 큰 감격을 받은 것 같았다. 어째 그 얼굴이 인금 다정한 듯하고 한 번 더 보았으면 하는 생각이 났다. 앞서 있는 사람들이 아직 다 풀려나가지 않아서 우두커니 서있을 때 나는 어떤 시선이 나를 주시(注視)하고 있는 것을 감각했다. 그래 다시 고개를 그리로 돌렸다. 그 여학생이 나를 들여다보고 있던 여학생이 낭패한 듯이 눈알을 따로 돌리고 귀밑이 빨개졌다. 내가 그렇게 생각했는지도 모르지만 그러고는 그가 문 앞까지 갔을 때 한 번 더 힐끗 돌려다보고는 그만 문밖 컴컴한 속으로 사라지고 말았다.

나는 얼빠진 사람처럼 무엇을 얻었다가 잃어버린 사람처럼 눈이 멀게서 한참 섰다가 뒤에서 내미는 바람에 밀려나왔다. 변소를 다녀서 기숙사방으로 돌아가는 길에 얼굴을 돌이켜 불들이 "빠ㄴ"하게 켜있는 맞은편 여학생 기숙사창문들을 하나하나씩 쳐다보았다. '아! 어느 방에 그이가 계신가?' 하고 나도 모르게 혼자 탄식했다.

밤새도록 그의 생각이 내 머리를 점령했다. 힐끗 두어 번 본 얼굴이어서— 개학 이래 아직 보지 못했었다. 그것은 내가 그리 여학생들을 주의해보지 않는 까닭이다. 얼굴의 윤곽만도 퍽 의미하게 봤지만 기억이 되지 않았다. 그러나 내 머리에는 그 쏘는 듯한 광채 있는 눈으로 가득 채워있었다. 아! 그 눈, 그 눈이 온밤 내 몸을 감시하고 있었다.

내가 내 자신으로도 퍽 이상하게 생각이 된다. 성욕이라는 것을 알게 된 뒤로 벌써 십여 년 동안에 하도 많은 여자들(그중에는 "퍽 예쁘다!" 하고 인상을 얻은 여자도 수두룩하다.)을 길거리에서 보고 학교에서 보고 한자리에 앉아 공부를 했으되 이처럼 잊혀지지 않는 인상을 남긴 적이 없다. 혹은 거리에서, 혹은 전차 안에서, 혹은 교실 안에서 수다한 여자들과 눈이 마주쳐 보았다. 어떤 때는 퍽 아름다운 여자의 눈이 마주치면 마음이 퍽 기꺼웠다. 그러나 그것도 잠시 일이요, 한 시간 후이거나 무슨 다른 생각을 하거나 책을 한 페이지 읽고 난 후에 그 인상은 벌써 잊어버려질 뻔했었다. 그런데 하필 이 여자에게는? 알 수 없는 일이다.

그런데 오늘 오전에 또 이상스러운 일이 있었다. 밤새도록 잠 못 자고 머리가 띵하건만 오늘 바칠 숙제는 아직껏 남아있어서 아침 첫 시간 보는 시간에 도서관으로 빨리 가는 중이었다. 나는 항상 걸음을 빨리 걷는다. 그것은 년 전에 어떤 서양 사람이 동양 사람 걸음걸이 사흘 굶은 사람의 걸음 같다는 평을 듣고 분개하여 걸음 빨리 걷는 걸음으로 층층대를 성큼 올라서서 바른쪽 문편으로 홱 돌아서면서 한걸음 내놓는 차에 아차하면 어떤 여학생하고 이마를 딱 마주칠 뻔했다. 불연즉 "엇!" 소리를 치면서 나는 갑자기 멈칫하면서 앞으로 나가던 몸을 뒤로 움츠렸다. 그래 몸은 균형을 잃어 넘어질 뻔했으나 바로 잡았다. 마주 오던 여학생도 우뚝 섰다. 그는 무슨 급한 일이 있는지 도서관에서 달음질쳐 나오다가 이렇게 하마터면 마주칠 뻔한 것이다.

둘이 마주하면서 힐끗 두 사람의 눈은 마주쳤다. 아, 그 눈, 그 눈이었다. 어제 밤새도록 나를 감시하던 그 눈이었다. 나는 부지중 가슴이 두근두근하고 얼굴이 벌게졌다. 그래 얼른 모자를 벗고 "실례했습니다." 하고 모기소리만치 입을 열었다. "천만에" 하는 가느다란 소리를 남겨놓고서 그는 다시 내가 비켜선 데로 뛰어 달음질로 뛰어나갔다. 나는 거의 모든 의식과 존재를 잊고 그의 뛰는 뒷모양을 바라보았다. 층층대를 다 내려가서 한 번 힐끗 돌아보다가 아직도 내가 멀거니 서서 저를 보고 있는 것을 보고 부끄러웠던지 얼굴이 빨개지고 그러면서도 어떤 미소를 띠고 이상한 몸짓으로 여학생 기숙사 쪽으로 뛰어갔다.

나는 도서관 안에 들어가 앉아 책을 펼쳐보았으나 도무지 읽을 수가 없었다. 책장을 뒤치는 내 손이 부들부들 떨리는 것을 보았다. 어떤 말할 수 없는 행복과 기대가 가슴에 뭉쳐서 정신이 얼떨한 것이 분별을 할 수가 없이 되었다. 한참 만에 정신이 들여다보니 책은 벌써 서너덧 페이지 읽었으나 무슨 소리를 읽었는지 한마디도 기억할 수가 없었다. 다시 처음부터 읽으려 했으나 실패였다. 둘째 줄을 읽기도 전에 벌써 셋째 줄에 무슨 말이 있었던지를 기억할 수가 없도록 내 마음은 흥분되었던 것이다.

나는 무엇을 생각할 수도 없었다. 아무런 사상, 아무런 사색, 아무런 감각도 없었다. 그 여학생의 생각을 했느냐 하면 그런 것도 아니다만 멀거니 정신이 빠져 앉아있는 것이었다. 가슴이 멍하고 손이 부들부들 떨면서 시계를 쳐다보았으나 몇 시 되었는지도 기억할 수 없었다. 멀거니 창밖 저 강가에 바람에 흔들리는 버드나무가지 끝만 바라다보다가 그만 방으로 돌아와서 침대에 누웠다.

그 여자의 이름이 무엇일까? 신입생일가? 몇 학년이던가? 하는 생각을 몇 번 했다.

기계처럼 제 시간 찾아 교실에 들어는 갔으나 그 시간들을 모두 어떻게 보냈는지 하나도 기억할 수 없다. 만일 어떤 선생이고 내게 무엇을 물어봤더라면 나는 두말없이 제로 한 개씩은 꼭 받았을 것이다.

기도회시간에는 내가 전에는 그렇게 부주의하던 여자를 아주 자주 건너다보는 나를 발견하고 나도 내가 우스웠다. 그 여자를 발견했다. 그리고 뒷모양을 무한히 바라다보고 싶었다. '이래서는 안 된다.' 하고 열심히 강대를 바라다보려 했으나 어느새인지 눈알은 자연히 그가 앉은 곳으로 옮겨지곤 했다.

十月 一日

오늘이야 나는 그 학생의 이름도 알고 학년도 알았다. 어제야 여름동안 여행을 갔다가 늦게야 돌아온 생물학(生物學)교수가 오늘부터 교수를 시작한다는 광고를 들었다. 나는 작년의 시간상태로 생물학공부를 빼놨었다. 그런데 그 과목이 이 학교 필수과목이어서 금년에는 꼭 배워야 한다는 교무장의 명령이었다. 그래 과정표를 가지고 생물학 강당에 갔다가 그 여자도 역시 거기에 와서 앉아있는 것을 보았다. 가슴이 멈칫했다. 그리고 교수가 우리들의 자리를 잡아주느라고 일일이 호명할 때 나는 그러지 않는다 하면서도 자연히 귀를 기울여 그 여자의 이름을 들으려 했다.

그는 N이다. 아! N, 무엇이라고 할 음악적 이름인가하고 나는 생각했다. 기실 음악적이기보다는 듣기 좀 거북하는지 모른다. 나는 그동안 며칠을 어떤 모양으로 지냈는지 모른다.

十月 二十日

생물학시간에 보는 것 외에도 나는 한 주일에 서너 번씩 그 N씨를 보게
된다. 생물학시간에야 그는 맨 앞줄에 앉고 나는 바로 문 안 뒷줄에 앉으니
까 그 외에 내가 서로 마주 떨리는 일이 없으나 바로 만나는 때는 만나는 때
마다 나는 늘 그의 눈이 나를 바라다보는 것을 감한다. 그래서 나는 또 필사
의 용기를 다하여 그를 쳐다보면 그의 눈과 내 눈은 마주친다. 그러면 서로
낭패한 듯이 얼굴을 돌린다. 어떤 때 혹은 도서관 같은 데서 나는 그가 나를
물끄러미 내려다보고 있는 것을 감한다. 그것은 이상한 본능이다. 그를 보지
못하더라도 내 등 뒤에 어떤 주시를 감하여 돌아다보면 나는 반드시 그이의
눈을 본다. 그런데 나는 바보다. 너무 얼뜨다. 나는 그를 한 초라도 똑바로 쳐
다볼 용기가 없다. 혹 곁눈으로 보살피면 그는 아직도 멀거니 나를 바라다보
고 있다. 그러면 나는 한없는 행복을 느낀다. 그러나 나는 대담하게 그를 물
끄러미 바라다볼 용기는 없는 것이다. 아니, 용기만 없는 것은 아니다. 내 속
에는 무슨 다른 이유가 있는 것이다. 첫째는 나는 자존심(自尊心)이 너무 강하
다. 내게는 여자가 홀리려니 저편에서 내게 홀렸는데 나는 이렇게 못 본척하
고 있으면 저편에서 안타까워하려니 하는 야비스러운 자존심의 발동이다.
둘째는 어떤 의미의 도덕심이다. 의무심이다, 곧 민족관념이라는 그것이다.
'아! 나는 외국의 여자의 눈 맞춤을 하여서는 아니 된다.' 하고 나는 늘 혼자
생각한다.

그러나 운명의 신은 왜 나를 이렇게 괴롭게 하는가? 나는 아무래도 그를
잊을 수가 없다. '아니다. 안 된다, 안 된다.' 하면서도 그러면서도 나는 그를
보고 싶다. 그가 나를 바라거나 곁눈질해 보는 것을 바란다. 그러면서 속에

서는 자그마한 의심이 떠오른다. 그가 왜 그렇게 자세히 나를 바라다볼까? 혹은? 아니 혹은? 아! 나는 그 한 길 사람 속을 몰라 애를 쓰는 것이다.

十月 二十九日

오늘은 토요일이었다. 아침 첫 시간 공부가 없음으로 마음 놓고 자다가 그만 조반을 잃어버렸다. 마침 마지막 시간에 선생이 결석했으므로 친구들 (그 애들도 늦잠 자고 조반 굶은 애들) 몇이 와서 호떡을 사먹으러 문간까지 지나갔었다.

마침 N씨가 다른 여학생 몇과 같이 토요일인고로 집에 가는 모양이었다.(N씨의 집이 상해에 있는 줄을 짐작했다.) 여럿이서 자동차를 타고 나오다가 대문 앞에서 누구를 기다리는 지 서있는데 N씨는 쌩긋쌩긋 웃으면서 옆에 앉은 여학생과 무슨 이야기를 하고 있었다. 우리는 그 자동차 앞을 돌아서 지나가야만 하게 되었다. 나는 뒤로 돌아가고 싶었으나 행의 선두가 앞으로 가므로 할 수 없이 따라갔다. 나는 두근두근하면서 할 수 있는 대로 외면을 하면서 빨리 그 앞을 지나오려 했다. 그러나 힐끗 곁눈으로 N씨가 내게 향해 머리를 돌리는 것을 보는 듯하고 나는 전신이 짜르르해짐을 감각했다. 내 몸이 어째 갑자기 쪼그라들어서 N씨 앞에서 새끼손가락만한 작은 사람이 되어 발걸음을 떼어놓지 못하고 자꾸 그에게로 끌려가는 것 같았다. 머리에는 식은땀이 흘렀다. 이때 자동차는 다시 푸루루 하면서 열어놓은 대문으로 줄곧 달아갔다. 나는 그 자동차를 바라다볼 용기도 없어서 급급히 호떡가게로 기어들어갔다. 바로 어떤 쇠사슬에 맺혔던 몸이 풀려 놓인 것 같기도 하고 몸이 다시 쑥쑥 자라서 귀진 것 같기도 하다.

출처: 『조선문단』, 1925.9.

최서해

해돋이

끝없는 바다 낯에 지척을 모르게 흐르던 안개는 다섯 점이 넘어서 걷히기 시작하였다.

뿌연 찬김이 꽉 찬 방안같이 몽롱하던 하늘부터 멀쩡게 개이더니 육지의 푸른 산봉우리가 안개 바다 위에 뜬 듯이 우뚝우뚝 나타났다. 이윽하여 하늘에 누릿한 빛이 비치는 듯 마는 듯 할 때에는 바다 낯에 남았던 안개도 어디라 없이 스러져 버렸다.

한강환(漢江丸)은 여섯시가 넘어서 알섬[卵島]을 왼편으로 끼고 유진(楡津) 끝을 지났다. 여느 때 같으면 벌써 항구에 들어왔을 것이나 오늘 아침은 밤사이 안개에 배질하기가 곤란하였었으므로 정한 시간보다 세 시간 가량이나 늦었다.

안개가 훨씬 거두어진 만경창파는 한없는 새벽하늘 아래서 검푸른 빛으로 굼실굼실 뛰논다. 누른 돛 흰 돛 들은 벌써 여기저기 떴다. 그 커다란 돛에 바람을 잔뜩 싣고 늠실늠실하는 물결을 좇아 둥실둥실 동쪽으로 나아가는 모양은 바야흐로 솟아오르는 적오(赤烏)나 맞으려 가는 듯이 장쾌하였다. 여러 날 여로에 지친 손님들은 이 새벽 바다를 무심히 보지 않았다.

먼 동편 하늘과 바다가 어우른 곳에 한일자로 거뭇한 구름 장막이 아른아른한 자주빛으로 물들었다. 그것도 한 순간 다시 변하는 줄 모르게 연분홍빛으로 물들었다. 그 분홍 구름이 다시 사르르 걷히고 서너 조각 남은 거무레한 장미빛으로 타들더니 양양한 벽파 위에 태양이 솟는다. 태연자약하여 늠실늠실 오르는 그 모양은 어지러운 세상의 괴로운 인간에게 깊은 암시를 주는 듯하였다.

아직 엷은 안개가 흐르는 마천령(摩天嶺) 푸른 봉우리에 불그레한 첫 빛이 타오를 때 검푸른 바다 전면에는 금빛이 반득반득하여 눈이 부실 지경이다. 침묵과 혼탁이 오래 흐르던 세계는 장엄한 활동이 시작되는 세계로 한 걸음 한 걸음 가까워 졌다.

배는 해평(海坪) 앞바다를 지나갔다. 추진기 소리는 한풀 죽었다. 쿵덩쿵덩 하고 온 배를 울리던 소리가 퍽 가늘어져서 밤사이 풍랑에 지친 피곤을 상징하는 듯하였다.

한풀 싱싱하여서는 남들이 수질하는 것을 코웃음치던 김 소사(金召史)도 이번에는 욕을 단단히 보았다. 어제 석양 청진(淸津)서 떠날 때부터 사납던 풍랑은 밤이 깊어 갈수록 더 심하였다. 오전 세시쯤 하여 명천 무수끝(明天舞水端)을 지날 때는 뱃머리를 쿵쿵 치는 노한 물소리가 세차게 오르내리는 추진기 소리 속에 더욱 처량하였다. 닥쳐오는 물결에 배가 우쩍뚝 하고 소리를 내면서 번쩍 들릴 때면 몸을 무엇으로 번쩍 치받아주는 듯 하였다가도 배가 앞으로 숙어지면서 쑥 가라앉을 때면 몸을 치받아 주던 그 무엇을 쑥 잡아 뽑고 깊고깊은 함정에 휘휘 둘러넣는 듯이 정신이 아찔하고 오장이 울컥 뒤집혔다. 메쓱메쓱한 뻥끼 냄새와 퀴지근한 인염(人炎)에 후끈한 선실에는 신음하는 소리와 도르는 소리와 어린애 울음소리가 서로 어울어져서 수라장을 이루었다. 사람 사람의 낯은 희미한 전등빛에 창백하였다. 뽀이들은 손님들 출입을 주의시킨다. 괴로움과 두려움의 빛이 무르녹은 이 속에서도 술이 얼근하여 장타령하는 사람도 있다.

김 소사는 그렇게 돌지는 않았으나 꼼짝할 수 없이 괴로왔다. 그렇게 괴로운 중에도 손녀의 보호에 조금도 태만치 않았다. 손녀 몽주가 괴로와서 킥킥 울 때마다 늙은 김 소사의 가슴은 칼로 빡빡 찢는 듯하였다. 그것은 수질에 괴로와하는 것이 가엾다는 것보다,

"엄마-저즈…엄마 저즈…"

하고 어디 가 있는지도 모르는 어미를 찾는 때면 얼마나 안타까운지 알 수 없었다.

"쉬-울지 말아라! 몽주야 울지 마라. 울면 에비 온다. 엄마는 죽었다. 자-내 저즈 먹어라."

하고 시들시들한 자기 젖을 몽주의 입에 물려주었다. 몽주는 그것을 우물우물 빨다가도 젖이 나지 않으면 또 운다. 젖 못 먹는 그 울음소리는 애틋하였다. 이렇게 애를 쓰다가 먼동이 트기 시작하여서 물결이 자는지 배가 덜 뛰놀게 되니 몽주는 잠이 들었다. 그 바람에 김 소사도 잠이 들었다.

죽어서 진토가 되어도 잊지 못할 원한을 품은 김 소사에게는 잠도 위안을 못 주었다. 잠만 들면 뒤숭숭한 꿈자리가 그를 볶았다. 무슨 꿈인지 깨면 기억도 잘 안나는 꿈이건만 머리는 귀신의 방망이에 맞은 것처럼 늘 휑하였다. 깨면 끝없는 걱정, 잠들면 흉한 꿈 이러한 것이 늙은 그를 더욱 쪼그라지게 하였다. 그는 늙은 자기를 생각할 때마다 의지 없는 손녀를 생각지 않을 수 없었다.

"뚜-"

맹렬하게 울리는 기적 소리에 김 소사는 산란한 꿈을 깨었다. 그는 푹 꺼진 흐릿한 눈을 뜨는 대로 품에 안은 손녀를 보았다. 낯이 감실감실하게 탄 몽주는 싹싹 자고 있었다. 그 불그레한 입술을 스쳐 나드는 부드러운 숨결을 들을 때에 김 소사의 가슴에는 귀엽고 아쉬운 감정이 물밀 듯이 일렁일렁하

였다. 그는 부지불식간에 손녀를 꼭 안으면서 따뜻한 뺨에 입 맞추었다. 그는 거의 열광적이었다. 그의 눈에는 웃음이 그득하였다. 웃음이 흐르던 눈에는 다시 소리 없는 눈물이 괴었다. 그는 코를 훌쩍 들어 마시면서 머리를 들어 선실을 돌아보았다. 똥그란 선창으로 아침빛이 흘러들었다. 붉고 따뜻한 그 빛은 퍽 반가웠다. 어떤 사람은 꼼짝 않고 누워 있고 어떤 사람은 짐을 꾸리고 어떤 사람은 갑판으로 나가느라고 분주잡담하였다. 김 소사는 손녀에게 베였던 팔을 슬그머니 빼고 대신 보꾸러미를 베여 주면서 일어섰다. 일어앉은 그는 휑한 머리를 이윽히 잡았다.

"어-ㅁ마- 어ㅁ마- 히 히 애…"

몽주는 몽툭한 주먹으로 눈, 코, 입 할 것 없이 비비고 몸을 틀면서 울었다.

"응 어째 우니? 야! 몽주야 할머니 여기 있다. 우지 마라. 일어나서 사탕 먹어라. 위-차."

김 소사는 웃으면서 손녀를 가볍게 번쩍 일으켜 앉혔다.

"으응-애…애…"

몽주는 몸을 틀고 발버둥을 치면서 손가락을 입에 물고 비죽비죽 울었다. 따뜻한 품을 그려서 우는 그 꼴을 볼 때 김 소사의 늙은 눈은 또 젖었다.

"야! 어째 이러늬? 쉬-울지 마라. 울면 저 일본 영감상이 잡아간다."

김 소사는 몽주를 안으면서 저 편에 앉아서 이 편을 보는 일본 사람들을 가리켰다. 몽주는 눈물이 글썽글썽한 눈으로 그 일본 사람을 돌아다보더니 울음을 뚝 그치고 흑흑 느꼈다. 일본 사람은 빙그레 웃으면서 과자를 집어서 주었다.

"영감상 고-맙소."

김 소사는 과자를 받아서는 몽주를 주었다. 몽주는 받으면서 거의거의 울려는 소리로,

"한마니! 쉬 하겠다."

하면서 일어서려고 하였다.

"응 오줌을 누겠늬? 어-내 새끼 기특두 한지고."

김 소사는 몽주를 안아서 저편에 집어 내놓았다.

…

김 소사는 몽주를 뒤집어 업고 커다란 보퉁이를 끌면서 번쩍 일어섰다. 일어서는 바람에 위층 천반에 정수리를 딱 부딪혔다. 두 눈에서 불이 번쩍하면서 정신이 아찔하여 그 자리에 거꾸러졌다. 철창을 머릿속에 꽉 결은 듯이 전후가 캄캄하여 거꾸러진 그 찰나! 그에게는 아무런 감각도 없었다. 등에서 괴롭게 버둥거리면서,

"엄마…애…"

부르짖는 손녀의 울음소리도 못 들었다.

얼마 동안이나 되었는지 귓가에 어렴풋이 들리는 울음소리와 누가 몸을 흔드는 바람에 김 소사는 정신을 차렸다. 누군지 몸을 잡아 일으켜 주었다. 김 소사는 독한 술에 질렸다 깬 듯이 어질어질하면서 보퉁이를 끌고 승강구(昇降口) 층층다리 곁으로 왔다. 홑몸으로도 어질어질한 터인데 손녀를 업고 보퉁이를 끌고 층층다리로 올라가기는 어려웠다. 여러 사람들이 쿵쿵 뛰어 올라가는 것을 볼 때마다 혹 보퉁이를 들어 올려 줄까 하여 그네들을 애원하듯이 쳐다보았다. 그러나 모두 알은 척하지 않았다. 김 소사는 소리 없는 한숨을 쉬었다. 그 여러 사람에게,

"이것 좀 들어다 주시오!"

하기는 자기의 지위가 너무도 미천하였다.

이전에는 어디를 가면 그의 아들 만수(萬洙)가 따라다니면서 배에서든지 차에서든지 "어머니 어머니" 하면서 봉양이 지극하였다. 그가 수질을 몹시

하지 않아도 뒷간으로 간다든지 갑판으로 바람 쏘이려 나가면 만수가 업고 다녔다. 바람이 자고 물결이나 고요한 때면 만수는 어머니가 적적해 하신다고 이야기도 하고 소설도 읽어드렸다. 그러던 아들 만수는 지금 곁에 없다. 김 소사는 이전 같으면 만수에게 의지하고도 휘우뚱거릴 층층다리를 그때보다 더 늙은 오늘날 아무 의지 없이 애까지 업고 보퉁이를 끼고 올라가려는 고독하고도 처량한 자기 신세를 생각하고 멀리 철창에서 고생하는 아들을 생각할 때 온 세상의 슬픈 운명은 혼자 맡은 듯하며 알지 못할 악이 목구멍까지 바싹 치밀었다.

"에! 내 신세가 이리 될 줄을 어찌 알았을구? 망한 놈의 세상두!"

그는 멀거니 서서 입밖에 흐르도록 중얼거렸다.

김 소사는 간신히 끌고 나온 보퉁이를 갑판 한 귀퉁이에 놓았다.

"한마니 집에 가자! 응."

등에 업힌 몽주는 또 집으로 가자고 조른다. 간도(間島)서 떠난 지 벌써 닷새째 난다. 몽주는 차에서와 배에서와 여관에서 늘,

"엄마와 아부지 있는 집으로 가자!"

하고 할머니를 졸랐다. 어린 혼에도 옛집이 그리운지?

"오오 집으로 간다. 가만 있거라 울지 말고."

김 소사는 뱃전을 잡고 섰다. 갑판에는 승객이 주굴주굴하여 연극장 앞 같았다. 몹쓸 풍랑에 지친 그네들은 맑은 아침 기운에 새 즐거움을 찾은 듯하였다. 서로 손을 들어 바다와 육지를 가리키면서 속삭이고 웃는다.

해는 아침 때가 되었다.

배는 항구에 닿았다. 닻을 주었다.

"성진도 꽤 좋아! 이게 성진(城津)이지?"

"암. 그래도 영북에 들어서 개항장(開港場)으로 맨 먼저 된 곳인데…."

젊은 사람들이 아침 연기가 떠오르는 성진 시가를 들여다보면서 빙글빙글 웃었다.

'성진!'…그 소리를 들을 때 김 소사의 가슴은 새삼스럽게 뿌지지하였다. 가슴에 만감이 소용돌이를 치는 그는 장승처럼 멍하니 서서 휘-돌아보았다. 육 년이라면 짧고도 긴 세월이다. 그 사이 밤이나 낮이나 일각이 삼추같이 그리던 고향을 지금 본다. 그는 참으로 고향이 그리웠다. 가을 봄이 바뀔 때마다 이마에 주름이 늘어갈수록 고향이 그리웠다. 더욱 천금같이 기르고 태산같이 믿던 아들이 감옥으로 들어가고 하나 있던 며느리조차 서방을 얻어 간 후로 개밥에 도토리처럼 남아서 철없는 몽주를 안고 이집 저집으로 돌아다니면서 밥술이나 얻어먹게 되면서부터는 고향이 더욱 그리웠다. 그는 그처럼 천애만리에서 생각을 달리던 고향으로 지금 왔다. 눈에 비취는 것이 어느 것이나 예 보던 것이 아니랴? '쌍포령'과 '솟방울' 사이에 기와집, 초가집, 양철집이 잇닿아서 오 리는 됨직하게 늘어진 성진 시가며 그새에 우뚝우뚝 솟은 아침볕이 어우러진 포플라 숲들이며 멀리 보이는 '어살동' 골짜구니, 파-란 마천령, 예나 조금도 틀림이 없다. 이따금 이따금 흰 연기를 토하면서 성진굽[城岳] 밑으로 달아나는 기차만 이전에 못 보던 것이었다. 공동묘지 앞 바닷가 백사장이며 쌍포의 쌍암이며 남벌의 송림이며 의구한 강산은 의구의 정취를 머금었건마는 변하는 인생에 참예한 김 소사는 예전의 김 소사가 아니었다. 고향 떠날 때는 그래도 검던 머리가 지금은 파뿌리가 되었다. 그것은 그렇다 하더라도 고향서는 남부럽잖게 살던 세간을 탕진하고 떠나서 거러지가 되어서 돌아오게 되었다. 그도 그렇다 하더라도 그의 가슴을 몹시 찌르는 것은 아들을 못 데리고 오는 것이었다.

'아! 내가 무엇하려고 고향으로 왔누? 이 꼴로 오면 누가 반갑게 맞아 주리라고 왔누?'

배가 부두에 점점 가까워 올수록 그의 가슴은 더욱 묵직하였다. 전후가 망망하였다. 될 수만 있으면 뱃머리를 돌려서 다시 오던 길로…아니 어디라 할 것 없이 가고 싶었다. 그렇게 그립던 고향을 목전에 대하니 내리고 싶지 않았다. 그렇다고 영영 내리고 싶지 않은 것은 아니었다. 고향은 그저 사랑스러웠다. 산천을 보는 것도 얼마간 위로가 된다. 그러나 첫째 사랑하던 자식이 저벅저벅 밟던 땅을 혼자 밟기는 너무도 아쉬웠다. 더구나 몸차림까지 이 모양을 하여 가지고 면목이 많은 고향 거리를 지나기는 너무도 용기가 부족되었다. 만일 그가 자식을 데리고 금의환향이더면 어서 바삐 내리려고 애썼을 것이다.

"그래도 영 소득이 없는 것은 아니다. 갈 때에 없던 몽주가 있으니…. 또 내 아들이 도적질이나 강간을 하다가 그렇게 안 된 담에야."

그는 이렇게 억지의 위로에 만족하려고 하면서 머리를 돌려서 등에서 쌕쌕 자는 몽주를 보았다. 다부룩한 몽주의 머리에 뜨거운 볕이 내리쏜다. 그는 몽주를 돌려다가 앞으로 안았다. 어린것은 눈을 비주그레 떴다가 감았다. 그 가무레하고 여윈 몽주의 낯을 볼 때 김 소사의 가슴은 또 쓰렸다.

"뚜-"

기적은 울렸다. 바로 정면에 보이는 망양정(望洋亭)은 으르릉 반향을 주었다. 뒤미처 우루룩 씩씩 울컥울컥 닻 주는 소리가 요란스러웠다. 아침볕이 몹시 밝게 비춰는 부두에는 사람의 내왕이 빈번하다.

조그만한 경용 발동기선이 폴닥폴닥하고 먼저 들어왔다. 정복 순사 셋이 앞서고 '하오리'입고 게다 신은 일본 사람 하나와 두루막 입은 사람 하나가 뒤따라 올랐다. 배에 올라온 그네들은 승강제(昇降梯) 어구에 서서 '쌈판'으로 내려가는 손님들 행동거지와 외모를 조금도 놓지 않고 주의하여 본다. 순사를 본 김 소사의 가슴은 또 울렁거렸다. 그는 순사를 보는 때마다 작년 겨울

일을 회상하는 까닭이었다.

　출찰구에 차표 사러 들어가듯이 열을 지어서 한 사람씩 층층다리를 내려가는 사이에 흰 양복을 입고 트렁크를 든 청년 하나가 끼었다.

　"어디 있어?"

　순사와 같이 섰던 두루막 입은 사람은 지금 내리려는 그 청년에게 물었다.

　"간도…"

　그 청년은 우뚝 섰다. 안경을 스쳐 보이는 그 청년의 눈은 어글어글하고도 엄숙하였다.

　"성명은?"

　윗수염을 배배 틀어 휘인 두루막 입은 자는 그 청년을 노려보았다.

　"김군현이…"

　엄숙한 청년의 눈에는 노한 빛이 보였다. 길게 기른 머리가 귀밑까지 덮은 그 청년을 보니 김 소사는 아들 생각이 났다. 김 소사의 아들 만수도 그 청년처럼 머리를 더부룩이 길렀었다. 김 소사의 가슴은 공연히 두군두군 하였다. 순사와 형사가 황천 사자같이 무서우면서도 한편으로는 밉살스러웠다. 또 그 청년이 가엾기도 하였다. 그러나 뻣뻣한 양을 하는 것이 민망스럽기도 하였다. 왜 저러누? 그저 네 네 할 일이지! 괜히 뻣뻣한 양을 하다가 붙잡혀서 고생할 게 있나…. 지금 애들은 건방지더라…. 이렇게 생각하면 그 청년이 밉기도 하였다. 그러다가도 아들 생각을 하면 그 청년을 어서 보내 주었으면 하는 생각에 애가 탔다. 김 소사는 속으로 '왜 저리도 심한구?' 하고 순사를 원망하며 '저 사람도 부모가 있으면 여북 기다리랴' 하고 청년의 신세도 생각하였다.

　"당신은 천천히 내려요."

　형사는 저리 가 서라 하는 듯이 저편을 가리키면서 그 청년을 보았다. 그 소리는 그리 높지 않으나 뱃속으로 울려나오듯이 힘 있었다. 청년은 아무 대답도 없이 군중을 돌아보고 조소 비슷하게 빙그레 하면서 가리키는 데로 가섰다.

김 소사는 두군두군하는 가슴을 진정하면서 보통이를 끌고 승강제 어구에 이르렀다. 그는 무슨 큰 죄나 지은 듯이 애써 순사의 시선을 피하려고 하였다.

"아 만수 어머니 아니오?"

하는 소리에 김 소사는 가슴이 덜컥하고 전신에 소름이 쭉 끼치었다. 김 소사는 무의식중에 쳐다보았다. 그것은 돌쇠였다. 돌쇠는 지금 어떤 청년을 힐난하는 사람이었다. 그는 몇 해 전 만수에게서 일본말을 배우던 사람이었다.

"오! 이게 뉘긴가? 흐흐."

김 소사는 비로소 안심한 듯이 웃었다. 그 웃음은 안심한 웃음이라는 것보다 넋이 없는 웃음이었다. 침침한 어두운 밤에 마굴을 슬그머니 지나던 사람이 무슨 소리에 등에 찬 땀이 끼치도록 놀라고 나서 그것이 자기의 발자취나 바람 소리에 나뭇가지 꺾이는 소리였던 것을 비로소 깨달을 때 두군거리는 가슴을 만지면서 "흐흐 흐흐" 하는-그러한 웃음이었다. 저편에 섰던 일본 사람은 만수 어머니를 보더니 그 돌쇠더러 무어라고 하였다. 돌쇠는 무어라고 대답하였다. 일본 사람들은 모두 "아─소─까" 하면서 김소사를 한 번씩 보았다. 김소사는 더 말하지 않고 내렸다.

선객을 잔뜩 실은 '쌈판'은 아침 물결이 고요한 부두에 닿았다.

김 소사가 아들 만수를 따라서 고향을 떠난 것은 경신년 늦은 봄이었다.

삼일 운동이 일어나던 해였다. 만수도 그 운동에 한 사람으로 활동한 까닭에 함흥 감옥에서 일개 년 동안이나 지냈다. 감옥 생활은 그에게 큰 고초를 주었다. 일개 년이 지나서 신유년 봄에 출옥이 되어 집으로 돌아온 만수는 눈이 푹 꺼지고 뼈만 남은 얼굴에 수심이 그득한 것이 무서운 아귀 같았다. 그를 본 고향 사람들은 누구나 할 것 없이 놀라지 않을 수 없었다. 그의 어머니와 누이는 말은 못 하고 눈물만 좍좍 흘렸다.

만수가 돌아와서 며칠은 출옥 인사 오는 사람이 문 밖에 끊이지 않았다. 젊은 패들은 밤이 이슥하도록 만수의 옥중 생활을 재미있게 들었다. 그러나 형사가 매일 문간에 드나들어서 자유로운 입을 못 벌렸다. 누가 무심하게 저촉될 만한 말을 하게 되면 서로 옆구리를 찔러 가면서 경계하였다.

처음에는 막연하게 나라나라 하였으나 점점 개성이 눈뜨고 또 감옥 생활에서 문명한 법의 내막을 철저히 체험하고 불합리한 사회 역경에 든 사람들의 고통을 뼈가 저리도록 목격함으로부터는 그의 온 피는 의분에 끓었다. 그 의식이 깊어질수록 무형한 그물에 걸린 고통은 나날이 심하였다. 그 고통이 심할수록 그는 자유로운 천지를 동경하였다. 뜨거운 정열을 자유로 펼 수 있을 천지를 동경하는 마음은 감옥에서 나온 후로 더 깊었다. 그는 그때 강개한 선비들과 의기로운 사람들이 동지를 규합하고 단체를 조직하여 천하를 가르보고 시기를 기다리는 무대라고 명성이 뜨르렁하던 상해, 서백리아와 북만주를 동경하였다. 남으로 양자강 연안과 북으로 서백리아 눈보라 속에서 많은 쾌한들과 손을 엇걸어가지고 천하의 풍운을 지정하려 하였다.

"건져라. 뼈가 부숴져도 이 백성을 건져라. 그것이 나의 양심의 요구요 동시에 나의 의무다."

그는 이렇게 부르짖으면서 주먹을 쥔 때가 한두 번이 아니었다. 이때 빈곤의 물결은 그에게 점점 굳세게 닥쳐왔다. 이전같이 교사 노릇이나 할까 했으나 전과자(前科者)라는 패가 붙어서 그것을 허락치 않았다. 그의 어머니도 늙어서 잘 벌지 못하였다. "바쁘면 똥 통이라두 메지." 그는 어느 때 한 소리지만 고향 거리에서 똥 짐을 지고 나서기는 용기가 좀 부족하였다.

만수는 드디어 북간도로 가려고 하였다. 만수가 간도로 가겠다는 말을 들은 김 소사는 천지가 아득하였다. 김 소사는 일찍 과부가 되고 운경이와 만수의 오누이를 곱게 기르다가 운경이 시집간 후 태산같이 믿던 만수가 만세를 부르고 감옥에 들어가서 일 년이나 있는 사이에 김 소사는 울지 않은 날이 없었다. 그러다가 일 년 만에 낯을 보게 되어 겨우 안심이 될락말락하여서 '홍우적[馬賊]'이 우글우글한다는 되땅[胡地]으로 돌아올 기약도 없이 가겠다는 만수의 소리를 들은 김 소사의 마음이 어찌 순평하랴. 김 소사는 천사만탁으로 만류하였으나 만수는 듣지 않았다. 만수는 어머니의 정경을 잘 이해하였다. 자기 하나를 위하여 남에게 된소리 안 된소리 듣고 진일 마른일을 가리지 않고 고생한 어머니를 버리고 천애 타국으로 갈 일을 생각할 때면 그 가슴이 쓰렸다.

"부모의 은혜를 배반하는 자여! 벌을 받으라."

하는 듯한 소리가 귓가에 쟁쟁 울리는 듯하였다.

"성인의 말씀에 충신은 효자의 문에서 구하라!"

고 하였다. 부모에게 불효가 되는 것이 어찌 나라에 충신이 되랴? 아니다! 아니다. 온 인류가 태평해야 부모도 있고 나도 있다. 부모도 있고 나도 있어야 효도도 이루어지는 것이다. 아! 만수여! '나'여! 주저치 말아라. 떠나거라. 어머니께 효자가 되려거든 인류를 위하라…. 이때 그의 일기에는 이러한 구절이 많았다. 그는 이렇게 자기의 뜻을 실행하는데 어머니께 대한 은혜도 갚을 수 있다고 생각하였다. 만수는 어머니의 큰 은혜를 생각하는 일면 어머니 때문에 자기의 꽃다운 청춘을 그르친 것도 생각지 않을 수 없었다. 김 소사는 만수가 소학교를 마친 후 서울로 보내지 않고 글방에 보내서 통감을 읽혔다. 김 소사는 학교 공부보다 글방 공부가 나은 줄로 믿었다. 그것은 김 소사가 신시대를 반대하는 늙은이들의 말을 믿었음이다. 그뿐 아니라 만수를 외로이 서울로 보내기는 아까웠다. 어린것이 객지에서 배를 주리거나 추워서 떨 것을 걱정하는 것보다도 태산같이 믿고 금옥같이 사랑하는 만수와 잠깐 사이라도 이별하기는 죽기보다 더할 것 같았다. 앞일을 모르는 김 소사는 천 년이고 만년이고 귀여운 아들을 곁에 두고 보고 잘 먹이고 잘 입히고 글방에 보내고 장가들이면 부모의 직책은 다할 줄만 믿었다. 그러므로 만수는 유학을 못 갔다. 어린 만수의 가슴에는 이것이 적원이 되었다. 신문 잡지를 통하여 나날이 보도되는 새 소식을 듣고 소학에서 같이 공부하던 친구들이 서울 가서 공부하는 것을 보거나 들을 때에 동경의 정열에 울렁거리는 만수의 마음은 남의 발 아래로 점점 떨어지는 듯한 기운 없고 구슬픈 자기 그림자를 그려 보고 부끄럽고 슬픔을 느꼈다. 밖에 대한 동경과 번뇌가 큰 그는 안으로 연애에도 번민하였다. 개성이 눈뜨고 신사상에 침염될수록 어려서 장가든 처와 정분이 없어졌다. 공부 못 한 것이라든지 사랑 없는 장가든 것이 모두 어머니의 허물(그는 어떤 때면 이렇게 생각하였다)이거니 생각하면 어머니가 밉고 어머니를 영영 버리고 싶었다. 그러나

"아니다. 그것은 어머니의 그름이 아니다. 재래의 인습과 제도가 우리 어머니를 그렇게 가르쳤다. 그 인습에 너무 젖은 우리 어머니는 나를 사랑하여서 잘 되라고 그렇게 하신 것이다."

그는 이렇게 돌쳐 생각할 때면 어머니께 대한 실죽한 마음은 불현듯 스르르 풀리고 눈물이 옷깃을 적셨다. 이렇게 눈물에 가슴이 끓을 때면 어머니를 저항하고 싶지 않았다. 그래도 어머니의 명령 아래서 수굿이 일생을 보내고 싶었다. 그러나 그것은 한순간의 생각이었다. 자기의 힘을 생각하고 세상을 바라보는 그로서는 어머니의 은혜에 자기의 전 인격을 희생할 수는 없었다. 은혜는 은혜이다. 은혜로 말미암아 나의 전 인격을 희생할 수는 없다 하는 생각이 서로 싸울 때면 그의 고민은 격심하였다. 그는 어쩌면 좋을지 몰

랐다. 그러던 끝에 그는

"나는 모든 불합리한 인습에 반항하려고 한다. 그러니까 하는 수 없이 어머니 사상에 반항한다. 그러나 어머니를 반항하는 것은 아니다."

그는 이렇게 부르짖었다.

만수는 열 여덟 살 되는 해에 이혼을 하였다. 인습의 공기에 취한 주위에서는 조소와 모욕과 비방으로 만수의 모자를 접대하였다. 만수의 어머니는 며느리 보내기가 부끄럽고 원통하였다. 그러나 아들의 말을 아니 들을 수 없었다. 그것은 전후 지난 일이 그릇되다는 것을 깨달은 것이 아니라 천금같은 자식이 그때에 심한 심려로 낯빛이 해쓱하여 가는 것을 볼 때마다 자기의 고기를 찢더라도 자식의 마음을 거슬리지 않으리라 하였다. 김 소사는 이렇게 생각하면서도 일일이 실행은 못 하였다. 이혼한 처를 친정으로 보낼 때 만수의 가슴도 쓸쓸하였다. 죄 없는 꽃다운 청춘을 소박주어 보내거니 생각할 때 그의 불안은 컸다. 그러나 불안은 인류가 인류에 대한 사랑에서 노출하는 불안이었다. 이성에 대한 연애에서 우러나오는 것은 아니었다. 그러므로 그렇게 동정하면서도 다시 끌어다가 품에 안기는 몸서리를 칠 지경 싫었다.

이혼 만으로서는 만수의 고민을 고칠 수 없었다. 만수는 어찌하든지 고민을 이기고 사람답게 살려고 애썼다. 이때 그의 머리에는 희미하나마 자기의 전 인격을 인류를 위하여 바치려는 정신이 일종의 호기심과 아울러 떠올랐다. 공부에 뒤진 고민과 연애에 대한 번민은 인류를 건지려는 열심으로 점점 경향을 옮겼다. 그 사상은 마침내 무르녹아 그로 하여금 감옥 생활을 하게 하고 만주로 향하게 하였다. 김 소사는 만수를 따라가려고 하였다.

"나도 갈 테다. 어데든지 갈 테다. 나는 이제 너를 보내고는 못 살겠다. 어데를 가든지 나는 나로 벌어먹을 테니 네 낯만 보여 다오…. 네 낯만 보면 굶어도 살 것 같다."

김 소사의 말에 만수는 묵묵하였다. 아! 어머니는 또 내 일에 방해를 놓으시나? 하고 생각할 때 칼이라도 있으면 그 앞에서 어머니를 찌르고 자기까지 죽고 싶었다. 만수의 가슴에는 연기가 팽팽 도는 듯하였다. 그러나 "네 낯만 보면 굶어도 살 것 같다." 한 어머니의 말을 생각할 때 가슴이 찌르르하였다.

"아아 자식이 오직 그립고 사랑스러우면 그렇게 말씀을 하시랴? 아! 뱀의 새끼 같은 나는, 소위 자식은 그런 부모를 버리고 가려고 해…. 아니 칼로… 응 윽."

그는 몸을 부르르 떨었다. 이때 '어서 올려라' 하고 무서운 악마들이 자기를 교수대로 끌어올리는 듯하였다. 자기를 위하여 목숨이라도 아끼지 않으려는 그 어머니를 버리고 가면 그 앙화에 될 일도 안 될 듯싶었다.

만수는 드디어 어머니를 모시고 가기를 결심하였다.

'선두청' 시계가 아홉 점을 친 지가 오래였다.

북국 오월의 바다 밤은 좀 찼다. 꺼먼 바다를 스쳐오는 비릿한 바람은 의복에 푸근히 스며든다. 비가 오려나? 하늘은 별 하나 보이지 않고 물결은 그리 사납지 않으나 은은한 바다 소리는 기운차게 들린다.

간간이 '망양정' 끝이 번득할 때면 벌건 불빛이 금포(金布)처럼 일자로 바다를 건너서 '유진' 머리까지 비추인다.

여덟시 반에 입항한다는 '금평환'은 아직 불빛도 보이지 않았다. 부두머리 파란 가스불 아래 모여 든 배 탈 손님들의 낯에는 초조한 빛이 돈다. 선부들도 벌써 나오고 노동자들도 짐사러 배에 모여 앉아서 지껄인다.

만수도 어머니와 같이 이삿짐을 지어 가지고 부도로 나왔다. 김 소사의 친구, 만수의 친구 하여 전송객이 이십여 인이나 되었다. 술병, 과자갑, 담배 상자가 여기저기서 들어온 것이 한 짐 잔뜩 되었다. 김 소사를 위하여 나온 편은 거개 늙은이들이었다. 저편 창고 앞에서 담배를 피우면서,

"참 섭섭하오."

"간도가 좋으면 편지 하오."

"우리도 명년에는 간도로 가겠소."

"우리 큰집에서 간도로 갔는데 만나거든 안부를 전해 주오."

"간도는 곡식이 흔타는데?"

하는 서두와 조리 없는 말을 서로 주고받으면서 간간이 쓸쓸한 웃음을 웃는다.

만수의 편은 성성하였다. 거개 이십 전후의 청년들이었다. 선물로 가져온 술병을 벌써 터쳐서 나발을 불고 눈에 술기운이 몽롱하여 천지가 자기의 천지라는 듯이 떠드는 판이 말이 이별하니 섭섭이지 마치 기꺼운 잔치끝 같았다. 만수도 많이 못 하는 솜씨에 한잔 얼근하여 기쁜 듯이 빙글빙글 하였다.

"만수야 잘 해라. 어-나만 오나라. 나만 와 으후…."

제일 잘 떠드는 운철이가 비즐거리면서 기염을 토한다.

"아-김군이 취했다. 하하."

만수는 쾌활하게 웃었다.

"자식이 술이라면 수족을 못 쓰는 '게굴등'이 세 병이나 나발 불었으니 흥 저 꼴 봐라."

만수 곁에 선 눈이 어글어글한 순석이는 비틀거리는 운철이를 조롱하였다.

"이놈아 내가 세 병을 먹고…. 흥…세 병 뜻닷뜻닷(나발 부는 뜻) 하고 그럴 내가 아니야…. 흥…그렇지? 만수! 그져 나만 와!"

술이 흐르는 듯한 벌건 눈으로 만수를 본다. 저편 창고 머리에 빙글빙글 하고 섰던 기춘이는 급하게 오더니 운철의 옆구리를 찌르면서,

"이 사람 정신 차려! 무어 나오나라 말아라 하나? 저기 칼치[巡査]가 있네!"

"그까짓 갈빗대 찬 것들이 있으면 어때?"

운철이는 바로 잘난 듯이 그러나 나직하게 중얼거리면서 무서운지 저편으로 비츨비츨 간다.

"그렇게 도망가는 장력 왜 떠드나? 흐흐흐."

"그래도 무서운 데는 술이 깨나 보이? 정신 모르는 체하더니 잘만 달아난다. 하하하."

몇 사람이 웃는 바람에 모두 한 번씩 웃는다. 이때 순사가 그네들 앞을 지나갔다. 모두 웃음을 뚝 그쳤다. 엄숙한 침묵이 그 찰나에 흘렀다.

"김군! 편지 하게. 자네는 좋은 데로 가네!"

돌아섰던 청년들은 거반 한 마디씩 뇌였다. 이 순간 모두들 눈에는 딴 세계를 동경하는 빛이 확실히 흘렀다.

"무얼 좋아!"

만수는 이렇게 대답은 하면서도 속으로는 기뻤다. 세상이 다 동경하면서도 밟지 못한 곳을 자기 먼저 밟는 듯하였다. 저편 부두 머리에 매인 '쌈판' 위에 고요히 섰던 얼굴이 뚜렷하고 노숙하게 보이는 황창룡이는 이편을 보면서,

"만수 배가 들오나 보이…. 짐을 단단히 살피게…."

주의시키는 그 얼굴에 애수가 흐르는 것을 만수는 보았다. 황창룡, 김경석, 만수 세 사람은 피차에 지기지우로 허한다. 경석이는 서울 유학중에 만세를 부르고 감옥에 들어간 것이 지금 소식이 묘연하다.

"위 위-."

돌에 치인 고양이 소리 같은 금평환의 입항 소리는 몽롱한 밤안개 속에 잠긴 산천을 처량하게 울렸다.

"응 왔구나!"

"자! 짐을 모두 한곳에 모아 놓지!"

여러 사람들은 기적 소리 나는 데를 한 번씩 보았다. 꺼먼 바다 위에 떠들어오는 총총한 불이 보였다. 뱃몸은 잘 보이지 않으나 번쩍거리는 불 그 속에 어렴풋이 보이는 뭉클뭉클한 연기. 마치 저승과 이승의 길을 이어주는 그 무엇같이 김 소사에게 보였다. 고동소리를 들을 때 만수의 가슴도 두군두군하였다. 어찌하여 두군덕거리는지는 막연하였다.

만수와 창룡이는 뜨거운 청춘의 피가 뛰는 손과 손을 꽉 잡았다. 그 순간 피차의 혈관을 전하여 감각되는 맥박은 피차의 가슴에 말로써 표할 수 없는 암시를 주었다.

"경석 형은 언제나 출옥이 될는지?"

만수의 낯에는 새삼스럽게 활기가 스러졌다.

"글쎄…아무쪼록 조심해라."

창룡의 소리는 그리 쓸쓸하지 않았다.

"내 염려는 말아라! 경석 형이 출옥하시거든 그것을 단단히 말해라. 거기 있다고…. 언제나 또 볼는지 기약이 없구나!"

그 소리는 무슨 탄원 같았다.

"글쎄 언제나 모두 만나겠는지?"

이 두 청춘의 눈앞에는 황연한 미래와 철창에서 신음하는 쪽 빠진 경석의 모양을 그려 보았다.

떠나는 이의 잘 있으오! 소리, 보내는 이의 잘 가오! 소리, 부두 머리는 잠깐 침울한 기분에 싸였다.

김 소사는 고향을 떠나는 것이 슬픈 중에도 아들을 앞세우고 가는 것이 마음에 얼마나 튼튼하고 기꺼운지 알 수 없었다. 만수도 애오라지 슬픈 가운데도 알지 못할 그 무엇에 대한 만족에 신경이 들먹거렸다.

만수의 모자는 일주일이 넘어서 북간도 왕청 '다캉재'라는 곳에 이르렀다.

회령서 두만강을 건너서 '오랑캐령'을 넘어 용정에 다다를 때까지 그네는 다른 나라의 정조를 별로 느끼지 못하였다. 용정 거리에 들어선 때는 조선 어떤 도회에 들어선 듯하였다. 푸른 벽돌로 지은 중국집이며 중국관리의 너저분한 복색이며 짐마차의 많은 것이 다소간 어둑한 호지의 분위기를 보였다. 그러나 십 분의 아홉 분이나 조선 사람에게 점령된 용정은 서양 사람이 보더라도 조선의 도회라는 감상을 볼 것이다. 간도라 하면 마적이 휘달리는 쓸쓸한 곳인 줄만 믿던 김 소사는 용정의 번화한 물색에 놀랐다. 그러나 용정을 지나서 왕청으로 들어갈 때 황막한 들과 험악한 산골을 보고는 무서운 생각에 신경이 제릿제릿하였다. 만수는 이미 짐작한 바이나 실지 목격할 때 "아아 황막한 벌이로구나!" 하고 무심중 부르짖었다. 으슥한 산속에서 중국 사람을 만날 때마다 무서운 생각에 가슴이 두군거렸다. 군데군데서 조선 사람의 동리를 만나면 공연히 기뻤다. 조선 사람들은 어느 골짜기나 없는 데가 없었다. 십여 호, 삼사 호가 있는 데도 있고, 외따로 있는 집도 흔하다. 거개 쓰러져 가는 초가집에서 중국 사람의 소작인으로 일평생을 지낸다. 간혹 전지를 가진 사람이 있으나 그것은 쌀에 뉘만도 못하였다. 그네들 가운데는 자기의 딸과 중국 사람의 전지와를 바꾸는 이가 있다. 그네들은 일본과 중국과의 이중 법률(二重法律)의 지배를 받는다. 아무런 힘없는 그네들은 두 나라 틈에서 참혹한 유린을 받고 있다. 그래도 어디 가서 호소할 곳이 없다.

만수가 이른 왕청 다캉재에는 조선 사람의 집이 일곱 호가 있다. 그리고 고개를 넘어가나 동구를 나서 일 리나 이 리에 십여 호, 오륙 호의 촌락이 있다. 산과 산이 첩첩하여 콧구멍같이 뚫어진 골마다 몇 집씩 밭을 내고 들어산다. 해 뜨면 땅과 싸우고 날이 들면 쿨쿨 자는 그네는 그렇게 죽도록 벌건 마는 겨우 기한을 면할 뿐이다. 역시 알짜는 중국 사람의 손으로 들어가 버린다. 그네에게는 교육 기관도 없었다. 그래도 그네들은 내지[朝鮮] 있을 때

보다 낫다고 한다. 골과 산에는 수목이 울울하여 몇 백년간이나 사람의 자취가 그쳤던 곳 같다. 낮에도 산짐승이 밭에 내려와서 곡식을 먹는다.

만수는 이십 원 주고 외통 집 한 채를 샀다. 다음 중국 사람의 밭을 도조로 얻었다. 농사를 못 지어 본 만수로는 도조 맡은 밭은 다룰 수 없었다. 일 년에 삼십 원씩 주기로 작정하고 머슴을 두었다. 김 소사는 비록 늙기는 하였으나 젊은 때 바람이 얼마 남았고 어려서 농사 집에서 자란 까닭에 농사 이면은 잘 알았다. 보리가 한창 푸른 여름이었다. 만수는 집을 떠났다.

이때 만주 서백리아 상해 등지에는 ×××이 벌떼같이 일어나서 그 경계선을 앞뒤에 벌렸다.

내지로서 은밀히 강을 건너와서 ×××에 몸을 던지는 청년들이 많았다. 산골짜기에서 나무를 베던 초부며 밭을 갈던 농군도 호미와 낫을 버리고 ×××에 뛰어드는 이가 많았다. 남의 빚에 졸려서 ×××에 뛰어든 이도 있었다. 자식을 ×××에 보내고 밤낮 가슴을 치면서 세상을 원망하는 늙은이들도 있었다.

×××의 세력은 컸다. 이역의 눈비에 신음하고 살아오던 농민들은 한푼 두푼 모은 돈을 ×××에 바치고 곡식과 의복까지, 형과 아우와 아들까지 바쳤다. 백성의 소리는 컸다. 그 무슨 소리였던 것은 여기 쓸 수 없다.

만수가 ×××에 들어서 서백리아와 서간도 골짜기로 돌아다닐 때 김 소사의 가슴은 몹시 쓰렸다.

"해삼위에는 신당이 몰리고 구당과 일본병이 소황령까지 세력을 가졌다."

"토벌대가 방금 '얼두구' '배채구'에 들어차서 소란하다."

"벌써 큰 전쟁이 일어났다. 여기도 미구에 토벌대가 오리란다."

이러한 소문에 민심은 나날이 흉흉하였다. 어떤 사람은 집을 버리고 깊은 산골로 피난을 갔다. 이런 소리 저런 꼴을 보고 들으며 만수의 소식을 못 들는 김 소사의 가슴은 항상 두군두군하였다. 그의 눈앞에는 총과 칼에 빡빡 찢겨서 선혈이 임리한 만수의 시체가 어떤 구렁에 가로놓인 듯한 허깨비가 보였다. 김 소사는 밤마다 정화수를 떠놓고 북두칠성에 빌었다. 그는 세상을 원망하였다. 공연히 ×××를 욕도 하였다. 세상이 다 망한다 하더라도 만수 하나만 무사히 돌아온다면 춤을 추리라고도 생각하였다. 그렇게 생각하면서도 △△를 △하는 것이 △△일이라 하는 생각도 막연히 가슴에 떠올랐다. 그는 어떤 때에는 만수가 다니는 곳을 따라다니면서 밥이라도 지어주었으면 하였다. 어떠한 고초를 겪든지 만수의 낯만 보았으면 천추의 한이 없을 것 같았다.

살 같은 광음은 만수가 집 떠난 지 벌써 두 해나 되었다. 그는 집 떠나던 해 여름과 초가을은 ××에서 ○○매수에 진력하다가 그 해 겨울에는 다시 간도로 나와서 A란 곳에서 △△병과 크게 싸웠다. 총을 끌고 적군을 향하여 기어 나갈 때나 쾅하는 소리를 처음 들을 때 그의 가슴은 두군두군하고 몸은 부들부들 떨렸다. 그는 그때마다,

"응! 내가 왜 이리두 △△ 한구…. △△가라. △△를 위하여 △으라!"

이렇게 스스로 △△하면서 자기의 △△한 생각을 누가 알지나 않나? 해서 곁에 △△들을 슬그머니 보았다. 긴장한 얼굴에 △△가 △△한 다른 사람의 낯을 보면 자기가 △하여 보이는 것이 부끄럽고 동시에 '나도' 하는 용기가 났다. △△과 점점 가까와지고 주위는 긴장한 공기에 죄일 때 말없는 군중에 엄숙한 기운이 돌고 눈동자는 지휘하는 △빛을 따라 예민하고 △△ △△게 움직였다. 이때 만수의 가슴은 천사만념이 폭류같이 얼클어졌다.

"어머니는 나를 얼마나 기다리시나? 자칫하면 어느 때 어디서 이 몸이 죽는 줄도 모르게 죽겠으니…. 내가 죽어라! 어머니는 손을 꼽고 기다리시다가 한 해 두 해…세 해…. 이리하여 소식이 없으면 그냥 통곡하시다가 피를 토

하고 눈을 못 감으시고 돌아가실 것이다. 아-어머니! 더구나 타국에서 죽으면 의지 없는 이 고혼이 어데 가서 붙을까? 노심초사하고 집을 뛰어나온 것은 고국에 들어가서 형제를 반갑게 맞으려고 했더니 강도 못 건너고 죽으면 어쩌누? 아-어찌하여 이 몸이 이때에 났누? 아-어머니!"

그는 이렇게 번민하였다. 그러나 그는 그 때문에 △△하거나 뛰려고 하지 않았다.

"모두 공상이다. 그것은 방안에 가만히 앉아서 생각할 꿈이요 공상이다. 나는 지금 △△에 나섰다. 천애 타국에서 이름없이 △는다 하여도 역시 △△다. 인류와 어머니를 위한 △△이다. 이름이란 하상 무엇이냐…!"

하고 홀로 △△을 쥐고 부르짖을 때면 온 △△의 △가 △△올라서 △△을 지고 △△△에라도 뛰어들 듯이 △△이 났다. 이러다가 △△과 어울려서 양방에서 △는 △△소리 △소리가 산악을 울리고 뿌-연 △△냄새 속에 빗발같이 내리는 △△이 눈 속에 마른 나뭇잎을 휘두겨 떨어뜨릴 때면 모두 정신이 탕양하고 어릿어릿하여 죽는지 사는지 내 몸이 있는지 없는지도 의식치 못하고 오직 △만 쾅쾅 쏜다. 그러다가도 으아하는 소리와 같이 뛰게 되면 산인지 물인지 구렁인지 나무등걸인지 가리지 못하고 허둥지둥 달린다. 이렇게 몇 십 리나 뛰었는지도 모르게 쫓겨 다니다가 조용한 데서 흩어졌던 △△이 보이게 되면 비로소 서로 살아온 것을 치하하고 보이지 않는 사람은 죽은 줄로만 알았다. 이렇게 △마저 △는 사람도 있거니와 뛰다가 길을 잃고 눈구렁에 빠져서 얼어 죽고 굶어 죽는 사람도 불소하였다. 그네들 시체는 못 찾았다. 누가 애써서 찾으려고도 하지 않았다. A촌 싸움 후로 ××의 세력은 점점 꺾였다. ×××은 하는 수 없이 뒷기약을 두고 각각 흩어져서 서백리아 둥지로도 가고 산골에서 사냥도 하고 어린애들 천자도 가르쳤다.

만수도 하는 수 없이 '나재거우'서 겨울을 났다. 그 이듬해 봄에 집으로 돌아왔다.

집으로 돌아온 만수는 곧 장가들었다. 처음에는 장가를 들지 않으려고 하였으나 어머니의 애원에 장가를 들었다. 만수는 장가드는 것이 불만하였으나 어머니를 홀로 두고 다니는 것보다는 나으려니 생각하였으며 동지들도 그렇게 권하였다. 그는 은근히 한숨을 쉬면서 사랑 없는 아내를 이번에는 의식적으로 맞았다. 자기의 전 인격을 이미 바칠 곳을 정한 그는 연애를 그리 대단히 보려고 하지 않았다. 그러나 청춘인 그 가슴에 연애의 불꽃이 꺼진 것은 아니었다.

김 소사는 만수가 자기의 말에 순종하여 장가드는 것이 기뻤다. 이제는 만수가 낫살도 먹고 고생도 하였으니 장가를 들어서 내외간 정을 알게 되면 어디든지 가지 않으리라는 것이 김 소사의 추측이었다.

장가든 후에는 꼭 집에 있으려니 하고 믿었던 만수가 그 해 가을에 또 집을 떠났다. 그때 그의 아내는 배가 점점 불렀다. 김 소사는 절망하였다. 장가 들어서 몇 달이 되어도 내외간에 희색이 없고 쓸쓸히 지내는 것을 보고 걱정하던 차에 또 집을 떠나니 예기하던 일 같기도 하고 지나간 일이 생각나서 후회도 하였으며 그러다가 만수가 영영 돌아오지 않으면 어쩌나 하여 가슴이 덜컥 내려앉았다.

만수는 ×××에 가서 있다가 곧 돌아왔다. 때는 만수가 떠난 겨울에 나은 몽주가 세 살 난 늦은 가을이었다. 만수는 어디든지 갔다가도 어머니를 생각하고 돌아온다.

집에 돌아온 만수는 이웃에 새로 설립한 사립 소학교의 교사로 천거되어서 벌써 교편을 잡은 지 일 삭이나 되었다. 그러나 이때에 만수는 '군삼'이라는 이름으로 변하였다. 이때는 △△가 남북 만주에 세력을 펴서 ×××를 잡는 때문이었다.

만수는 오늘 야학교에 가지 않고 이불을 뒤집어쓰고 방에 드러누웠다. 이삼 일 전부터 코가 찡찡하더니 어젯밤부터는 신열 두통에 코가 메고 재채기가 뜨끔뜨끔 나서 오늘은 교수를 억지로 하였다.

학교에서 돌아오는 데도 등골에 찬물을 끼얹는 듯이 오싹오싹하더니 저녁 후부터는 신열이 더하였다.

아침부터 퍼붓던 눈은 황혼에 개었으나 검은 연기가 엉긴 듯이 무거운 구름은 하늘에 그득 차서 땅에 금방 흐를 것 같다. 산을 덮고 들에 깔린 눈빛에 밤 천지는 수묵을 풀어 놓은 듯이 그윽하다. 앞뒤 골에 인적이 고요한데 바람 한 점 없는 푸근한 초저녁 뒷산으로 흩어 내려오는 부엉새 소리는 낮고 느린 가운데 흐르는 가벼운 여운이 솜처럼 부들한 비애를 준다. 이불을 뒤집어쓰고 뜨거운 구들에 등을 붙인 만수는 괴로운 가운데도 알지 못할 회포가 가슴에 치밀고 마음이 뒤숭숭하였다. 그는 이불을 활짝 밀어 놓고 벌떡 일어나 앉았다.

"몹시 아프오?"

곁에서 어린것을 젖 먹이던 그 아내는 만수를 쳐다보았다. 빤-한 기름불을 멀거니 쳐다보는 만수는 아무 대답도 없었다. 대답을 기다리던 그 아내의 낯빛은 붉었다. 만수의 대답하는 것이 자기를 귀찮게 여기는 듯도 하고 보기 싫으니 가거라 하는 듯이 생각났다. 그렇게 생각나면 만수가 원망스럽고 자기 팔자가 원통스러웠다. 그러나 만수는 그런 것 저런 것 생각하지 않았다. 멀거니 앉은 그는 딴 세계를 눈앞에 그렸다. 그 아내는 자격지심에 몽주를 안고 돌아누우면서 소리 없는 한숨을 쉬었다.

"몹시 아프냐? 무얼 좀 먹어야지. 미음을 쑤랴?"

부엌방에서 담배 피던 김 소사는 방 사이 문을 열었다. 정주로 들어오는 산뜻한 찬바람이 만수의 정신에 사르르 와 닿는다.

"아뇨, 무얼 먹고 푸 잖어요."

만수는 대답하면서 드러누었다.

불을 껐다-다 잠들었다-밤이 깊었다.

멀리서 우우하던 천뢰소리가 차츰 가깝게 들린다. 고요하던 천지에 바람이 건너기 시작한다. 우우 천둥같이 소리치는 바람이 뒷산을 넘어 골을 스쳐 갈 때면 집은 떠나갈 듯이 으르릉 으르릉 울린다. 어둑한 창대에 쏴-쏴-뿌리는 눈 소리는 바닷가의 폭풍우 밤을 연상케 한다. 천지는 정적에 든 듯이 소리와 소리가 끊는 듯 하다가는 또 우우하고 바람이 소리치면 세상은 다시 몇 만 년 전 혼돈으로 돌아가는 듯이 지축까지 흔들흔들 움직이는 듯하다. 대지의 눈 속에 게딱지같이 묻힌 오막살이들은 숙연한 풍설 속에 말없는 공포의 침묵을 지키고 있다.

비몽사몽간에 들었던 만수는 귓가에 얼핏 지나는 이상한 소리에 소스라쳐 깨었다. 바람은 그저 처량히 소리를 친다. 방안에 흐르는 검은 공기는 무섭게 침울하다. 눈을 번쩍 뜬 만수는 바람소리 속에 들리는 괴상한 소리에 가슴이 꿈틀하였다. 그는 머리를 번쩍 들고 창문을 바라보았다. 마루에서 자던 개가 목이 터지도록 짖으며 뛰어나간다. 우-하는 바람소리 속에 처량히 울리는 개 소리를 듣는 찰나! 전광같이 언뜻 만수의 뇌를 지나가는 힘센 푸른 빛은 만수의 온몸에 피동하는 공포의 전율과 같이 만수의 몸을 광적(狂的)으로 벌떡 끄집어 일으켰다. 일어선 만수는 무의식적으로 문고리에 손을 대었다.

컴컴하던 창문에 불빛이 번쩍하면서 "꽝" 하는 총소리와 같이 몹시 짖던 개는 "으응" 슬픈 소리를 남기고 잠잠하다. 문고리에 손을 대었던 만수는 저편으로 급히 서너 자국 떼어놓더니 다시 돌아서서 문고리에 손을 댄다. 창문을 뚫어지게 보는 그의 두 눈에 흐르는 푸른 빛은 어둠 속에 무섭게 빛났다.

"문 벗겨라."

김 소사가 자는 정주 문을 잡아챈다. 모진 바람소리 속에 들리는 그 소리는 병인에게 내리는 사자(使者)의 마음(魔音)같이 주위의 공기를 무겁게 눌렀다. 만수는 그네가 누구인 것을 직각적으로 깨달았다. '왔나?' 속으로 뇌일 때 긴장하였던 그의 사지는 극도로 뛰는 맥박에 힘이 풀렸다.

"인제는 잡히나! 응 내가 왜 집으로 왔누?"

그는 다시 이를 악물었다. 그는 부지불식간에 옆구리에 손을 넣으려고 하였다. 옆구리에 닿은 손이 거치는 데 없이 쑥 미끄러져 내려갈 때 그는 절망하였다. 마치 노한 물 위에서 지남침을 잃은 사공의 발하는 그러한 절망이었다.

"아! 할 수 없나?"

이 순간 그의 머리에는 몇 해 전 옆구리에 차고 다니던 △△과 △△△을 언뜻 그려 보았다. 그는 문을 박차고 뛰리라 하였다. 그는 다리에 힘을 단단히 주었다. 발을 번쩍 들었다. "못 한다." 무엇이 뒤에서 명령하면서 냅다 차려는 다리를 획 끌어안는 듯하였다. 그는 들었던 다리를 스르르 놓았다. 그가 마주 선 방문 앞에도 사람의 두런거리는 소리가 확실히 들린다. 그는 전신을 부르르 떨었다.

"문을 열어라."

"문이 열리게 해라."

이번에는 일본 사람 조선 사람의 소리가 어울려 들리면서 정주문 방문을 들입다 찬다. 만수는 거의 경련적으로 어두운 구석으로 뛰어들더니 엎드려서 무엇을 찾는다. 어둑한 구석에서 빨래 방망이를 집고 우뚝 일어서는 그의 두 눈은 번쩍하였다.

"잡혀도 정신을 차리자. 내가 왜 이리 비겁하냐?"

속으로 뇌이면서 △△을 꼭 △△었다.

"한 놈은 △는다. 나의 △△(△△)는 지킨다. 아-그러나 어머니 처자…내가 공손히 잡히면 그네를 살린다. 선불을 잘못 걸면 우리는 모두 이 자리에서 가엾은 혼이 된다…. 만일 내가 잡히면 저 식구들은 누구를 믿고 사누? 나도 철장 고형에 신음하다가 나중에 괴로운 죽음을 지을 터이니…. 에! 이래도 죽고 저래도 죽는 바에야…."

그는 전신에 강철같이 힘을 주면서 이를 빡 갈았다. 그는 훨훨 붙는 화염 속에서 헤매는 듯한 자기의 그림자를 눈앞에 보았다. 그는 또 이를 빡 갈았다. 자던 몽주는 소리쳐 운다. 김 소사는 방으로 뛰어들어오면서,

"에구 에구 만수야."

한마디 지르고는 문턱에 걸쳐서 어둠 속에 쓰러졌다. 목이 꽉 메어서 간신히 소리를 치고 쓰러지는 어머니를 볼 때 만수의 오장은 또 끊어지는 듯하였다.

"아! 공손히 잡히리라. 어머니와 처자를 살리리라. 그렇지 않으련들 이 방맹이로 무얼 하랴?"

그는 방망이를 힘없이 떨어뜨리고 문을 덜렁 벗겼다. 흥분의 열정에 거의 광적 상태가 되었던 만수는 찰나 찰나 옮기는 새에 차츰 자기라는 것을 의식하게 되었다. 그의 가슴은 좀 고요하였다.

"내가 왜 문을 벗겼을까!"

문을 벗기고 두어 걸음 물러선 그는 후회하였다. 그러나 다시 문 걸 용기는 나지 않았다.

"만수 어서 나서거라. 이제야 독안에 든 쥐지…. 허허…."

밖에서 지르는 소리는 확실히 낯익은 소리다. 만수는 뜻밖이라는 듯이 눈을 굴렸다. 그 소리에는 조롱의 여운이 너무도 흐른다.

문을 벗긴 후에도 한참이나 주저거리더니 웬 자가 방문을 벗겨 잡아 제친다. "꽝" 번뜩하는 불빛과 같이 총 소리가 방안을 터칠 듯이 울린다. 구릿한 화약 냄새가 무거운 밤 공기에 빛없이 퍼진다.

"꿈적하면 이렇게 쏠 테다."

헛총으로 간담을 놀랜 자는 이렇게 소리치면서 들어선다. 이때에 파—란 회중 전등불이 도깨비불같이 방안을 들어 쏜다. 한 자가 기름등잔에 불을 켤 때에는 십여 명이나 방에 죽 들어섰다. 권총을 고여 들고 둘러선 모든 자들 눈에는 검붉은 핏줄이 올올이 섰다. 이 속에 고요히 선 만수의 가슴은 생사지역(生死之域)을 초월한 듯이 아주 냉랭하였다. 여태까지 끓던 열정은 어디로 갔는지?…몽주는 부들부들 떠는 어미의 가슴에서 낯빛이 까매 운다. 얼굴이 거무레한 자가 "빠가" 하면서 어린것의 가슴에 권총을 고여 든다. 만수 아내는 몽주를 안은 채 그냥 앞으로 엎드린다. 그것을 보는 만수의 두 눈에서는 불이 빈쩍 일어났다.

"이놈아 나를 쏘아라."

만수는 부르르 떨면서 그 앞으로 뛰어가려고 한다. 둘러섰던 자들은 일시에 앞을 막아 서면서 만수의 가슴에 권총을 괴여 든다.

"흥 한때 푸르던 세력이 어디를 갔니?"

한 자는 콧등을 쭝긋하면서 만수의 두 팔에 포승을 천천히 지인다. 그 목소리는 아까 밖에서 비웃던 소리다. 만수는 그 자를 쳐다보았다.

"악!"

거무레한 그 자의 얼굴을 본 순간 만수는 외마디 소리를 질렀다.

"흥."

그 자는 모소(侮笑)가 그득한 눈으로 청백한 만수를 본다.

그 자는 삼 년 전에 만수와 같이 ×××에 다니던 김필현이다. 욱기가 과

인한 필현이는 ×××속에서도 완력편이었다. 그는 ××단 제 일 중대 제일 소대 부교로 다니다가 소대장과 권리 다툼 끝에 뛰어나간 후로 이때까지 소식이 없었다. 그는 만수와 한 군중에도 다녔다.

만수는 이를 빡 갈면서 핏발선 눈으로 필현이를 보았다.

이때 정주에서 들어오다가 거꾸러진 김 소사는 일어나면서,

"나리님 그저 살려 주시오! 어구! 어구!"

하고 끽끽 운다. 애원의 빛이 흐르는 김 소사의 낯은 원숭이의 낯같이 비열하였다. 그것을 본 만수는 쓰라린 중에도 민망하였다.

"어머니 그놈들에게 무얼 빌어요! 원수에게 무얼 빌어요…."

그 소리는 천 근 쇳덩어리를 굴리듯이 무겁고 세찼다.

"이놈아 어서 걸어. 건방지게."

한 자가 만수의 뺨을 후려 부친다. 차디찬 바람이 스치는 만수의 뺨은 뜨거운 눈물에 젖었다. 이때에 어떤 자가 굴뚝 머리에 쌓아 놓은 나무가리 뒤로 가더니 성냥을 번듯 긋고 나온다.

뒷산을 넘어 앞산에 부딪치고 골로 내리 쏠리는 바람소리의 우-하는 것은 구슬픈 통곡을 치는 듯하다. 산에 쌓였던 눈은 골에 불려 내리고 골의 눈은 '버덕'으로 불려 나가서 뿌연 것이 눈코를 뜰 수 없다.

만수를 잡아가는 여러 사람들의 그림자는 동남 골짜기 어둑한 눈안개 속에 사라졌다. 김 소사는

"만수야! 만수야!"

통곡하면서 허둥지둥 따라가다가 눈 속에 거꾸러졌다. 만수의 아내는 이웃에 달려가서 소리를 질렀다.

전쟁 뒤같이 휑한 만수의 집 굴뚝 머리 나무가리에서 반짝반짝하던 불은 점점 크게 번졌다. 바람이 우-할 때면 불길이 푹 주저앉았다가 가는 바람이

지난 뒤면 다시 활활 일어선다. 염염한 불길은 집을 이은 처마 끝에 옮았다. 우뢰소리 같은 바람소리! 바다소리 같은 불 소리! 뿌연 눈보라! 뻘건 불빛! 뭉뭉한 연기는 하늘을 덮고 눈에 덮인 골은 벌겋게 탈 듯하다. 바람이 자면 울타리 두 주간 원채 각각 훨훨 타다가도 광풍이 쏴-내리 쏠릴 때면 그 불들은 한 곳에 어우러져서 커다란 불덩이 풍세를 따라 우르르 소리친다. 삽시간에 콧구멍만한 집은 쿵하고 내려앉았다. 쌀 두주간도 깡그리 탔다. 무서워서 벌벌 떨던 이웃 사람들도 그제야 하나 둘씩 나왔다.

주인을 잃고 집까지 잃은 생령은 어디로 향하랴?

만수는 조선으로 압송되어 청진 지방 법원에서 징역 칠 개 년 판결 언도를 불복하고 복심 법원에 공소하였으나 역시 징역 칠 개 년 언도를 받고 서대문 감옥으로 들어갔다.

엄동설한에 자식을 잃고 집까지 잃은 김 소사는 며느리와 손녀를 데리고 어느 집 사랑방을 얻어 설을 지냈다. 이렇게 된 후로 그립던 고향은 더욱 그리웠다. 고향으로 정 가고 싶은 날은 가슴이 짤짤하여 미칠 것 같다. 그러다가도 아들을 수 천 리 밖 옥중에 집어넣고 거러지 꼴로 고향 밟을 일을 생각하면 불길같이 치밀던 망향심은 패배(敗北)의 한탄에 눌렸다. 더구나 나날이 "아버지"를 부르는 몽주 모녀를 볼 때면 가긍스런 감정이 오장을 슬슬 녹였다. 그는 마음을 어디다가 의지할 줄 몰랐다. 의복도 없거니와 양식이 떨어져서 며느리와 시어미는 남의 집 방아를 찧어주며 불도 때어주고 기한을 면하였다. 원래 그리 순순치 않던 며느리는 공연히 생트집 잡는 것과 종알종알하는 것이 나날이 심하였다. 김 소사에게는 이것이 설상가상이었다. 하루는 만수 아내가 부엌에서 불을 때다가 무엇이 골이 났는지

"이 망한 간난 년아! 네 아비 따위가 남의 애를 말리더니 너도 또 못 견디게 구누나."

하는 독살스런 소리와 같이 몽주의 울음소리가 들린다. 어린것은 송곳에 뿍 찔린 듯이 목청이 찢어지게 소리를 지른다. 마당에서 눈 속에 묻힌 짚 부스러기를 들추어 모으던 김 소사는 넋없이 부엌으로 뛰어갔다. 치마도 못 얻어 입고 아랫도리가 뻘건 몽주는 부엌 앞에 주저앉은 대로 얼굴이 까맣게 질려서 주먹을 부르르 떨면서 입을 딱 벌렸다.

"에구 몽주야 어째 우니?…."

김 소사는 벌벌 떨면서 몽주를 안았다.

"이 사람아 어린것에게 무슨 죄 있는가?"

김 소사는 며느리의 눈치를 흘끔 보았다.

"애를 말리는 거야 죽어도 좋지…. 무슨…."

하고 며느리는 꽥 소리를 치더니,

"이런 망한 년의 팔자가 어디 있누? 시집을 와서 빌어먹으니 에구 실루 기막혀서…."

하면서 부짓갱이가 부러지라 하고 나무를 끌어서 아궁이에 쓸어 넣는다.

"시집을 와서 빌어먹어" 하는 소리에 가슴이 묵직하고 죄송스런 듯도 하며 부끄러운 듯도 하여 며느리의 낯을 다시 쳐다 못 보았다.

이해 이월 그믐 어느 추운 날 새벽이었다.

"엄마야! 엄마야!"

몽주의 어미 부르는 소리에 눈을 뜬 김 소사는 부-연 눈을 비비면서 아랫목을 보았다. 먼동이 텄는지 방안이 훤한데 몽주는 홀로 누워서 엄마를 부르며 운다. 김 소사는,

"우지 마라, 엄마가 뒷간에 간 게다."

하면서 몽주를 끌어 잡아당겼다. 몽주는 그저 발버둥을 치면서 운다. 눈을 감았던 김 소사는 다시 눈을 떴다. 방안을 다시 돌아본 김 소사의 마음은

어수선하였다. 그는 또 눈을 비비면서 방안을 다시 돌아보았다. 선잠에 흐리하던 그의 눈에는 의심의 빛이 농후하게 얼렁거린다. 그는 벌떡 일어나서 아랫목을 또 보았다. 며느리가 뒷간으로 갔으면 덮고 자던 포대기가 있을 터인데 포대기가 없다. 김 소사는 치마도 입지 않고 마당에 나섰다. 쌀쌀한 눈바람은 으스스한 그의 몸에 스며든다. 그는 사면을 두루두루 보면서 뒷간으로 갔다. 며느리는 뒷간에 없다. 여러 집은 아직 고요하다. 추운 줄도 모르고 이 구석 저 구석 돌아다니면서 기웃기웃하던 김 소사는 몽주의 울음소리에 비로소 정신을 차린 듯이 집안으로 뛰어들어갔다.

…만수의 처는 갔다. 만수 처가 어떤 사내를 따라 아령으로 가더란 소리는 한 달 후에 있었다.

김 소사는 현실을 저주하는 광인 같았다. 몽주가 "엄마! 저즈!" 할 때마다 그의 머리카락은 더 세었다. 그는 며느리의 소위를 조금도 그르다고 생각지 않았다. 몽주의 정상을 생각하는 순간에 며느리를 야속히 생각하다가도 자기 곁에서 덜덜 떨고 꼴꼴 주리던 것을 생각하고는 어디를 가든지 뜨뜻이 먹고 지내라고 빌었다. 며느리가 "나는 가오" 외치면서 가는 것을 보더라도 김 소사는 억지로 붙잡지는 않았을 것이다.

김 소사는 매일 손녀를 업고 이 집 저 집으로 돌아다니면서 입에 풀칠을 하였다. 하루 이틀 지나서 달이 넘으니 동리에서도 그를 별로 동정치 않았다.

어지러운 물결 위에 선 김 소사는 그래도 살려고 하였다. 죽으려고 하지 않았다. 세상을 원망하고 자기의 운명을 저주하면서도 살려고 하였다. 그는 죽음[死]을 생각할 때 이를 갈았고 천지신명에게 십 년 만 더 살아지이다고 빌었다. 그는 죽음을 두려워서 그러는 것이 아니라 아들의 출옥을 보려 함이며 어린 손녀를 기르려 함이다. 아들의 출옥을 못 보거나 어린 손녀를 두고 죽기는 너무나 미련이 많다. 그러나 그는 금년이 환갑인 자기를 생각할 때

발하는 줄 모르게 탄식을 발하였다.

김 소사는 이 집 저 집으로 돌아다니면서 노자를 얻어 가지고 고향으로 떠났다. 고향에 있는 딸에게 편지하면 노자는 보내었을 것이나 딸도 넉넉지 못하게 사는 줄을 잘 아는 김 소사는 차마 노자를 보내라는 말이 나오지 않았다.

팔월 열 이튿날이었다. 김 소사는 몽주를 뒤집어 업고 왕청을 떠나서 고향으로 향하였다. 떠난 지 사흘 만에 용정에 이르러서 차를 타고 도문강안(圖們江岸)에 내려서 강을 건넜다. 상삼봉(上三蜂)에서 하룻밤을 자고 이튿날 아침 차로 어제 석양에 청진 내려서 곧 남향선을 탔다. 배에서 하룻밤을 지내는 새에 그러한 갖은 신고를 하다가 지금 고향 부두에 상륙하였다. 청진서 전보를 하였더니 운경이가 부두까지 나왔다. 출옥되어 고향에 돌아와 있는 김경석이와 생명보험회사에 있는 황창룡이도 부두까지 나왔다.

김 소사의 모녀는 붙잡고 울었다. 김 소사는 목이 매어서 킥킥하거니와 운경이는 어린애처럼 목을 놓아 운다. 눈물에 앞이 흐린 두 모녀의 눈에는 똑같이 육 년 전 오월 김 소사가 고향을 떠나던 날 밤이 떠올랐다. 아-그때에 그 많던 전송객은 어디로 다 갔는가? 오늘에 김 소사를 맞아주는 것은 그 딸 운경이와 만수의 친구인 경석이와 창룡이와 세 사람뿐이다.

"육 년 전에 그 광경! 육 년 후 오늘에는 그것이 한 꿈이었다. 아-꿈! 내가 고향에 와 선 것도 꿈이 아닌가?"

김 소사는 이렇게 생각하였다.

"만수가 있었다면 자네들을 보고 얼마나 반가와 하겠나?"

김 소사는 말을 못 마치고 두 청년을 보면서 울었다. 경석이와 창룡이는 고요히 머리를 숙였다. 뜨거운 볕은 그네들 머리 뒤에 빛났다. 바다에서 스쳐오는 바람과 물소리는 서늘하였다.

"몽주야 내가 업자-할머니 허리 아파서…."

운경이는 김 소사에게 업힌 몽주를 끄집어 내리려고 하였다.

"응 그러자 몽주야, 저 엄마께 업혀라. 내가 어지러워서."

김 소사는 몽주를 싸업고 포대기 끈을 풀려고 하였다. 몽주는 몸을 틀고 할머니의 두 어깨를 꼭 잡으면서 킹킹 운다.

"야-또 울음을 내면 큰일이다. 어서 보퉁이나 들어라."

김 소사는 운경이를 돌아다보았다. 운경이는 그저

"몽주가 곱지. 울지 마라, 내가 업지."

하면서 몽주의 머리를 쓰다듬었다.

"야 울지 마라, 그 엄마 안 업는다."

김 소사는 몽주를 얼싸 추커업더니 다시,

"어서 걸어라. 낯이 설어서 그런다."

하면서 운경이를 본다.

"에미나두(계집애) 아무 푸접두 업고나!"

운경이는 몽주를 흘끔 가로보면서 보퉁이를 머리에 이었다. 몽주는 운경이가 소리를 빽 지르면서 흘끔 가로보는 것을 보더니 또 비죽비죽 섧게섧게 운다.

"엑 이년아 아이를 어째 욕하니? 그 엄마 밉다. 몽주야 울지 마라."

김 소사는 운경이를 치는 척하면서 손을 돌리다가 몽주의 궁뎅이를 툭툭 가볍게 쳤다. 몽주는 흑흑 느끼면서 울음을 그쳤다.

"흐흐흐 고것두 설은 줄을 다 아는가."

운경이는 몽주를 귀여운 듯이 돌아다보고는 앞서서 걸었다. 두 청년도 뒤 미처 걸었다.

아침 때가 훨씬 겨운 햇볕은 뜨겁게 그네의 등을 지졌다. 물가에 밀려

들었다가 물러가는 잔물결 소리는 고요하였다.

걸치기 고개 쪽에서는 우루루 우루루하는 기차 소리가 연방 들린다.

본정 좌우에 벌려 있는 일본 상점은 난리 뒤와 같이 쓸쓸하였다. 짐을 산같이 실은 우차가 느럭느럭 부두를 향하고 간다. 자전거가 두서너 채나 한가롭게 지나가고 지나온다. 점점 올라오면서 사람의 왕래가 빈번하였다.

성진굽[城邑] 아래에는 정거장을 짓노라고 일꾼이 우물우물하여 분주하다. 일행은 본정을 지나서 한천교(漢川橋)에 다다랐다. 예서부터는 조선 사람 사는 곳이다. 일행은 작대기를 꽂듯이 꼿꼿한 큰거리 가운데로 걸었다. 좌우에 벌려 있는 조선 사람의 가겟방들은 고요하다. 점방 주인들은 이마에 땀이 번즈르하여 한가롭게 부채질을 하면서 거리에 지나가고 지나오는 사람을 물끄러미 본다. 육 년 전에 보던 점방이며 사람들이 그저 많이 있다. 김 소사의 눈에는 이 모든 사람이 유복하게 보였다. 크나 작으나 점방이라고 벌여 놓고 얼굴에 기름이 번즈르하여 앉은 것이 자기에게 비기면 얼마나 행복스러울까? 자기도 고향에서 그네가 부럽잖게 살았다. 그러나 지금은 그네들보다 몇 십 층 떨어져 선 것 같다. 만수와 함께 다니던 듯한 젊은 사람들이 늠름하여 가고 오는 것이 역시 심파(心波)를 어지럽게 한다. 자취자취 추억의 슬픔이요 소리소리 모욕 같았다.

"어머니 성진이 퍽 변하였어요."

운경이는 김 소사를 돌아보면서 멋없이 웃는다.

"모르겠다."

하고 대답하는 김 소사는 차마 낯을 들고 걸을 수가 없었다. 낯익은 사람의 낯이 언뜻 보일 때마다 머리를 숙이거나 돌렸다. 의지 없는 거러지 꼴을 그네들 눈에 보이기는 너무도 무엇하였다. 자기는 이 세상에서 아무 권리도 없는 비열하고 고독한 사람같이 생각된다.

"내가 왜 고향으로 왔누? 죽든지 그렇지 않으면 빌어먹더라도 멀찌기서 지내지! 무얼 하려고 이 꼴로 고향을 왔누!"

그는 이렇게 속으로 여러 번 부르짖었다. 그럴 때마다 얼굴이 후끈후끈하고 전신이 길바닥으로 자지러져드는 듯하다.

"흥 별소리를 다 한다. 아무개 네는 나보다도 더 못 되어서 돌아와서도 또 이전처럼 살더라."

이렇게 자문자답으로 망하였다가 흥한 사람을 생각할 때면 자기도 그전 세상이 올 듯이도 생각되며 인생이란 그런 것이거니 하는 한 숙명적인 자기심(自棄心) 같기도 하고 자위심(自慰心) 같기도 한 감정에 가슴이 퍽 평평하였다.

"이게 누구요."

"아 만수 어머니오!"

"참 오래간 만이오!"

지나가는 사람이며 점방에 앉았던 사람들이 뛰어나와서는 인사를 한다. 아무리 아니 보려고 외면을 하였으나 김 소사의 얼굴은 오래 인상을 준 그네의 눈을 속이지 못하였다.

"네 그 새이 평안하시오?"

만나는 이들은 거의 묻는다. 그네들은 만수의 형편을 몰라서 묻는 것이나 김 소사에게는 그것이 알고도 비웃는 소리 같았다. 또 그네에게 만수의 사정을 알리고도 싶지 않았다. 김 소사는 이러한 말을 들을 때마다 어찌 대답하면 좋을지 몰라서 주저주저하다가는,

"네 뒤에 오음메!"

하고는 빨리빨리 걸었다. 북선 사진관 앞에 온 그네들은 왼편 골목으로 기울어져서 십여 보나 가다가 다시 바른편으로 통한 뒷거리로 올라가서 이전 수비대 앞 운경의 집으로 갔다.

"에구 멀기두 하다."

운경이는 마루에 보퉁이를 놓고 잠궜던 문을 휠휠 열어 놓았다.

"월자 아비는 어디로 갔니?"

정주방으로 들어간 김 소사는 몽주를 내려놓으면서 운경이더러 물었다. 월자 아비는 운경의 남편이었다.

"애 아비는 밤낮 낚시질이라오. 오늘도 새벽 갔소."

운경이는 대답하면서 국수 사러 밖으로 나갔다. 마루에 앉았던 두 청년도 또 온다 하고 갔다.

"한마니 이게 뭐냐? 응 한마니…."

몽주는 어느새 저편에 놓은 재봉침 바퀴를 잡고 서서 벙긋벙긋 웃는다.

"에구 아서라. 바늘을 상할라? 이리 오너라, 에비 있다."

김 소사는 걱정하면서 몽주를 오라고 손을 내밀었다.

"응 에비 있니?"

몽주는 집으려는 패물을 빼앗긴 듯이 서먹하여 섰더니 "에비 에비" 하면서 지적지적 걸어온다. 김 소사는 보퉁이 속에 손을 넣고 한참 움질움질하더니 벌건 사과를 집어내서 몽주를 주었다. 몽주는 커다란 붉은 사과를 옴팍옴팍한 두 손으로 움킨 채 야들한 붉은 입술에 꼭 대고 조그만 입을 아기죽하더니 사과를 입술에서 떼었다. 벌건 사과에는 입술 대었던 데가 네모진 조그마한 입자국이 났다. 몽주는 사과를 아기죽아기죽 먹었다.

"할머니 저즈…."

하면서 목을 갸웃뜸하고 김 소사를 쳐다보면서 어려운 것을 애원하듯이 해죽해죽 웃는다.

"에구 나지 않는 젖을 무슨 먹자구 하니?"

김 소사는 한숨을 쉬면서 무릎에 오르는 몽주에게 쭈굴쭈굴한 젖을 물렸다.

이날 밤부터 이전에 친히 지내던 이들이 김 소사도 찾아다니면서 만나 보았다. 몇몇 늙은 사람 외에는 그를 그리 반갑게 여기지 않았다. 고향은 그를 조롱으로 접대하였다. 만나서는 거개 허허 하였으나 김 소사의 생각하는 바와 같이 그 웃음 속에는 철창에 들어간 만수의 행위와 김 소사의 거지꼴을 조소하는 어두운 빛이 흘렀다. 만수의 친구 몇은 그것을 잘 알았다. 그네들은 진정으로 김 소사를 접대하였다. 창룡이와 경석이는 만수를 생각할 때마다 김 소사가 가긍하고 가긍할수록 더욱 공경하고 싶었다. 운경이는 더 말할 것도 없거니와 사위도 그를 극진히 공경하였다. 그러나 김 소사는 항상 사위의 얼굴이 어렵게 쳐다보였다. 더욱 사돈을 대할 때면 조마조마한 마음을 어디다 비할 수 없었다.

철없는 몽주는 매일 "과자를 다구", "외를 다구" 하고 졸랐다. 운경이는 돈 푼이 생기면 월자는 못 사주어도 몽주는 과자를 사다 준다. 김 소사에게 이것이 또한 걱정이었다.

흐르는 세월은 김 소사를 위하여 조금도 쉬지 않았다. 마천령을 넘어 '어산동' 골을 스쳐 내리는 바람에 성진굴의 푸른 잎이 누른 물들고 바다 하늘에 찼던 안개가 훤하게 개이더니 하룻밤 기러기 소리에 찬서리가 내렸다. 아침 저녁 서늘한 바람과 정오에 밝은 볕은 더위에 흐뭇한 신경을 올올이 씻어 주는 듯하더니 가을도 어느새 지나갔다. 펄펄 내리는 눈은 산과 들을 허옇게 덮었다. 사철 없이 굼실굼실하는 바다만이 검푸른 그 자태로 백옥천지 속에서 으르레고 있다. 갑자년 십 일월 십 오일이 되었다. 육십 년 전 이날 새벽에 김 소사는 이 세상에 처음 나왔다. 그의 고고성은 의미가 심장하였을 것이다.

운경이는 며칠 전부터 어머니의 '환갑'을 생각하였다. 그날그날을 겨우 살아가는 운경이로는 도리가 없었다. 사위도 말은 없으나 속으로 애썼다.

김 소사는 자기 환갑 걱정을 하지나 않나 하여 딸과 사위의 눈치만 보았다. 그는 환갑 쇠기를 원치 않았다. 구차한 딸에게 입 신세지는 것도 조마조마한데 환갑 걱정까지 시키기는 자기가 너무도 미안스러웠다.

이날 아침에 운경이는 흰밥을 짓고 소고기국을 끓였다. 이것도 운경의 집에서는 별식이었다.

상을 받은 김소사는 딸 몰래 한숨을 쉬었다. 참을래야 참을 수 없는 눈물이 눈속에 솔솔 흐르고 목이 꽉꽉 메어서 밥이 넘어가지 않았다. 가까스로 넘긴 밥도 심사가 울렁울렁하여 목구멍으로 도로 치밀려 올라오는 듯 하였다. 김 소사는 따뜻한 구들에 앉고 맛있는 음식을 입에 넣으면 운경의 내외가 애쓰는 것이 미안하여 억지로 먹는 척하면서 몽주 입에도 떠 넣었다. 김 소사의 사색을 살핀 운경이는,

"어머니 많이 잡수, 몽주야, 너는 나와 먹자."

하면서 몽주를 끌어안았다.

"놓아 두어라, 내가 이것을 다 먹겠니?"

그는 말 마치기 전에 눈물이 앞을 핑 가리어서 콧물을 쿨적 들어마시었다. 운경의 내외는 말없이 서로 얼굴을 쳐다보았다. 운경의 머리에는 자기가 어려서 어머니 생일에 떡치고 돼지 잡던 기억이 어렴풋이 떠올랐다. 김 소사는 얼마 먹지 않고 술을 놓았다.

"어머니 왜 잡숫잖습니까? 또 만수를 생각하는 겝니다, 하하."

사위는 억지로 웃었다.

"아니 많이 먹었네."

김 소사는 담뱃대에 담배를 담았다.

이날 낮에 창룡의 내외는 떡국을 쑤어 왔다. 김 소사는 슬픈 중에도 기뻤다. 자기 환갑날을 위하여 누가 떡국을 쑤어 오리라고는 생각지 않았다. 김 소사는 창룡의 아내가 갖다놓는 떡국 상을 일어서서 황송스럽게 두 손으로 받

았다. 젊은 사람 앞에서 "네! 네!" 하고 공경을 부리는 김 소사의 모양이 창룡이와 경석의 눈에는 비열하고 측은하게 보였다. 아─만수 군이 있어서 저 모양을 보았다면 피를 토하리…. 경석이는 이렇게 생각하면서 한숨을 쉬었다.

"어머니 그냥 앉아 계십시오, 모두 자식의 친구가 아닙니까!"

창룡의 말.

김 소사는 창룡의 젊은 내외가 서로 웃고 새새거리면서 정답게 지내는 것을 볼 때마다 가슴속이 답답하였다.

"오오 내가 왜 만수를 장가보냈던구? 저렇게 저희끼리 만나서 정답게 살게 못 했던구? 싫어하는 장가를 내가 왜 보냈던구? 이 늙은 것이 왜 아들의 말을 듣지 않나! 그저 늙으면 죽어야 해! 우리 만수도 어디 쟤들만 못한가? 일찍 뉘를 본댔더니 뉘커녕 도로 앙화를 받네! 글쎄 이 늙은 것이 어쩌자고 그런 짓을 했누? 밥이 되든지 죽이 되든지 저 하는 대로 내버려 두지!"

김소사는 이러한 생각에 한참이나 멀거니 앉았었다. 경석이는 원래 능하고도 존존한 정다운 말로 김 소사를 위로하였다.

경석이는 처자도 없고 부모도 없고 집이 없고 직업도 없는 청년이다. 그는 일가 집에서 몸을 그날그날을 지내간다. 그의 학식과 인격은 비범하다. 그가 만세를 부르고 감옥에 들어가고 감옥에서 나온 후로 ××주의자가 되어 여러 방면으로 활동하게 되면서부터 당국의 검은 손이 등 뒤를 떠나지 않고 쫓아다녔다. 그것이 드디어 그로 하여금 직업장에서 구축을 받게 하였다. 그는 굶거나 벗는 것을 염두에 두지 않았다. "감옥에 가면 공부하고 나오면 또 주의 선전한다"는 것이 그의 항다반하는 소리였다. 그의 기개를 안다는 사람들은 그 말을 믿는다.

김 소사의 앞에 앉은 경석의 신경은 또 비애와 의분에 들먹거렸다. 자기의 처지를 생각하든지 김 소사와 만수의 처지를 생각하면 슬펐다. 그 슬픔은 그 몇몇 사람의 처지에만 대한 슬픔이 아니었다. 그 몇몇 사람을 표본으로 온 세계를 미루어 생각할 때 그는 주림과 벗음에 헐떡이는 수많은 생명 속에 앉은 듯하였다. 피 기름이 엉긴 비린내 속으로 처량히 흘러나오는 굶은 이의 노래가 귓가에 들리는 듯하며 벌거벗고 얼음 궁에 헤매며 짜릿짜릿한 신음 소리를 지르는 생령이 눈앞에 보이는 듯하였다. 눈을 번쩍 떴던 경석이는 입술을 꼭 깨물면서 눈을 감았다.

"아! 뛰어나가자! 저 소리를 어찌 앉아서 들으랴? 이 꼴을 어찌 보랴? 아! 가련한 생령아! 나도 너희와 같은 자리에 섰다. 만수도, 어머니도, 몽주도… 성진도 아니 전 조선이 그렇구나. 아! 이 역경을 부수지 않으면 우리 목에… 않으면 우리는 영영 이 속을 못 뛰어나리라, 뛰어나서자!"

이렇게 경석이는 가슴속으로 부르짖었다. 피는 질서 없이 뛰었다. 그는 눈을 뜨고 벌떡 일어나서 밖으로 나왔다. 쌀쌀한 겨울바람은 붉은 그의 여윈 낯을 스쳤다.

"흥 세상은 만수를 조롱한다. 만수 어머니를 업수이 본다. 만수 어머니시여! 웃는 세상더러 기껏 웃어라 하옵소서. 어머니를 웃는 그네들께 어머니보다 나은 것이 무엇이 있읍니까? 아! 불쌍도 하지, 피 묻은 구렁으로 들어가는 그네들은 나오려는 사람을 웃는구나!

오오 만수야! 내 아우야! 너는 선도자다."

눈을 밟으면서 내려오는 경석이는 이러한 생각에 골똘하여 몇 해 전 자기가 고생하던 감옥을 눈앞에 그려 보았다. 그는 천사만념에 발이 어디까지 온 것을 의식치 못하였다. 그는 머리를 번쩍 들었다. 어시장으로 지나온 그는 한천 철교(漢川鐵橋) 아래까지 이르렀다. 퍼-런 얼음장 아래로 흐르는 물소리는 쿨렁쿨렁하는 것이 몹시 노한 듯하였다. 해는 벌써 서산에 뉘엿뉘엿 넘어 간다.

"아아 조선의 해돋이[日出]여!"

석양빛을 보는 경석의 눈에서 흐르는 눈물은 온 얼음 세계를 녹일 듯이 뜨거웠다.

[어머니 회갑 갑자 11월 15일 양주 봉선사에서]

출처: 『신민 11』, 1926.3.

崔承一

鳳姬

올해는 봄도 이르기도 하다. 재작년에 내가 서대문 감옥-앞뜰에서 그를 만나던 때와 작년 이맘 때 내가 룡정(龍井)에를 갔다가 그를 만나던 때는 아직은 먼 산에 남은 눈 그저 남아있었고 바람은 몹시 추웠는데 올해에는 웬일인지 벌써 이다지도 날이 따뜻하다. 날은 따뜻하여 마음 한 모퉁이를 쎈티멘탈하게 만들것마는 또 이게 웬 일이냐. 그의 마음은 써늘하다. 그때나 이때나 세상은 아무 변함이 없이 나의 피를 뽑아가는 듯이 나의 몸은 파리하여졌고 나의 마음은 시들어졌다. 재작년이 작년과 같고 올해가 작년과 같이 조금이라도 우리가 다리를 뻗을만한 썸딍은 우리로부터 멀어진지 이미 오래이다.

나는 다시금 이 해가 오자 이 봄이 오자 나를 오빠하고 따르던-나더러 선생님 선생님하고 따르던 무슨 일이든지 나에게 묻고 무슨 일이든지 내가 하라는 대로 하고자 하고 생각하든-내가 「이만하면 조선에도 한 개의 완전한 여성이 있게 되었다는 것을 나는 기뻐한다.」-동지(同志)다. 동지! 오늘날의 조선을 움직일만한-이 캄캄한 땅덩어리를 햇빛 보이는 데로 끌어가자고 하는 그러한 길로 걸어가는 많은 동지 가운데 한 개의 여성이 걸어간다. 그는 내가 사랑하고 내가 돌보아주던 봉희(鳳姬)를 이름이다.

김봉희-이게 그 여자의 이름이다. 나는 봄이 오자 다시금 봉희의 일을 돌이켜 생각한다. 봉희는 지금 청국의 남방 소주(蘇州)라는 데 가 있다. 그러나 나는 다만 그것만 알 따름이다. 지금 그 여자는 무엇을 하며 지금의 그 여자는 어떠한 길을 밟고 있느냐는 것은 생각할 수가 없다. 생각지도 않는다. 그러나 기억이란 무서운 것이다. 「과거를 잊고 살자. 웨? 과거를 생각하면 우리는 과거를 생각하는 그 만큼 미래를 향하여 나가는데 대해서 어느 경우에는 큰 장애가 있기 때문이다.」 그러나 어찌 할 수 없다. 일어나는 기억 마음에 거울과 같이 비치는 과거 이것을 나는 잊을 수가 없다. 그리하여 봄이 소곤소곤하면서 찾아든다. 헐어빠진 들창이나마 그들 창밑 컴컴한 구석 밑에 앉아서 다시금 그 여자를 위하여 따라서 여명(黎明)을 바라보면서 아무쪼록 진실하게 나가기를 바라는 마음-동지들에게 대하야-이러한 생각으로 나는 이 붓을 잡았다.

나는 봉희를 생각한다. 과거의 반역자(叛逆者)봉희를 생각한다.

삼 년 전 봄이었다.

나는 그때 나의 고향인 S군으로부터 일부러 서울을 올라온 적이 있었다. 그것은 다름이 아니라. 나의 동지 K군이 서대문 감옥에 입감한 일이 있어서 나는 그를 면회하고 또는 그의 뒷배를 보아주려고 올라왔다. (그의 사건에 대해서는 이 지금 쓰는 이야기와는 관계가 없는 일이기 때문에 여기엔 약한다.)

그래서 어느 따뜻한 봄날 나는 처음으로 K군을 면회하려고 재판소에 가서 예심판사(豫審判事)의 허가를 맡아가지고 서대문 감옥을 찾아 나아갔다. 두 길이나 넘는 붉은 벽돌담이 악박골 뒷산 모퉁이 밑에서 세상을 떠난 듯한 쓸쓸하고도 정적한 맛이 떠도는 감옥에 문 앞을 당도하자 정문 옆댕이로 조그마한 그 문을 두들기니까 그 옆에 있는 창살이 달린 유리창으로부터 간수의 얼굴이 내어밀더니 문을 열어준다. 내가 들어서자 그 문을 도로 닫쳐진다. 웬일인지 좀 마음이 불쾌하였다. 그리하여 면회하러 왔다는 말을 하고서 그 서면을 내어주니까 간수는 저리로 가서 기다리라고 한다. 그 말을 들은 나는 웬일인지 묵직하여진 다리를 끌고서 저편을 향하여 걸어갔었다. 내가 감옥의 경험이라고는 S군에서 C항으로 넘어가서 C항 감옥에 들어가 본적이 있고는 이 서대문 감옥은 처음이기 때문에 우선 외관이나마 대충 들어보았다. 먼지 한 점 없는 감옥의 마당-불볕이 재글재글 끓는 모양이란 일종의 이상한 아름다움을 느끼게 된다. 뒷산이 맑고 앞이 탁 트이고 사방에 청결한 기운이 돌기 때문에 비록 감옥이라고 하지마는 별로히 음불(陰불)한(그 안의 제도 그 안의 살림은 모르지마는) 맛을 찾아볼 수가 없었다. 다만 어디든지 붉은 벽돌에다가 쇠살창이 달리어 있는 것만을 바라보게 될 때 눈살이 짚으려지면서 사람이 사는 곳에 반드시 이런 곳이 있어야만 하느냐는 의문보다도 일종의 분노(憤怒)를 참지 못할만한 흥분된 감정을 가지고서 어느 편인지 벽돌담 밑에 나무걸상이 놓여있기 때문에 그곳에 가 한참이나 걸터앉아있었다. 벽돌담에다 잔등이를 대고서 머리를 숙이고 나는 다만 동지의 면영(面影)만 생각하고서 만나면 반가울 마음 또한 울분한 마음이 떠오르리라는 생각을 하면서 감옥의 뜰 안 모래의 바닥을 정신없이 바라보고 앉아있었다. 그러나 옆에서 사람들의 지껄이는 소리가 나기에 자연히 아무 의식이 없이 다만 본능적으로 고개를 들 따름이었다. 아닌 게 아니라. 내가 오기 전부터 있던 사람이었는지 온 후에 온 사람들이었는지는 모르지마는 한 오륙 인이나 나의 주위로 혹은 거닐면서 혹은 앉아서 대개 면회의 방법 감옥의 규칙이외에 어찌해서 누가 어떻게 되어서 들어왔다는 것을 이야기하고 있다. 그러나 다시금 새삼스럽게 내 눈에 띄운 것은 저편 모래땅위에 가 거저 털썩 주저앉아서는 모래를 가지고 작란하면서 그 옆에 가만히 앉아있는 여자(그의 동무인 듯한)를 옆으로 흘깃흘깃 보면서 무슨 말인지 잘 들리지도 아니하나마 하여간 그도 어느 재감(在監)한 사람을 면회하러 온 것은 분명한 일이었다.

모래 위에 털썩 주저앉은 그-그는 검은 나단치마에다가 검정 나단저고리를 입고 앉았는데 그가 고개를 들 때 우연히 건너다보니까 그는 얼굴빛이 좀 검은듯하고 윤곽이 크고 비록 앉아있는 키나마 꽤 큰 키를 가진 여자이었다. 그러고 그의 머리털은 검다는 것보다도 오히려 조금 누른 편이었다.

어느 겨를엔지

"우리 아버지도 나오셨겠다. 얘, 우리 아버지도 나오셨겠다."

하는 그의 말이 나의 귀에 전해오는 것이 있었다.

"아버지가 들어와 있는 게로군."

이렇게 나는 직각적(直覺的)으로 깨달을 뿐이고 그 다음은 다시금 심상하였다.

마주 쳐다보이는 인왕산의 곡성(曲城)에 흰 두루매기(두루마기) 자락이 펄펄 날린다. 파란 한울 밑-바로 그 아래인 듯한 높은 넷 성지(城趾) 위에서 날린다. 어디선지 호들기(호드기) 부는 소리 그윽이 감옥의 벽돌담을 넘어 들어온다. 나는 꼼짝도 아니하고 다만 아까 그대로 앉은 채 눈을 감고 이 안에 들어있는 친구와 저 산꼭대기에서 옷자락을 날리고 거니는 사람을 혼자 속으로 비교해보면서 어찌나 속이 답답하였는지 몰랐었다. 내가 남보다 비교적 이지(理智)의 움직임이 많고 테로의 기분이 적기 때문에 다만 이러하였는지 만일 한 개의 테로이었다면 또 어떠하였을는지 나는 여기서 그 말은 그만둔다.

저편 벽돌집 모퉁이로 삼태기와 괭이를 든 죄수(罪囚)들이 쇠사슬과 쇠사슬사이에 얽어매이어 한 사람의 간수의 뒤를 따라서 지나간다. 혹 그들 중에 어느 사람은 고개를 돌이키어 이 편을 바라보면서 무엇이 부러운 듯이 흘낏 흘낏 바라보며 지나간다. 붉은 옷-땅의 흙빛이나 그들의 옷빛이나 그들의 얼굴빛이나 분간할 수가 없을 만치 빛과 빛이 조화가 된다. '도야지다. 도야지다. 이게 사람이냐 도야지다. 도야지!' 잇대어 속으로 부르짖기를 "나는 저들보다 좀 나을까. 마찬가지다. 나도 나에게서 생명을 찾아낼 수가 없었다." 이렇게 떠오른 감정의 선언(宣言) 순간과 순간을 통하여 나아가는-죄수의 차고 다니는 쇠사슬에서 절름절름 나는 덜그럭하는 소리와 같은 그러한 토막토막의 감정이 이어간다. 눈앞에 보이는 것이 감옥의 뜰 안인지 허허벌판인지도 분간할 수 없을 만큼 나의 마음이 어지러웠던 것이 분명하였다.

"리적(李赤)씨가 누구요?"

하는 듯이 어렴풋이 들리는 듯 하더니만 바로 가까이 내 귀에가 칼자루의 덜그럭하는 소리가 들린다.

"네. 나요."

소스라쳐 잠을 깨이듯이 고개를 들었다. 나의 몸 앞에는 면도를 한 수염이 시꺼멓게 자란 턱주가리를 들먹들먹하면서

"웨 여러 번 불러도 대답이 없소?

"에 듣지를 못하였소이다."

하고 나는 벌떡 일어났다. 그 조선 사람인 듯한 간수는 저윽이 심사가 나는 모양이다.

"면회요."

그래도 자기의 책임은 다-한다는 듯이 좀 목소리가 낮아진다. 그리고 앞서서 걸어간다. 나는 뒤를 따라갔다. 아무 말 없이.

내가 면회를 마치고 나오자니까 아까 내가 들어가던 때 있던 사람들은 하나도 빠지지 아니하고 그저 뜰서 서있다. 그리고 언제 알았던지 퍽 반가운 표정이라고 할까. 잘 되어서 고맙다는 표정이라고 할까. 어쨌든 평상시에 가지는 얼굴의 표정과는 좀 다른 표정을 가지면서 나를 맞아준다. 나도 빙그레 웃었다. 그리고 앞으로 걸어 나왔다. 면회의 입회하였던 간수는 흘낏흘낏 뒤를 돌아다보면서 저편 중앙사무실이 있는 쪽으로 사라져버린다. 그러나 여기서 한 가지 이상한 일이 생기게 되었다.

"아이. 저 선생님 성함이 누시라고 하셨드라."

하는 소리가 나의 귀에 들린다. 그는 고개를 모로 들이켰다. 그는 확실히 그 여자이었다. 아까 우리 아버지도 인제쯤은 면회하러 나오는 곳으로 나와 기다리시겠다하던 그 여자의 목소리가 분명하였다. 그래서 나는 우뚝 서서 있게 되었다. 바로 그의 옆에 가서 모로 서게 되었다.

"네. 나는 리적이라는 사람이올시다. 누구십니까?" 하고 분명히 물었다.

그대로 갈 것이겠지마는 아까 내가 면회하러 간수를 따라 들어가던 때에는 거지반(거의) 나를 반가운 낯으로 보내어주었으며 또한 이번엔 일부러 나의 이름을 빗대어 묻고 묻는 데야 심상치 않은 일이라는 것을 나는 알게 되었던 것이다. (나는 여기서 한마디 붙여서 명언(名言)을 한다마는 그때 나의 감정은 그 어떠한 이성을 접해보지 못하던 남자가 여자의 그러한 의심스러운 태도로 인하여 아주 곤혹(困惑)한 태도라 또한 그 무슨 알지 못하는 가슴의 비밀이 움직이기는 듯한 그러한 감정에 지배된 것은 아니었다.) 그리하여 그가 전부터 나를 알던 일이 있었든지 그렇지 않으면 그 당장에 나에게 무슨 물어볼 말이 있었든지 하기 때문에 그러는 것은 분명한 일뿐만이 아니라 따라서 그의 태도는 어디까지든지 활발하고 적라라(赤裸裸)하다는 것은 나는 두 번도 말 아니한다.

"네. 저는 김봉희얘요. S군에 계시지요."

자-벌써 나의 고향까지도 안다.

"네. 그렇습니다. 어찌 아십니까?"

나는 다시금 그에게 물었다.

"네. 알아요. 저는 선생님을 잘 알아요."

"네. 그렇습니까?"

하면서 나는 빙그레 웃었다. 이미 아는 일이라

"아버지께서 들어와 계십니까?"

하고서 의례히 그러한 곳에서는 서로를 물어보는 어투로 물어보았다.

"녜. 그래요."

"무슨 일로요."

"이야기가 길답니다."

"녜-."

하고 나는 길게 그대로 머뭇머뭇 할 수밖에 없었다.

"고향이 어디십니까?"

"S군이얘요."

"녜. 그러시든가요."

이때 나의 여태껏 의혹해서 웬 영문인지를 모르는 마음은 저윽이 풀리어졌다.

"동향이구먼뇨. S군 어듸십니까?"

"C면이얘요."

"녜. 그러면 나 있는데서 불과 한 삼십 리 되는구먼뇨."

"녜, 그렇습니다. 선생님의 성함은 익히 그전부터 집에서부터 들었었습니다. 저도 언제나 할 것 없이 읍(邑)에를 지나갈 것 같으면 한번 찾아뵙겠다는 것이 늘 그렇게 되었습니다. 얼마나 많이 싸우신다는 말씀은 듣고서도 여태껏 한번 만나 뵙지도 못한 것이 오히려 죄송합니다."

이렇게 그는 유창하게 말을 하고는 쾌활하게 웃는다.

"원 천만의 말씀이올시다."

나도 오래간만에 피동(被動)이었는지는 모르되 한바탕 유쾌하게 웃었다.

"들어와 계신 이는 누구십니까?"

"K××이올시다."

"녜. K씨 그 S군 ××사건에 들어가신 이요."

"녜. 그렇습니다."

"그러면 불복을 하고 공소(控訴)를 하셨던가요."

"녜. 그렇게 되었습니다."

이때 "김봉희 씨 김봉희 씨." 하고 간수의 부르는 소리가 난다. 그는 달리어가면서 "잠간만 기대리서요. 단 오 분밖에 더-됩니까. 같이 가세요."

하고 말을 던져놓고는 고만 간수를 따라 들어가버린다.

사정이 이쯤 되매 그대로 가는 수도 없는 일이라 나는 여러 가지 생각을 하면서 뜰 안을 왔다갔다하였다.

"그래서요."

"그래서 국경수비대와는 만일 ××를 할 것 같으면 아니 잡아갔다는 단단한 서로 약조가 있어서 들어오신 것인데 공연이 딴 곳의 밀정(密偵)의 보고로 인해서 잡혀서 지금 저렇게 고생을 하고 계신답니다."

송월동(松月洞)구석 어느 막바지 초가집 아랫방에서 나와 그와는 마주 앉아 이러한 과거의 이야기를 듣고 앉아있게 되었다. 따뜻한 볕이 창문으로 차츰차츰 기어오름에 우리 두 사람은 마주 앉아 이 걱정 저 걱정으로 몇 시간인지 보내게 되었다.

이 이야기를 대화체(對話體)로 할 것 같으면 너무도 길 것이니까 대개 들은 대로 개요(槪要)만을 여기다 적는다면 아래와 같다.

그의 아버지는 원래 만주 ××현에 근거를 둔 ××단의 단장(團長)이었었다. 그리하여 ××운동이 일어나게 되자 그는 이곳저곳으로 활약을 하기 시작하였다. 그리하여 그 곳의 주민들은 경모(敬慕)하는 마음과 또한 공포하는 마음으로써 그를 맞고 보내기로 하고 그 곳의 수비대는 늘 그의 뒤를 쫓아 다니었었다. 그러나 워낙 그 곳에 익달하고 활략이 교묘한 그는 오늘은 여기 내일은 저기 이렇게 이래 사오 년 동안을 지내이었다. 그러나 그는 몇 해를 지내인 작년 재작년에 이르러서 불가부득이 S군으로 잠간 다녀가지 아니 하면 아니 되는 사건이 생기어서 일부러-나중일은 어찌 되었든지-국경에 있는 경찰과는 그러한 타협을 하여 가지고 들어오라는 판에 그는 돌연히 만주 ××현에서 붙잡히게 되었다.

그래서 평양 지청에서 사형(死刑)을 받고 서울로 공소를 하여 온 것이었다. 그러나 그것은 대개 이만큼 이야기를 하기로 하고 그-봉희의 이야기를 하는 것이 본뜻이기로 이에 나는 봉희의 이야기를 하겠다. 봉희는 그의 아버지가 그렇게 되었다는 말을 듣자 곧 그는 분노를 참지 못하였다. 그리하여 다니던 학교도 집어치우고 그는 곧 N군의 군사령부(軍司令部)를 단신으로 찾아갔다. 찾아가서 군사령관에게 면회를 청하였으나 거절을 당하였다. 그러나 그는 파수병정의 총 끝에다 가슴을 대이고 발악한 결과 겨우 사령관은 들어오라는 말을 하였다. 면회를 하게 되자 그는 곧 그에게 배신(背信)한 행위를 매도하였다. 그러나 그것은 그곳의 책임이 아니고 딴 데서 당한 일이니까 어쩔 수 없는 설명을 하였다. 그러나 비록 사실은 그렇다하더라도 도저히 그는 그 말을 믿지 않고 다만 우리 아버지를 살려달라는 말만 하면서 그는 사령관의 소매를 붙들고 야단을 쳤다. 마치 옛날 소설에서 보는듯한 느낌이 없지 아니하나 이 봉희에게 대해서는 참말 사실이었으니까 독자는 그쯤 알아두기를 바란다.

그래서 사령관도 무슨 마음이 있었던지. 그렇지 않으면 그 무슨 얄팍한 책임을 가졌었던지 봉희와 함께 서울로 올라와서 재판소를 출입한 일도 한두 번 있었다고 한다.

"아마 덕택으로 사형은 면하게 되겠지요."

내가 쓴 것은 짜르나 이 긴 이야기를 해가 다 지도록 하고 있었다. 그리하여 그는 지금 아버지의 판결을 보기 위하여 또는 모든 차입의 절차를 자기가 하기 위하여 올라와서 일부러 감옥의 가까운 이 곳에 주인을 정하고 있어 가면서 날마다 날마다 그는 그의 아버지를 한 번씩 아니 보고는 못 견딘다고 한다.

"오빠가 아니 계시든가요."

"있었어요. 그러나 죽었어요."

"어째서요. 언제 어듸서?"

"만주에서."

이 외에는 더-묻지도 아니하고 다만 나의 가슴은 답답하고 따라서 이맛살은 짚으려지면서 그 무슨 납덩이로 나의 머리를 탁 때리는 듯이 무겁게 눌리면서 몸을 경련적(痙攣的)으로 부르르 떨리었다. 그러나 그 순간을 지난 나는 어느 순교자(殉教者)의 만영이 나타난다. 나는 다시금 자기를 잊어버리고 황홀한 빛을 보았다.

"지금 어듸 계서요."

"잠시 K동에 있습니다. ××번지에요."

"가도 괜찮습니까."

"네 놀러오십시오."

"모든 것을 선생님이 지도하여주세요. 저는 아직 모든 것에 천박하여요. 많이 좀 알이켜주세요. 여긔도 놀러와 주세요."

"낸데 별로 아는 것이 있습니까."

하고 나는 의례건으로 대답하였다. 그러나 그는 나의 하던 말을 한마디도 허술히 듣는 모양이 아니었다. 그-기름하고 검으스럼한 두 손을 한 테다 깍지 끼이고 떡 버티고 안젔는 것이라든지 그-너실너실한 눈이 가끔 미소 또는 어떤 때 자주 복잡하게도 그의 성격을 나타내이는 동시에 어디인지 모르게 자기가 사람이던 사물이던 한번 신뢰(信賴)만 한다면 여간 그 의지가 변동

이 없을만한 그러한-여자로써는 오히려 어느 강렬한 남자의 성격보다도 더-
끈기 있는 것을 찾아볼 수가 있었다.

"선생님. 저는 서울에 있어보고 싶은데요. 웬일인지 시골에 있으니까 시
대에 뒤진 것과 같기도 하고 또한 아버지는 생명이 오늘 내일 하시고 계신
데 따라서 저의 집이라고는 어머님 한분만이 계시고 생활이란 터거리가 없
을 뿐 아니라 또한 저의 사정도 절정에 달한 이 때에 공부라고-시골 ××학
원 고등과라고 다닌다면 무엇을 합니까. 차라리 서울 어느 공장에라도 들어
가 있는 것이 퍽 마음에도 좋겠어요."

어떠한 동기(動機)로 인하여서 나라는 사람을 신뢰하게 되었는지 모르나
아조 탁 가슴을 제쳐 놓고 모든 자기의 환경의 변통까지도 의론을 스스로
가지고 오는 것을 볼 때 나는 여태껏 이러한 경험을 지내인 일도 없고 하기
는 하나 자기가 자기의 과거를 이야기하고 또한 자기가 미래에 있어서 어찌
어찌하면 좋겠다는 의론을 가지고 있는 것을 보더라도 나도 그렇게 무책임
하게 지나가는 말로 대답할 수 없다는 것을 새삼스럽게 깨닫게 되었다.

"생활은 어찌 하시렵니까. 물론 그만큼 생각이 드는 것이 당연한 일이라
고 생각합니다. 오늘날 이러한 현실에서 소위 학교공부를 한 대야 무엇이 별
로 신통한 일이 있겠습니까. 오늘의 조선의 문화(文化)라는 것은 남에게 눌린
우리들의 피의 기록이올시다. 결국 어떠한 사람에게 노예(奴隷)노릇을 예비
한다는 한 전제(前提)밖에는 아니 되니까요."

"그래요. 저도 비록 미거한 생각에나마 그러한 생각을 많이 느꼈어요. 생
활이요 생활은 아까 말씀한 것과 같이 공장(工場)에로 갈 터이여요."

"네. 물론 이상은 훌륭합니다. 그러나 우리의 생각하는 사회와는 이 현실
이 정반대(正反對)의 위치에 서서 있었습니다. 당신이 공장에를 가신다 하십
시오. 당신이 물론 실지를 밟는다거나 가두(街頭)민중 속으로 들어간다는 것

은 퍽 좋은 일이겠지요. 그러나 당신은 결국 거긔 가선 노예 노릇하는 것밖에 없습니다. 또한 그 곳에 있는 당신과 같은 여자들이 당신이 누구이며-그러고 당신이 무슨 말을 하면 그것이 진리(眞理)인 것이나마 알줄 압니까. 그러나 이것은 물론 어느 시기(時期)에 국한 된 것이겠지마는-그럼으로 나는 이러한 의미에 있어서 전자(前者)의 현실의 교육을 받지 않는다는 것을 동감하는 동시에 또한 공장으로 간다는 것도 좀더-생각할 일이라고 생각합니다. 우리가 그런 곳으로 가는 데는 좀 더 단련과 교양(敎養)이 필요하겠습니다. 그러하여 우리는 그들을 교화할만한 그 어떠한 온전한 생각을 붙잡아야 되겠습니다. 여기서 당신은 내 말을 똑똑히 알아들어서야 합니다. 당신이 공장으로 간다는 것을 부정(否定)하는 것이 아니올시다. 몇 만 년이라도 역사를 짊어지고 있는 이 현실에 만일 그 어떠한 새로운 것이 발견될 때까지는 우리가 얼마만한 힘이 필요하겠다는 것을 우리는 생각해 보아야하겠습니다. 물론 지금 이 자리에서 말하는 나부터도 결코 감정으로든지 그분만은 그렇지 않습니다.”

이 말엔 봉희는 아무 대답이 없었다. 잠시 동안 침묵하였다. 그러나 그는 별안간 발작적으로

“아이그. 아버지가 돌아가시면 어떡해요. 아버지가 돌아가시면 아니 되겠는데.”

그는 일부러 화제를 돌리려는 듯이-그러나 그의 영롱한 눈은 으슴푸레하게 물에 잠긴 구슬과 같이 눈물이 핑 돌면서 그의 얼굴에 나타나는 표정은 한없는 자극(刺戟)을 받은 듯이 이 자극은 나의 말함에 대해서 어떠한 느낌을 받은 것을 자기 아버지 생각에게로 돌리어 가지고 그럼인지는 알 수가 없으나 하여간 그는 말할 수 없는 그 어떠한 감격에 흐르는 것과 같았다.

“물론 아버지 생각도 그러하시겠지요. 그러나 그는 발서(벌써) 한 개의 무

능(無能)한 사람이 되었을 따름이다. 다만 그에게 남은 것이 있다면 과거의 그것이겠지요. 그렇습니다. 당신의 아버지는 발서(벌써) 과거의 사람이 되고 만 것입니다. 그러한 당신 아버지의 과거의 기억만을 당신은 붙잡고 있다면 무엇을 하겠습니까. 물론 나는 확실히 당신을 그것만을 붙잡고 있다는 것이 아니올시다. 다만 이후에도 그렇게 하지는 아니하는 것이 좋다는 생각이올시다. 당신 아버지의 다음으론 오직 당신이 있지 않습니까."

또한 아무 말이 없다. 다만 그는 오직 감격에만 흐르러 있는 것이 완연하다. 나의 눈에 보일 따름이었다. -또 다시 침묵.

"그러면 서울서 어찌 있을까요."

나는 가만히 생각하여 보았다. 그로 하여금 그 어떠한 몽환적(夢幻的) -기분만이 넘치는 생각을 버리고 좀더-이지에 충실하도록 하라는 권고를 하여 놓았는지라. 나는 나의 머릿속에다 이것저것 함께 더 부어가지고 생각하였다. 그러다가 나는 번개와 같이 여자 ××회를 생각하였다.

"이랬으면 좋을 것 같습니다. 여자 ××회에 가 드시지요. 그러면 다소간 편의도 얻을 수가 있겠고 따라서 자기가 활동만 하면 「팡」문제도 그리 군색하지는 아니 할 것이올시다."

그는 대단히 반가운 모양이었다.

"참 잊었세요. 여자 ××회는 시골서도 소문을 들었는데요. 그러면 거긔를 아모나 입회할 수가 있으니까요."

"단단한 소개만 있을 것 같으면 관계가 없겠지요. 만일 들어가신다면 내가 소개해드리지요. 그 회장으로 말하면 나뿐아니라. 우리 S군의 청년회와도 인연이 깊으니까요."

"그럼 그렇게 하여주세요."

"그럭하십시오."

신뢰하는 선생님.

선생님과 정거장에 작별한 지도 이미 한 달이 넘었고 따라서 그 뒤에 편지 한 장도 똑똑히 못 드리었습니다. 모든 것을 널리 용서하여 주시기를 바랍니다. 비록 그러하나 선생님의 안부나 혹은 선생님의 싸우시는-그 소식은 가끔 신문지상으로 배견합니다. 또한 고향인 S군의 움직임이 얼마만큼이나 벌어진다는 것을 저는 똑바로 바라다 볼 때 얼마나 기쁜지 알 수 없습니다.

선생님!

저는 이전엔 다만 아버지와 같은 이를 찬미하였어요. 또한 그것이 우리의 마땅히 취할 길이라고 생각하였어요. 그러나 아버지는 다만 우리 민족만을 생각할 따름이었습니다. 물론 그것도 오늘날 우리의 처지로 마땅히 취할 길의 한길이겠지요. 그러나 서울 계실 때 선생님의 권고와 선생님의 가르치심을 힘입어 책도 읽고 실제로 제가 당해보기도 하고 지내보기도 한 결과 오늘날 세계는 두 계급(階級)으로 나뉘어 있다는 것을 아는 동시에 또한 오늘날의 조선은 그 위에 더-남과는 유달리 다른 처지에 있는 것을 발견하였습니다. 그래서 아마 도회는 세계적이다 하나 보아요. 저는 그 동안 ××회 C형님의 힘도 많이 입었사오며 따라서 배운 것도 많이 있었습니다. 또한 그 뿐 아니라 과도기(過渡期)에 있는 절정(絶頂)에 달한-우리의 처지를 뼈에 사무치게 생각할 때 나는 나의 소양 나의 전후도 불구하고 동으로 뛰기도 하고 서로 날기도 하였습니다. 그러나 현실은 우리의 생각하는 것과 같이 그렇게 소홀이 볼 것이 아니여요. 얼마나 무섭고 굳고도 더러운 것인지 모르겠어요. 때로도 환멸(幻滅)을 느끼기도 하고 또한 때로는 그 반동의 힘으로 보다 더-한 굳세인 힘이 용솟음치기도 하더이다.

아아. 그러나 선생님.

여자의 힘이란 웨 이리도 약합니까? 나는 여자가 된 것을 한합니다. 조선의 여자는 다-저와 같을까요. '이것은 제가 딴 말을 하였습니다. 물론 다-저와 같을 것입니다.'내리 눌리는 위의 세력으로 인하여 움직여지는 남자의 환경에 거긔 종속이 되어서 허덕거리는 우리 여자의 환경! 참으로 애달픕니다. 그 뿐입니까. 물론 남자 본위의 이 현실이니까. 그렇기도 하겠지마는 남자라는 한 자본가(資本家)를 의지하지 않으면 우리의 생활은 제로입니다그려. 그러나 그 역 우리의 생활이란 어떠합니까. 사회적으로 「어찌되었든」소위 활동과 지반을 가졌던 저-남자들도 생활이 없는데 더구나 우리 여자야 말할 것이 무엇이겠습니까? ××회에 있는 여자 동지 제군도 말이 못됩니다. 재봉틀 두 채. 잡지 몇 권. 이것이 그 안에 있는 이십 명의 생명을 유지시키는 유일의 생산기관이올시다.

리 선생님! 리 선생님!

어느 날 나는 잡지를 팔라 돌아다니다가 고만 설움에 복받치어 회관으로 돌아와 가지고 밤새도록 느끼어 운 적이 있습니다. 이것이 한 두 번이 아니었습니다. 그러나 뒤에선 생활이란 무서운 채죽은 나의 등덜미를 여지없이 때립니다. 마치 농주(農主)가 농노(農奴)의 붉은 잔등이를 가죽 채찍으로 따리듯이 여지없이 따립니다. 그러나 목숨이 붙은 이상에야 어찌 할 수 있겠습니까. 또 나아가지요. 이러한 기인 잔설은 고만 두겠습니다마는 나는 아모쪼록 진실하게 나아가고자 노력하였습니다. 사람답게 살아가려고 하였습니다. 또한 목숨은 두 가지 해방(解放) 현시의 경제조직에다 또한 남자의 권력권내(權力圈內)에다 바치고서 뼈가 부서지도록 싸우려 하였습니다. 물론 남자의 권력이라는 것도 그들이 경제기관을 가지고 있기 때문입니다마는-지금도 오히려 싸우고 있는 중이올시다. 그러나 요즈음 와서 나에게 큰 변동이 생기였습니다. 그것은 아마 타협이겠지요? 나는 어느 뿌르조아 집 가정교사로 가게된 것이올시다. 어느 친구의 소개로 전에 맛보지 못하던 훌륭한 생활은 하고 있습니다. 나의 있는 집은 고대광실이올시다. 부귀영화를 나 혼자 누릴 것 같습니다. 한번 웃을까요.

그러다 마음은 한없이 괴롭습니다. 나 자신을 허위의 뭉텅이로 보는 동시에 오히려 그 전보다는 생활이 좋아졌습니다마는 용기는 침체되는듯하고 따라서 죽음을 늘 생각하게 됩니다. 이게 못쓸 생각이겠지요. 이기겠습니다. 설마-이기겠습니다.

참 S군에선 여자청년회가 새로 생기게 되었다지요. 남보다 앞서서 한 참호(塹壕)를 파는 것이 나에게는 얼마나 감격한 소문을 주는지 알 수 없습니다. 그것도 다-선생님이 그곳에 꽉 자리를 잡고 계시기 때문인 줄로 압니다. 또는 처음 그 소리를 들을 때 곧 뛰어내려가 같이 싸우려고 하였습니다만 첫째 지금 노비도 없는 형편이고 또한 되나 안 되나 지금은 남에게 매인 몸이 되었으니까 어찌합니까. 다만 화가 나고 답답할 따름이올시다.

나의 발달한 상명 허위에 얽매이어 있습니다. 생활에 쪼기여서. 생활이란 그 놈이 웨 우리에게는 없을까요. 이것도 사람입니까? 얼마 아니 있으면 올라오신다는 소문도 들었습니다. 올라오시거든 꼭 한번 찾아와주세요. 물론 와주시겠지요. 저는 그때를 기다리면서 이 컴컴한 땅속을 자꾸 파고들어갈 따름이올시다.

끝으로 그곳 ××여자 청년회 동지 여러분의 분투를 빌고-아울러 선생의 건투를 빌면서 이만 그칩니다.

×월××일

봉희는

리 선생님 전

이것은 내가 S군에 있을 때 언제인가 받은 편지이다. 내용을 한번 좍 읽어본 나는 그 동안 그의 생활을 활동사진 보는 모양으로 내다보면서 또한 그의 사상이 지금 얼마마한 정도에 이르렀다는 것을 여러 가지로 짐작할 수가 있었다. 그러나 마땅히 그렇게 되었겠지. 또한 그것이 그리 나쁜 일은 아니겠지마는 마음이 없지도 아니 하건마는 웬일인지 좀 불쾌한 감성을 느끼었다. 그러고 좀 섭섭하였다. 그래서 그랬든 또한 그때 나는 퍽-바쁜 탓으로 그만한 긴 사연의 편지를 받아 보았건마는 그냥 엽서 한 장으로 편지 보았다는 말과 아울러 잘 있으라는 간단한 몇 마디를 적어 보낼 뿐이었다. 그다음 두 달이 지난 후 늦은 여름에 나는 또한 서울에 볼일이 있어 올라온 일이 있었다. 그 동안에도 편지가 왔다 갔다 하였으며 또 그 뿐 아니라 나와 그와의 관계가 더-한층 이상하게 된 것은 다른 것이 아니라 어느 때 편지엔가 나더러 오빠라고 부르겠다는 사연이 씌어있었던 적이 있었다. 그때 나는 다-같은 우리 동무가운데 하필 윤리적(倫理的)으로 조금 기울어질 것이 없는 일인 줄 아는 동시에 또한 그렇다고 더-친절하게 되어지는 것이 아니라는 것을 짐작 못하는 것이 아니로되 하여간 저편에서 그러면 나를 대하겠다는 것이니까 구태여 그것을 아니 받을 필요도 없기도 하여 그대로 내어버려두었다.

내가 서울에 오든 그 잇흔 날인가 C동에 있는 그를 찾아갔다. 물론 가정교사로 있다는 그 집이었다. 집은 아닌 게 아니라 훌륭하였다. 번 듯 나의 머리에 때리는 생각은 '타협보다도 침입'-이렇게 생각되었다. '그러면 오히려 낫겠다.'-이렇게 생각되었다.

"오빠!"

하고 내달는 그는 나의 손을 있는 힘을 다하여 잡는다. 그리고 자기 방으로 끌어들였다. 그의 방은 그 집 대청을 돌아서 저-뒷방의 한 간이었다. 매우 훌륭한 곳이었다. 첫째로 깨끗하고 또한 조용하고 그 다음으로 오히려 한적

할 만한 게 조용한 곳이었다. 그의 말을 의지하여 듣건대 하는 일이라고는 이 집의 아이가 둘이 있는데 학교에 다녀오면 저녁 먹은 후에 약 두 시간 가량을 복습시켜 주는 일밖에는 없다고 한다. 그러고 자기도 낮에는 ××학원에 다니게 되고

"그 나를 안내하여 더불고 들어오든 남자가 누구이냐?"

나는 들어가 앉으면서 고향 소식 그동안 지내인 이야기를 단편 단편으로 하다가는 약간 어조를 고쳐가지고 이렇게 물어보았다.

"그이요. 그이는 이집 주인의 조카라나요."

웬일인지 남의 이야기를 하듯이 일부러 당정하게 하려는 듯한 기색이 보인다.

"매우 친절한 남자던데."

이게 웬일이냐. 그의 얼굴이 약간 붉어지면서 아무 말이 없다. 평시에 말괄량이라고 별명을 듣고 그러나 한번 자기가 사랑하는 동무일 것 같으면 그 사람의 일이라면 전후를 불계하고 살점이라도 베여 먹일만한 그러한 굳세인 정렬이 있는 사람이라. 어찌하였든 (나는 결코 미인은 아니었다마는) 여러 친구에게서 결혼의 신립까지도 많이 들어왔건마는 모두 다 거절하면서-나를 또 데려다가 빨아 먹으려고-나를 노예를 만들려고. -이렇게 그를 부르짖으면서 거절을 하던 그가 지금 와서는 완연히 변한 한사람이 되어있다는 것은 가늘게 느끼어진다. 그의 지금의 환경이 나에게 그러한 보임을 주었던지는 모르되-.

"어느 학교에 다니나?"

어리 뻔뻔하게 웬일인지 그 남자가 자꾸 마음에 실리여 자꾸 묻고 싶다.

"의학전문학교에 다닌대요."

"응-."

하고 길게 어설프게 한마디 대답하여두었다.

"그건 웨 자꾸 물으세요."

"얘. 너-그 사람하고 연애하지 아니하니."

별안간 치밀어 오르는 이러한 생각을 다른 사람은 모른다마는 나는 참을 수 없는 성질이었다. 이 말이 이 방안의 공기에다 대단한 파동을 준 모양이었다.

"아이. 오빠두."

하면서 참으로 급전직하의 꿈에도 생각지 못하던 말이었던지 달려들어 나의 무릎을 때린다.

"조심해라!"

무겁게 나는 이렇게 다만 한마디 말하여주었다.

봉희의 고개는 다시금 숙으러진다. 그러나 그는 자꾸 끊임없이 그 무엇을 부인하는 모양이 내 눈앞에 보이었다.

다시금 어조를 돌려-

"공장에 다니겠다던 전의 네가 지금은 어떠냐. 변하지 아니하였니."

좀 내말이 처창하게 나아갔던 것이 사실이었다.

"아니요. 오빠는 웬일인지 무서워졌습니다그려. 웨 그런 말씀을 하세요. 제가 그렇게 보입니까! 그러하다면 저는 지금이라도 이 집을 나아가겠어요."

"아마 내가 좀 단기(短氣)하여 그랬나보다. 그러나 너는 어디까지든지 건실하여야 한다."

"예."

하는 경련적의 대답이다.

이리하여 그날도 늦도록 놀다가 돌아오게 되었다. 그 애는 내가 떡을 좋아한다 하여서 인절미를 사다 준다하면서 안방으로 드나들기도 하고 혹은 앉아서 웃고 놀기도 하였다. 내가 돌아오려고. 그 집을 나올 때 사랑마당에서 꽃에 물을 주고 서있는-그 남자와 다시 한 번 보게 되었다. 그는 나에게 공손히 인사를 한다.

대문 밖에서 나는 봉희의 손을 붙잡고서.

"또 다시 올는지 모르겠다. 지방의 일이 바쁘니까. 곧 내려가야 하겠다. 너는 아무쪼록 이 생활을 이겨야 한다."

"예."

또 아까와 같은 힘없는 대답. 웬일인지 나는 마음이 답답하였다.

일 년이 지난 후이다. 만주의 봄은 몹시 추웠다. 내가 볼일이 있어 룡정(龍井)까지 들어간 일이 있었다. 그때쯤 아마 내지(內地)에는 창경원의 사구라 꽃이 피었을 때인데도 어찌 추운지 그 곳은 아직 얼음도 다-풀릴 날이 멀었었다. 나는 그때나 이때나 바빠서 이리저리 돌아다니느라고 혹 어느 때 봉희의 생각이 나는 적도 없지는 안았지마는 그때쯤은 하도 오란 일이었기 때문에 그의 주소가 어디인지도 똑똑히 알 수가 없었던 때이었다. 비록 최근까지의 주소를 안다하더라도 잊어버려 간혹 편지나 한 장 해주어야하겠다는 생각이 나다가도 주소를 잊어버려 그만둔 적도 한두 번이 아니었다. 무심하다면 무심한 편이였었다.

그러나 어느 날 내가 그곳 ××회에를 갔다가 여관으로 돌아오니까 난데없는 봉희편지가 와서 있다. 나는 한편으로 반갑기도 하고 또한 놀랍기도 하고 따라서 이상스럽기도 하였다. 「봉희가 어찌해서 내가 여긔를 온줄 알았으며 따라서 나의 주소까지 알었을까?」 나는 의심을 일번 품으면서 편지를 뜯었다.

오빠!

세월이란 빠른 것이얘요. 오빠에게 편지한 적도 발서 반년이 넘어갔습니다그려. 반년이란 긴 동안 오빠는 내 소식을 모르셨겠지마는 나는 오빠의 소식을 듣고 있었습니다. 나는 참으로 아무리 내가 이 지경이 되어 있으면서도 오빠만은 잊지 아니하며 오빠만은 참으로 비록 천박한 의식이나마 의식으로 대하려고 합니다. 참으로 우리는 그리하였었지요.

네 오빠!

저는 지금 이 편지를 쓸 때 손이 떨립니다. 그러나 오빠를 대하는 듯하거니 오빠에게 편지를 쓰거니 하면 늘 마음이 새로워집니다. 그 무슨 캄캄한 굴속에 있으면서도 별안간 태양을 보는듯한 그러한 느낌을 받으면서 머릿속은 황홀하여집니다. 참으로 오빠의 감정만은 내가 늘 동경하는 그 곳을 가 보는 것과 같아요.

아 오빠! 오빠!

나는 지금 울고 싶습니다. 이게 웬일입니까. 오빠가 뚱딴지 말괄낭이 장작깨비 하던 나의 육체는 지금 다 썩어빠졌습니다. 웨 이다지도 괴로울까요. 세상이란 참으로 지옥이여요. 인류란 그 종류가 절종이 되도록 그들에게서 참다운 사람은 발견치 못할 것이요. 나는 모든 인간의 운동에서 환멸을 느끼었습니다. 널리 인류에게 절망을 갖습니다. 나는 지고 말았어요. 이 세상과 싸우다가 비록 목숨은 살아있으나 끊어진 것 같은 죽은 목숨이여요.

생각하면 우습습니다. 어떠한 곳을 향하여 반역을 하다가 지처 자빠지고 따라서 사람에겐 속힘을 받고- 글쎄 어쩝니까. 내가 그렇게 호락호락한 여자는 아닌데 내가 가장-이만하면 믿는다는 사람에게 속힘을 받으니 이 아니 절망이오릿까?

그러나 오빠. 꾸지람 마세요. 이 다 썩어진 유린을 받은 제의 마음 가운데도 은연히 일어나는 불길이 아직도 남아있답니다. 그것은 아직도 좀더-착실하게 살아보겠다든지-그것이 남아있답니다.

아-사랑하는 나의 오빠!

나를 구원하여주세요. 이 세상 누구보다도 당신이 오직 있을 뿐입니다. 이곳은 룡정서 한 칠십 리 되는 촌이올시다. 저는 여긔(여기) 있는 우리 고모의 집에 와서 있습니다. 한번만 가시기전에 꼭 와주세요. 의론할 말씀이 있어요. 그리고 오빠.

나는 오빠하고 같이 룡정으로 가서 병원의 간호부(看護婦)가 되고 싶은데요. 어떻습니까. 나에게 죽기까지 필요한 것이 다만 생활이니까요. 그리고 나는 남에게 속은 앙갚음을 하여야 하겠어요. 오빠! 꼭 오세요. 기대리겠습니다.

××촌에서

봉희는

편지를 다-본 나는 무서웠다. 그러나 「얘가 미쳤나. 웨 이리 됐어?」 하는 부르짖음은 몇 분 동안을 두고 입에서 떠날 때가 없었다. 가만히 그 편지를 보며 무슨 말을 솔직하게 할 것을 가리어 한 것이 분명하였다. 그러나 전광석화와 같이 번적 나의 머리를 때리는 생각이 있는데 나는 몸이 부르르 떨리었다. 나는 속으로 답답한 속으로-의학전문학교 생도 연애 기만 허위 잉태 병원하면서 마치 스크린에 나타나는 타이틀 같이 토막토막 나오기를 시작한다. 나의 예측이 틀리지 아니하리라. 이렇게 나는 확신이 얻었다.

그러나 나는 가서 볼 수가 없었다. 여간 나의 일이 바쁘기 때문이었다. 그래서 편지를 하였다. 룡정으로 오라는 편지이었다. 그러나 무슨 사정인지 그는 오지를 아니하였다. 그리하여 기어코 서로 만나보지를 못하고 고만 나는 S군으로 다시 돌아오게 되었다. 섭섭하였다.

그 이듬해 봄에 나는 역시 서울로 볼일이 있어서 올라온 적이 있었다. 그때 어느 친구한텐가 소문을 들으니까 봉희가 어느 배우 양성소(養成所)엔가 다닌다는 말이 들린다. 나는 그 소리를 들을 때 기언가 미언가 하였다. 그러나 어쨌든 한번 만나면 자세한 사정 이야기를 들을 수도 있고 또한 아닌 게 아니라. 비록 그가 배우양성소에 들어가 있다한들 도저히 나는 그 여자를 저버리기 싫었다. 나는 어느 날 시간을 타 가지고 그 곳을 찾아갔다. 배우양성소는 동대문밖 어느 일본 집 이층집 전체를 빌어가지고 있었다.

"오빠!"

하고 나를 맞아드리는 봉희! 나도 웬일인지 마음에 기쁘련마는 마음이 서어하고 그도 웬일인지 이상한 기색으로 나를 맞는다.

우선 생활이 다르다. 전세가 뒤집혔다. 위층에서는 다다미 조각을 와싹와싹 밟으면서 「스통스통」하고 유행가를 부르는 남자 떼가 있다. 그러고 아래층 소위 응접실이란 곳은 컴컴하고 퀴퀴한 냄새가 이상하게도 나의 머리 골치를 때리면서 눈앞에 보이는 봉희는 분을 바른다. 호벤니를 칠한다. 손에다 팔뚝시계를 걸고 있다. 머리는 고데를 대이어서 꼬불꼬불 지저가지고 있는 것이 도무지 옛날 봉희의 얼굴은 조금 찾아볼 수가 없었다. 그나 그뿐이랴. 그의 얼굴은 비록 화장을 하였건마는 광대뼈가 불쑥 나온 것이 몰라 볼만치 얼굴이 달라졌고 몸은 비록 뚱뚱한 편이였으나마 건강하던 그의 육체는 가만히 보건대 허리가 한줌 밖에는 되지 아니한다. 나는 다만 가만히 앉아있을 뿐이었다. 「웬일인가? 웬일인가?」 하는 대종없는 물음만 나의 가슴에서 북받칠 따름이다. "너 이게 웬일이냐?" 눈물겨운 목소리로 이윽고 이렇게 물었다.

"뭐-웬일이여요. 나는 타락하였세요. 오빠 때문에 타락하였세요."

마지막 발악하는 모양으로 고개를 내 앞으로 바싹 내밀면서 야멸치게 돌려댄다.

"애 봉희야. 그게 무슨 말이냐. 룡정에서 내가 너를 못 가본 것이 나의 실수이다마는 대체 그 뒷일이 어찌된 일이냐. 그리고 너의 생활은 이것이 무엇이냐."

"무엇이 무어얘요. 배우얘요. 배우. 나는 훌륭한 배우랍니다. 내가 훌륭한 배우가 될 수가 있겠지요. 오빠!"

오빠라고 부르는 말도 웬일인지 듣기가 거북하였지마는 나는 가만히 다만 고개를 수그리고 있었을 따름이었다.

"천만에요. 내가 오빠 때문에 타락될 리가 있겠습니까. 억지의 소리지요."

조금 능치는 말로 이러한 소리를 하더니 나가버린다. 조금 있다가 우동이 들어온다. 과자를 사가지고 온다한다. 나는 모든 것이 신신치 아니하였다. 가슴만 다만 답답할 뿐이었다. 그리고 무엇을 내가 잃어버린 것과 같은 감정을 느끼었다.

"애. 대관절 이야기나 좀 하렴으나. 내 속이 답답하다."

우동과 과자를 내 앞에다 갖다놓고 마주 앉았든 봉희를 나는 건너다보고 이렇게 물었다.

"이야기 할 것이 무엇 있나요. 이야기는 하여서 무얼 하여요. 다-지나간 일인데-참 ××회의 C형님 안녕하십니까."

"응."

하고 신신치 못한 대답을 하고 그를 건너다보니 눈물이 되도는 모양이다.

일이 이만큼 되었으니 내가 이야기를 들으면 무엇 하며 듣자고는 하여 무엇 하랴! 나는 벌떡 일어났다.

"웨 일어세요. 섭섭하지 않습니까. 이왕 이렇게 오셨으니 더 놀다가세요."

하고 붙잡는 그를 나는 뿌리치면서 현관(문)을 탁 닫아버리고 돌아왔다. 그러나 그때까지도 있으면 이야기를 하겠다는 말로. 언제 한번 찾아가겠다는 말도. 아무 말도 없는 것을 보니까 지금 생각하면 오히려 내가 그때 찾아 갔던 것이 그에게 재미가 없었던 모양이었다.

강철과 같은 그의 의지! 중석(重石)과 같은 그의 믿음! 남에게 눌리기도 싫어하고 남에게 지기를 싫어하던 그의 반역의 힘! 그것이 지금은 어디로 사라져버렸느냐. 생각하면 그것도 요-알뜰한 현실의 덕택이다. 지지 않으려는 버티는 굴종 않는 그를 무쇠 철사와 같은 험상스런 바위덩이와 같은 현실이 그를 눌렸다. 그의 생명을 빼앗았다. 그를 속이었다. 현실 환경-단두대(斷頭臺)를 생각하든 그 자기 아버지의 나라 자기가 디디고 서는 현실을 그것과 싸우기 위하여 한 이태 동안을 두고 서울의 거리로 나타나면서 가슴에 일어나는 불길의 화살을 세상에 던지면서 돌아다니더니 지금 그의 생명은 어디서 신음(呻吟)하고 있느냐. 생명을 빼앗긴 그의 산등신은 어디서 움직이고 있느냐. 청국의 남방-소주에 있다니. 고향의 한울에 태양이 비치는 것을 아느냐. 모르느냐. 모름지기 너의 봉희의 생명의 존재는 다시는 이 땅에서 찾아볼 수 있도록 다시 움직임이 있도록 나는 바란다. 현실은 한번 너를 엎어드리었다. 그러나 너는 아직도 남아있다. 현실은 네가 지금 권토중래(捲土重來)하기를 바라고 있다.

작년 이맘때 동대문 밖에서 만났던 봉희를 이해 이맘때 나의 집 어두컴컴한 들창 밑에서 굼실거리고 드러누워 생각할 때 이렇게 나 혼자 부르짖었다. 따라서 그에 피동(被動)이 되어 그리하였음인지 그 무슨 보이지 않는 희미한 탄력으로 인하여 순간에 나의 머리는 높은 성벽(城壁)에다 탁 부딪는 듯한 느낌을 받았다. 나는 벌떡 일어났다.

-(끝)-

출처: 『개벽』 제68호, 1926.4.1.

신채호

용과 용의 대격전

1. 미리님의 나리심

나리신다, 나리신다, 미리(龍)님이 나리신다. 신년이 왔다고, 신년무진이 왔다고 미리님이 동방 아세아에 나리신다.

태평양의 바다에는 물결이 친다.

몽골의 사막에는 대풍이 인다. 태백산 꼭대기에는 오색구름이 모여든다. 이 모든 것의 모두가 다 미리님의 내리신다는 보고다.

미리님이 내리신다는 보고에 우랄산 이동의 모든 중생들이 일제히 머리를 들었다. 부자와 귀자(貴子)들은 물론 미리님의 입에 맞도록 중국 요리, 서양 요리 등 갖은 음식을 장만하여 미리님의 귀에 흐뭇하도록 거문고, 가야금, 피아노 등 모든 음악을 대령한다. 그러나 가련하게 헐벗고 굶주린 빈민들은 미리님께 정성을 드리려 하나 아무 가진 것이 없다. 가진 것은 그 빨간 몸뿐이다.

이에 할 일 없어 피를 뽑아 술을 빚고 눈물을 짜 떡을 만들어 장엄한 제단 위에 창피하게 모양 없이 벌려놓고 미리님의 가리심을 기다린다.

1월 1일 상오 2시 첫 닭이 홰를 치자 아무 기별도 없이 구름의 비행기 탄 미리님이 닥치셨다. 일반 부귀자들은 노래하며 춤추며 거룩하신 미리님을 맞이하는데 모든 빈민들은 일제히 땅에 엎어져 운다.

울면서 미리님께 빈다.

"님이시여 님이시여 미리님이시여, 금년에는 세납이나 많이 안 물리도록 하여 주옵소서, 금년에는 도조나 많이 안 달라게 하여 주옵소서, 금년에는 감옥구경이나 않게 하여 주옵소서, 금년에는 생활난에 철도자살이나 없게 하여 주옵소서. 금년에는 ○○○○○○이 흥왕하게 하여 주옵소서." 하면서 손이 발이 되도록 빈다.

그러나 그 비는 소리가 미리님의 귀에는 들리지도 안하고 다만 그 가련하고 모양 없는 제물만 미리님의 눈에 띄었다. 그래서 미리님이 골을 잔뜩 낸다.

"이놈들, 정성을 내지 않고 행복을 찾는 놈들 죽어 보아라." 하고 아가리를 딱 벌린다.

아이구 어머니, 그 아가리 놀보의 박이던가 그 속에서 똥통 쓴 황제이며 쇠가죽 두른 대원수이며, 이마가 번지러운 재산가며, 대통이 뒤로 달은 대지주며, 냄새피우는 순사나리며 기타…… 모든 초란이[01]들이 쏟아져 나온다. 나와서는 모든 빈민들을 모조리 잡아먹는다.

피를 짜 먹고 살을 뜯어 먹고 나중에는 뼈까지 바싹바싹 깨물어 먹는다. 먹히지 않으려면 탄알의 받이요. 감옥의 책임이다. 아 지옥의 세계! 가련한 인민!

---

01 초란이─ 기괴한 여자의 탈의 일종.

2. 천궁의 태평연 반역에 대한 걱정

죽음에 빠진 인민들의 애호분규[02] 그 소리가 구중천문을 진동하여 잠 깊었던 상제가 깜짝 놀라 깨었다. 그래서 이것이 웬 소리인가 알려드리려고 천사에게 명령하였다.

천사가 "이것은 미리가 생존을 요구하는 인민들을 죽여 내는 소리올시다."고 회주(回奏)하니 상제가 가라사대

"어— 미리는 참 총명한 현신이여! 요구가 세면 반항이 되고 반항이 세면 혁명이 되나니 요구하는 인민을 죽여야지! 어, 미리는 참 현신이여." 하시고 미리를 불러 인민 죽이는 공으로 훈장을 주시며 작위를 높이신다. 그리고 천상의 모든 신선, 지상의 모든 귀령, 역대의 제왕 장상들을 소집하여 천궁에서 태평연을 설한다.

지상의 인민들은 배가 고파 죽는데 천궁의 연회에는 배들이 터져 죽을 지경이다. 상제가 뱃가죽을 들키어 쥐고 모든 귀신들을 돌아보시며

"인민들이란 것은 선천적으로 반역성을 타고나 툭 하면 반기를 드나니 어쩌면 좋으랴? 공중에다 지구만한 대포를 걸고 탕탕 쏘아 모조리 죽이잔 즉 전 지구가 파괴되어 인민들이 씨가 져서 우리들이 빨아먹을 피가 없어지리니 그것도 안 될 일이요, 그 놈들의 자유해방을 허하잔 즉 해방된 뒤에는 그놈들이 우리에게 피를 빨리지 안하려 하리니 그것도 안 될 일이라. 어찌하면 고놈들의 반역성을 쏙 뽑아내어 산송장을 만들어 놓고 우리들이 아무 염려 없이 고놈들의 정수바기부터 발끝까지 깨물어먹고 거죽부터 속까지 빨아먹고 아비자식부터 손자까지, 손자부터 그 몇 대손까지 잡아먹게 되랴?

---

02 애호분규(哀呼憤叫)— 슬피 외치고 격분하여 부르짖는 소리.

너희 제신들은 각기 방책을 올리어라!" 하시니 천사 여쭈오되

"소와 같이 코뚜레하고 굴레하고 채찍질하여 끌읍시다."

"하하, 딱한 사람— 우리가 만든 정치 법률이 코뚜레보다 더 잔악하지 안하냐? 윤리도덕이 굴레보다 더 흉참하지 안하냐? 군대의 총과 경찰의 칼이 채찍보다 몇 만 배나 더 전율한 무기가 아니냐? 그래도 고놈들이 반역을 도모하는구나!"

"그러면 일등 닥터를 불러 마취약을 제조하여 고놈들을 영원히 마취시키어 우리에게 잡히어 먹히는 줄 모르고 잡히어 먹이게 합시다."

"흥! 그 약도 내가 써 보았지! 공자놈을 시키어 명분설[03]을 지어 '빈자(貧者) 천자(賤者)는 빈천의 친분을 안수(安受)하여 세력자의 명령을 잘 받아 충신 열사의 명예를 후세에 끼쳐라.'고 속이며 석가놈과 예수놈을 시켜 '너희들이 남에게 고통을 받을지라도 이것을 반항 없이 간과하면 죽어서 너희의 영혼이 천국으로, 연화대로 가리라.'고 속이었다.

이러한 마취약들이 또 어데 있겠느냐? 2천년 동안이나 크게 그 약효를 보았더니 지금에는 그 약력도 다하여 그놈들이 점점 자각하여 반역하니 혁명이니 하고 떠드는구나."

"그러면 오늘은 과학, 문학 등이 크게 위력을 가진 때니 다수한 과학자, 문학자들을 꾀어다가 부자 귀자—지배계급—의 주구로 만들어 학설로써 지배계급의 권리를 옹호하며 시와 소설로써 지배계급의 장엄을 구가하면 될까 합니다."

"오! 이것은 내가 금방 실시하여 비상한 효력을 보는 것이다. 그러나 학자놈들이 간혹 나의 명령을 어기고 민중 속으로 뛰어 들어가 반역을 꾀하는 놈

---

03 명분설(名分說)— 사람마다 숙명적으로 타고난 본분을 지켜야 한다고 설교하는 유교의 교리.

이 있고나."

3. 미리님이 안출한 민중진압책

이와 같이 상제께서 반역성을 품은 인민에게 대하여 무수히 걱정하시다가 한숨을 후— 쉬며

"인세에 백 년의 장책이 없던던 천세에 어찌 만 년의 자액이 있으랴! 술이나 마시고 고기나 먹고 그르그러 해를 보낼 일이지 걱정이 쓸 데 있으랴." 하고

"천황당 앞뒤 뜰이 무너진들 어떠하리, 만수산 두렁칡이 엉켜진들 어떠하리."

하는 염 없는 시조 한 장을 부르신다. 미리가 앞으로 나와 보복하고 여쭈오되

"상제는 존엄하사 억만 중생이 첨앙하는 바이올시다. 어찌 이 같은 불상한 말씀을 하시나이까? 지상의 인민들이 비록 반역성을 가졌으나 이를 진압하여 영원한 활지옥에 가둘 수 있습니다."

상제 가라사대

"오! 미리야, 너는 참 지용이 겸비한 귀물이니 장책이 있거든 말하여라."

미리가 다시 여쭈오되

"지상의 민중을 대개 두 부분으로 나눌 수 있으니 ⑴은 강국의 민중이요 또 ⑴은 식민지의 민중이올시다. 강국의 민중은 아주 그 타격적의 애국심을 가진 동시에 국(國)을 지배계급의 국으로 오인하여 지배계급의 세력을 확장 증진케 하는 일을 애국으로 오신하여 그 애국심이 위애국심이 되고 말았습니다. 그런즉 강국의 민중에게는 얼마큼 보통선거의 권리 같은 것, 노동임금의 증가 같은 것이나 허하여 주고, 일면으로 그 위애국심을 장려하여 약소국

의 민중을 정복케 하며 식민지의 민중을 압박케 하여 지배계급—자본주의—의 선봉이 되게 하면 피등(彼等)의 고픈 배가 다시 이 이익 없는 허영에 불러져 우리가 비록 몇 10년 동안 피등의 피를 빨아 먹어도 아픈지를 모를 것이요, 식민지의 민중은 그 고통의 정도가 다른 민중보다 만 배나 되지만 매양 그 허망한 요행심을 가져 굶어 죽는 놈이 요행의 포식을 바라며 얼어 죽는 놈이 요행의 난의를 바라며 교수대에 목을 디민 놈이 요행의 생을 바랍니다. 그래서 반항할 경우에도 반항을 잘 못합니다. 그런즉 식민지의 민중처럼 속이기 쉬운 민중이 없습니다.

철도, 광산, 어장, 삼림, 양전옥답, 상업, 공업…… 모든 권리와 이익을 다 빼앗으며 세납과 도조를 자꾸 더 받아 몸서리나는 착취를 행하면서도 겉으로 '너희들의 생존안녕을 보장하여 주노라.'고 떠들면 속습니다.

혁편(革鞭), 철퇴, 죽침질, 단근질, 전기뜸질, 심지어 구두(口頭)에 올리기도 참악한…… (6자 약함— 편집부)…… 같은 형벌을 행하면서도 군대를 출동하여 부녀를 찢어 죽인다, 소아(小兒)를 산채로 묻는다, 전 촌을 도륙한다, 곡속가리에 방화한다…… 하는 전율한 수단을 행하면서도 한두 신문사의 설립이나 허가하고 '문화저이의 혜택을 받으라.'고 소리하면 속습니다.

학교를 제한하여 그 지식을 없도록 하면서도 국어와 국문을 금지하여 그 애국심을 못 나도록 하면서도, 피국의 인민을 이식하여 그 본토의 민중을 살 곳이 없도록 하면서도, 악형과 학살을 행하여 그 종족을 멸망토록 하면서도, 부어터질 동종동문(同種同文)의 정의(情誼)를 말하면 속습니다. '건국', '혁명', '독립', '자유' 등은 그 명사까지도 잊어버리라고 일체 구두 필두에 오르지도 못하게 하지만 옴 올라갈 자치참정권 등을 주마면 속습니다. 보십시오, 저 망국제를 지낸 연애문단에 여학생의 단 입술을 빠는 청년들이 제 세상을 자랑하지 안합니까. 고국을 빼앗기고 구축을 당하여 천애 외국에서 더부살이

하는 남자들이 누울 곳만 있으면 제2고국의 안락을 노래하지 안합니까! 공산당의 대조류에 독립군이 떠나갑니다. 걸(乞)아지 정부의 연극에 대통령의 자루도 찢어집니다.

속이기 쉬운 것은 식민지의 민중이니 상제시여, 마음 놓으십시오. 세계 민중들이 다 자각한다 하여도 식민지 민중만은 아직 멀었습니다. 우리가 식민지의 민중만 잡아먹더라고 몇 십 년 동안은 아무 걱정 없을 것이올시다."

상제께서 이 말을 들으시고

"아이고, 요 내 자식놈아, 나도 악독하지만 너는 나보다도 악독하고나. 네가 아니면 내가 어찌 이 자리를 보전하랴." 하시며 미리의 등을 툭툭 두드리신다.

4. 부활할 수 없도록 참사한 야소(耶蘇)

"드래곤이 왔다, 드래곤이 왔다. 인제는 천국의 말일이다."

아, 이 소리가 무슨 소리냐? 어데서 오는 소리냐? 상제가 미리님의 진주(陳奏)를 들으시고 심신이 상쾌하사 한참 뛰노는 판에 이 무슨 소리이랴? 이 소리의 나는 곳을 빨리 알아 들이라고 상제께서 동동걸음을 치시니 미리 이하 제신들이 다 황공하여 사방으로 정찰하나 아무것도 보이는 것은 없고 다만

"드래곤이 왔다, 드래곤이 왔다. 인제는 천국의 말일이다."의 그 소리만 어데서부터 꽝꽝 울리어 와서 천궁의 벽, 천장, 문, 창, 기둥, 마루 주호가 들먹들먹한다. 서천불조 석가여래를 불러 온갖 주문, 온갖 진언을 다 읽어도 그 소리가 더욱 높아가고 천궁 전체가 더욱 들먹들먹한다. 상제께서 크게 불안하사 연회를 피하여 제신들을 다 돌려보내고 궁녀들과 밤을 새우시는데

너무 초조하사 입에 침이 바싹 마르신다.

아니나 다르랴? 그 익일새벽에 "「호외」, 「호외」, 「호외」를 사시오!" 하는 소리에 천경 수십만 귀중들이 모두 단잠을 깨었다. 천사가 상제를 조현할 차로 오는 길에 그 「호외」를 사니 곧 천경에서 발행하는 30만년의 노령을 먹은 「천국신문」의 「호외」이다. 벽두에 특호대자로 「상제의 외아들님 야소기독의 참사라」 쓰고 그 곁에 2호 대자로 「드래곤의 선동이라」 쓰고 기사를 아래와 같이 썼다.

"상제의 외아들님 야소기독이 ○○○○ 지방의 농촌 야소교에서 상제의 도를 강연하더니 불의의 동 지방 농민들이 '이놈! 제 아비 이름을 팔아 1천 9백 년 동안이나 협잡하여 먹었으면 무던할 것이지 오늘까지 무슨 개소리를 치고 다니느냐?'고.

"1천 9백 년 동안 빨아간 우리 인민의 피를 다 어디다 주었느냐?'고.

"서양에서 협잡한 것도 적지 않을 터인데 왜 또 동양까지 건너와 사기하느냐?'고.

"당일 예루살렘의 십자가 못 맛을 또 좀 보겠느냐?'고 발길로 차며 주먹으로 때리며, 미내(未乃)에 호미날로 퍽퍽 찍어 야소기독의 전신이 곤죽이 되어 인제는 아주 부활할 수 없이 참사하고 말았다. …… 야소기독의 참사 하수자들은 민중이지만 그 하수의 수범은 드래곤이라 한다. 드래곤은 아직 출처가 불명한 괴물인데 수일 전부터 동지에 와서 상제를 '잡아먹어도 시원치 못할 악물'이라고 욕설하며 야소기독을

'제 아비보다 더 간흉한 놈'이라고 지적하며 상제 및 기독의 죄악을 열거한 90조의 격문을 돌리고 동일에 마침 기독의 내림함을 기회하여 민중의 선봉이 되어 이같이 기독을 참살하는 흉행을 범한 것이다." 하고

동지에 다시

「부활할 수 없는 야소기독」이란 제하에 논설하여 가로되

"야소기독은 그 성부인 상제를 빼쏘듯한 간흉, 험악한 성질을 골고루 가지신 성자였다.

그 출생 후에 성부의 도를 펴려다가 겨우 30이 넘어 예루살렘에서 유태인의 흉수에 걸리었다. 그러나 그때의 유태인은 너무 얼된 백정이었던 때문에 다 잡히었던 야소를 다시 놓쳐 십자가를 진 채로 도망하여 '부활'한다 자칭하고 구주인민을 속이시사 모두 그 교기 하에 들게 하였다. 십자군 그 뒤에 '십자군 동정, 30년 전쟁' 같은 대전쟁을 유발하여 일반 민중에게 사람이 사람 잡는 술법을 가르쳐 주셨으며 늘 '고통자가 복 받는다, 핍박자가 복 받는다.'는 거짓말로 망국민중과 무산민중을 거룩하게 속이사 실제의 적을 잊고 허망한 천국을 꿈꾸게 하여 모든 강권자와 지배자의 편의를 주셨으니 그 성덕신공은 만고역사에 쓰고도 남을 것이다.

그러나 이번에는 너무 참혹하게 피살하였을 뿐만 아니라 오늘의 자각의 민중들과 비기독동맹의 청년들이 상응하여 붓과 칼로써 죽은 기독을 더 죽이니 종금 이후의 기독은 다시 부활할 수 없도록 아주 영영 참사한 기독이다. 기독이 영영 참사하였은즉 노경에 참척을 본 상제의 신세도 가련하거니와 저 기독교인이 다시 누구의 이름으로 상제께 기도하랴……"

천사 그 「호외」를 보다가 종편이 못 되어 안색이 토장빛이 되어 천궁으로 달리어 들어가 손을 벌벌 떨며 그 「호외」를 상제께 올린다.

5. 미리와 드래곤의 동생이성(同生異性)

상제께서 그 「호외」를 보시고는 얼빠진 사람같이 물끄러미 마주선 천사

를 바라보다가 상상에 폭 엎어지신다. 천사가 달려들어 상제를 붙들어 일으키며

"상제폐하시여, 이같이 천국존망에 관계되는 중대사건을 당하여 폐하께서 정신을 놓으시면 어찌 됩니까! 폐하, 폐하……"라고 목 마친 말로 상제를 진정시키는 판에 미리 이하 모든 귀대감(鬼大監), 귀영감(鬼令監)들이 상제를 위문하려고 차례로 들어온다.

천사가 미리를 보더니 두 눈에 불이 뚝뚝 떨어지고 노기충천 얼굴이 새빨개지며

"이놈! 미리야, 네가 동양의 '똥똑'인가, 무엇이 되어 어떻게 인민을 잘 감화하였기에 이 같은 언어도절(言語道絶)한 흉참한 사건— 상제님의 외아들이신 지긋지긋하신 야소기독을 부활할 수도 없게 아주 죽여버린 사건이 발생하도록 하였느냐? 이놈! 네 대가리에는 칼이 들지 않느냐……" 하고 주먹으로 천궁의 벽을 치며 미리를 질책하니 미리는 아무 말 없이 냉가슴을 앓는 벙어리같이 얼굴만 찌푸리고 앉았다. 이러는 판에

"왔다, 왔다. 드래곤이 왔다. 인제는 천국의 말일이다!"란 소리가 또 천궁을 진동한다. 천사는 말을 뚝 그치고 미리는 눈만 둥그렇다.

혼도하셨던 상제가 상(床)에서 벌떡 일어난다.

"드래곤, 드래곤! 내 자식 야소를 죽인 드래곤! 그놈 드래곤을 잡아 바치라!"고 풍전한 어조로 엄급한 명령을 내리신다. 이에 천경의 경찰대, 정참대가 총출동하여 야단법석을 떨지만 다만 "왔다, 왔다, 드래곤이 왔다.……"의 소리만 사방에서 일고 드래곤의 정체는 그림자도 보이지 않는다. 이와 같이 천경의 경찰대, 정탐대들의 대활동에도 아무 단서를 못 얻은 드래곤의 사진과 역사가 익일에 대지 동서 유일한 민중의 신문으로 등(登)하는 「지민신문

(地民新聞)」에 게재되었다. 그러나 「드래곤의 진영[04]」이란 한 장에는 다만 다수한 '0'을 그릴뿐이요, 그 좌방에 5호 소자로 설명을 가하였다. 그 설명은 아래와 같으니

"천국이 전멸되기 전에는 드래곤의 정체가 오직 '0'으로 표현될 뿐이다. 그러나 드래곤의 '0'은 수학 상의 '0'과는 다르다. 수학 상의 '0'에는 '0'을 가하면 '0'이 될 뿐이지만 드래곤의 '0'은 1도, 2도, 3도, 4도, 내지 십, 백, 천, 만 등 모든 수자로 될 수 있다. 수자상의 '0'은 자리만 있고 실물은 없지만 드래곤의 '0'은 총도, 칼도, 불도, 벼락도 기타 모든 '테로'가 될 수 있다.

금일에는 드래곤이 '0'으로 표현되지만 명일에는 드래곤의 대상의 적이 '0'으로 소멸되어 제국도 '0', 천국도 '0', 자본가도 '0' 기타 모든 지배세력이 '0'으로 될 것이다. 모든 지배세력이 '0'으로 되는 때에는 드래곤의 정체적 건설(正體的建設)이 우리의 눈에 보일 것이다." 하고

「드래곤의 역사」란 제하에는 이렇게 썼다.

"드래곤이 무엇이냐? 상제가 태고인민들의 미신적 봉대(奉戴)를 받아 제위에 오르던 제5년에 허공중에서 탄생한 일태쌍생의 괴물이 있었던바 '1'은 드래곤이 곧 그것이요, 또 '1'은 곧 현금 천궁(現今天宮)의 시위대장으로 동양총독을 겸한 유명한 미리니 미리나 드래곤이 한자로 다 '용'이라 역한다. 그 뒤에 미리는 늘 조선, 인도, 중화 등 국에서 장성하여 드디어 동양의 용이 되어 석가, 공자 등의 소극적 교육을 받아 상제의 충신이 되어 늘 복종을 천직으로 알므로 지배계급의 주구인 종교가, 윤리가들이 모두 미리를 인세 모범의 신으로 존봉하여 왔으므로 조선의 신화에나, 중화의 유경에나, 인도의 불경에 다 용을 비상히 찬미하여 상제에 배(配)하였다. 그래서 상제께서 미리를

---

04 진영(眞影)— 참다운 모습.

발탁하여 동양 진수의 대임을 준 것이요. 드래곤은 늘 희랍, 로마 등지에 체재하여 드디어 서양의 용이 되어 늘 반역자, 혁명자들과 교유하여 '혁명', '파괴' 등 악희를 즐기어 종교나 도덕의 굴레를 받지 않는 고로 서양사에서 매양 반당(叛党)과 난적들을 드래곤이라 별명 하여 왔었다.

근세에 와서는 드래곤이 또 허무주의에 침혹하여 더욱 결렬한 혁명행위를 가지더니 마침내 야소기독을 참살한 흉범이 된 것이다." 하였다.

이 신문을 받은 천국의 궁신들이 비로소 미리와 드래곤이 본래 형제임을 알고 놀래지 않은 이 없었다.

6. 지국(地國)의 건설과 천국의 공황

미리가 비록 상제의 총신으로서 누천년, 동양총독의 중임을 가져왔으나 이제 반역자 드래곤이 상제의 애자를 참살한 사실이 그 관리구역 내에서 발생한 동시에 미리가 드래곤의 친형제인 증거가 민중의 신문에까지 발표됨에 천경의 여론이 모두 미리가 드래곤과 동당이 아닌가를 의문하며 상제도 진노치 않을 수 없었다.

그래서 미리의 동양총독의 직을 탈하고 천사로서 대하여 즉일 임소에 치부[05]하여 드래곤을 체포하고 반민들을 도살하라 엄명하였다.

천사가 명령을 받아 천폐(天陛)에서 사은하고 발정하려 할 즈음에 천국 통신관이 할딱할딱하며 뛰어 들어와 한 장의 지상통신을 상제께 올린다. 상제께서 받아본즉 ○○ 민중들이 야소를 죽인 뒤 미구에 공자, 석가, 마호메

---

05 치부(馳赴)— 달려갔다는 뜻.

트…… 등 종교도덕가 등을 다 때려죽이고 정치, 법률, 학교, 교과서 등 모든 지배자의 권리를 옹호한 서적을 불 지르고 교당, 정부, 관청, 공해[06], 은행, 회사…… 등 건물을 파괴하고 과거의 사회제도를 일체 부인하고 지상의 만물은 만중의 공유임을 선언하였다.

모든 지배계급들이 반민을 정복하려 하여 군인을 소집하나 원래 민중의 속에서 온 군인들인 고로 다 민중의 편으로 돌아가 버리었다. 다수의 상금을 걸고 신군은 모집하나 한 사람의 응모자도 없었다.

그래서 산포, 야포, 속사포…… 등이 산적하였으나 일환도 발사할 수 없었다. 이에 지배계급들이 각기 자기들이 혈전하기로 결의하였으나 민중보다 너무 소수일뿐더러 또 돈, 계집 기타 모든 소유를 가진 자로서 전사하기가 원통하여 모두 철옹성으로 도망하였다가 민중의 포위를 입어 먹을 것이 없어 아사하였다.

그러나 그 아사자들의 수중에는 평균 백만 원의 금전을 잔뜩 쥐고 죽었다. 지배계급이 이미 멸망함에 민중들은 이에 전 지구를 총칭하여 지국(地國)이라 하고 천국과의 교통단절을 선언하였다고 하였다.

다른 사건이야 어찌 되었던지 가장 상제의 머리를 찌르는 것은 '천국과의 교통단절'이라는 구어(句語)이다. 왜? 상제나 천사나 기타 천국의 귀중들이 몇 만 년 동안이나 아무 노동도 않고 지상에서 올리는 공물과 제물을 받아먹고 살아왔다.

그런데 이제 지국이 건설되어 교통의 단절을 선언하니 공물 제물이 올 수 없다. 그러면 모든 귀중이 다 아사할 것밖에 없다. 상제도 아사할 것밖에 없다.

상제가 이 통신을 모든 귀신(鬼臣)들에게 돌려 보이니 다 비상히 분격하여

---

06 공해(公廨)— 관청의 청사.

즉일에 상제의 명령을 발하여 전체 민중을 다 박살하여 버리자고 주장한다. 하나 상제는 고개를 흔든다.

"민중이 우리를 믿던 때에 우리는 세력이 있었지 지금에야 우리가 무슨 세력이 있느냐. 세력 없는 우리로서 민중을 박살하려다가는 한갓 박살을 당할 뿐이니 민중박살— 쓸 데도 없는 말이다."

이 말씀에 모든 불 같은 분격들이 푹 꺼지고

"그러면 사자를 지국에 보내어 교통의 회복과 제물 공물의 여전 진봉함을 민중에게 간청하여 봅시다." 한다.

그러나 인정세태에 경험 많으신 상제는 공물이니 제물이니 하는 말도 한갓 민중을 더 격노시킬 유해무익한 말로 아시므로 이것도 불가하다 하신다.

"그러면 어찌 하나요? 앉아서 굶어죽을까요?"

상제가 한참 묵묵하시다가

"인제는 한 가지밖에 없다. 무엇이냐 하면 곧 사자를 민중에게 보내어 우리 천국의 귀중한 수효대로 바가지나 하나씩 달라고 청구하자."

"바가지는 무엇 하게요?"

상제가 눈물을 흘리시며

"별 도리가 있느냐. 우리들이 매일 민중의 문 앞에 가서 바가지를 뚜드리며 민중할아버지 밥 한 술 담아주오 하지……" 하고 목이 막혀 말을 그치지 못한다.

"그것이야 어찌…… 저희들이야…… 하물며 존엄하신 상제……" 하고 모든 귀신들이 목을 놓고 운다. 신선의 바둑, 천녀의 거문고가 다 어데 가고 울음소리가 천궁을 진동한다. 그러나 금일에 울고 명일에 울어 365일을 울지라도 쓸 데 있으랴. 마침내 울음을 걷고 바가지의 청구의 발론이 가결되고 말았다.

7. 미리의 출전과 상제의 우려

"그러면 바가지 청구의 사자로 누구를 보내랴."고 상제께서 군귀에게 하순[07]하였다. 천사가 대답하되

"이것은 미리가 가장 합당합니다. 신이 작일에 확신을 물은즉 민중들은 아직 그렇게 천국을 배척하지 않는데 원수놈의 드래곤이 민중의 머릿속으로 돌아다니며 상제와 상제 이하 내지 인세의 지배계급의 세력은 모두 민중의 시인으로 존재한 것인즉 민중이 만일 철저히 부인만 하면 모든 세력이 추풍의 낙엽이 되리라고 자꾸 민중들을 꾀어 민중이 이같이 반란하였다고 합니다. 그래서 민중들이 금일의 드래곤을 전일의 상제보다 더 믿는다 합니다. 만일 드래곤의 동의이면 민중들이 우리에게 바가지 하나씩은 줄 듯합니다. 미리는 드래곤의 친형인즉 미리를 보내면 아마 드래곤의 동의를 얻기가 쉬울까 합니다."

상제가 "옳다." 하시고 즉일에 미리를 옥중에서 불러 손목을 잡고 눈물을 흘리며

"안 됩니다, 안 됩니다. 그것은 절대로 안 됩니다. 바가지는 거지가 차는 것이요, 상제가 차는 것이 아니올시다. 거지가 바가지를 차고 민중의 문 앞에 가서 한 술 주시오 하면 민중이 동정의 밥을 줍니다. 그러나 상제께서 바가지를 차신다면

'야, 상제거지 전일의 존엄을 어디다 두었느냐?'고 손가락질을 할 것이올시다. '전일에 우리에게서 빨아먹은 피를 다시 토하여 내놓으라.'고 주먹질이나 할 것이올시다. 바가지를 주기커녕 차고 간 바가지나 깰 것이올시다.

---

07 하순(下詢)— 임금이 신하에게 문의하는 것.

그리고 황송하올시다마는 상제의 이마까지라도…… 안 됩니다, 안 됩니다. 바가지 청구는 절대로 안 됩니다.”고 미리가 울면서 간한다.

“그러면 어찌 하잔 말이냐? 철도자살이나 하였으면 좋겠다만 천궁에 어데 철도가 있느냐? 칼로 자살은 차마 못하겠고……”

“신이 입을 한 번 벌리면 제왕통령, 자본가…… 등 물들이 쏟아져 나옵니다. 신이 지국에 내려가 또 입을 벌리어 보겠습니다.”

“오늘날에야 똥작대기만한 힘도 없는 제왕통령 등 물을 아무리 토하여 놓은들 민중이 무서워하겠느냐. 그것도 전날 말이지.”

“신이 지상에 내려가 강국 민중의 애국심을 고취하여 식민지 민중을 잡아먹게 하고 식민지 민중에게는 자치나 참정권을 준다고 속이며 강국 민중에게 잡히어 먹게 하여 민중이 상식(相食)하는 틈에 천국의 권리를 회복할까 합니다.”

“지각한 민중들이 그런 꾀임에 속느냐, 그것도 옛날이지.”

“그렇지만 상제께서 절대로 바가지를 차서는 안 됩니다. 여하간 신이 지국에 내려가 친히 실지의 정형을 정찰하고 돌아오리다. 싸울 만하면 싸우고 그렇지 않으면 천국 군신이 다 손을 잡고 아사할 뿐이언정 바가지를 차서는 안 됩니다.” 하고 미리가 곧 상제께 하직하고 운차(雲車)를 타고 지국으로 향하여 발정(發程)할 새 상제, 천사 이하 선관(仙官), 선리(仙吏), 선녀, 권속들이 모두 그 주린 가슴을 퉁기어 쥐고 운두(雲頭)가지 따라 나와 일제히 손을 들고 목멘 소리로 “미리님 만세”를 부르니 이 소리가 곧 천국의 흥망존폐를 한 등에 실은 미리를 지송하는 소리더라.

‘미리님, 내가 작일에는 천상의 미리놈이요, 지상의 미리님이더니 금일에는 천상의 미리님이요, 지상의 미리놈이로구나. 천지의 위치가 이다지 변환하였구나.’ 하고 미리가 속으로 홀로 생각하고 눈물이 두 뺨에 젖는다. 반공

에 이르지 못하여 천사가 헐떡이며 쫓아와서

"다시 잠깐 돌아오시랍니다. 상제께서 할 말씀이 있다고 그럽니다. 미리님." 하고 부르거늘 미리가 곧 회군하여 상제를 가본즉

"오늘 격노한 민중을 위력으로 눌러서는 안 될 일이니 아무쪼록 정리(情理)로 애걸하소. 이 말이 혹 나의 그대에게 주는 최후의 부탁이 아니 될까……" 하고 상제가 미리의 손을 잔뜩 쥔다. 미리가

"예, 상제는 너무 우려치 마소서, 지국에 가서 신이 모든 일을 천사만사하여 행하리이다." 하고 다시 총총히 등차한다.

8. 천궁의 대란, 상제의 비거(飛去)

미리를 발송시킨 뒤에 상제 이하 온 천궁 귀중들이 모여앉아 운다. 이 울음이 이리의 떠남을 우는 울음이 아니라 곧 천국의 멸망을 우는 울음이다. 천국의 멸망을 우는 울음이 아니라 각기 자신의 불행을 우는 울음이다.

그런데 가장 처참하게 우는 이는 상제가 아니라 상제가 가장 총애하는 선녀 '꼭구'다.

상제가 너무 '꼭구'에 대한 불쌍한 생각이 나서 자기의 울음을 그치고 귀를 기울여 '꼭구'의 소리를 가만히 들으니 우는 소리가 아니요

"왔다, 왔다, 드래곤이 왔다. 인제는 천국의 말일이다." 하는 저주를 하는 소리다. 상제가 대노하여

"이년아, 드래곤이 오면 네게 시원한 일이 무엇이냐?" 하고 칼을 빼어 꼭구의 목을 치니 아! 불쌍한 꼭구, 목이 떨어져 죽는다. 상제가 꼭구를 죽이고는 다른 '년', '놈'의 울음소리를 들은즉 모두가 다 '꼭구'다. '꼭구'와 같이

"왔다, 왔다, 드래곤이 왔다. 인제는 천국의 말일이다." 하는 소리다.

"아, 이것이 웬 일이냐? 천궁의 친속들이 다 반하여 드래곤당이 되었느냐?" 하고 이에 자기가 울며 자기의 귀로 들어본즉 자기의 울음소리도 울음소리가 안 되고 "왔다, 왔다, 드래곤이 왔다. 인제는 천국의 말일이다." 하는 저주가 되고 만다. 상제가 할 일 없어 이제 자기의 울음을 그치고 곧 엄혹한 명령을 내리어 천궁 안에 만일 우는 자가 있으면 사형에 처하리라 한다.

"그러나 내가 왜 평생 애인인 꼭구를 죽이었느냐? 미리의 회보가 왜 없느냐? 천국이 망하면 내가 어찌 되랴?" 하여 회한과 우울과 고통이 자꾸 상제의 머리에로 올라와 견딜 수 없는 두통이 생긴다. 상제가 손으로 그 머리를 받치고 지통할 약을 좀 달라하려 약실에 들어간즉 아! 참 기괴하다. 약실 안에는 우는 이도 없건마는

"왔다, 왔다, 드래곤이 왔다. 인제는 천국의 말일이다."란 소리가 맹렬하게 인다.

상제가 매우 의혹하여 그 소리 나는 곳을 가만가만 찾아본즉 초강수의 병 속이다. 상제가 대노하여 칼을 빼어 초강수병을 치니 초강수는 어데 가고 불칼이 번쩍 나와 천궁의 들보를 친다, 기둥을 친다, 지붕을 친다, 주추를 부신다 하여 뚝—딲—쫙—꽉—와르르—우르르— 천궁 전체가 불지옥이 되었다.

상제께서 "비가비(雨神)"를 불러 비를 좀 주어 불을 꺼라하시더니 "비가비"는 아니 오고 "바람가비(風神)"가 달려들어 냅다 맹풍을 불어 불이 더욱 만연하여 천궁부터 천경까지를 소탕[08]한다. 대세가 가고 보니 위권이 행할소냐, 상제가 할 일 없어 불을 피하여 궁문으로 나아가다가 맹풍의 휩싼바 되어 어디로 날아가 버린다.

---

08 소탕(燒蕩)— 불에 타서 없어지는 것.

천사가 상제를 구하려다가 바람이 너무 셈으로 어찌하지 못하여

"인제는 천국의 말일이로구나." 부르짖는다. 그러나 천사는 상제의 충신이라 어찌 시세를 따라 방향을 바꿀소냐, 흥하나 망하나 상제는 따르리라, 천상에서 또 천상에서 또 천상, 지하에서 또 지하를 갈지라도 내가 기어이 상제를 찾으리라 하고 이에 조선의 행객같이 짚신감발을 차리며 중국의 쿠리(苦力)같이 노동복을 입고 상하 팔방으로 돌아다니며 상제의 계신 곳을 탐문한다.

9. 천사의 행걸(行乞)과 도사의 신점(神占)

천사가 "상제를 찾자면 독일무이(獨一無二), 전지전능의 상제를 잘 찾던 구미 각국으로 가보리라." 하고 런던이니, 빠리니, 로마니, 베를린이니, 뉴욕이니…… 하는 유명한 도시를 다 지나 보았다.

그러나 신부나 목사 등물만 눈에 뜨이지 안할 뿐만 아니라 곧 황제대왕이니, 대통령이니, 국무총리니…… 하는 명사도 들을 수 없고 은행이니, 회사니, 트레스트니…… 하는 건물도 볼 수 없고 풍속이나 풍관이 하나도 옛날 것대로 있는 것이 없다. 그러나 천사는 상제를 찾기에 다른 것을 알은체 하지 못하고 모두 주마간산격(走馬看山格)으로 지날 뿐인 고로 그 상황을 알지 못하였다. 예루살렘을 지나다가 파울을 만나

'파울은 독신한 상제의 신도니 상제의 계신 곳을 알으리라.' 하여

"파울아, 상제가 어데 계시냐?"고 묻다가 파울이

"이놈, 미친놈! 지금에도 상제를 찾는 미친놈아!" 하고 천사의 뺨을 쥐어찌르는 통에 천사가 뺨이 퉁퉁 부어 달아났었다.

중국 북경에 들어와 정양문밖 10리터 잣나무밭 속 천단을 지나니 면류관에 곤용포, 잡수신 대청국 대황제가 천제를 올린다고 구경꾼이 모여든다.

"허허, 그래도 중국이 거룩한 나라여, 부벽이 또 되어 제천례(祭天禮)를 회복하였구나." 하고 천사가 달려들어 상제를 찾더니 웬 사람이 손바닥을 보기 좋게 짝 펴들고 "이놈아, 꿈꾸지 말아라. 이것은 민중경절의 연극이다. 상제가 무슨 똥쌀 상제냐!" 하고 또 천사의 뺨을 내갈긴다. 아, 상제의 충신노릇 하노라고 천사의 뺨에 붓기가 내릴 날이 없다.

천사가 아픈 뺨을 만지며 천교 천단서(天壇西)를 향하여 나오니 길가에 머리를 쫓고 도건을 쓰신 노도사가 점상(占床)을 받쳐놓고 상 위에는 '유문필답 예금 십 매(有間必答禮金十枚)'의 8개 대한자를 써 붙인 것을 보고

'하, 저 노도사 참 희귀한 노인이다. 오늘까지 머리도 깍지 않고 복희씨의 팔괘를 신봉하는고나. 예금 십 매(禮金十枚)라니 불과 동전 열 잎이면 상제 계신 곳을 물어보겠다.' 하고 주머니를 뒤져본다. 허나 '동전 열 잎은 그만두고 귀 떨어진 엽전 한 푼도 없다.'고 주머니가 방귀를 픽 뀐다.

이 지경에는 천사도 눈물을 안 흘릴 수가 없다.

'드래곤이 오기 전 내가 상제의 좌주에서 시중할 때에는 내 손이 한 번 주머니에 들어가기만 하면 금강석도, 홍보석도, 백금도, 황금도, 미국의 딸라도, 법국의 프랑도, 원세개의 대가리— 중국 은전도 나오라는 대로 나오더니 오늘에는 동전 열 잎에 주머니의 퇴박을 만났고나……'

그러나 천사가 점 쳐보고 싶은 마음이 간절하여 미소를 띠고 노도사의 앞에 허리를 굽히며

"여보 도사님, 점 한 괘 쳐주시오. 내가 지금에는 돈이 없습니다마는 일후에 돈이 생기거든 예금 10매는 말고 천 매, 만 매라도 바치지요."

"그러시오, 오늘은 돈이 쓸데없는 세상이지만 나는 애전(愛錢)의 구습을

잊지 못하여 장난으로 하는 것이올시다. 하나 예금이 무슨 관계있으리까. 점을 쳐드리다. 대관절 점은 무슨 점이니까?"

천사가 상제를 들추다가는 또 뺨이나 맞을까싶어 한참 머뭇머뭇하다가

"예, 다른 점이 아니라 상전을 찾는 점이올시다. 우리 상전이 어데 가신지 몰라서요.……"

"허허, 요새 세상에도 상전을 찾아다니는 이가 있단 말이요? 당신은 참 충노올시다." 하고 점통을 흔드니 건지둔괘(乾之遁卦)가 나온다. 도사가 대경하여

"아ㅡ 어ㅡ, 건(乾)은 천(天)이니 곧 상제요, 둔(遁)은 도망이니 당신이 상전을 찾는 노자가 아니라 도망한 상제를 찾는 천사인가 봅니다."

천사가 이 말에 놀라지 안 할 수 없다. 그래서 두 무릎을 꿇고 공손히

"상제의 계신 곳을 가르쳐 달라." 하니 도사가 풀어 가로되

"건괘초효(乾卦初爻)의 '자(子)'가 둔괘초효(遁卦初爻)의 '진(辰)'으로 변하고 '진'이 회두(回頭)하여 '자'를 극(克)하였습니다. 진은 용이요, 자는 쥐니 상제가 용(드래곤)의 난에 도망하여 쥐구멍으로 들어갔습니다. 고어에 '천개어자(天開於子)'라 하더니 오늘은 '천폐어자(天閉於子)'올시다. 쥐구멍에 가서 상제를 찾으시오."

10. ×××

천사가 상제를 찾을 마음에 바빠 즉시 도사를 배사(拜謝)하고 쥐구멍을 찾아간다.

쥐구멍을 찾다가 의외에 용신묘를 발견하고 천사가 대경하였다.

"용은 미리의 별명이니 미리가 여기에 와있는 것이다." 하고 묘 중에 들어가 보니 과연 미리가 있기는 있다마는 석일(昔日)에 풍(風), 우(雨), 뢰(雷), 정(霆)의 조화를 부리던 '미리'가 아니요, 일개 토우상의 미리이다. 귀가 떨어졌고 눈이 빠졌고 이마가 깨어졌다. 그 앞에는 한 접시 제물도 놓이지 않았으니 드래곤에게 패전하고 이곳에 와서 퇴거한 것이 명백하다.

"미리야 이놈, 상제는 어데다 두고 너 홀로 여기에 와 있느냐? 나는 상제를 잊지 못하여 이렇게 찾아다니는 길이다.······"고 천사가 미리를 대책한다.

미리는 냉소한다.

"천사야 이놈, 상제는 찾아 무엇 하느냐? 천궁에 있던 때에 상제이지 천궁이 깨어진 뒤에도 상제가 있느냐? 상제가 있다면 죽은 상제이다. 죽은 상제는 산 쥐새끼만도 못하다. 말하자면 상제도 멸망하여야 옳지. 기실 내가네나 상제가 모두 상고민중의 일시 미신의 조작이 아니었더냐. 민중의 조작으로서 얼마나 민중의 해를 끼쳐왔느냐. 상제 자신만 호강하였을 뿐만 아니라 상제의 제물 공물이라 핑계하고 민중의 돈을 협잡한 놈이 없었더냐. 상제의 명을 봉승하였다 하며 세세 황제로 행악한 놈이 없었더냐? 최근 세계대전에서 다수한 민중을 죽여낸 각국 제왕, 원수, 총사령관들이 모두 상제의 이름으로서 하지 않았느냐? 남의 나라를 먹고 그 나라의 유민(遺民)의 뼈다귀를 녹이는 놈들도 또한 상제의 뜻이라 하지 않았느냐? 오늘은 미신이 깨어지니 상제도 또 깨어졌다. 상제에 부속하였던 네나 내가 안 깨어질소냐?

억만 민중들은 고양이가 되고 과거 모든 세력자는 쥐가 되었다. 상제를 찾으려거든 쥐구멍으로 가보아라. ······"

천사가 미리의 말을 듣고 괘씸히 생각하였지만 그 마음이 벌써 상제에게 떠나 돌릴 수 없는 바에야 단언이 쓸데 있으랴. 상제나 찾아가리라고 묘문을 나오니 서역방지를 위하여 쥐를 박멸하려고 출동한 민중들을 만났다. 천사

문득 도사의 점에 상제가 쥐구멍에 있으리란 말을 생각하고 울면서

"여보시오, 쥐를 잡지 말으시오, 쥐는 곧 하늘에서 도망하여온 상제올시다." 하나 이 말에는 대답이 없고 다만

"왔다, 왔다, 드래곤이 왔다. 인제는 쥐의 말일이다."

하는 소리만 사방에 일뿐.

1927.

출처: 김병민, 『신채호문학유고선집』, 연변대학출판사, 1994.

최서해

홍염

1

겨울은 이 가난한-백두산 서북 편 서간도 한 귀퉁이에 있는 이 가난한 촌락 《뻬허(白河)》에도 찾아들었다. 겨울이 찾아들면 조그마한 강을 앞에 끼고 큰 산을 등진 《뻬허》는 쓸쓸히 눈 속에 묻히어서 차디찬 좁은 하늘을 처다보게 된다.

눈보라는 북국의 특색이다. 《뻬허》의 겨울에도 그러한 특색이 있다. 이것이 《뻬허》의 생령들을 괴롭게 하는 것이다.

오늘도 눈보라가 친다.

북극의 얼음세계나 거쳐 오는 듯한 차디찬 바람이 우-하고 몰려오는 때면 산봉우리와 엉성한 가지 끝에 쌓였던 눈이 한꺼번에 휘날려서 이 좁은 산골은 뿌연 눈안개 속에 들게 된다. 어떤 때는 강골바람으로 빙판에 덮였던 눈이 산봉우리로 불리게 된다. 이렇게 교대적으로 산봉우리의 눈이 들로 내리고 빙판의 눈이 산봉우리로 올리 달려서 서로 엇 바뀌이는 때면 그런대로 관계치 않으나 하늬와 강바람이 한꺼번에 불어서 강으로부터 올리닫는 눈과 봉우리로부터 내리닫는 눈이 서로 부딪치고 어울리게 되면 눈보라와 바람 소리에 《뻬허》의 좁은 골짜기는 터질 듯한 동요를 받는다.

등진 산과 앞으로 낀 강 사이에 게딱지처럼 끼어있는 것이 이 《빼허》의 촌락이다. 통털어서 다섯 호밖에 되지 않는 집이나마 밭을 따라서 이리저리 흩어져있다. 모두 커다란 나무를 찍어다가 우물정자로 틀을 짜 지은 집인데 여기 사람들은 이것을 《귀틀집》이라고 한다. 지붕은 대개 조짚이요 혹은 나무껍질로도 이었다. 그 꼴은 마치 우리 내지 (간도서는 조선을 내지라 한다.)의 거름집과 같다. 심하게 말하는 이는 돼지굴과 같다고 한다.

이것이 남부여대로 서간도 산골을 찾아들어서 사는 조선 사람들의 집들이다. 《빼허》의 집들은 그러한 좋은 표본이다.

험악한 강산 세찬 바람과 뿌연 눈보라 속에 게딱지처럼 붙어서 위태위태한 침묵을 지키고 있는 그 모든 집에도 언제든지 공도가-위대한 공도(公道)가 어그러지지 않으며 언제든지 꼭 한때는 따뜻한 봄볕이 지새리라. 그러나 이렇게 눈발이 날리고 바람이 우짖으면 그 어설궂은 집속에 의지 없이 들어박힌 넋들은 자기네로도 알 수 없는 공포에 몸을 부르르 떨게 된다.

이렇게 몹시 춥고 두려운 날 아침 문서방은 집을 나섰다. 산산이 흐트러진 머리카락을 부연 상투에 휘휘 걷어 감고 수건으로 이마를 질끈 동인 위에 까맣게 그을은 대패밥 모자를 끈 달아 썼다. 부대처럼 툭툭한 토스레(베실을 삼아서 짠 것이다.) 바지저고리는 언제 입은 것인지 뚫어지고 흙투성이 되었는데 바람에 무겁게 흩날린다.

"문서방이 벌써 갔소?"

문서방은 짚신에 들메를 단단히 하고 마당에 내려서려다가 부르는 소리에 머리를 돌렸다. 펄쩍 문을 열면서 때가 찌덕찌덕한 늙은 얼굴을 내미는 것을 한 관청(韓官廳-관청은 직함.)이었다.

"왜 그러시우?"

경기말씨가 그저 남아있는 문서방은 한발로 마당을 밟고 한발로 흙마루를 밟은 채 한 관청을 보았다.

"엑, 바람두! 저 엑, 흑…"

한 관청은 몰아치는 바람이 아츠러운지 연방 흑흑 느끼면서

"저 일절 욕을 마오! 그게…엑 워쩐 바람이 이런구, 그게 부모두 모르는 놈인데…"

하는 양은 경험 있는 늙은 사람의 말을 깊이 들으라는 어조이다.

"나는 또 무슨 말씀이라구! 아, 그놈이 이번두 그러면 그저 둔단 말이요?"

문서방의 소리는 좀 분개하였다.

눈을 몰아치는 바람은 몹시 마당으로 몰아들었다. 그 판에 문서방은 바람을 등지고 돌아서고 한 관청의 머리는 창문 안으로 자라목처럼 움츠렸다.

"글쎄, 이 늙은 거 말을 듣소? 그 놈이 제 가새비(장인)를 잘 알겠소? 흥!"

한 관청은 함경도사투리로 뇌이면서 다시 머리를 내밀었다.

"염려 마슈! 좋게 하죠."

문서방은 더 들을 말 없다는 듯이 바람을 안고 휙 돌아섰다.

"그새 무슨 일이나 없을까?"

밭 가운데로 눈을 헤갈면서 나가던 문서방은 주춤하고 돌아보면서 혼자 뇌였다. 눈보라 때문에 눈도 뜰 수 없거니와 지척을 분간할 수 없이 되어서 집은커녕 산도 보이지 않았다.

"그새 무슨 일이 날라구…"

그는 또 이렇게 혼자 뇌이고 저고리 앞섶을 단단히 여미면서 강가로 내려가다가 발을 돌려서 언덕길로 올라섰다. 강 얼음을 타고 가는 것이 빠르지만 바람이 심하면 빙판에서 걷기도 거북하여 언덕길을 취하였다. 하도 다니던 길이니 짐작으로 걷지 눈에 묻히어서 길이 보이지 않았다.

언덕길에 올라서니 바람은 더 심하였다. 우와 하고 가슴을 치어서 뒤로

휘뜩 자빠질 것은 고사하고 눈발이 아츠럽게 낯을 쳐서 눈도 뜰 수 없고 숨도 바로 쉴 수 없었다. 뻣뻣하여가는 사지에 억지로 힘을 주어가면서 이를 악물고 두 마루턱이나 넘어서 《달리소》 강가에 이르니 가슴에서는 원숭이가 뛰노는 것 같고 등골에는 땀이 흘렀다. 그는 서리가 뿌연 수염을 씻으면서 빙판을 건너간다. 빙판에는 개가죽모자 개가죽바지에 커다란 《울레(신이름)》를 신은 중국 파리(썰매)꾼들이 길다란 채찍을 휘휘 두르면서

"뚜-어, 뚜-어, 딱딱."

하고 말을 몰아간다.

"니 날춰(당신 어디 가오?)"

중국 파리꾼들은 문서방을 보면서 말을 걸었으나 문서방은 허둥지둥 빙판을 건너서 높다란 바위 모퉁이를 지나 언덕에 올라섰다.

여기가 문서방이 목적하고 온 《달리소》라는 땅이다. 이 땅주인은 인가라는 중국 사람인데 그 《인》가는 문서방의 사위다. 저편 밭 가운데 굵은 나무로 울타리를 한 것이 인가의 집이다. 그 밖으로 5, 6호나 되는 게딱지같은 귀틀집은 지팡살이 하는 조선 사람들의 집이다. 문서방은 바위 모퉁이를 돌아 언덕에 오르니 산이 서북을 가리워서 바람이 좀 즘즉하여 좀 푸근한 느낌을 받았으나 점점 인가-사위집 룡마루가 보이고 울타리가 보이고 그 좌우에 같은 조선 사람의 집이 보이니 스스로 다리가 움츠려지면서 걸음이 떠지었다.

"엑, 더러운 놈! 딸 팔아먹은 놈!"

그것은 자기 스스로 한 일은 아니지만 어디선지 이런 소리가 귀청을 징징 치는 것 같은 동시에 개기름이 번지르르하여 피발이 올올한 눈을 흉악하게 굴리는 인가-사위의 꼴이 언뜻 눈앞에 떠올라서 그는 발끝을 돌릴가 말가 하고 주저거렸다. 그러다가도

"여보, 룡녀(딸의 이름)가 왔소? 룡녀 좀 데려다 주구려!"

하고 죽어가는 아내의 애원하는 소리가 귀가에 울려져 다시 앞을 향하였다.

"이게 문서방이! 또 딸집을 찾아가옵느마?"

머리를 수굿하고 걷던 문서방은 불의의 모욕이나 받는 듯이 어깨를 툭 떨어뜨리면서 머리를 들었다. 그것은 길옆에서 돼지우리를 치던 지팡살이꾼의 한 사람이었다.

"녜! 아, 아니…"

문서방은 대답도 아니요 변명도 아닌 이러한 말을 하고는 얼른얼른 인가의 집으로 향하였다. 온 동네가 모두 나서 자기의 뒤를 모두 비웃는듯해서 곁눈질도 못하였다. 여기는 서북이 가리워서 《뻬허》처럼 바람이 심하지 않았다. 흐릿하나마 별도 엷게 흘렀다.

2

"여보! 저 인가가 또 오는구려!"

가을볕이 쨍쨍한 마당에서 《깨》를 떨던 아내는 남편 문서방을 보면서 근심스럽게 말하였다.

"오면 어쩌누? 와도 허는 수 없지!"

뒤주간 앞에서 옥수수 껍질을 벗기던 문서방은 기탄없이 말하였다.

"엑, 그 단련을 또 어찌 받겠소?"

아내의 찌푸린 낯은 스스로 흐리었다.

"참 그놈…"

"여보, 여기 왔소."

문서방의 높은 소리를 주의시키던 아내는 뒤주간 저편을 보면서

“아, 오셨소!”

하고 어색한 웃음을 웃었다.

“에 왔소! 장귀즈(주인) 있소?”

지주 인가는 어설픈 웃음을 지으면서 마당에 들어서다가 뒤주간 앞에 앉은 문서방을 보더니

“응, 저기 있소!”

하고 손가락질을 하면서 그 앞에 가 수캐처럼 쭈그리고 앉았다.

서천에 기운 태양은 인가의 이마에 번지르르 흘렀다.

“어디 갔다 오슈?”

문서방은 의연히 옥수수를 벗기면서 하기 싫은 말처럼 힘없이 끄집어내었다.

“문서방! 그래 오레(올해)두 비들(빚을) 못 갚으겠소?”

인가는 문서방 말과는 딴전을 치면서 담배를 쌈지에 넣는다.

“허허, 어제두 말했지만 글쎄 곡식이 안 된 거 어떡하오?”

“안돼, 안돼! 곡식이 잘 되구 못 되구 내가 아르오? 오늘은 받아 가지구야 가겠소!”

인가는 담배를 피우면서 버티려는 수작인지 땅에 펑덩 들어앉았다.

“내년에는 꼭 갚아드릴게 올해만 참아주오. 장구재(주인)도 알지만 흉년이 되어서 되지두 않은 이것(곡식)을 모두 드리면 우리는 어떻게 겨울을 나라우응? …자, 내년에 꼭 하하.”

인가를 보면서 넋이 없는 웃음을 하는 문서방의 눈에는 애원하는 빛이 흘렀다.

“안돼, 안돼! 퉁퉁(모두)디 주! 모두두 많이 많이 부족이요!”

“부족이 돼두 하는 수 없지. 글쎄 뻔히 보시면서 어떡하란 말이요! 휴.”

"어째 어부소? 응, 니디 어째 어부소? 말이 해! 울리 쌀이디 울리 소금이디 울리 강냉이디…니디 입이디(그는 입을 가리키면서) 안 먹어? 어째 어부소, 응?"

인가는 낯빛이 검으락푸르락해서 소리를 고래고래 질렀다. 문서방은 더 말이 나오지 않았다.

언제나 이놈의 소작인 노릇을 면하여볼까? 경기도서도 소작인 10년에 겨죽만 먹다가 그것도 자유롭지 못하여 남부여대로 딸 하나 앞세우고 이 서간도로 찾아들었더니 여기서도 그네를 맞아주는 것은 지팡살이였다. 이름만 달랐지 역시 소작인이다. 들어오는 해는 풍년이었으나 늦게 들어와서 얼마 심지 못하였고 그 이듬해에는 흉년으로 말미암아 1년 내 꾸어먹은 것도 있거니와 소작료도 못 갚아서 인가에게 매까지 맞고 금년으로 밀었더니 금년에도 흉년이 졌다. 다른 사람들도 빚을 지지 않은 바가 아니로되 유독이 문서방을 조르는 것은 음흉한 인가의 가슴속에 문서방의 딸 룡녀(금년 열일곱)가 걸린 까닭이었다. 문서방은 벌써 그 눈치를 알아차렸으나 차마 양심이 허락하지 않았다. 인가의 욕심만 채우면 밭맥(1맥은 십일 경, 일일 경은 약 천 평)이나 단단히 생겨서 한평생 기탄이 없을 것을 모르지는 않지만 무남독녀로 고이 기른 딸을 그놈에게 주기는 머리에 벼락이 내릴 것 같아서 죽으면 그저 굶어 죽었지 차마 할 수 없었다. 그는 그런 것 저런 것 생각할 때마다 도리어 내지(조선)가 그리웠다. 쪼들려도 나서 자란 자기 고향에서 쪼들리는 옛날이-3년 전의 그 옛날이 그리웠다. 그러나 그것도 한 꿈이었다. 그 꿈이 실현되기에는 그네의 경제적기초가 너무도 어림없었다. 빈 마음만 흐르는 구름에 부쳐서 내지고로 보낼 뿐이었다.

"어째서 대답이 어부소 응? 그래 울리 비디디 안가파? 창우니 빠피야(이놈 껍질 벗긴다.)"

인가는 담뱃대를 꽁무니에 지르면서 일어나 앉더니 팔을 걷는다. 그것을 본 문서방 아내는 낯빛이 파랗게 질려 부들부들 떨면서 이 편만 본다. 문서방도 낯빛이 까맣게 죽었다.

"자, 그러면 금년 농사는 온통 드리지요."

문서방의 목소리는 힘없이 떨렸다. 마치 종아리채를 든 초학훈장 앞에 엎드린 어린애의 소리처럼…

"부요우(싫어)…퉁퉁디 모모 모두 올리 가져가두 뽀미(옥수수) 쓰단(넉섬), 쌔옌(소금) 얼씨진(20근), 쇼미(좁쌀)디 빠단(여덟섬)디 유아(있다)…니디 자리 알아 있소! 그거 안줘?"

검붉은 인가의 뺨은 성난 두꺼비의 배처럼 불떡불떡하였다.

"나머지는 내년에 갚지요!"

문서방은 머리를 뚝 떨어뜨렸다.

"슴마(무엇)? 창우니 빠피야?"

인가의 억센 손은 문서방의 멱살을 잡았다. 문서방은 가만히 받았다. 정신이 아찔하였다.

"에구, 장구재…흑, 응…장구재…제발 살려줍쇼! 제발 살려주시면 뼈를 팔아서라두 갚겠습니다. 장구재 제발."

"내 뽀미 워디 소금이 낼라? 아니 줬소, 아니줬소? 어째서 아니 줬소?"

인가의 주먹은 문서방의 귀벽을 울렸다.

"아이구!"

문서방은 땅에 쓰러졌다.

"엑, 에구…응응응…에구, 장구재 제발 제제…흑, 제발 좀 살려 줍쇼…응응응…에구, 장구재 제발 제제…흑, 제발 좀 살려 줍쇼…응응."

쓰러지는 문서방을 붙잡던 아내는 인가를 보면서 땅에 엎드려서 손을 비빈다.

"이 상느므샛지(상놈의 자식)…니디 로퍼(아내) 워디(내가) 가져가!"

하고 인가는 문서방을 차더니 엎디어서 손이야 발이야 비는 문서방의 아내의 손목을 잡아끌었다.

"니디 울리 지비가! 오늘리부터 니디 울리 에미네(아내)!"

"장구재…제발…에이구, 응응."

"에구 엄마!"

집안에서 바느질하던 룡녀가 내달아 나왔다. 인가는 문서방의 아내를 사정없이 끌고 자기 집으로 향한다.

"나를 잡아가라, 나를!"

쓰러졌던 문서방은 아내의 팔을 잡았다.

"타마디!"

하는 소리와 같이 인가의 발길은 문서방의 샅으로 들어갔다. 문서방은 거꾸러졌다.

"아이구, 어머니! 왜 울 어머니를 잡아가요? 응응…흑."

룡녀는 어머니의 팔목을 잡은 중국인의 손을 물어뜯었다. 룡녀가 본 인가는 문서방 아내는 놓고 문서방의 딸 룡녀를 잡았다.

"이 개새끼야, 이것 놔라! 응응 흑…아이구, 아버지…엄마!"

억센 장정 인가에게 티끌같이 끌려가는 연연한 처녀는 몸부림을 하면서 발악을 하였다.

"룡녀야! 에구 룡녀야!"

"에이구, 응…너를 이 땅에 데리구 와서 개 같은 놈에게…"

문서방의 내외는 허둥지둥 달려갔다.

낯빛이 파랗게 질린 흰옷 입은 사람들은 쭉 나와서 섰건만 모두 시체같이 서있을 뿐이었다. 여편네 몇몇은 치맛자락으로 눈물을 씻었다.

의연히 제 걸음을 재촉하는 볕은 서산에 뉘엿뉘엿하였다. 앞강으로 올라 오는 찬바람은 스르르 스쳐 가는데 석양에 돌아가는 까마귀울음은 의지 없 는 사람의 넋을 호소하는 듯 처량하였다.

"에구 룡녀야! 부모를 못 만나서 네 몸을 망치는구나! 에구 이 놈의 돈이 우리를 죽이는구나!"

문서방의 내외는 그 밤을 인가의 집 울타리 밖에서 새웠다. 누구 하나 들 여다보지도 않는데 인가의 집에서 내놓은 개들은 두 내외를 잡아먹을 듯이 짖으며 덤벼들었다.

이리하여 룡녀는 영영 인가의 손에 들어갔다. 며칠 후에 인가는 지금 문 서방이 있는 삐허에 땅날갈이나 있는 것을 문서방을 주어서 그리로 이사시 켰다. 문서방은 별별 욕과 애원을 하였으나 나중에 인가는 자기 집 일꾼들 을 불러서 억지로 몰아내었다. 이리하여 문서방은 차마 생목숨을 끊기 어려 워서 원쑤가 주는 땅을 파먹게 되었다. 그것이 작년 가을이었다. 그 뒤로 인 가는 절대 룡녀를 밖으로 내보내지 않을 뿐만 아니라 그 어버이 되는 문서방 내외에게도 보이지 않았다.

"룡녀는 매일 밥도 안 먹고 어머니 아버지만 부르고 운다."

하는 희미한 소식을 인가의 집에 가까이 드나드는 중국인들에게 들을 때 마다 문서방은 가슴을 치고 그 아내는 피를 토하였다.

이리하여 문서방의 아내는 늦은 여름부터 아주 병석에 드러누웠다. 그는 병석에서 매일 룡녀만 부르고 룡녀만 보여 달라고 졸랐다. 그래서 문서방은 벌써 세 번이나 인가를 찾아가서 말했으나 효과가 없었다.

이번까지 가면 네 번째다. 이번은 어떻게 성사가 될는지?

(간도 있는 중국 지주들은 조선여자를 빼앗아가든지 좋게 사가더라도 밖에 내보내지도 않 고 그 부모에게까지 흔히 면회를 거절한다. 그들은 의심이 많아서 그런다고 들었다.)

3

문서방은 울긋불긋한 채필로 《관운장》과 《장비》를 무섭게 그려 붙인 인가의 집 대문 앞에 섰다. 문밖에서 뼈다귀를 핥던 얼럭 개 한마리가 웡웡 짖으면서 달려들더니 이 구석 저 구석에서 개 무리가 우 하고 덤벼들었다. 어떤 놈은 으르렁 으르고 어떤 놈은 꼬리를 뒷다리에 바싹 끼면서 금방 물듯이 송곳 같은 이발을 악물었고 어떤 놈은 대어들다가는 뒷걸음을 치고 뒷걸음을 쳤다가는 대어들면서 산천이 무너지게 짖고 어떤 놈은 소리도 없이 코만 실룩실룩하면서 달려들었다. 그 여러 놈들이 문서방을 가운데 놓고 죽 돌아서서 각각 제 재주대로 날뛴다. 그렇지 않아도 지금 개 때문에 대문 밖에서 기웃거리던 문서방은 이 사면초가를 어떻게 막으면 좋을지 몰랐다. 이러는 판에 한마리가 획 달아 와서 문서방의 바지 가랭이를 물었다.

"으악! 꺼우디(개를)."

문서방이 소리를 치면서 돌맹이를 찾느라고 엎드리는 것을 보더니 개들은 일시에 뒤로 물러났으나 다시 덤벼들었다.

"창우니 타마나가비!(쌍소리)"

안으로 개가죽모자를 쓰고 뛰어나오는 일군은 기다란 호미자루를 두르면서 개를 쫓았다. 개들은 몰려가면서도 몹시 짖었다.

문서방은 조짚 수수깽이가 지저분히 널려있는 마당을 지나서 왼편 일꾼들 있는 방문으로 들어갔다. 누릿하고 구저분한 더운 기운이 후끈 낯을 스칠 때 얼었던 두 눈은 뿌연 더운 안개에 스르르 흐리어서 어디가 어딘지 잘 분간할 수 없었다.

"원따예 라이라마!(문령감 오셨소)"

《캉》(구들)에서 지껄이던 중국인 중에서 누군지 첫인사를 붙였다.

"에헤 라이라. 장구재(주인) 유(있소)?"

문서방은 어색한 웃음을 지었다. 얼었던 몸은 차츰 녹고 흐리었던 눈앞도 점점 밝아졌다.

"쌍캉바(구들로 올라오시오)."

구들 위에서 나는 틱틱한 소리가 인가였다. 그는 일꾼들과 무슨 의논을 하던 판인가? 지껄이던 일꾼들은 고요히 앉아서 담배를 피우면서 호기심에 번뜩이는 눈을 인가와 문서방에게 보내었다.

어느 천 년에 지은 집인지? 거미줄이 얼기설기 서린 천장과 벽은 아궁이 속같이 꺼먼데 벽에 붙여놓은 삼국풍진도며 춘야도 리원도는 이리저리 찢기고 그을렸다. 그으름과 담배연기에 싸여서 눈만 반짝반짝하는 무리들은 아귀도를 생각하게 한다. 문서방은 무시무시한 기분에 몸을 부르르 떨었다.

"처우앤바(담배를 피우시오)!"

인가는 웬 일인지 서투른 대로 곧 잘하던 조선말은 하지 않고 알아도 못 듣는 중국말을 쓰면서 담뱃대를 문서방 앞에 내밀었다.

"여보 장구재! 우리 로퍼(아내)가 딸(룡녀)을 못 봐서 죽겠으니 좀 보여주. 응…"

문서방은 담뱃대를 받으면서 또 전처럼 애걸하였다. 인가는 이마를 찡그리면서 불을 붙였다.

"저게(아내) 마지막 죽어 가는데 철천지한이나 풀어야 하잖겠소. 응? 한번만 보여주! 어서 그러우! 내가 룡녀 만나면 꾀일까봐? 그럴 리 있소? 이렇게 된 바에 한번만…낯이나…저 죽어가는 제 어미 낯이나 한번 보게 해주! 네? 제발…"

"안 되우! 보내지 못하겠소! 우리 지비 문밖에 로퍼(아내-룡녀를 가리키는 말) 나갔소 재미 어부소."

배짱을 부리는 인가의 모양은 마치 전당포주인과 같은 점이 있었다. 문서방의 가슴은 죄었다. 아쉽고 안타깝고 슬픔이 어우러지더니 분한 생각이 났다. 부뚜막에 놓은 낫을 들어서 인가의 배를 왁 긁어놓고 싶었으나 아직도 행여나 하는 바람과 삶에 대한 애착심이 그분을 제어하였다.

"그러지 말고 제발 보여주오! 그러면 내 아내를 데리구 올까? 아니, 바람을 쐬어서는…엑, 죽어두 원이나 끄고 죽게 내가 데리고 올게 슬쩍 보여주오. …네? …흑… 엑, 제발…"

20년 가까이 손끝에서 자기 힘으로 기른 자기 딸을 억지로 빼앗긴 것도 원통한데 그나마 자유로 볼 수도 없이 되는 것을 생각하니…더구나 그 우악한 인가에서 가슴과 배를 사정없이 눌리우는 연연한 딸의 버둥거리는 그림자가 눈앞에 언뜻하여 가슴이 꽉 막히고 사지가 부르르 떨리면서 주먹이 쥐어졌다. 그러나 뒤따라 병석의 아내가 떠오를 때 그의 주먹은 풀리고 머리는 숙여졌다.

"넬리 또 왔소 이야기하오! 오늘 이디 울리디 일이디 푸푸디, 많이 있소!"

인가는 문서방을 어서 가라는 듯이 자기 먼저 캉(구들)에서 내려섰다.

"제발 그러지 말구! 으흑 흑…제제…제발 한, 단 한 번이라두 낯만…으흑 흑 응!"

문서방은 인가를 따라서 밖으로 나오면서 울었다. 등 뒤에서는 웃음소리가 들렸다. 그러나 그 웃음소리는 이때의 문서방에게는 아무런 자주도 주지 못하였다.

"자, 이게 적지만…"

마당에서 한참이나 서서 무엇을 생각하던 인가는 백조(百弔)짜리 관체(官帖—돈) 석 장을 문서방의 손에 쥐어주었다. 문서방은 받지 않으려고 하였다. 더러운 놈의 더러운 돈을 받지 않으려 하였다. 그러나 지금 부쳐 먹는 밭도 인가의 밭이다. 잠간사이 분과 설움에 어리어서 튀기던 돈은, 돈 힘은 굵고 헐벗은 문서방을 누르지 않을 수 없었다. 그는 못 이기는 것처럼 삼백 조를 받아넣고 힘없이 나오다가 (저속에는 룡녀가 있으려니…) 생각하면서 바른 편에 놓인 조그마한 집을 바라볼 때 자기로도 모르게 발길이 도로 돌아졌다. 마치 거기서는 룡녀가 울면서 자기를 부르는 것 같았다. 그러나 인가는 문서방을 문밖에 내보내고 문을 닫아 잠궜다.

문밖에 나서니 천지가 아득하였다. 발길이 돌아가지 않았다. 사생을 다투는 아내를 생각하면 아니가질 못할 일이고 이 울타리 속에는 룡녀가 있거니 생각하면 눈길이 다시금 울타리로 갔다.

그가 바위 모퉁이 빙판에 올 때까지 개들은 쫓아 나와 짖었다. 그는 제 분 김에 한 마리 때려잡는다고 얼른 돌멩이를 집어 들었다가 작년 가을에 어떤 조선 사람이 어떤 중국 사람의 개를 때려죽이고 그 사람이 주인에게 총 맞아 죽은 일이 생각나서 들었던 돌멩이를 헛 뿌렸다.

돌아 떨어지는 겨울 해는 어느새 강 건너 봉우리 엉성한 가지 끝에 걸렸다. 바람은 좀 자고 날씨는 맑으나 의연히 추워서 수염에는 우물가처럼 얼음이 졌다.

4

눈옷 입은 산봉우리 나뭇가지 끝에 남았던 붉은 석양볕이 스르르 자취를 감추고 먼 동쪽 하늘가에 차디찬 연자주 빛이 사르르 돌더니 그마저 스러지고 쌀쌀한 하늘에 찬 별들이 내려다보게 되면서부터 어둑한 황혼 빛이 《삐허》의 좁은 골에 흘러들어서 게딱지같은 집속까지 흐르기 시작하였다.

꺼먼 서까래가 드러난 수수깽이 천장에는 그을은 거미줄이 흐늘흐늘 수 없이 드리우고 빈대죽인 자리는 수묵으로 댓잎을 그린 듯이 흙벽에 빈틈이 없는데 먼지가 수북한 구들에는 구름깔개(참나무를 엷게 밀어서 결은 자리)를 깔아놓았다. 가마저편 바당(부엌)에는 장작개비가 흩어져있고 아궁이에서는 벌건 불이 활활 붙는다.

뜨끈뜨끈한 부뚜막에는 문서방의 아내가 누더기 이불에 싸여 누웠고 문앞과 윗목에는 이웃집 사람들이 모여 앉았는데 지금 막《달리소》인가의 집에서 돌아온 문서방은 신음하는 아내의 가슴에 손을 얹고 앉았다.

등잔거리에 켜놓은 등(삼대에 겨를 올려서 불 켜는 것.) 불은 환하게 이 실내의 이 모든 사람을 비치었다.

"룡녀야! 룡녀야! 룡녀야!"

고요히 누웠던 문서방의 아내는 마지막 소리를 좀 크게 질렀다. 문서방은 아내의 가슴을 지그시 눌렀다.

"에구, 우리 룡녀! 우리 룡녀를 데려다주구려!"

그는 눈을 번쩍 뜨면서 몸을 흔들었다.

"여보, 왜 이리우? 룡녀가 지금 와요! 금방 올걸!"

어린 애를 얼리듯 하면서 땀때가 께저분한 아내의 얼굴을 내려다보는 문서방의 눈을 흐리었다.

"에구, 몹쓸놈(인가)두! 저런 거 모른 체하는가? 쩻!"

윗목에 앉은 늙은 부인은 함경도사투리로 구슬피 뇌었다.

"허, 그러게 되질 놈이라지! 그 놈덜께 인륜(인륜)이 있소?"

문 앞에 앉았던 한 관청은 받아치었다.

"룡녀야! 룡녀야! 흥, 저기 저기 룡녀가 오네!"

문서방의 아내는 쑥 꺼진 두 눈을 모들떠서 천장을 뚫어지게 보면서 보기에 아츠러운 웃음을 웃었다.

"어디? 아직은 안 오. 여보, 웨 이리우? 정신을 채리우. 응?"

문서방의 목소리는 떨렸다.

"저기 엑! 룡…룡녀…"

그는 눈을 더 크게 뜨고 두 뺨의 근육을 경련적으로 움직이면서 번쩍 일어났다. 문서방은 아내의 허리를 안았다. 그는 또 정신에 착각을 일으켰는지 창문을 바라보고 뛰어나가려고 하면서

"룡녀야! 룡녀…룡녀…저 저기 저기 룡녀가 있네! 룡녀야 어디 가니? 룡녀야 어 어디 가느냐? 으응."

고함을 치고 눈물 없는 울음을 우는 그의 눈에서는 퍼런 불빛이 번쩍하였다. 좌중은 모진 짐승의 앞에나 앉은 듯이 모두 숨을 죽이고 손을 틀었다. 문서방은 전신의 힘을 내어서 아내의 허리를 안았다.

"하하하(그는 이상한 소리를 내어 웃다가 다시 성을 잔뜩 내면서)…룡녀! 룡녀가 저리로 가는구나! 으응…저 놈이 저 놈이 웬 놈이야?"

하면서 한참 이를 악물고 창문을 노려보더니

"저 저…이놈아! 우리 룡녀를 놓아라! 저 놈이 저 놈이 룡녀를 잡아가네! 이 놈 놔라, 이 놈 모가지를 빼놓을 이 이."

그의 눈앞에는 룡녀를 인가에게 빼앗기던 그때가 떠올랐는지 이를 뿍 갈면서 몸을 번쩍 일어 창문을 향하고 내달았다.

"여보! 정신을 차리오! 여보, 왜 이러우? 아이구! 응."

쫓아나가면서 아내의 허리를 안아서 뒤로 끌어들이는 문서방의 소리는 눈물에 젖었다.

"이놈아, 이게 웬 놈이 남을 붙잡니? 응, 으윽."

그는 두 손으로 남편의 가슴을 밀다가도 달려들어서 남편의 어깨를 물어뜯으면서

"이것 놔라! 에구 룡녀야, 저게 웬 놈이…에구구…저놈이 룡녀를 깔고 앉네…"

하고 몸부림을 탕탕하는 그의 눈에는 피발이 서고 낯빛은 파랗게 질렸다.

이때 한 관청 곁에 앉았던 젊은 사람은 얼른 일어나서 문서방을 조력하였다. 끌어들이거니 뛰어 나가려거니 하여 밀치고 당기는 판에 등잔거리가 넘어져서 등불이 펄렁 죽어버렸다. 방안은 갑자기 깜깜하여지자 창문만 희슥하였다.

"조심들 하라니! 엑, 불두."

한 관청은 등대를 화로에 대고 푸푸 불면서 툭턱툭턱하는 사람들에게 주의를 시켰다. 불은 번쩍하고 켜졌다.

"우우 쏴! 스르륵."

문을 치는 바람소리가 요란하였다.

"엑, 또 바람이 나는 게로군! 날쎄두 페롭(괴상)다."

한 관청은 이렇게 뇌이면서 등잔거리에 등대를 꽂고 몸부림하는 문서방 내외와 젊은 사람을 피하여 앉았다.

"이것 놓아주오! 아이구, 우리 룡녀가 죽소! 저 흉악한 놈에게 깔려서…엑, 저저저…저것 봐라! 이놈, 네 이놈아! 이구 룡녀야! 룡녀야! 사람 살려주오!(소리를 더욱 높여서) 우리 룡녀를 살려주! 응 으윽, 에엑 끅…"

그는 마지막으로 오장육부가 쏟아지게 소리를 지르다가 검붉은 피덩이를 왈칵 토하면서 앞으로 거꾸러졌다.

"으윽!"

"응, 끔찍두 한 게!"

하면서 여러 사람들은 거꾸러진 문서방의 아내 앞에 모여들었다.

"여보! 여보소! 아이구, 정신 좀…" 떨려오는 문서방의 소리는 절반이나 울음으로 변하였다.

거불거불하는 등불 속에 검붉은 피를 한 말이나 토하고 쓰러진 그는 낯이 파랗게 되어서 숨결이 없었다.

"허, 잡신이 붙었는가? 으흠 응, 으흠 응! 각황제방 심미기, 두우열로 구슬벽…"

여러 사람들과 같이 문서방의 아내를 부뚜막에 고요히 눕혀놓은 한 관청은 귀신을 쫓는 경문이라고 발음도 바로 못하는 이십팔수를 줄줄 읽었다.

"응응응…흑흑…여, 여보!"

문서방의 목 메인 울음을 받는 아내는 한 관청의 서투른 경문소리를 듣는지 마는지 손발은 점점 식어가고 낯은 파랗게 질렸는데 무엇을 보려고 애쓰던 눈만은 멀거니 뜨고 그저 무엇인지 노리고 있다. 경문을 읽던 한관청은

"엑, 인저는 늙어가는 사람이 울기는? 우지 마오! 이내(곧) 살아날 거!"

하고 문서방을 나무라면서 문서방의 아내 앞에 다가앉더니 주머니에서 은동침(어느 때에 얻어둔 것인지?)을 내어서 문서방 아내의 인중을 꾹 찔렀다. 그러나 점점 식어가는 그는 이마도 찡그리지 않았다. 한 관청은 다시 콧구멍에 손을 대어보았으나 숨결은 없었다.

바람은 우우 쏴-하고 문에 눈을 들이치었다. 여러 사람은 약속이나 한 듯이 두려운 빛을 띤 눈으로 창을 바라보았다.

"으응, 에이구! 여보, 끝끝내 룡녀를 못 보구 죽었구려…잉잉…흑."

문서방은 울기 시작하였다. 그 울음소리는 고요한 방안 불빛 속에 바람소리와 함께 처량하게 흘렀다.

"에구, 못된 놈두 있는 게!"

"에구, 참 불쌍하게두!"

"흥, 우리두 다 그 신세지!"

무시무시한 기분에 싸여서 낯빛이 푸르러가는 여러 사람들은 각각 한마디씩 뇌었다. 그 소리는 모두 갈데없는 신세를 호소하는듯하게 구슬프게 힘없었다.

5

문서방의 아내가 죽던 이튿날 밤이었다. 그날 밤에도 바람이 몹시 불었다. 그 바람은 강바람이어서 서북에 둘리운 산 때문에 좀한 바람은 움쩍도 못하던 《달리소》까지 범하였다. 서북으로 산을 등지고 앞으로 강 건너 높은 절벽을 대하여 강골밖에 터진데 없는 《달리소》는 강바람이 들어차면 빠질데는 없고 바람과 바람이 부딪쳐서 흔히 회오리바람이 일게 된다. 이날 밤에도 그 모양으로 《달리소》는 회오리바람이 일어서 낟가리가 날리고 지붕이 날리고 산천이 울려서 혼돈이 배판할 때 빙 세계나 트는 듯한 판이라 사람은 커녕 개와 돼지도 굴속에서 꿈쩍 못하였다.

밤이 썩 깊어서였다.

차디찬 별들이 총총한 하늘아래 우렁찬 바람에 휘날리는 눈발을 무릅쓰고 《달리소》 앞 강 빙판을 건너서 《달리소》 언덕으로 올라가는 그림자가 있다. 모진 바람이 스치는 때마다 혹은 엎드리고 혹은 우뚝 서기도 하면서 바삐 바삐 가던 그 그림자는 게딱지같은 지팡살이 집 근처에서부터 무엇을 꺼리는지 좌우를 슬몃슬몃 보면서 자취를 숨기고 걸음을 느리게 하여 저편으로 돌아가 인가의 집 높은 울타리 뒤로 돌아간다.

"으르렁 웡웡!"

하자 어느 구석으로선지 개가 한 마리, 두 마리, 세 마리, 네 마리, 뒤이어

나와서 짖으면서 그 그림자를 쫓아간다. 그 개소리는 처량한 바람소리 속에 싸여 흘러서 건너편 산을 쩌르릉 쩌르릉 울렸다.

"꽝! 꽝꽝!"

인가의 집에서는 개짖음소리에 홍우재(마적)나 몰려오는 가 믿었던지 헛총질을 네댓 방이나 하였다. 그 소리도 산천을 울렸다. 그 바람에 슬근슬근 가던 그림자는 휙 돌아서서 손에 들었던 보자기를 개 앞에 던졌다. 보자기는 터지면서 둥글둥글한 것이 우루루 쏟아졌다. 짖으면서 달려오던 개들은 짖음을 그치고 거기 모아들어서 서로 물고 뜯고 빼앗아먹는다. 그러는 사이에 그림자는 인가의 울타리 뒤에 산같이 쌓아놓은 보리 짚더미에 가서 성냥을 쭉 긋더니 뒷산으로 올리닫는다.

처음에는 바람 속에서 판득판득하던 불이 삽시간에 그 산 같은 보리 짚더미에 붙었다.

"쪼후라(불이야)!"

하는 고함과 같이 사람의 소리는 요란하였다. 모진 바람에 하늘하늘 일어서는 불길은 어느새 보리 짚더미를 살라버리고 울타리 안에 있는 집에 옮았다.

"푸우 우루루루루 솨아…"

동풍이 몹시 이는 때면 불기둥은 서편으로, 서풍이 몹시 이는 때면 불기둥은 동으로 쏠려서 모진 소리를 치고 검은 연기를 뿜다가도 동서풍이 어울치면 축늉(火神)의 붉은 혀발은 하늘하늘 염염히 타올라서 차디찬 별, 억만년 변함이 없을듯하던 별까지 녹아내릴 것 같이 검은 연기는 하늘을 덮고 붉은 빛은 깜깜하던 골짜기에 차 흘러서 몰아내는 것 같다.

불을 질러놓고 뒷산 숲속에 앉아서 내려다보던 그 그림자, 딸과 아내를 잃은 문서방은 "하하하!"시원스럽게 웃고 가슴을 만지면서 한손으로 꽁무니에 찼던 도끼를 만져보았다.

일 동리 사람들과 인가의 집 일꾼들은 불붙는데 모여들었으나 모두 어쩔 줄을 모르고 떠들고 덤비면서 달려가고 달려올 뿐이었다. 그러는 사이에 울타리는 물론 울타리 속에 엉큼히 서있던 큰 집 두 채도 반이나 타서 쓰러졌다.

이런 불속으로부터 여러 사람이 오고가는 밭 가운데로 뛰어나가는 두 그림자가 있었다. 하나는 커다란 장정이요, 하나는 작은 여자이다. 뒷산 숲에서 이것을 보던 문서방은 그 두 그림자를 향하여 내리뛰었다. 그는 천방지방 내리 뛰었다. 독살이 잔뜩 올라서 불빛에 번쩍이는 그의 눈에는 이 두 그림자밖에는 아무것도 보이지 않았다.

"으윽, 끅."

문서방이 여러 사람을 헤치고 두 그림자 앞에 가 섰을 때 앞에 섰던 장정의 그림자는 땅에 꺼꾸러졌다. 그때는 벌써 문서방의 손에 쥐었던 도끼가 장정 인가의 머리에 박혔다. 문서방의 품에는 어린 여자의 그림자가 안겼다. 룡녀가…

그 바람에 모여 섰던 사람들은 혹은 허둥지둥 뛰어버리고 혹은 뒤로 자빠져서 부르르 떨었다. 룡녀도 거꾸러지는 것을 안았다.

"룡녀야 놀라지 말아! 나다! 아버지다! 룡녀야!"

문서방은 딸을 품에 안으니 이때까지 악만 찼던 가슴은 스르르 풀어지면서 독살이 올랐던 눈에서 뜨거운 눈물이 떨어졌다. 이렇게 슬픈 중에도 그의 마음은 기쁘고 시원하였다. 하늘과 땅을 주어도 그 기쁨을 바꿀 것 같지 않았다.

그 기쁨, 그 기쁨은 딸을 안은 기쁨만이 아니었다. 적다고 믿었던 자기의 힘이 철통같은 성벽을 무너뜨리고 자기의 욕구를 채울 때 사람은 무한한 기쁨과 충동을 받는다.

불길은, 그 붉은 불길은 의연히 모든 것을 태워버릴 것처럼 하늘하늘 올랐다.

1926.2.4. 오전 6시.

출처:『조선문단』18, 1927.1.

최상덕

황혼

一

"푸시샹 신랬쨔."(上海사투리로 '박선생 편지 왔어요.'란 말.)

냥이(下婢)가 침대 위에 내던지고 간 편지를 박진(朴鎭)은 이불속에서 뜯었다. 고국에 있는 아내에게서 온 편지였다.

"여러 달째 소식 듣지 못하여 매우 궁금하옵니다. 일기날 놓치어 오는데.

이 역객창에 별고나 없으십니까? 저는 어린 것 데리고 몸 편히 있습니다. 먼저 통기도 안하여 놀라실 듯하오나 당신을 뵙고 싶은 생각도 간절하옵고 또는 친히 뵈옵고 상의할 일도 있어서 불고백사하고 모레 아침차로 떠나 그곳을 들어가겠습니다.

노정은 문사(門司)를 거쳐 근강환(近江丸)이라는 일본 배를 타고 가게 된다 합니다. 마침 상해에 발 익은 동생이 있어서 같이 가니 안심하시옵소서.

만세는 떼어두고 갈까하다가 당신이 섭섭해 하실 듯하여 데리고 떠나기로 하였습니다. 며칠 앞둔 반가운 날을 고대하옵고 이만 주리옵나이다."

편지를 다 보고 놓자 맞은편 침대에 누워있던 김철(金哲)이라는 친구가 건너다보며

"돈 부친다는 편지인가?" 하고 물었다.

"아니, 왜?"

"글세 자네 얼굴에 기쁜 표정이 나타나니 말일세."

"응, 우리 집에서 들어온다네 그려."

"어쩐지 자네 이마가 넓어져."

이러한 남의 얼굴에 조그마한 표정까지 놓치지 않으리만치 객고(客苦)에 또 들리는 그들이었다.

이역객창(異域客窓)에서 가신(家信)을 받아보는 그윽한 기쁨이란 이역에 방랑(放浪)해본 이래야 추측할 수 있는 기쁨이요, 자기의 신세가 고단할 때이면 한 층 더 생각하는 것이다.

고국에 있는 아내가 자기를 찾아 들어온다는 한 장의 편지는 그 성화 같은 주인 여편네의 방세의 독촉과 사자울음같이도 그를 위협하는 보판(包飯) ─ 우리의 상밥 같은 것. 장수 되놈이 야로에 구길 대로 구긴 그의 이마를 다림질이나 하는 듯이 피어주는 것이었다.

그는 갑자기 자기에게 무슨 큰 힘이나 생기는 듯이 자기의 환경이 든든하여지는 듯하였다. 사 년 전에 창황히 작별한 그 아내를 만나볼 남편다운 기쁨, 일찍이 만나본 적이 없는 네 살 된 자기 아들, 만세를 쓸쓸하든 자기 품에 안아볼 어버이다운 기쁨, 그리고 자기의 아내가 들어옴으로 지금 견디기 어려운 물질적 고통을 잠시라도 면할 수 있는 것, 이 모─든 기쁨이 그가 지금까지 품고 있는 자기 아내에게 대한 불평을 녹여버리고도 남았다.

그는 이 편지를 받는 시간까지 어린 아들을 데리고 고향에 남아있는 자기 아내를 괘씸히 여기고 원망하였다.

'어디 두고 보자.' 하고 저주에 가까운 감정까지 품고 있었다. 그 이유는 일정한 수입이 없이 이역에 방랑하노라니 피치 못할 물질적 고통이 많았다. 그래서 고생은 고생대로 하면서도 본래 넉넉하지 못하던 자기 살림에서 적지 않은 돈을 소비하였다. 그는 참다못해 금년 여름에 염치없는 청구를 자기 아내에게 또 하지 않을 수 없었다. 정 할 수 없거든 집칸이라도 잡히든지 팔든지 하여 얼마간이라도 보내주어야 살겠다는 것이었다.

그랬더니 그 아내는 짜증을 내어 회답을 보냈다. 자기가 학교의 일이라고 보아 겨우 사오십 원의 월수입으로 어린 것을 데리고 근근이 부지하는 판에 무슨 여유가 있기에 속상하는 편지를 하느냐는 말과 세상없어도 집안 칸을 마저 팔아 없앨 수 없다고 딱 거절을 하고 나랏일이고 무엇이고 다 집어치우고 처자나 건져주든지 그것도 힘에 부족하거든 이 편한 몸이나 건지라는 핀잔 비슷한, 조롱 비슷한 구절로 끝을 막았다.

그는 당치 못할 모욕이나 당한 듯이 분하고 노여웠다.

다른 것은 다 참는다 해도…… 다 집어치우라는 것만은 자기의 아내로써는 있지 못할 생각이라는 불쾌한 감정이 어느 때까지나 사라질 듯도 싶지 않았다. 그래서 이 반 년 동안은 자기가 편지를 하지 않은 것은 물론이고 집에서 오는 편지에 회답도 하지 않고 지내왔다.

그러나 이 추운 겨울에 어린 것을 데리고 부랴부랴 찾아들어온다는 편지를 받고는 약간 처자에게 대하여 한껏 미안한 생각이 나지 않을 수 없었다.

그는 아내가 타고 온다는 기선의 입항하는 날짜를 알기 위하여 거리로 나가 일본 우선회사(日本郵船會社)로 전화를 걸어보았다.

내일 아침 여덟시에 우선회사 앞 마투(埠頭)에 닿는다 한다.

그는 우선회사가 일본영사관과 마주앉은 것을 생각하고 자기가 친히 마주나가지 못할 것을 직각(直覺)하였다.

×   ×

겨울날 짧은 하루를 지루하게 보낸 그는 잠들 수 없는 참으로 긴 밤을 맞이하였다. 자정이 넘어서 자리에 누웠건마는 잠은 올 듯도 않았다.

잠이 안 오고 이것저것을 생각하며 자기의 아내의 들어오는 것이 무슨 이유가 있는 듯하여 새삼스레 알고 싶었다. 지금까지 한 번도 들어오겠다는 편지 같은 것은 없었는데 졸지에 들어오는 것은 아무래도 궁금한 일이었다.

편지해도 내가 답장도 없고 하니까 아내의 약한 마음에 따라 들어오는 것인가? 그러면 급히 상의할 일도 있다는 것은 무엇일까? 어린 것을 떼어두고 오려다가 내가 섭섭해 할 듯하며 데리고 온다하였으니 물론 들어와서도 오래 묵을 예정은 아닌 것은 확실하다. 그리고 두 살 나는 해 봄에 박아 보낸 사진으로 본 만세는 그동안 얼마나 컸을까? 내일 나를 만나면 달아나버릴 터이지. 이런 별로 신통치도 않은 생각이며 기미년 ××××에 참가하였다가 다른 동지들은 자 잡혀 들어가고 자기만이 홀로 이리저리 피해 다니다가 마침내 결혼한 지 얼마 안 된 몸 무거운 아내를 고국에 남겨두고 언제 돌아올 기약조차 없는 방랑의 길을 떠나던 쎈티멘탈한 회상이며 이 모든 것이 가로세로 줄달음치는 서슬에 그의 눈은 점점 멀뚱해지는 것이었다.

농당(골목)을 새어나가는 장사아치의 목 메인 소리며 밑층에서 울려올라오는 왜가~ 골패짝이 마주치는 초마장[麻雀]소리가 깊어가는 밤을 따라 점점 날카로워지는 것이었다.

그는 멀리 달아나는 잠을 불러나 보는 듯이 산코를 더르릉~ 골아도 보고 눈앞에 나지리는 옅은 잠을 달래다보는 듯이 이불을 푹 뒤어쓰고 눈을 가볍게 감고 숨소리를 한껏 낮추어도 보았다. 그러나 잠은 끝내 들 수가 없었다.

마침내 뜬눈으로 그 밤을 새었다. 날이 밝자 일어난 그는 쇄대(晒臺)로 튀어나가서 거리를 내려다보며 일없이 서성거렸다. '내가 마중 나가지를 않아서 낯선 부두에 처음 내리는 아내가 얼마나 섭섭해 할까? 대관절 상해에 길이 익은 동행이라는 것은 누굴까?' 그는 불과 두어 시간 후의 일이 몹시도 궁금하였다.

하―얀 서리가 덮힌 지붕 위에 붉은 햇살이 비낄 때는 벌써 여덟시였다.

이제 배가 다 왔을 터이니 집배에서 내리어 여기까지 찾아들어오노라면 한 시간은 걸릴 터이니까 아홉시쯤 될 터이지.

아홉시가 지나고 열시가 가까워도 기다리는 가족을 태운 왕바척(人力車)은 문 앞에 닿지 않았다. 그는 무척 초조하였다. 혹시 기선이 연착이나 되었나? '옳다 배가 오고 아니 온 것을 알아봐야겠다.' 그는 분주히 거리로 나가서 전화를 걸어보았다.

배는 정각에 입항하였다 한다.

'그러면 웬 일일까? 이 배를 타지 못하고 다음 배를 타나? 그럼 전보라도 누를 터인데……' 그는 자기로는 풀 수 없는 문제를 이리 생각하고 저리 궁리하기에 부질없이 속을 태웠다.

오후 세시가 지나서 그는 시내배달의 편지를 받고 반겼다. 그것은 기다리던 아내의 필적이었다. 그러나 봉투 뒤쪽에 쓰인 '虹口 西革德路太陽館內'라는 것을 보고 적이 의아(疑訝)하였다.

'왜 이리로 들어갔을까?' 좌우간 피봉을 떼었다. "오늘 아침에 무사히 배에서 내렸습니다. 저와 동행해온 이의 인도로 이리로 들어왔습니다. 이 편지를 보시는 대로 곧장 와주시기를 초조히 기다립니다."

그는 적이 불쾌하였다. 자기를 찾아왔으면 무슨 짓을 하든지 자기 있는 데까지 들어올 것이지 다른 데가 앉아서 편지로 부르는 것이 이상하고 또 그 동행해온 작자는 어떤 사이기에 태양관으로 인도를 하였을까? 그러나 그는 이런 생각으로 주저할 때가 아니었다. 모―든 것은 아내를 만나봄으로 해결될 것이다. 그는 총총히 주인집을 나섰다.

二

그는 태양관 정문을 들어섰다.

분을 하얗게 바른 하녀(下女)가 마중 나왔다. 갑자기 숙이는 일본 하녀의 머리도 초라한 중국옷을 입은 박진의 앞에는 얼른 숙이지 않았다.

"오늘 아침 근강환에서 내린 어린애를 데린 부인 손님이 드시지 않았소?"

그는 한마디에 알아듣도록 될 수 있는 대로 분명히 물었다. 그제야 하녀의 고개는 두어 번 거듭 숙이며

"네, 어서 올라오십시오. 손님께서 벌써부터 기다리고 계십니다."

하고 슬리퍼를 돌려놓았다.

그는 하녀가 인도하는 대로 정원을 향한 난간을 통하여 깊숙한 방으로 들어갔다.

사 년 만에 사랑하는 부부의 이력에서 만나는 반가운 장면은 몹시도 어색하였다. 그네들은 일본 사람들 모양으로 골백번이나 절도하지 않았다. 양인(洋人)들 모양으로 얼싸안고 뺨도 문지르지 않았다.

"만세야, 아버지 오셨다. 아버지…… 일어나 절해라. 너 경례 잘하지. 별로 춥지는 않았어요, 뱃멀미는 좀 되었지마는. 만세야, 아버지한테 좀 가봐. 너가 아버지한테 가자구 그랬지." 이것으로 그들의 만나는 인사는 끝났다. 만세는 호인복색을 한 낯 선 아버지를 보고 어머니무릎에서 점점 꽁무니를 빼어 눈을 두리번거리고 있을 뿐이었다.

그는 방안을 휙 한 번 둘러보고 나서

"대관절 이 추운데 어떻게 그렇게 미리 말도 없이 졸지에 들어왔소? 그리고 어째서 나 있는 데로 곧 들어오지 않고 여기에 들었소? 또 편지에 쓰인 동행이라는 것은 누구요?"

하고 자기가 궁금히 생각하는 모―든 것을 대번에 물어버렸다.

"편지에도 말씀한 바와 같이…… 참 제가 떠날 때 서울에서 한 편지 받아 보셨어요?"

"받아보았어 어저께 아침에, 그리구 오늘 아침에 배가 닿는다구하니 나는 ……이 돼서 나갈 수는 없고 주인집에서 얼마나 기다렸는지. 그래서?"

다음 대답을 재촉하였다.

"몇 달째 편지를 하여도 답장도 아니 하시고 하도 궁금하여서 시원이 들어와 뵙기도 할 겸 또 무슨 의논도 할 겸……"

아내는 여기까지 말하고 그 남편의 얼굴을 쳐다보았다.

"의논은 무슨 의논? 어디 이야기를 해보오. 그리고 동행은 누구였소?"

"같이 온 이는…… 마침 같이 왔어요. 그리고 그 이가 이 집으로 인도하여 주어서 들어왔어요. 제가 일 보는 학교교장의 소개로 알게 되었는데 매우 친절한 이예요."

하녀가 차와 과자를 들고 들어와서 두 사람 앞에다 따라놓고 나갔다.

그는 몹시 불쾌한 사람 모양으로 이마를 찌푸리고 앉았다가 하녀가 나간 뒤에

"그래 의논할 일이라는 건 무엇이오?" 아내는 한참이나 주저하다가

"여보세요, 제 말을 꼭 좀 들어주세요. 어린것까지 단 세 식구가 이렇게 떨어져서 어떻게 살 수 있어요?"

"그럼 어떡하우? 당분간은 할 수 없는 일이지. 이러하다가 내가 해외에서 무슨 생활의 근거를 잡게 되면 물론 함께 모여 사는 게구……" 멀리 찾아온 아내의 말에 부부사이에만 느낄 수 있는 그윽한 정의에 그의 말은 한껏 부드러워졌다.

"당신이 해외에서 자리를 잡는다는 것은 언제일인지 알 수가 있어요? 지금의 형편으로는 당신 한 몸도 지내시기 퍽 괴로운 모양이신데." 아내의 부

드러운 시선이 그의 맞득치 못한 옷 위로 지나갔다.

"글쎄 그러기에 내 걱정은 말고 지금 하는 교사노릇이라도 해서 어린것이나 데리고 지내우. 나도 그쯤 생각하고 어떠한 곤란이던지 일절 알리지 않고 지내볼 작정이요. 지금 새삼스레 그러면 무슨 오똑한 수가 있소."

"그러지 말구 우리 조선으로 돌아가 살아요. 이번에 같이 들어가요."

아내는 자기가 하려는 가장 중요한 말을 꺼내었다는 듯이 긴장된 시선으로 남편을 바라보았다. 남편은 허허 웃으며

"그래 나한테 급히 의논할 일이라는 것이 이것이요?" 하고 서러운 듯이 물었다.

"네ㅡ"

"여보, 내가 지금 조선에 들어가 할 일이 무엇이요? 감옥밖에 더 갈 곳 있소!"

"감옥에는 안 가도록 될 수가 있어요…… 그 뿐만 아니라 상당한 생활보장까지도 당신이 들어만 가신다면 될 수 있어요…… 그래서 제가…… 굳게 하였어요. 당신하고만…… 시켜준다는……"

침착한 눈으로 물끄러미 그 아내를 건너다보는 그는

"여보, 나의 아내로는 너무도…… 소리가 아니요. 그래서 날더러 ……과 몇 가지 조건에……" 그의 말끝은 날카로웠다.

"아니에요, 아니에요, 그것은 해석하기에 있지요. 만일 당신이 어느 날까지나 고집을 세우신다면 그것은 아내와 자기의 존재를 무시하시는 것이지요."

"그것은 무슨 동에 닿지 않는 소리요. 아내와 자식을 생각하는 사람은 모ㅡ두 …… 들어가야 된단 말이요."

"그게 고집이라는 것이에요. 당신이 참으로 아내를 사랑하고 자식을 사랑하시는 따듯한 아버지요. 남편이라면 그만한 ……은 참으로 살 수 있지 않아

요? 그러한 ……을 참는 이가 ……에도 당신뿐이겠어요? 병적 고집을 가진 해외의 불평객을 제한 외에는 모두가 그만한 …… 환경을 위하여 참는 것이 아니겠어요? 그들도 칼끝같이 날카로운 감정도 가졌고 바위같이 굳은 결심도 가졌고 주정불같이 뜨거운 사상도 가졌어요. 해외에서 불평만 부르짖고 다니는 것이 반드시 ……하는 본의가 아니겠지요. 생각해보세요, 모—두가 당신같이 내지에 있는 동포도 모르고 심지어 처자도 모르고 남의 땅에 와서 불평만 부르짖고 있다면 장차 어느 지경이 되겠나, 우리에게 무슨 이익이 있겠나, 냉정한 두뇌로 깊이 생각해 보세요.”

수다히 늘어놓는 아내의 말을 미간을 찡그리고 듣던 그는 한번 코웃음을 웃고

“이건…… 들어와서 이따위 소리를 하오. 그래 아무개~! …… 꼴이 그렇게 보기가 좋습디까? 그래서 나를 ……? 나는 ……고 하우. 어서 당신이나…… 평안히 잘 사우. 나는 나대로 미친개처럼 쏘다니다가 우랄산 밑이거나 간도골짜기거나 아무데서나 거꾸러질 터이니.”

“글쎄 그게 고집이에요. 왜 조선 안에 있는 사람은 모두가 ……인가요? ……도 할 수 있고 …… 아니에요? 도로 거기서…… 남의 나라로 쏘다니는 것보다 값이 있지 않아요? 도로 해외에서 뭐니~하고 떠돌아다니는 이들이 내지에 있는 그들보다 우리의 사정을…… 따라서 그들의 하는 일이란 언제나 합리적이 못될 것이요. 그러고 그들은 ……과는 거리가 먼 것이 아니에요? 어서 당신도 당신의 말대로…… 저와 같이 들어가세요.”

“그것은, 그것은 구실이야. 내지에서 소위 ××을 위하여 일함네, 무엇을 함네 하는 놈들의 뒤를 밟아보면 그놈들을 떨어내놓고 ×질하는 놈들보다 더 고약한 것들이야. ……의 앞에서는 발을 구르고 주먹을 부르쥐고 무엇이 어떠니 어떠니 하다가도 밤만 들면…… 순례를 하기에 밤잠을 못자는 놈들

이야!"

그는 자기 앞에 그놈들이 죽으러 앉았거나 한 듯이 눈을 크게 뜨고 주먹을 불끈 쥐었다.

"글쎄 그것이 모—두 만성된 흥분이야요, 좀 냉정히 생각하세요. 그들이 설사 그런다 치더라도 ……을 송두리째 떼놓고 하는 것은 아니에요. 그들에게도 상당한 이유가 있을 것이에요. 궐자들을 ……하는 것만도 고만한 것은 상쇄(相殺)할만한 이유예요."

"글쎄 그만 뒤! ×××에게도 이유가 있고 ×××에게도 이유가 있고, 제 애비를 죽이는 놈에게도 그놈 자체로는 이유가 있어!"

그는 소리를 버럭 질렀다.

"여보세요, 다른 것은 다 그만두고 저를 사랑하는 마음대로, 저 만세를 귀여워하는 애정에 끌려서라도 돌아가 주세요. 저는 꼭 모시고 갈 터예요. 당신은 우리가 결혼 당시에 말씀한 것을 잊었어요? 당신의 생명만치 나라를 사랑하고 ……만치 저를 사랑한다고 말씀하지 않았어요? 그런데 지금은 만세가 하나 더 있으니 저와 만세를 합하면 보다는 좀 더 귀하지 않겠어요? 당신이 만일 언제까지나 국외에서 방랑하다가 당신 말과 같이 그대로 이역에서 외로이 쓰러진다면 그것이 ……에 무슨 큰 도움이 되겠어요? 네? 생각 좀 잘해주세요, 이것만은 꼭 한 번만 들어주세요, 글쎄 한 번 돌려 생각해보세요. 제 생각에는 이 세상 모—든 사람들이 자기 한 몸의 영달(榮達)을 위하여 다시 말하면 나 잘살기 위하여 신고도 하고 노력도 하는 것 같아요. ……일을 한다는 것도 결국은 내가 잘살 수 있기 때문에 하는 것이 아니겠어요? 그 일을 함으로 내게 아무리 이익 없고 일생을 고생만 할 줄을 번연히 안다면 아마 누구~하시는 분네들도 종일 이 생각할 뿐 있으리다. 그래도 무엇이 되려니 하는 어림없는 희망이라도 있기 때문에 목전에 오는 고초를 참고 지내는 것일 겝니다. 그렇지 않다면 일하는 그것도 똑같이 어떤 의미로의 직업이 되거나, 그렇지도 않다면 자기 고집에 희생되어 번연히 안 될 줄을 알면서도 불평이라는 일종 병에 걸려 서쪽으로, 동쪽으로 표랑해 다니게 되는 것이 아닐까합니다. 그러니 당신도 불평이라는 병이 중하여 방랑이라는 증세가 심하기 전에 어서 내지로 들어가요. 먼저 당신 자신의 안정한 생활을 도모하고 그럼으로써 당신만을 믿는 약한 처자를 구해주는 것도 적은 일이나마 되지 않을 큰일을 위하여 일생을 희생하는 것보다 값있는 일이 아니겠어요? 조선 사람 모—두가 다 당신의 생각과 같이 시베리아 만주 뜰로 달아나온다 칩시다. 그러면 결국 좋다구나 하고 와서 살 이들은 누구겠어요? 좁은 땅에도 비벼대고 들이끼는 판에 실컷 살아라하고 내어주면 누가 마다겠어요? 그러니 다른 것으로 싸울 힘이 없는 우리는 만 가지 고초를 참아가며 생활의 본능만을 가지고라도 끝까지 어깨를 비비대는 것이 득책이겠지요."

설교보다도 지루한 아내의 말을 듣고 있던 그의 머릿속에는 성장(盛裝)한 애인처럼 곱게 보이는 조선이 떠돌고 눈 오고 바람 치는 시베리아가 떠돌았다. 입을 다물고 눈을 감은 그의 앞에는 모란봉이 보이고, 간도 골짜기가 보이고, 구슬같이 맑은 한강이 보이고, 막걸리같이 흐린 황포강이 보이고, 따뜻한 자기 집 아랫목이 보이고, 찬바람이 새어드는 뚫어진 객창을 보았다. 그는 마지막으로 자기의 아내와 아들이 뒤따르는 곱다란 상여(喪輿)가 보이고, 괭이와 거적을 짊어진 동지가 찾아가는 자기의 시체를 보았다.

출처: 『신민』, 1927.8.

1930년~1939년
소설

炎光

기묘한 무기

1

이 이야기는 1923년, 상해의 황포강 연안에서 일어난 중요한 사건에 관한 것이다.

2

포악한 용과도 같은 자본제국주의가 봉건적 집단이었던 각 나라 사이의 경계를 꿰뚫어버린 이래 그때까지 평화스런 요람과 같은 세계에 깊이 잠들어 있던 사람들은 이제는 그 잠에서 흔들려 일어나 안정을 잃고 더 이상 태평스럽게 행복을 꿈 꿀 수는 없게 되었다.

그 녀석은 영국에서 태어나 독일에서 뛰놀다가 지금은 미국에 머물고 있다. 기뻐 날뛰고 있다. 자신이 전 세계를 지나가는 곳에서 지금까지 어느 누구도 그에게 용감히 저항해온 일은 없었다.

자신은 하늘의 총애하는 아들로 전 세계의 권력자, 실력자들이 자기 앞에서 무릎을 꿇고 기꺼이 자신의 충실하고 고분고분한 자식이 되어 그의 힘을 과시해주고 또 그가 소나 말처럼 여기는 군중들을 학대해주는 일에 그는 만족하고 있다. 이 세상에는 자기밖에 없고 자신이 이 세상의 주인이라고 느끼고 있는 것이다.

이 자식들이 하나도 빠짐없이 '타고난' 매독이나 결핵환자로 장수를 할 수 없다고 한들 상관없었다. 그는 단지 이렇게 몽상하고 있을 뿐이다.

남의 자식들은 이 세상의 소나 말 같은 군중 한 사람 한 사람 모두에게나 스스로를 위해 내가 원하고 있는 무엇인가를 하게 하고 그것이 끝나고 난 뒤엔 하나씩 하나씩 죽으면 그만이다. 일을 완수한 곳과는 다른 어딘가에서 쓸쓸이 죽어가는 것이다. 그렇게 되면 누렇게 뜬 얼굴에 비쩍 마른 그놈들을 이 세상에서 보지 않아도 된다. 놈들은 태어날 때부터 아름다움과는 거리가 먼 더러운 놈들이다. 그 어리석고 불안하고 소란스런 소리도 들리지 않을 것이다. 그것은 안락하고 평온한 선율에는 어울리질 않는다. 세계는 행복의 벽돌로 쌓아올려지고 주위엔 오직 향긋한 내음, 은근한 달콤함, 아름다움 그리고 즐거움이 있을 뿐이다. 그는 그렇게 느끼고 있는 것이다.

많은 사람으로부터 칭송을 받을 필요는 없다. 왜냐하면 자신이 충직한 자식들 이외의 인간이란 어느 누구에게도 자신을 찬미할 자격조차 없는 것이었다. 그는 이렇게 교만할 대로 교만하여 무서운 것이 없었다. 그리하여 자신의 아름다운 꿈을 완성시키기 위한 그의 발자취는 유럽진역을 뒤덮었고 미대륙으로 번져갔으며 그것도 모자라 거기서 육중하기가 마치 황소와도 같은 그 몸으로 아세아의 문까지 조각내버렸다. 여기 일본에서도 그놈은 새끼를 배어 재생했다. 이리하여 그의 자손이 일본에서 드디어 번식을 시작한 것이다.

이것이 곧 현재의 일본 제국주의자들이다.

일본은 자본제국주의의 길을 걷기 시작하였으며 부친의 뜻을 이어받아 충실하게 조상의 유덕을 닦아 올리기 위하여 혓바닥을 내밀고 사람을 먹어치우지 않을 수 없게 되었다.

이리하여 처음 먹힌 것이 대만이요, 두 번째가 조선이었다. 그다음은 겉으로는 늙어 볼품없이도 놈들의 눈에는 속에 많은 보화를 감추고 있는 듯이 보이는 우리의 이 나라로 순서가 돌아온 것이다. 일본 제국주의자는 이처럼 대단한 먹보이다.

이러할 때 '병이 입으로 들어오는' 일은 없을까? 있다. 이놈은 많은 병을 지니고 있는 대단히 위험한 존재이다. 만일 각종의 병들이 한꺼번에 폭발해 버린다면 다음에 기록하는 것은 일본 제국주의의 몸에 현재 나타나고 있는 증상의 하나이다.

3

지금으로부터 7년 전 상해에 일본인(일본 내의 피압박계급을 제외한)의 눈에는 반역자로 보이는 사람들이 조선에서 도망쳐왔다. 한 사람은 이군이라 하고 한 사람은 김익상, 그리고 또 한 사람은 오성륜이다. 그들 셋은 모두 조선에서 태어난 청년들이다.

그 집안은 모두들 국내에서는 예로부터 선비의 가문으로 알려져 있었고 경제적으로도 적어도 중산계급에 속했다. 그들의 부모는 자녀들이 조금이라도 더 공부를 해서 장래 관리가 되어 재산을 모을 발판을 만들고 자기의 뒤를 이어 가문을 영화롭게 해주기만을 바라고 있었다. 그들 셋은 이런 모자랄 것 없는 가정에서 태어나 평온한 생활을 했고 당연한 일이지만 더없이 행복했다.

그리하여 부모는 빛줄기처럼 반짝이고 힘차게 약동하는 희망을 지니고 상쾌한 바람이 불어올 때 녹음이 푸르른 뜰에서도 생각 없이 하지만 실은 의식적으로 그들에게 열심히 학교 안으로, 책 속으로 향하도록 이르곤 했다.

그들은 어린 시절 늘 부모의 이러한 말없는 기대를 받아들여 모두들 국내의 학생들 사이에 섞여 부모의 가르침을 충실히 따랐다. 그들이 평소에 학교 안팎을 오갈 때 그 눈에는 언제나 금빛으로 빛나는 희망의 꽃이 떠올라 동경에 차서 흔들리고 있었다. 자신들은 전생에 이미 운명이 정해져 태어난 행운이라고 그들은 느꼈었다. 모두를 얕보고 경멸하며 이 세상은 자기들의 세상이며 제 곁의 다른 이들은 그들이 있는 아름다운 울타리 밖에서 살짝 그들을 엿보거나 혹은 고개를 떨어뜨리고 한숨을 쉴 수밖에 없는 것이라고 생각하고 있었다.

그러나 불행한 일이 닥쳐왔다. 그것은 그들 위에 홍수처럼 밀려와 그들을 흠뻑 적시고 말았다.

그 아름다운 희망의 꽃을 열심히 추구하고 있던 바로 그때 포악한 용과 같은 저 일본 제국주의자가 눈을 희번덕이더니 살찐 양처럼 조용히 자라고 있는 조선에 언뜻 눈길을 멈춘 것이다. 그리고 그놈은 아귀가 돌연 음식물의 산더미를 발견하고 그것을 먹어치우듯이 일본에서 한걸음에 확 하고 달려들어 살진 양처럼 탄수화물, 단백질의 단맛이 가득 찬 이 조선을 맛보기 시작한 것이다. 조선은 독용이 몰고 온 이 엄청난 홍수를 뒤집어쓰고는 위로는 국정을 주관하는 왕궁에서부터 아래로 노동자, 농민의 세계까지 모두가 이 물난리에 허둥거리며 방안은 온통 진흙투성이의 난장판이 되었다.

이때 금빛으로 빛나는 희망의 꽃을 가슴에 간직한 조선의 세 청년은 어찌되었는가. 물론 그들도 피하지 못하고 휩쓸려 숨도 끊어질 듯 말 듯하고 있었다. 아직 인간세계에 있다고는 해도 큰 물속에서 오랫동안 허우적거리고 있었는데 그 후에 다행히도 황해의 파도가 그들을 구하여 오송강 입구의 황해포안에 데려다주었고 남몰래 그들은 강 둔덕으로 간신히 기어오를 수 있었다.

이것은 그들에게 있어서 실로 이 세상에의 재생이었다!

강 둔덕에 오른 뒤 그들은 자기들이 아직도 이 세상에 살아있는 것을 함께 기뻐하고 조국의 많은 동포가 한 사람 또 한 사람 그 큰물에 먹혀들어간 것을 떠올렸다. 지금 우리 셋은 정말이지 생각지도 않게 이 황포 해안에 상륙할 수 있었다. 이것도 얼마나 다행스럽고 기뻐할 일이냐!

그러나 그 남부러울 것 없던 가정, 자애로운 부모, 우애 있던 형제와 친척, 친구들이 이 모두가 연기와 구름이 되어 허공에 흩어져버린 것을 다시 한 번 생각했다. 곧잘 연인을 데리고 놀러가곤 했던 번화한 거리, 푸른 산과 맑은 물의 고향, 꽃향기가 코를 진동시키던 정원, 그것이 지금은 어딜 가나 동포의 핏자국, 진흙과 뒤엉켜버린 핏자국만이 온통 흩어져있다. 옛날의 해방감, 청결함, 고요함은 이미 한 조각도 남아있지 않다. 조국은 벌써 철의 사자에게 짓밟힌 어린양이 되어 완전히 자유를 잃고 말았다.

거기까지 생각한 그들은 저도 모르게 여섯 개의 눈동자에서 한꺼번에 금빛으로 빛나는 눈물방울을 주저 없이 방울방울 황포강 위에 흘리며 이야기를 시작했다.

황포강아, 황포강아!

우리의 사랑해마지 않는 황포강아! 영원히 잊지 못할 황포강아!

해맑은 물결로 조용히 띄운 그 보조개, 깊은 슬픔을 머금은 보조개, 저 미처 날뛰는 파도 속에서 우리를 건져내어 그 품에 깊이 품었다가 지금 다시 무사히 이 해안에 보내주다니.

그 자비, 사랑 그리고 달보다 빛나는 그 마음.

어떻게 도대체 어떻게 너를 기리고 감사하고 동경하는 마음을 나타내면 좋을까!

황포강아, 황포강아!
사랑해마지 않는 황포강아! 영원히 잊지 못할 황포강아!
어떻게 알고 있는 거니, 우리가 둥지 잃은 새, 말라버린 물속의 물고기와도 같음을.
그 자비 깊은 심성으로 상냥한 보조개를 띄우고, 저 소용돌이치는 파도 속에서 우리를 구해내준 것이냐?
만약 내가 맞아주지 않았더라면.
그때 우리는 틀림없이 저 미쳐 날뛰는 물결에 삼키어 죽어있었을 게다.
이 천국과도 같은 황포 연안을 거닐 수 있을 줄이야?!
너와 이야기를 나누는 오늘을 맞이할 수 있을 줄이야?!

황포강아, 황포강아!
사랑해마지 않는 황포강아! 영원히 잊지 못할 황포강아!
너야말로 틀림없이 이 세상의 신일 게다.
우리를 구해내준 이곳은 얼마나 아픔답고 영화로운 거리인가?
—아아, 그러나 그러나
이 둥지 잃은 새, 물이 마른 물고기
어떻게 이대로 여기서 살아갈 수 있단 말인가?

생각난다, 조국의 쓰러진 동포들
생각난다, 가정, 부모, 형제, 자매 그리고 사랑하는 이

생각난다, 그 번화하던 거리, 푸른 산과 해맑은 시내가 흐르던 전원
이것들 모두가 저 독용이 몰고 온 홍수에 벌써 거의 잠겨버리고
이 위에 무슨 더 살아갈 필요가 있는가?!
황포강아, 황포강아!
사랑해마지 않는 황포강아! 영원히 잊지 못할 황포강아!
진정 이 세상의 신이다!
신이여, 감사합니다. 우리를 구해주어서 아마도 그 자비가 바로 지금 홍수 속에서 허덕이고 있는 저 난민을 구하러 가라고 우리에게 이르는 것이겠지!
그래 알았다! 너의 충실하고 용감스런 신도가 되자.
재난 속에 있는 저 수많은 동포를 구하러 가자.
이렇게 우리의 뜨거운 눈물을 한 방울 또 한 방울 내 몸 위에 떨구고 그것을 서서히 퍼뜨려 끝내는 저 독용의 보금자리까지 넘치게 하여 그것을 완전히 잠기게 하리다.
아아, 산이여, 안심해주소서, 우리는 결단코 배신 따위는 하지 않는다.
그 자비를 위하여 싸워야만 한다.
우리의 가정, 부모, 형제와 자매, 친척과 벗들, 연인을 위해 싸워야만 한다.
그리고 무엇보다도 사천여 년의 역사를 지닌 조국을 위해 싸워야만 한다.
우리는 간다! 가서 싸우자!

4

세 사람은 조선에서 상해로 도망쳐 온지 며칠이 지나도록 조국을 위해 어떻게 복수할까 하는 문제로 온종일 골치를 썩였다.

결국 상해에 있는 조선인 청년을 다 모아 '한국의열단'을 조직했다. 이 단체가 성립되고 그들은 이것이야말로 조국의 복수를 위한 무기라고 느꼈다. 이 단체를 하나의 폭탄으로 연단시켜 저 일본 전토를 폭파하여 두 번 다시 지구상에 존재치 못하도록 하는 것이다. 일본 옷을 입은 놈들은 하나씩 남김없이 죽여 없앤다.

그러면 겨우 마음이 풀릴 게다. 그리고 겨우 자신들의 복수도 성공했다고 할 수 있을 것이다. 이리하여 그들은 매일 아침부터 밤까지 침상에 누워서도 꿈을 꿀 때까지는 잠시도 쉬지 않고 적을 멸하러 가려고 벼르고 있었다.

어느 날, 신문에 갑작스런 한 가지 뉴스가 실렸다. 일본의 육군 대신 다나까기이치(이하 다나까로 생략)가 ×월 ×일 ××선을 타고 공무로 동경에서 상해까지 올 예정이라는 것이었다. 그들 셋은 이 뉴스를 보고 모두 고개를 움츠리며 기뻐했다. 그리고는 이렇게 정했다. 한 사람은 두 손으로 칼을 들고 한 사람은 양 손에 폭탄을, 그리고 한 사람은 피스톨을 지니기로 했다. 이야기가 끝난 뒤 오성륜은 피스톨을 슬쩍 들어 올리며 말했다.

"내가 먼저 쏘겠어. 너희 둘은 한 사람이 칼 또 하나는 폭탄을 들어 만약 피스톨이 명중되지 않으면 폭탄을 든 사람이 바로 목표를 향해 폭탄을 던져. 만일 거리가 너무 가까우면 칼을 든 자가 해다오."

그가 말을 마치자 김군이 폭탄을 서둘러 집었고 결국 칼은 이군이 지니게 되었다.

셋은 역할이 정해지자 다나까가 최근에 찍은 사진을 한 장 찾아내 황포 해안에 가지고 가서 일본의 배가 닿을 부두에서 그를 확인하기로 했다.

모든 준비가 갖추어진 것은 오후가 되어서였다. 그들은 황포강의 강변을 걸으며 생각했다.

일본에서는 공신이라지만 그 죄악이 천하에 진동하고 있는 다나까여, 늑

대보다 더 흉악한 그 군대로 하여금 우리 동포를 살육케 하고 내 조국을 삼켜버린 일본의 육군대신이여! 이제는 쉬어도 좋을 때가 왔다. 우리의 총알과 칼날 아래 지은 죄를 회개하고 죽어가라! 그리고 알아두어라. 이 세계에서 너는 살인을 즐기는 사형집행인이었던 것이다. 너는 일본에서 많은 이들을 죽였지만 그것은 모두 너의 일본이 알아 할 일이다. 우리에겐 관계없다.

하지만 이제 또 피에 굶주려 우리 조국의 동포를 죽였고 그 시체들은 산과 들에 널리고 그 피는 강을 물들였다. 너는 이처럼 짐승같이 사람을 죽이고도 전혀 후회하지 않는단 말이냐? 좋다. 뉘우치지 않아도 좋다. 우리가 신의 명을 받들어 정의를 위하여 너 같은 악당을 지옥으로 보내어 징벌해주겠다.

다나까여, 죄악이 넘치는 다나까여! 알아두어라. 물이 넘실거리는 이 황포 연안이 곧 네 최후로 노닐던 곳이라는 것을! 알아두어라. 지금 너는 죽지만 그래도 신은 얼마간의 연민 때문에 이처럼 편한 죽음을 허락한 것임을! 그렇지 않으면 너 같은 건 칼로 난도질을 한 대도 시원치가 않다.

세 사람은 이처럼 울분에 쌓여, 하지만 웃음을 머금은 듯도 한 얼굴로 걸음을 재촉하였는데 정신을 차려보니 어느새 황포 연안이었다. 좌우로 늘어선 매서운 표정의 일본군 그리고 사냥개와 같은 눈초리로 주위를 살피고 있는 경관을 보았을 때 세 사람 가운데 하나는 조금 겁을 집어먹은 듯했다. 아, 아, 이렇게 군경이 가득 찬 곳에 다나까를 죽이러 가다니 위험하지 않을까!

이때 용감한 오성륜은 어떻게 하면 다나까에게 피스톨을 제대로 조준할 수가 있을지 궁리하고 있다가 슬쩍 고개를 돌려 동지들을 보고는 이군이 약간 떨고 있다는 것을 눈치 챘다. 오는 그것을 보고 마음은 급하고 화가 나서 이군을 향해 타이르듯 말했다. 여기까지 와서 겁을 내는 놈은 가버려, 빨리 돌아가라. 나는 아무래도 저들과 한바탕 해야만 할 테니.

그가 이군에게 화를 내고 있는 바로 그때 갑자기 "부우— 부우—" 하는 소리가 나며 배가 이미 연안에 닿았음을 알렸다. 세 사람은 그 배 위를 뚫어지게 바라보았다. 닻을 내리자 많은 사람이 연안에서 나간 나룻배를 타고 연안을 향해 곧추 오고 있는 것이 보였다. 그때 오성륜은 서둘러서 봉투 속의 사진을 꺼내 손바닥에 감추고는 살짝 강나루에 오르는 사람들과 맞추어 보았다.

그리하여 평소에 관부에서는 거드럭거리지만 밖에만 나왔다 하면 사람들 속에 숨으려드는 그 다나까 대장을 찾아내었다. 그 매서운 표정, 사치스런 몸치장, 피냄새와 추잡과 죄악으로 뭉쳐진 몸을 보았을 때 오는 증오 때문에 미칠 것만 같았다.

"탕! 탕! 탕!"

오성륜은 잇달아 세 발을 쏘았다.

총성이 울린 우, 오는 곧 뒤돌아보며 김익상에게 말했다.

"어때, 맞았어? 빨리…… 빨리…… 빨리…… 폭탄을 던져!…… 빨리!……"

"휘—익." 소리를 내며 폭탄 하나가 김군의 손으로 던져졌다.

"다, 터지기 전에 영국 해병이 강물에 차 넣어버렸어. 저걸 봐!"

오가 당황하여 말했다.

"에잇, 빌어먹을 영국 해병! 왜 우리 폭탄을 강물에 내던져? 네놈도 일본 제국주의의 개 같은 졸개냐?"

"당연하지. 영국의 해병은 영국 제국주의의 개잖아. 생각해봐라. 제국주의와 제국주의, 제국주의의 개와 제국주의의 개란 언제나 한패인거다. —제기랄! 동지, 다나까는 죽은 거냐?"

오가 다시 정신을 차려 물었다.

"죽었다. 죽었어. 죽었음이 분명해. 네가 쏜 세발은 전부 제대로 된 소리였잖아. 보아라. 그놈은 예쁜 서양 여자 하나와 함께 땅 위에 쓰러져 있지 않느냐?"

김은 이렇게 증거를 들어 대답했다.

죽었구나, 정말로 죽었어. 우리는 성공한 거야. 조국을 위해 조금은 화풀이가 된 거지— "아! 김동지! 경관이 왔다. 빨리 피하자."

오는 이렇게 말하면서 뒤돌아보고 이군을 찾아 함께 도망치려 했다. 그러나 고개를 돌려 찾아도 이군은 이미 거기 없었다. 그는 곧장 김에게 물었다. "이군은?" 그 얼굴에는 불안스런 표정이 떠올라 있었다.

"그 녀석, 내버려두자. 여기 올 때부터 별로 내키지 않았던 거야. 네가 한 발 쏘자마자 어딘가로 도망쳐버렸어." 김은 이렇게 대답했다.

"아아, 지긋지긋하다. 비겁하고 믿을 수 없는 엉터리 같은 가짜 혁명가 놈, 결국은 마지막에 와서 도망치다니! …… 좋아, 지금은 빨리 피하자. 저걸 봐. 저 시체 옆의 양복을 입은 젊은 서양인이 이쪽으로 내닫고 있어. 틀림없이 우리를 잡으려는 거야…… 빌어먹을, 동지, 주변의 경관도 다들 오고 있다. 빨리 뛰면서 쫓아오는 놈들을 피스톨로 쏘아. 도망쳐! 빨리 도망쳐! 서둘러……"

"피해라! 피해! 뛰어! 빨리! 빨리! 빨리……"

"탕! 탕! 탕!"

5

오성륜은 다나까를 세 발 쏘았고 다나까가 총탄에 맞아 죽어버렸다고 생각했다. 하지만 정말로 죽은 것은 다나까가 아니라 아메리카의 저명한 ×× 왕의 딸이었다. 그녀는 어떤 젊은이와 결혼하여 상해에 신혼여행을 온 것이었다. 그녀가 다나까 대신 죽어버렸다.

그녀와 남편은 동경에서 다나까가 ××선을 타고 ×월 ×일 상해로 간다는 소식을 들었다. 두 사람은 다나까가 타는 배라면 쾌적하기도 할 것이고 다나까와 같은 배로 중국을 여행한다는 것은 영광스런 일이라는 쓸데없는 생각을 했고 결국 다나까와 함께 ××선을 타고 중국에 오기로 정한 것이었다. 한편 다나까는 그녀가 아메리카의 귀족 출신 자본가의 딸이라는 말을 듣자 물론 기꺼이 그들을 맞아들였고 자신과 같은 배에 태워 상해로 왔다.

상륙할 때 신혼의 두 사람은 손에 손을 잡고 어깨를 맞대고 한 걸음씩 걸어 나왔다. 다나까는 이때도 많은 환영인파의 물결을 제치고 그녀의 꽁무니에 바싹 붙어 나왔다. 다나까는 그녀에게 얼이 빠진 모양이었다. 체면이고 뭐고 함께 숙소에까지 따라가 들여다보아야겠다고 생각한 것 같았다.

그런데 강나루에 오르자마자 "탕! 탕! 탕!" 하는 소리가 몇 번 나면서 그녀가 갑자기 '풀썩' 땅 위에 쓰러졌다. 동시에 그녀의 몸을 꿰뚫은 최초의 붉은 총알이 벌써 회색으로 변해가면서 다나까의 몸에 부딪쳐 약간의 통증을 남기고 땅에 떨어졌다. 다나까는 그대로 몸을 웅크려 지면에 쓰러져 움직이지 않고 죽은 체 하고 있었다.

그는 알고 있었다. 이것은 분명히 누군가가 나를 죽이려 하는 것이다. 그러나 아깝게도 나는 운이 너무 좋았다. 놈들은 나를 죽이려다 실수하여 앞에 있던 그녀를 죽이고 말았다. 다나까는 곧 병졸에게 범인을 잡으라고 명령했다. 그런 뒤에야 겨우 뒤뚱거리며 일어나서는 수많은 총검에 둘러싸여 휴식을 취하기 위해 일본 영사관으로 향했다.

한편에서는 다나까의 부하와 경관 그리고 신혼여행에 왔던 그녀의 남편이 함께 일심불란하게 오와 김 두 흉악범을 쫓고 있었다. 두 사람은 있는 힘을 다해 달리면서 뒤돌아보니 누군가 벌써 바싹 옆에 와있었다. 거기서 다시 "땅!" 하고 한 발 쏘아 놈을 땅 위에 쓰러뜨렸다. 한 번은 적이 총을 쏘아대는 것을 보고 곧은길에서 재빨리 빠져 도망치기도 했다. 날아오는 붉은 총알을 피하려는 것이지만. 잘하면 저희들끼리 쏘아댈 수도 있다. 이렇게 도망치면 서 "탕…… 탕…… 탕……" 하고 뒤를 향하여 쏘아대어 전부 십 몇 명을 사상 시키고 마침내 오성륜은 프랑스 조계(2차 세계대전이 일어나기 전 중국의 개항도시 에서 외국인 거류지로 개방되었던 치의 법권지역)의 막다른 골목으로 뛰어들고 말았 다. 뒤를 쫓던 놈들이 차례로 달려왔다.

그는 더는 도망칠 수 없음을 깨닫자 각오를 굳히며 체포되었다. 도중까지 끌려와 보니 김익상이 이미 잡혀와 있었다. 이리하여 용감히 싸운 두 명의 젊은이가 이리와 같은 군경들이 손으로 공부국(工部局)에 보내져 구금당하고 말았던 것이다.

그날 밤, 두 사람은 옥중에서 적잖이 풀이 죽어있었다. 하지만 다나까가 총에 맞아죽었다는 것을 떠올리면 그들은 금방 자랑스럽고 즐거운 기분이 되었다. 다나까의 죽음은 조국회복의 징조이며 조국을 위한 복수의 첫 번째 성공이다. 동시에 또한 이전의 부족할 것 없던 가정생활, 자애로운 부모와 사 랑하는 벗들의 따사로움이 머지않아 되돌아오게 된다는 실마리이기도 하다.

우리는 지금 잡힌 몸이지만 그다지 슬퍼할 건 없는 것이다. 혹시 이제 사 형을 당한다 해도 조국과 동포에게 볼 낯이 있지 않는가. 더구나 장래에 조 국이 다시 서는 날이면 온 나라가 우리를 기념해줄 것이 틀림없다. 두 사람 은 이런 생각들로 옥중에 있는 것이 조금도 고통스럽게 여겨지진 않았다. 두 사람은 이런 내용의 이야기를 나누고 있었다.

이 뻔뻔스런 다나까여, 어느 누구도 너에게 손가락 하나 대지 못했건만 지 금 바로 우리들 손에 의해 영원히 끝장이 난 것이다. 이제 무서운 걸 알겠지.

이야기를 하고 있는 둘의 얼굴에는 웃음이 떠올라 있었다.

이튿날, 두 사람이 일본 영사관에 호송된다는 소식을, 공부국의 간수로 있던 베트남 병이 몰래 알려주었다. 그 베트남 병은 두 사람이 망국인으로 국외에 떠돌면서도 슬픔 속에 잠겨버리는 것이 아니라 오히려 복수를 하려고 세상을 깜짝 놀라게 한 큰 사건을 일으켰음을 알고 있었다.

이것은 자기의 조국의 현실과 또 스스로가 적의 하수인 그 살인의 도구가 되어있는 것과 비추어 생각하면 정말이지 스스로가 부끄러워 견딜 수 없었다. 자기라는 인간은 어쩌면 적의 하수인이 될 정도로 비루한 것일까. 왜 이리도 의지가 약한 걸까. 옥중의 이 조선의 지사들처럼 장거를 행하지도 못하고 조국을 멸망케 한 프랑스 제국주의를 물리치러 가지 못한 스스로를 탓하고 낙담하여 울적해지는 것이었다.

그러는 한편 용감하고 장렬한 기개를 옥안에 가득 채우고 있는 두 사람의 지사를 쭉 지켜보노라면 저도 모르게 외경스런 느낌이 그리고 가엾다는 생각이 치미는 것이었다.

"위대한 조선의 지사, 경애하는 용감한 젊은이여! 그대들이 다나까를 죽이려 했던 것은 더할 나위 없이 훌륭한 일이었다. 허나……" 오, 김 두 지사에게 이렇게 말하면서 그는 진심과 의분이 함께 하는 얼굴로 옥문 밖에 서있었다.

"허나…… 어쨌다는 거냐?"

오와 김이 동시에 물었다.

"하지만 그대들은 대단히 위험한 상태이다. 그대들이 죽이려했던 그자는 실은 죽지 않은 거야."

"뭐라구, 안 죽었다고?!"

오와 김은 그 말을 듣자 놀라서 외쳤다. 그러나 그들은 곧 자신 있게 그놈은 죽었다며 오히려 베트남 병이 거짓말을 하고 있음을 의아하게 여겼다.

"죽지 않았어…… 확실합니다."

베트남 병은 정식을 하고 말했다.

"……"

오와 김은 그래도 여전히 속이려는 게 아닐까 의심하며 베트남 병을 꼼짝 않고 바라보고만 있었다.

잠시 후 베트남 병은 그들이 자기의 말을 끝내 믿지 않은 걸 보고는 그날 신문을 찾아와 거기 실린 「다나까 암살미수」의 기사를 잘라내어 두 사람에게 보였다.

오, 김 두 사람은 그의 손에서 조그만 신문조각을 받아들고 거기 실린 사실이 베트남 병의 말과 완전히 일치하는 것을 보고는 경악하고 말았다. 그러는 차에 오와 김 두 흉악범을 일본 영사관에 호송한다는 통보가 날아들었다. 명령을 좇아 옥문을 열고 두 사람을 내어놓을 때 그 옥문지기 베트남 병은 귀에 대고 속삭였다.

"어떻게든 도망쳐야 합니다."

두 사람은 이 말을 듣고 또 그가 아까 알려주었던 기사를 떠올리고는 겨우 자기들을 속이려 했다는 의심은 그 베트남 병에 대한 억울한 누명이라는 걸 알았다. 두 사람은 뭐라고 사과하고 싶었으나 호송계가 어찌나 거칠었던지 전혀 틈을 주지 않아 그들의 재촉에 끌려갔다.

6

상해의 일본 영사관은 홍구에 있었는데 바로 앞에 황포강변을 바라보고 있었다. 끊임없이 넘실거리는 양자강이 아침저녁으로 자신의 먼지를 씻어 내리는 듯이 동쪽을 향해 흐르고 있었다. 영사관은 구석구석까지 서양의 건축양식을 도입하였고 높이는 약 15미터 넓이는 적어도…… 우선 겉모양에서 그 새로운 양식과 견고함은 어떤 서양식 건물에 못지않았다.

내부는 전부 4층이었는데 그중의 두 층은 최신의 일본식 꾸밈새였으나 서양이나 중국의 아름다운 집기들도 몇 점인가 놓여있는 등 특별히 지성스럽게 치장되어 있었다. 이것은 영사관 관원들이 그곳에 살기 위해서였다.

하지만 1층과 4층은 이와 몹시 달랐다. 1층에 살고 있는 것은 주로 노예나 가축취급을 받는 몇 명의 고용인들이었고 따라서 그곳의 꾸밈새(당연한 일이지만)도 2, 3층과 같이 해서는 안 되었으며 그럴 필요도 없었다. 4층은 오로지 죄수들을 가두어두는 공간이었으니 더구나 꾸밈새 같은 건 문제가 되지 않았다. 거기는 휑한 공간에 철조망을 둘러쳐서 만든 커다란 감옥이 하나 그리고 그 안에 똑같이 만들어진 작은 감옥이 하나 있을 뿐이었다.

오성륜과 김익상은 공부국의 유치장에서 나와 험악한 눈빛의 십여 명의 병사에 의해 차에 실려 호송되었다. 두 사람은 신문에서 다나까가 건재하고 있다는 기사를 본 뒤로 놀라고 원통하고 스스로의 무능함에 정나미가 떨어져 있었다.

어째서 짐승만도 못한 그놈— 다나까를 죽이지 못한 거냐? 그놈만 쏘아죽였더라면 우리는— 설령 어떻게— 죽어도 죽는 보람이라는 것이 있다. 하지만 실은 죽이지 못했다. 그렇다면 이제부터 일본 영사관으로 간다는 것은 놈에게 모욕을 당하러 가는 것이 아닌가. …… 아아, 우리는 얼마나 멍텅구리들이냐……

두 사람은 차안에서 호송병의 감시를 받지 않아서 자기들의 무능함을 한탄하고 있었는데 문득 고개를 들어보니 어느새 일본 영사관 문 앞에 이르러 있었다. 두 사람은 속으로 흠칫했다. 눈을 치켜뜨고 욕지거리를 해대는 몇 명의 경비병들 앞을 똑바로 걸어 나갔다. 이때 두 사람이 짐승과도 같은 일본인 경비병들이 너무나 밉살스러워 당장 달려들어 박살내버리고 싶었다.

하지만 온몸은 이미 자유를 잃고 있다는 사실을 새삼 깨닫고는 쓴웃음을 지울 수밖에 없었다.

두 사람이 일본 영사관에 들어오고 보니 웬 일인지 김익상은 약간 죄가 가볍다고 판단된 모양이었다. 두 사람이 서로 다른 감옥에 수감되게 되어서 오성륜은 좀 섭섭했다. 오는 곧 4층의 그 작은 감방에 수용되었다.

이 작은 감방은 커다란 감방의 한구석에 설치되어 사면은 온통 철조망의 벽이었다. 한쪽 벽이 창에 면해있어서 밖으로 쪽빛 하늘이 보였다. 정연하게 통일되어 얼마나 사랑스러운지. 오성륜이 그 작은 감방에 발을 들여놓았을 때 큰 감방쪽에 세 사람의 죄수가 감금되어 있는 것이 보였다. 모두들 웃음 띤 얼굴로 오성륜을 맞아주었다. 오는 그것을 보고도 끝내 한 마디도 입을 열지 않았다.

물 흐르듯 시간이 흘러 오성륜이 일본 영사관의 감방에 들어온 지도 벌써 며칠이 지났다. 거미줄처럼 짜여진 감방의 철벽과 천막대기가 끼워진 창을 보고 오는 이것이 이 세상과 작별하는 첫 번째 정거장이라고 생각했다. 때때로 창에 기대어 밖을 내다보면 황포강에 끊임없이 일었다가 스러지는 파도들이 일어났다 싶으면 금세 다른 파도로 가루처럼 부서져 내리고 그러면서도 강은 유유히 흐르고만 있었다. 그것은 그대로 인생의 물거품을 상징하는 듯해서 저도 모르게 슬퍼지곤 했다.

때로 그는 인간의 잔혹함에 분노를 느꼈다. 어찌하여 인간은 짐승처럼 자기의 무리를 죽이는 걸까. 예를 들면 지금 자기와 같이 왜 피스톨을 손에 들고 누군가를 쏘아죽일 수밖에 없는가. 그는 생각이 여기까지 미치면 어떻게든 스스로 의해 답하고자 하였다.

만일 저 흉악한 사기꾼 일본이 우리 나라를 점령하지 않았더라면 그들과 원수지간이 되었을까. 만약 저 악랄한 다나까가 자기의 졸개들을 움직여 조국의 동포를 학살하고 또 우리와 같이 약간이나마 정의감이 있어 조국의 멸망과 동포의 억울한 죽음을 좌시할 수 없는 청년들을 온 세상을 떠돌며 돌아갈 집조차 없는 처지에 몰아넣지 않았더라면 내가 이렇게 모질게 다나까를 저격하게 되었을까.

또는 만약에 우리 조국이 지금 대단한 힘을 지녔고 일본인에게 무시를 당하지 않는 정도가 아니라 오히려 일본인도 우리의 조국이 강대한 까닭에 우리와 손을 맞잡고 두 나라가 이 세계, 아니 최소한 아세아에서 한 사람의 양팔이라 일컬어진다면 그때 우리는 일본인을 적대시하지 않을뿐더러 이런 흉포한 행위도 하지 않았을 게 아닌가.

여기까지 생각했을 때 오는 깨달았다. 모두 알 것 같았다. 지금 이 세계는 사람이 사람을 죽이는 세계, 강한 자가 약한 자를 죽이는 세계인 것이다. 그는 이 세계를 움켜쥐어 작은 공으로 만들어 있는 힘을 다해 지면에 내던져 가루로 만들어버릴 수 없는 것이 원통했다.

물론 그것이 완전히 공상에 지나지 않는 것을 그는 알고 있다. 세계 모든 나라를 평등하게 하고 오직 저 '피에 굶주린' 포악한 민족을 한 사람도 남김없이 없애버릴 수만 있다면 이 세계는 평온해진다. 그러나 이번에 다나까를 죽이려했던 것은 잘못이었다고 할 수 없을뿐더러 조국을 회복시키고 원통하게 죽어간 동포들의 원수를 갚기 위해서는 이렇게라도 하지 않으면 다른 방법 없는 것이다.

감옥 속에서 이런 생각을 하기 시작하면 오의 마음은 언제나 물이 펄펄 끓는 듯한 열기로 뒤덮여 '사형을 당하지나 않을까' 하는 따위의 걱정이 사라져버렸고 도리어 자칫 죽음을 당할 번했던 다나까가 이번 일의 화풀이로 우리 민족을 살해하려는 음모라도 꾸미지 않을까 하는 생각이 들었다. 동시에 그들 죄수들을 호랑이나 이리로 간주하여 도망치지나 않을까 매일 염려

하는 간수병 심지어는 자신과 같은 감옥의, 그가 처음 이곳에 들어왔을 때 웃는 낯으로 맞아주었던 세 사람의 일본인 죄수까지도 모두 포악한 민족이니 당장 옥문을 부수고 뛰쳐나가 놈들을 몰살시키고 싶었다. 그리고 나서 도망칠 수 없다면 피스톨로 자결이라도 해버리면 일본의 사기꾼 놈들에게 모욕을 당하고 사형에 처해지는 것을 면할 수 있으니 통쾌할 것이다.

매일 아침부터 밤까지, 밤에서 새벽까지 눈을 감고 잠든 시간 이외에는 오는 항상 울분으로 가슴이 미어지는 모양이어서 무의식 또는 의식적으로 그리하여 현실적으로는 그 세 사람의 일본인 죄수들에게 적의를 불태우고 있었다. 때로는 감방문을 지키고 있는 일본 병에게도 눈을 돌렸다. 물론 울화는 한층 더 치밀었다.

오는 당시 일본인은 모두 나쁜 놈이고 남녀노소 할 것 없이 전부가 우리 조선인들에게는 용서받지 못할 적들로 생각했다. 만약 정말로 감옥문을 부수고 뛰쳐나갈 수 있다면 반드시 피스톨을 손에 들고 일본인을 보기만 하면 쏘아 죽이리라.

이리하여 홀로 좁은 감옥에 들어앉아 언제나 몹시 고독했다. 그리고 외로움 때문에 기분이 가라앉고 우울함에 잠기곤 했다.

커다란 감방의 세 사람은 하나가 가토우라는 이름이었고 또 하나는 그의 매부, 나머지 한 사람은 직업이 목수였다. 가토우는 무정부당으로 적발되어 체포당했다. 그 매부 역시 무정부당이라는 혐의로 함께 끌려왔다고 한다. 목수는 필시 자기만을 생각하는 별 볼일 없는 사내였던 모양이었다. 사기로 고소를 당해 잡혀왔으니.

이 세 사람은 그날 오성륜이 감방에 들어오는 것을 보고는 다들 그에 대해 동병상련의 느낌을 가졌으나 유감스럽게도 셋 모두 조선말을 몰랐고 오성륜도 일본말을 몰랐다. 그러니 그들은 서로 의사소통을 할 수 없었으나 그

후 십여 일이나 지나고 보니 오성륜은 일종의 '머나먼 이국에서 똑같이 잡혀있는 신세'라는 동정심이 우러나 때때로 그들을 향해 자기도 모르게 허물없는 표정을 짓기도 하였다. 또한 가토우는 오에 대한 경의를 입으로 나타낼 수 없어 곧잘 엄지손가락을 치켜들고는 오성륜에게 이렇게 말하고자 했다. "자네는 이거야!"

오성륜은 이처럼 가토우가 자신을 치켜세우는 것을 보고 일본인을 미워한 나머지 가토우에게까지 옮겨 붙었던 분노의 불꽃이 조금씩 사그라짐을 느꼈다. 이렇게 한 달 넘게 함께 지내다보니 서로 접촉도 많아져 그들은 눈에 띄게 친해져갔다.

어느 날, 해가 질 무렵 오성륜은 혼자서 이리저리 탈옥을 궁리하고 있었다. 하지만 작은 방의 4면이 모두 철망으로 싸여져있음을 보고는 결코 도망칠 수 없음을 깨닫자 장차 일본 사기꾼 놈에게 모욕을 호락호락 당하느니 차라리 자살을 해버릴까 하고 생각하기 시작했다. 이런 생각을 하면서 있는 힘을 다해 팔로 철조망 벽을 두들기며 때려서 구부려보려 했지만 결과는 실패였을 뿐만 아니라 두들길 때마다 팔만 너무나 아파서 오는 결국 다시 침울해져버렸다.

바로 그때 오는 힘이 빠져 아무런 생각도 없이 문득 창밖의 새파란 하늘에 눈길을 돌렸다. 그러자 돌연 따스한 남풍을 타고 피리소리가 들려왔다. 오는 얼른 귀를 기울였다.

"어디서 들려오는 것일까?" 이렇게 중얼거리며 고개를 들고 둘러보려는데 이어서 가느다랗고 해맑은 부드러움을 흠뻑 머금은 흐르는 듯한 목소리가 창을 통해 감옥 속으로 날아들었다. 이때 머리가 좋은 오는 틀림없이 감옥 속의 누군가와 저 밖에서 피리를 불고 있는 사람과 어떤 관계가 있어 이러는구나 하고 판단했다.

아니나 다를까 오가 곧 큰 감방의 세 죄수의 행동에 주의를 기울이자 그 중의 하나인 남다른 표정을 한 사람이 피리소리에 "그래" 하고 대답했다.

대답을 한 것은 오와 친숙해져 있던 가토우였다. 그는 조선말을 알지 못했지만 당시 대단히 유행하고 있던 영어는 약간 할 줄 알았다. 가토우는 오성륜이 이런 바깥과의 소통에 흥미를 나타내자 숨기려 하지 않고 영어로 알려주었다.

"밖에서 피리를 분 것은 제 누이동생입니다."

그리고는 옆에는 있는 사람을 가리키며 말했다.

"이 사람은 그 남편이죠."

오성륜은 그 말을 듣자 서둘러 일어서서 창가에 다가가 밖을 내다보았다. 그러자 기모노를 입고 게다를 신은 하얀 분칠의 젊은 여자가 건너편 건물의 옥상에 서서 그를 똑바로 바라보며 웃음 지었다. 한 달 내내 우울과 번민으로 머릿속에 꽉 차있던 오는 이 아름다운 미소에 현기증이 일 것만 같은 영롱한 세계로 끌려들어갔다.

"……."

어쩌고저쩌고 하는 일본말 소리가 한바탕 이번엔 가토우의 발음기관—입에서 쏟아져 오군을 돌려세우더니 다음에는 또 한동안 전보다 더 가느다란 이러쿵저러쿵 하는 목소리가 오군의 마음을 빼앗았다.

그런 소리들이 몇 번인가 오고가자 오성륜은 머리가 약간 멍해져버렸다. 아름다운 여자가 서있던 곳에서 사라진 뒤 오는 가토우를 향해 지금 그녀와 무슨 이야기를 했는지 물었다. 그리고 그걸 듣고 세 사람의 형량을 알게 되었다. 가장 무서운 것이 가토우로서 이미 징역 1년의 판결이 내렸고 매부는 반년, 그리고 목수는 사기미수로서 징역 3개월을 보내면 석방된다는 것이었다.

가토우는 또 오에게 말했다. 날씨가 너무 더워 갈증이 나서 지금 동생에게 배를 사오라고 했으니 가져오면 다 같이 배를 먹을 수 있다고.

잠시 후 피리소리가 났다. 배를 사온 것이다. 하지만 배를 위까지 올려 보낼 방법이 없었다. 마침내 그것을 본 오성륜이 한 가지 방법을 생각해서 그들에게 일러주었다.

이야기가 끝나자 오른손 —수갑이 채워진 채로— 으로 신중하게 침대의 돗자리에 짜 넣어진 끈을 한 가닥씩 풀어내어 거기에 젓가락을 하나 묶어서 창으로 내던졌다. 젓가락에 손수건을 걸게 하여 다시 끌어올리려는 것이었다.

생각대로 배가 창밖까지 올라왔다. 하지만 창살의 폭이 배의 꾸러미만큼 넓지 않았으므로 오는 한 손으로 끈을 꽉 잡고는 다른 손의 기다란 세 손가락을 펼쳐 하나씩 안으로 집어 들었다. 이렇게 해서 큰방의 세 마리 아귀들에게 건네주어 먹게 하는 것이었다.

마지막으로 오는 그 손수건 속에 작은 칼 하나가 들어있는 것을 발견했다. 그것을 본 그는 뛸 듯이 기뻤다. 이 칼이 있으면 틀림없이 일본 사기꾼 놈을 몇인가 없앨 수 있다. 설혹 죽일 수는 없더라도 놈들에게 모욕을 당하는 일없이 자살을 할 수는 있다. 그렇게 생각이 들자 그는 자기의 몸으로 세 사람의 시선을 가리면서 슬쩍 칼을 집어 숨겼다.

이 작은 칼을 눈치 채지나 않을까 하고 그는 쉴 새 없이 세 명의 일본 죄수들에게 신경을 곤두세웠다.

하긴 그것이 당연한 일이기는 했다. 큰 감방의 세 명의 일본인은 어느 누구도 배를 끌어올릴 방법을 몰랐지만 오성륜은 그 좋은 머리로 그 일을 해냈다. 세 사람은 전부터 오에 대해서는 동정과 함께 경애심을 나타내고 있었지만 지금 새삼스럽게 얼마나 지혜로운 사람인가 하는 감탄의 느낌을 싱글벙글하는 얼굴 위에 나타내고 있었다. 가토우는 오의 영민함에 감탄하여 특별히 많은 배를 나누어주었다. 오는 배를 손에 들고 천천히 먹으면서도 마음은 온통 숨겨둔 칼에 가 있어 어떻게 그것을 사용할까를 곰곰이 생각했다.

이렇게 하루 또 하루 은밀히 계획을 짜고 있으려니 감옥 안에 있는 것이 전혀 고통스럽지 않았다. 언젠가 반드시 이 몹쓸 곳에서 도망쳐주마 라고 별렀다. 이리하여 오는 감옥 안에서 벅차오르는 기분으로 날을 보내고 있었다.

7

4월의 기후, 온후한 남방—상해—의 햇살은 이미 약간 자극적일 정도였다. 그래서 상해에 살고 있는 사람들은 매일 한 번씩 목욕을 하는 것이 통예였고 어느 누구도 그것을 거르지 않았다. 일본 영사관의 감옥에 갇힌 죄수들 역시 마찬가지로 그들의 신 ―여기서는 무어라 불러야 좋을지 몰라 외람되지만 이렇게 해둔다― 의 은혜로 저녁마다 목욕을 하도록 보내져서 그 몸의 더러움을 천천히 성수로 씻어 내렸다. 이래야만 장차 겨우 천국에 올라갈 수 있는 것이다. 그러니 두말할 것 없이 고분고분하게 이 세례를 받는 것이었다.

하지만 웬 일일까, 신의 자애로움은 게으른 자들을 감동시킬 뿐이어서 태어날 때부터 완강하고 스스로의 죄악을 알고 있는 오성륜은 오랫동안 물에 잠겨 있다가 끝내는 거기에 등을 돌리려 하였다.

그날 저녁 간수병이 언제나 하는 것처럼 그들을 목욕에 데려가려 왔을 때 오성륜은 꾀병을 부려 목욕하러 갈 수 없다고 말했다. 그 병졸은 오의 창백하고 여윈 얼굴을 보고는 그의 속셈은 전혀 눈치 채지 못하고 그를 그냥 두고 큰방쪽의 죄수 셋만 데려갔다.

"이야말로 하늘이 주신 기회다!" 그들이 내려가 버린 후 오의 가슴에는 열기가 소용돌이쳤다. 그는 서둘러 몸을 일으키고는 그 작은 칼끝을 족쇄의 나사에 대고 빙글빙글 돌려서 못을 빼어내려 하였다. 몇 번인가 돌리자 드디어 나사가 헐거워졌다. 조금 더 힘을 주자 나사가 빠져버렸다. 오는 무척 기뻐하여 이번에는 그 칼로 수갑의 나사를 뽑기 시작했다. 잠시 후 이것도 대성공이었다.

그러나 목욕을 하러 간 세 사람이 돌아오는 게 아닌가 싶어 금방 원래대로 채워놓았다. 하지만 한참이 지나도 그들이 돌아오는 기적은 없었다. 그러자 다시 했을 때 안 되면 어쩔까 하고 걱정이 되어 다시 나이프로 손발의 자물쇠를 열어 제대로 되는지 어떤지를 실험해보았다. 그 결과는 완전히 더 바랄 나위가 없었다. 그래서 다시 원래대로 해놓았다.

마침 그때 계단에서 "탁탁" 하는 소리가 나서 목욕 갔던 이들이 돌아오고 있음을 알았다. 오는 얼른 잠자는 척 하며 꼼짝 않고 누워있었다.

이제는 수갑을 풀어버릴 수 있는 칼이 있다고 생각하니 전보다는 훨씬 마음이 편했다. 지금의 오성륜은 스스로를 결코 일본의 사기꾼 놈들 손에 저세상으로 보내질 정도의 인간은 아니라고 느끼고 있었다. 일본인을 몇인가 죽이고 도주할 수 있는 수단이 있는 것이다. 설사 그렇게까지는 안 된다 하더라도 스스로 목숨을 끊을 수 있다는 것에 대해서는 확신이 있었고 의심의 여지가 없었다.

이런 생각을 하고 있는 사이에 그 시커먼 밤의 구렁이는 눈앞에서 슬슬 사라지고 이어서 붉게 빛나는 햇빛이 다시 찾아왔다. 이때 오는 소년시절 조국에서의 고요하고 청명하던 정원을 떠올리며 한층 가슴이 뛰어 어쩔 줄을 몰랐다. 다행히 시간은 흘러 슬픔과 기쁨이 온통 뒤섞인 그의 마음도 언제까지나 그 자리에 연연할 수만은 없었고 이 대지를 지배하는 권세도 결국은 저녁노을에게 건네어지고 뒤를 이어 다시 암흑의 밤이 드리워졌다.

이리하여 목욕시간이 찾아왔고 같은 층의 사람들도 언제나처럼 나갔다.

드디어 하루 온종일 걸려 계획한 것을 시도해보는 거다. 오는 생각했다. 도망을 치는 것은 한밤중 모두들 잠들었을 때가 물론 좋다. 하지만 한밤중이라 해도 간수병이나 경비병은 혹 졸고 있을지 모르지만 큰방의 일본인 셋은 실컷 낮잠들을 자둔 사람들이다. 밤중에 부스럭거리다가는 그들에게 들키지 않을까? 그렇게 되면 몹시 위험하다. ―넌덜머리가 나는 일본 놈들― 가토우에게서 얻은 작은 빗과 젓가락 한 짝을 한데 모아 그 위에 자기의 가죽허리띠를 풀어서는 피스톨모양을 만들려 했다. 한밤중 조용할 때 그들을 위협하여 탈옥을 방해하지 못하게 만들려는 것이다. 마음을 정하자 그는 작은 빗을 총의 몸체로 젓가락을 총대로 하여 가죽허리띠로는 그 사이를 둘둘 감았다. 그리고 담뱃갑의 은박지로 젓가락의 앞부분을 완전히 감쌌다. 제대로 만들어지자 창의 희미한 달빛 아래서 그것을 번쩍거리게 움직여 보았다. 멀리서 보면 진짜로 보일 게다. 오는 싱긋이 웃었다. 오래지 않아 목욕 갔던 사람들이 돌아왔다. 간수병은 잠시 어슬렁어슬렁하더니 귀찮은 듯 아래로 자러 가버렸다. 오성륜은 바로 지금이라고 생각했다. 작은방도 자물쇠가 풀려있었다. 오는 재빨리 칼로 손발의 수갑을 풀어내고 큰방으로 뛰어들었다. 왼손에는 칼을 움켜쥐고 오른손에는 피스톨을 들고는 세 사람을 위협하기 시작했다.

"어이!……"

일본인들은 갑작스레 오의 손발이 풀리고 양 손의 무기가 달빛에 번쩍이는 것을 보고는 너무 놀라 할 말을 잃어버렸다.

오성륜은 그들에게 말했다.

"이제 우리들은 살아남을 수가 없어! 우리 조선의 의열단이 수백 명을 보내서 벌써 이 영사관을 포위했거든. 만약 내가 나가지 못하게 되면 이 총소리를 신호로 사방에서 불을 놓고 폭탄으로 이 건물을 폭파한단 말야."

오는 그 일본인들이 자신을 도망치게 돕도록 하고 싶었다.

"아, 그러면…… 어 어떻게…… 하면 되지?"

목수가 벌벌 떨며 걱정했다.

"나는 3개월만 살면 되니까 이제 곧 만기가 된다. 그러니 나는…… 나는…… 어찌하면 좋냐?"

"아니 그러면 우리 목숨도 다 끝난 것이 아니냐? —그래 어제 아내가 말했었지. 나도 6개월 징역일 뿐이니 금방 출옥할 수 있어. 이래 가지고야 우리는 어떻게 해야 하나?……"

가토우의 매부도 울음을 터뜨릴 것 같았다.

이때 가토우는 오가 손에 든 피스톨과 칼을 보고 겁이 났지만 동시에 매부의 말을 듣자 자기도 동생에게서 들은 "징역 1년뿐"이라는 통지를 떠올려 한층 당황스러웠다. 그래서 오성륜에게 "그렇다면 빨리 도망쳐라"고 말해주었다.

오성륜으로서야 물론 바라던 바였다. 그가 말했다.

"도망치려면 이 천창을 두들겨 부숴야 된다. 하지만 어떻게 하면 되지?"

사기범인 목수가 한 가지 꾀를 내었다. 천창 옆의 나무테두리를 물로 적셔 칼로 그곳에 틈을 벌리는 거다. 이렇게 하면 소리가 나지 않는다. 틈이 벌어지면 나무틀은 저절로 통째 빠져버린다. 그리고 도망치면 되지 않느냐.

다른 사람들은 그 방법을 듣고 "맞다 맞아" 하며 목수에게 그 일을 시켰다.

그런데 한 시간 정도 나무를 깎아내어도 전혀 효과가 없었다. 오성륜은 점점 다급해져서 말했다.

"역시 이 문을 밀어열자. 그편이 어쩌면 간단할지도 몰라."

세 명의 일본인 죄수들은 문을 밀라는 오의 말대로 한 덩어리가 되어 힘을 다해 밀어보았다. 얼마 후 드디어 문이 열렸다. 그러자 모두들 얼굴빛이 달라지고 방 안 공기도 일변했다.

네 사람은 기쁜 나머지 오에게 빨리 가라고 재촉하는데 그치지 않고 모두 한꺼번에 도망치려 했던 것이다. 하지만 오성륜은 수가 많으면 불리해진다며 가토우에게만 함께 갈 것을 허락했다.

나오면서 오성륜은 일본 영사관측이 도망치지 않고 남은 자들에게 왜 알리지 않았는가를 다그치면서 중벌을 재리지 않을까 걱정이 되었다. 그는 언젠가 배를 달아 올렸던 끈과 칼로 조금 잘라낸 철사를 사용하여 두 사람을 손을 뒤로 하여 옥문에 묶었다. 그러고 나서 헝겊조각, 휴지, 손수건 등으로 두 사람의 입을 틀어막았다. 이렇게 하면 일본의 사기꾼 놈이 봤을 때 오의 일행이 도망치는 것을 보고도 그들이 알리지 못했다고 생각하겠지.

일처리가 끝나자 오와 가토우 두 사람은 뒤꿈치를 들고 가만가만 4층에서 아래까지 곧바로 내려왔다. 1층의 입구 밖까지 와서 보니 앞에 보이는 담장의 문 옆에 있는 경비병은 전혀 눈치를 채지 못하고 있다. 그들은 그 담장 옆을 기어 밖으로 빠져나왔다.

8

오성륜과 가토우는 일본 대사관을 도망쳐 나오자마자 바로 헤어졌다. 오성륜은 곧장 인력거를 잡아타고 프랑스 조계의 조선인이 살고 있는 곳으로 향했다. 도착하자 그는 인력거에서 내려 문을 두드렸다. 한참을 두드리고 나서야 누군가 나와 놀란 소리로 물었다.

"누구요?"

오는 그 소리를 듣자 서둘러 이름을 대고는 빨리 문을 열라고 재촉했다. 하지만 문을 열려 온 사람은 진짜 오성륜은 지금쯤 일본 영사관에 감금되어 절대로 나올 수가 없다고 생각했으므로 바로 문을 열려고 하지 않았다.

이렇게 실랑이를 하고 있는 동안에 집 안의 사람들이 모두들 잠자리에서 일어나 귀를 기울였다. 목소리를 듣고서 그것이 오성륜이라고 확인하고서야 그들은 문을 열고 오를 들여보냈다.

오는 집안에 들어서자 한 사람 한 사람 벗들과 손을 부둥켜 잡고 이번 다나까의 살해계획에 대해 그리고 체포될 때의 모양들을 이야기했다. 이번 탈주계획이 얼마나 굉장한 것이었으며 앞길에는 또 얼마나 빛이 넘치고 있는지에 이야기가 이르렀을 때 벗들이 오를 위하여 만세삼창이라도 할 것 같았다.

하지만 바로 그때 나쁜 소식이 전해졌다.

가토우는 오와 헤어지고 곧장 누이동생의 집으로 달려갔었다. 동생은 가토우의 이야기를 듣고는 자기의 남편이 나오지 못한 것을 알자 일본 영사관에 뛰어가 밀고를 해버렸다. 영사관에서는 이를 듣자마자 군대를 풀어 프랑스 조계의 조선인 마을을 포위하고 도망친 흉악범이 숨어있지 않는지 수색하겠다고 나섰다.

이때 오성륜은 마침 벗들과 밀담을 나누고 있었는데 집이 포위되었다는 말을 듣고는 재빨리 지하실로 달려 내려가 깊이 몸을 숨겼다. 일본군이 문을 밀치고 들어와 수색했으나 아무것도 찾지 못하고 서둘러 다른 곳으로 가버린 뒤 오는 지하실에서 기어 올라왔다.

올라와서 마음을 가라앉히고 생각하니 상해에 있어가지고는 아무래도 위험을 피할 수 없다고 여겨졌다. 그는 그 자리에서 머리를 삭발하고 보통 사람들처럼 꾸미고는 날이 새자마자 외국배를 잡아타고 독일로 피신했다.

그날 아침 상해의 신문들은 모두 다 오성륜의 사진을 실었고 그를 잡거나 신고하는 사람에게는 거액의 상금을 주겠다고도 씌어있었다. 그밖에 그가 일본 영사관의 옥중에 남겨둔 기묘한 무기도 동시에 공포되었는데 세상 사람들은 그것이 무엇인지는 알았지만 어떻게 그런 일이 있을 수 있는지 도무지 이해할 수 없었다.

　오성륜이 상해를 떠나고 난 뒤 동지인 김익상은 동경에 압송되어 무기징역에 처해졌다고 한다. 오는 조국을 위해 복수하며 희생당한 동지를 위해 싸우고자 독일에서 얼마동안 지냈다. 그러나 그것이 자신의 혁명사업에는 그다지 도움이 되지 않는다고 생각되자 거기서 방향을 바꾸어 세계혁명의 본거지—모스크바로 혁명을 공부하러 갔다.

　1926년 들어 중국의 혁명운동이 대단히 활발해져가자 혁명의 열정에 불타는 이 망명청년은 안정된 생활을 누리고 있을 수만 없어서 또 마음이 급해지는 것이었다. 그는 중국의 혁명운동도 한국의 혁명운동도 모두 다 제국주의를 타도하려는 것이요 모두다 세계혁명운동의 일부라고 느꼈다. 혁명에 힘을 쏟아 부으려 한다면 어느 곳 어느 나라에라도 뛰어 들어가야 한다. 더구나 지금의 혁명에 있어서는 오직 압박자와 피압박자의 구별이 있을 뿐 국경 따위는 오로지 봉건집단적인 유물이므로 어떻게는 소멸시켜야 할 대상인 것이다.

　이전 혁명운동에 참가하여 다나까를 죽이려 하던 시절 그는 일본 제국주의를 증오한 나머지 모든 일본인 더구나 하층민들까지도 전부 원수이니 죽여 버려야 한다고 생각했었다. 그 당시 자신을 채우고 있던 이 유치한 관념은 정말이지 종잡을 수 없어 지금 생각해도 부끄럽다.

　지금 해야 할 일은 모든 피압박민족과 피압박계급을 깨워 일으켜서 모두 하나가 되어 제국주의자 압박계급을 향해 총공격을 개시하는 것뿐이다. 이리하여 비로소 하나하나의 제국주의자를 타도할 수가 있다. 모든 압박계급을 소멸시킬 수가 있다. 또 이럴 때 비로소 전 세계의 피압박민족과 모든 하층계급이 고개를 바로 들고 새로 이 자유와 평등의 사회를 건설할 수가 있다. 이렇게 생각하니 가슴속에 숨어있던 혁명에의 열정이 한꺼번에 확 솟아 올라 그를 중국으로 재촉해 몰았다.

중국에 와서 그는 실제로 혁명운동에도 가담하였다. 그러나 후에는 무슨 일인지 옛날에 살았던 상해의 작은 방에 틀어박혀 거기서 숨죽이고 지냈다.

어디로 소문이 새어나갔는지 오가 상해에 돌아온 지 오래지 않아 일본군이 그 집을 포위했다. 다행히 그때는 외출중이어서 그들에게 잡히지 않았다. 그 뒤 그 일을 알고는 다시 상해를 떠나 남몰래 혁명을 위해 자기의 조국으로 돌아갔다.

1930. 3. 8. 옛 서울 경산의 동쪽에서.

출처: 『신동방』 제1권 제4기, 1930.

김동인

붉은 산

그것은 여(余)가 만주를 여행할 때 일이었다. 만주의 풍속도 좀 살필 겸 아직껏 문명의 세례를 받지 못한 그들의 사이에 퍼져있는 병(病)을 조사할 겸 해서 일 년의 기한을 예산하여 가지고 만주를 시시콜콜이 다 돌아온 적이 있었다. 그때는 ××촌이라 하는 조그만 촌에서 본 일을 여기에 적고자 한다.

××촌은 조선사람 소작인만 사는 한 이십여 호 되는 작은 촌이었다. 사면을 둘러보아도 한 개의 산도 볼 수가 없는 광막한 만주의 벌판 가운데 놓여있는 이름도 없는 작은 촌이었다.

몽고사람 종자(從者)를 하나 데리고 노새를 타고 만주의 촌촌을 돌아다니던 여가 그 ××촌에 이른 때는 가을도 다 가고 어느덧 광포한 북극의 겨울이 만주를 찾아온 때였다.

만주의 어느 곳이나 조선사람이 없는 곳은 없지만 이러한 오지(奧地)에서 한 동네가 죄 조선사람 뿐으로 되어있는 곳을 만나니 반가웠다. 더구나 그 동네는 비록 모두가 만주국인의 소작인이라 하나, 사람들이 비교적 온량하고 정직하여, 장성한 이들은 그래도 모두 천자문 한 권쯤은 읽은 사람이었다. 살풍경한 만주, 그 가운데서 살풍경한 살림을 하는 만주국인이며 조선사람의 동네를 근 일 년이나 돌아다니다가 비교적 평화스런 이런 동네를 만나면, 그것이 비록 외국인의 동네라 하여도 반갑겠거늘, 하물며 우리 같은 동족임에랴. 여는 그 동네에서 한 십여 일 이상을 일없이 매일 호별 방문을 하며 그들과 이야기로 날을 보내며, 오래간만에 맛보는 평화적 기분을 향락하고 있었다.

'삵'이라는 별명을 가지고 있는 '정익호'라는 인물을 본 것이 여기서이다.

익호라는 인물의 고향이 어디인지는 ××촌에서 아무도 몰랐다. 사투리로 보아서 경기 사투리인 듯 하지만 빠른 말로 재재거리는 때에는 영남 사투리가 보일 때도 있고, 싸움이라도 할 때는 서북 사투리가 보일 때도 있었다. 그런지라 사투리로써 그의 고향을 짐작할 수가 없었다. 쉬운 일본말도 알고, 한문글자도 좀 알고, 중국말은 물론 꽤 하고, 쉬운 러시아말도 할 줄 아는 점 등등, 이곳 저곳 숱하게 주워먹은 것은 짐작이 가지만 그의 경력을 똑똑히 아는 사람은 없었다.

그는 여(余)가 ××촌에 가기 일 년 전쯤 빈손으로 이웃이라도 오듯 후덕 덕 ××촌에 나타났다 한다. 생김생김으로 보아서 얼굴이 쥐와 같고 날카로운 이빨이 있으며 눈에는 교활함과 독한 기운이 늘 나타나 있으며, 발룩한 코에는 코털이 밖으로까지 보이도록 길게 났고, 몸집은 작으나 민첩하게 되었고, 나이는 스물 다섯에서 사십까지 임의로 볼 수 있으며, 그 몸이나 얼굴 생김이 어디로 보든 남에게 미움을 사고 근접치 못할 놈이라는 느낌을 갖게 한다.

그의 장기(長技)는 투전이 일수며, 싸움 잘하고, 트집 잘 잡고 칼부림 잘하고, 색시에게 덤벼들기 잘하는 것이라 한다.

생김생김이 벌써 남에게 미움을 사게 되었고, 거기다 하는 행동조차 변변치 못한 일만이라, ××촌에서도 아무도 그를 대척하는 사람이 없었다. 사람들은 모두 그를 피하였다. 집이 없는 그였으나 뉘 집에 잠이라도 자러 가면 그 집 주인은 두말없이 다른 방으로 피하고 이부자리를 준비하여 주고 하였다. 그러면 그는 이튿날 해가 낮이 되도록 실컷 잔 뒤에 마치 제 집에서 일어나듯 느직이 일어나서 조반을 청하여 먹고는 한 마디의 사례도 없이 나가버린다.

그리고 만약 누구든 그의 이 청구에 응치 않으면 그는 그것을 트집으로 싸움을 시작하고, 싸움을 하면 반드시 칼부림을 하였다.

동네의 처녀들이며 젊은 여인들은 익호가 이 동네에 들어온 뒤부터는 마음 놓고 나다니지를 못하였다. 철없이 나갔다가 봉변을 당한 사람도 몇이 있었다.

'삵-'

이 별명은 누가 지었는지 모르지만 어느덧 ××촌에서는 익호를 익호라 부르지 않고 '삵'이라고 부르게 되었다.

"삵이 뉘 집에서 묵었다?"

"김 서방네 집에서."

"다른 봉변은 없었다나?"

"요행히 없었다네."

그들은 아침에 깨면 서로 인사 대신으로 '삵'의 거취를 알아보고 하였다.

'삵'은 이 동네에는 커다란 암종이었다. '삵' 때문에 아무리 농사에 사람이 부족한 때라도 젊고 튼튼한 몇 사람들은 동네의 젊은 부녀를 지키기 위하여 동네 안에 머물러 있지 않을 수가 없었다. '삵' 때문에 부녀와 아이들은 아무리 더운 여름 저녁에라도 길에 나서서 마음놓고 바람을 쏘여보지를 못하였다. '삵' 때문에 동네에서는 닭의 가리며 돼지우리는 지키기 위하여 밤을 새지 않을 수가 없었다.

동네의 노인이며 젊은이들은 몇 번을 모여서 '삵'을 이 동리에서 내어 쫓기를 의논하였다. 물론 합의는 되었다. 그러나 내어 쫓는 데 선착할 사람은 없었다.

"첨지가 선착하면 뒤는 내 담당하마."

"뒤는 걱정말고 형님 먼저 말해보시오."

제각기 '삶'에게 먼저 달려들기를 피하였다.

이리하여 동리에서는 합의는 되었으나 '삶'은 그냥 태연히 이 동네에 묵어있게 되었다.

"며늘 년들이 조반이나 지었나?"

"손주 놈들이 잠자리나 준비했나?"

마치 그 동네의 모두가 자기의 집안인 것같이 '삶'은 마음대로 이 집 저 집을 드나들었다.

××촌에서는 사람이라도 죽으면 반드시 조상 대신으로,

"삶이나 죽지 않고."

하는 한 마디의 말을 잊지 않고 하였다. 누가 병이라도 나면,

"에익! 이 놈의 병 '삶'한테로 가거라."

고 하였다.

암종-누구나 '삶'을 동정하거나 사랑하는 사람이 없었다.

'삶'도 남의 동정이나 사랑은 벌써 단념한 사람이었다. 누가 자기에게 아무런 대접을 하든 탓하지 않았다. 보이는 데서 보이는 푸대접을 하면 그 트집으로 반드시 칼부림까지 하는 그였지만, 뒤에서 아무런 말을 할지라도-그리고 그것이 '삶'의 귀에까지 갈지라도 탓하지 않았다.

"흥……."

이 한 마디는 그의 가장 큰 처세철학이었다.

흔히 곁동네 만주국인들의 투전판에 가서 투전을 하였다. 때때로 두들겨 맞고 피투성이가 되어서 돌아오는 일도 있었다. 그러나 그는 그 하소연을 하

는 일이 없었다. 한다 할지라도 들을 사람도 없거니와-아무리 무섭게 두들겨 맞은 뒤라도 하루만 샘물에 상처를 씻고 절룩절룩한 뒤에는 또 이튿날은 천연히 나다녔다.

여(余)가 ××촌을 떠나기 전날이었다.

송 첨지라는 노인이 그해 소출을 나귀에 실어가지고 만주국인 지주가 있는 촌으로 갔다. 그러나 돌아올 때는 송장이 되었다. 소출이 좋지 못하다고 두들겨 맞아서 부러져 꺾어진 송 첨지는 나귀등에 몸이 결박되어서 겨우 ××촌에 돌아왔다. 그리고 놀란 친척들이 나귀에서 몸을 내릴 때에 절명하였다.

××촌에서는 와자하였다.

"원수를 갚자!"

명 아닌 목숨을 끊은 송 첨지를 위하여 동네 젊은이는 모두 흥분하였다. 제각기 이제라도 들고 일어설 듯하였다.

그러나 그뿐이었다. 누구든 앞장을 서려는 사람이 없었다. 만약 이때에 누구든 앞장을 서는 사람만 있었더면 그들은 곧 그 지주에게로 달려갔을지 모른다. 그러나 제가 앞장을 서겠노라고 나서는 사람은 없었다. 제각기 곁 사람을 돌아보았다.

발을 굴렀다. 부르짖었다. 학대받는 인종의 고통을 호소하며 울었다. 그러나-그뿐이었다. 남의 일로 지주에게 반항하여 제 밥자리까지 떼우기를 꺼림인지, 용감히 앞서 나가는 사람은 없었다.

여는 의사라는 여의 직업상 송 첨지의 시체를 검시하였다. 돌아오는 길에 여는 '삶'을 만났다. 키가 작은 '삶'을 여는 내려다보았다. '삶'은 여를 쳐다보았다.

"가련한 인생아. 인종의 거머리야, 가치 없는 인생아. 밥버러지야. 기생충아!"

여는 '삶'에게 말하였다.

"송 첨지가 죽은 줄 아나?"

여의 말에 아직껏 여를 쳐다보고 있던 '삵'의 얼굴이 아래로 떨어졌다. 그리고 여가 발을 떼려는 순간에 얼핏 '삵'의 얼굴에 나타난 비창한 표정을 여는 넘길 수가 없었다.

고향을 떠난 만 리 밖에서 학대받는 인종의 가엾음을 생각하고 그 밤은 여도 잠을 못 이루었다.

그 억분함을 호소할 곳도 못 가진 우리의 처지를 생각하고, 여도 눈물을 금치 못하였다.

이튿날 아침이었다.

여를 깨우러 오는 사람의 소리에 여는 반사적으로 일어났다.

'삵'이 동구(洞口) 밖에서 피투성이가 되어 죽어있다는 것이었다. 여는 '삵'이라는 말에 눈살을 찌푸렸다. 그러나 의사라는 직업상, 곧 가방을 수습하여 가지고 '삵'이 넘어진 데까지 달려갔다. 송 첨지의 장례식 때문에 모였던 사람 몇은 여의 뒤를 따라왔다.

여는 보았다. '삵'의 허리가 기역자로 뒤로 부러져서 밭고랑 위에 넘어져 있는 것을. 여는 달려가 보았다. 아직 약간의 온기는 있었다.

"익호! 익호!"

그러나 그는 정신을 못 차렸다. 여는 응급수단을 취하였다. 그의 사지는 무섭게 경련되었다. 이윽고 그가 눈을 번쩍 떴다.

"익호! 정신드나?"

그는 여의 얼굴을 보았다. 끝이 없이 한참을 쳐다보았다. 그의 눈동자가 움직이었다.

겨우 처지를 깨달은 모양이었다.

"선생님, 저는 갔었습니다."

"어디를?"

"그놈-지주놈의 집에-."

무얼? 여는 눈물 나오려는 눈을 힘있게 닫았다. 그리고 덥석 그의 벌써 식어가는 손을 잡았다. 잠시의 침묵이 계속되었다. 그의 사지에서는 무서운 경련이 끊임없이 일었다. 그것은 죽음의 경련이었다. 듣기 힘든 작은 그의 소리가 또 그의 입에서 나왔다.

"선생님."

"왜?"

"보고 싶어요. 전 보구 시⋯⋯."

"뭐이?"

그는 입을 움직였다. 그러나 말이 안 나왔다. 기운이 부족한 모양이었다. 잠시 뒤에 그는 또다시 입을 움직였다. 무슨 소리가 그의 입에서 나왔다.

"무얼?"

"보구 싶어요. 붉은 산이-그리고 흰 옷이!"

아아, 죽음에 임하여 그의 고국과 동포가 생각난 것이었다. 여는 힘있게 감았던 눈을 고즈너기 떴다. 그때에 '삵'의 눈도 번쩍 뜨이었다. 그는 손을 들려고 하였다. 그러나 이미 부러진 그의 손은 들리지 않았다. 그는 머리를 돌이키려 하였다. 그러나 그런 힘이 없었다.

그는 마지막 힘을 혀끝에 모아가지고 입을 열었다⋯⋯.

"선생님!"

"왜?"

"저것-저것-."

"무얼?"

"저기 붉은 산이-그리고 흰 옷이-선생님 저게 뭐예요?"

여는 돌아보았다. 그러나 거기는 황막한 만주의 벌판이 전개되어 있을 뿐이었다.

"선생님 노래를 불러주세요. 마지막 소원-노래를 해주세요. 동해물과 백두산이 마르고 닳도록-."

여는 머리를 끄덕이고 눈을 감았다. 그리고 입을 열었다. 여의 입에서는 창가가 흘러나왔다.

여는 고즈너기 불렀다-.

"동해물과 백두산이……."

고즈너기 부르는 여의 창가소리에 뒤에 둘러섰던 다른 사람의 입에서도 숭엄한 코러스는 울리어 나왔다-.

무궁화 삼천리

화려 강산-

광막한 겨울의 만주벌 한편 구석에서는 밥버러지 익호의 죽음을 조상하는 숭엄한 노래가 차차 크게 엄숙하게 울리었다. 그 가운데 익호의 몸은 점점 식어갔다.

출처: 『삼천리』 37, 1933.4.

강경애

채전

어렴풋이 잠이 들었을 때 중얼중얼하는 소리에 수방이는 가만히 정신을 차려 귀를 기울였다. 그것은 아버지와 어머니의 집안 살림에 대한 걱정인 듯 싶었다. 그래서 그는 포르르 눈이 감기다가 푸르릉 하는 바람소리에 또다시 눈을 번쩍 떠서 문 쪽을 바라보았다.

"아이 저 바람, 저것을 어찌나!"

무의식간에 이렇게 중얼거리며 밤사이에 많이 떨어졌을 사과와 복숭아를 생각하였다. 이 생각을 하니 웬 일인지 기뻤다. 무엇보다도 덜 익은 것이나마 배껏 먹을 것으로 알기 때문이다.

"이번 바람에 저 실과가 다— 떨어질 터이니……"

"그러니 내 말이 그 말이예요. 실과도 돈 값어치가 못되고 채마니 뭐 변변하오? 그러니까 일꾼을 줄여야 하지 않겠수?"

"글쎄, 나도 그런 생각이여. 그러나 지금 배추밭 부침 때가 아닌가? 그러니……"

"그게 뭐 걱정이 되어요. 배추밭 부침이나 해놓고 나서 내보내지."

"그럴까?"

"그러문요."

수방이는 어느덧 졸음이 홀랑 달아나버리고 말았다. 그리고 누구를 내어

보내려누. 맹서방이 안 될는지 혹은 추서방인지…… 아이 누굴까? 하고 귀를 기울이나 그들은 잠잠하고 숨소리만 높을 뿐이다.

어느 때인가 깜짝 놀라 깨니

"수방아, 어서 밥 지어!"

어머니의 음성이다. 그는 펄쩍 일어는 나면서도 눈이 자꾸만 감겨지며 정신 차릴 수가 없었다.

"이 애 얼른."

그는 재차 놀라 보니 문턱을 짚고 자고 있었다.

"이 놈의 계집애, 또 한 개 붙여 주어야 일어날 모양이구나!"

지정이 저르렁 울린다. 그는 그제야 안타깝게 감겨지는 눈을 손으로 비벼 치며 문밖으로 나왔다.

산뜻한 바람이 그의 앞머리를 살랑살랑 흔들어 주었다. 그는 적이 정신이 드는 것 같았다. 그래서 무심히 하늘을 쳐다보며 언제나 잠을 실컷 자보누 하였다.

아직도 하늘은 컴컴하였다. 그러나 저 동쪽 하늘 쪽으로는 회색빛 선을 뿌옇게 돌려 치고 있었다. 그는 한참이나 멍하니 바라보다가 부엌문을 힐끔 쳐다보았다.

이렇게 밖에 서는 것은 무섭지 않으나 오히려 부엌이 무섭게 생각되었다.

"어찌누, 맹서방이든지 주구든지 일어났으면 좋겠어."

하며 부엌 뒤로 연달린 방을 바라보았다.

마침 우물에서 두레박 넣는 소리가 찌걱찌걱 나므로 그는 주춤 물러서다가 담뱃불이 껌벅껌벅하는 것을 보고

"누구요?" 했다.

"내다."

맹서방의 음성이다. 그는 얼핏 달려가며

"맹서방, 부엌에 불 좀 헤주."

물을 꿀꺽꿀꺽 마신 맹서방은 이리로 왔다. 그래서 부엌문을 비껴 열고 들어간다. 수방이는 뒤를 따르다가 부엌 속에서 뛰어나오는 듯한 시커먼 어둠에 그는 주춤하며 저속에 무엇이나 들어있지 않나? 하는 불안이 불쑥 일어났다.

박— 긋는 성냥소리에 그는 얼핏 문안으로 들어서며 맹서방의 굵다란 팔이 등불을 차차 시렁우로 올려가는 것을 보았다.

"자 이젠 되었지. 이렇게 네 청을 들어주었으니 내 청도 들어줘야 해."

맹서방은 빙긋이 웃는다. 그는 마주 웃으며

"응, 또 그 말이구려."

"그래."

"마마가 허게 해야지……"

그때에 얼핏 생각 키운 것은 어제저녁 잠결에 들은 말이다. 그래서 그는 남 보는 줄 모르게

"정! 맹서방!"

안방을 힐끔 쳐다보다가 머리를 푹 숙인다.

"웨?"

맹서방은 수방의 눈치를 살피며 한걸음 다가섰다.

그리고 주인마누라에 대한 말이 아닌가 하고 직각되었다.

"저— 있다 이야기할게."

고개를 갸웃이 들었다. 맹서방은 싱긋 웃으며 밖으로 나간다. 수방이는 물끄러미 어둠속으로 충충 걸어 나가는 그의 뒤꼴을 바라보며 맹서방일지 누가 아나? 이렇게 생각되었다.

두레박소리가 또 난다. 그리고 중얼중얼하는 여러 사람의 소리에 그는 얼핏 돌아서서 부뚜막으로 왔다. 연기에 그을은 냄새가 아궁에서 뭉클뭉클 난다.

그는 솥을 횅횅 부시며 마마는 나쁜 사람이여, 그리고 바바두, 하고 생각되었다.

밥이 우구구 끓어날 때에야 그의 어머니는 부스스 나온다. 수방이는 얼핏 몸을 바로가지며 무엇을 또 잘못했다고 하지 않을까 하는 불안에 속이 울울하였다.

"함" 하고 방정맞게 하품을 하고난 어머니는 이쪽으로 기우뚱기우뚱 걸어오며

"채는 무엇이냐?"

"부추채예요."

"기름을 또 많이 둘렀니?"

"아니요."

어머니는 말뚱말뚱 바라보다가 돌아서 나간다. 수방이는 그제야 흘끔 쳐다보았다.

불빛에 빛나는 어머니의 귀고리! 걸음발을 따라 무서운 빛을 발하였다. 귀고리가 가뭇 없어질 때 그는 뜻하지 않은 한숨을 후— 쉬며 무심히 자기 귀를 만져보았다.

어려서 끼워준 이 귀고리! 어떤 때는 시꺼먼 빛이 미워서 면경을 보며 몇 번이나 얼굴을 찡그렸는지 몰랐다. 그리고 떼어서 모래 내치려다가도 어머니의 꾸지람이 무섭고 맷손이 두려워 그냥 두곤 하였던 것이다.

"함— 음—"

하는 어머니의 하품소리가 또 들린다. 그는 흘끔 문 쪽을 바라보았다. 저쪽으로 포도넝쿨이 회색빛을 두르고 어슬어슬하니 보인다.

그는 불을 멈추고 벌떡 일어나며 "포도두 떨어졌나." 하고 머리를 넘성하여 보았다. 아직도 채 밝지를 않아서 분명히 보이지를 않았다.

나가 볼까 하고 한발 내디디었다가 어머니가 밖에 있는 것을 생각하며 단념하고 말았다. 그러나 끊이지 않고 눈이 그리만 간다.

한참 후에 또다시 보니 포도는 한 송이도 떨어지지 않았다. 그는 가볍게 실망을 하며 사과나 복숭아야 좀 떨어졌겠지 하고 생각하였다.

밥을 퍼들이고 설거지를 하고 나니 해가 떠오른다. 그는 솥티를 긁어 먹고 나서 바구니를 들고 채마밭으로 나왔다. 그제야 우방이는 깡충깡충 뛰어오며

"언니, 복숭아 떨어지지 않았수?"

"여기는 없구나, 저 아래나 보렴."

곁에 있던 맹서방이 우방을 보며

"아까 마마가 다— 주어 들여갔다. 까우리 애들한테 눅게 판다고……"

우방이는 머리를 끄덕끄덕 하며 달음질쳐 들어간다.

수방이는 물끄러미 바라보며 쟤는 복숭아를 먹겠구나 생각을 하니 웬 일인지 새벽부터 졸이던 가슴이 슬픔과 아픔으로 변하는 것을 그는 깨달았다.

맹서방은 괭이를 높이 들어 땅을 푹 파헤친다. 뒤따라서 감자가 왜그르르 일어난다. 수방이는 얼핏 감자를 들이보이며

"맹서방, 이거 보우!"

"대견하니."

수방이는 머리를 끄덕끄덕 해 보인다. 속눈썹까지 폭 내려덮은 그의 앞머리를 맹서방은 사랑스러운 듯이 바라보며 나도 언제 계집을 하나 얻어 데리고 살아볼거나 하고 생각되었다.

후끈 끼치는 똥내에 수방이는 바라보니 배추밭 부침을 하려고 추서방과 그 외 몇몇 일군들은 똥통을 배추밭에 날랐다. 그는 깜빡 잊었던 생각에 얼

굴이 화끈 다는 것을 깨달았다. 그러나 마침 말을 하려고 맹서방을 바라보았을 때 웬 일인지 얼핏 입이 벌려지지 않았다.

그리고 이 말한 것은 마마나 바바가 안다면 어떻거나 하는 불안이 뒤미처 일어난다. 그는 하는 수없이 머리를 숙였다.

매미소리가 맴맴 하고 났다. 그는 얼핏 매미 우는 편으로 머리를 돌리다가 무심히 뜨인 우방이를 보았다.

그는 새로 사온 산뜻한 분홍빛 양복을 입고 책보를 끼고 그리고 한쪽 손에는 복숭아가 쥐어있었다.

한참이나 부럽게 바라본 수방이는 맥없이 머리를 숙일 때 자기의 보기 싫은 퍼런 옷이 새삼스럽게 더 보기 싫고 추잡스러워 보였다. 난 밤낮 이런 것만 입고 있어야 하나? 우방이는 그렇게 잘해주고 마마두 잘 해입고 바바두, 그래두 나만 안 해줘, 이런 생각을 할 때 눈물이 글썽글썽 하였다.

"얘— 감자 주어라. 야! 이것은 꽤 크다. 너만이나 하구나."

괭이 끝으로 밀어 보낸다. 수방이는 냉큼 집어보았다. 눈물 고인 눈에는 어느덧 웃음이 돌았다. 그리고 이 감자를 삶아서 먹었으면 맛이 있겠다 하고 맹서방을 쳐다보았다.

"너 왜 울었니?"

맹서방은 똑바로 쳐다보며 이렇게 물었다. 수방이는 가라앉으려던 슬픔이 맹서방의 말에 기세를 돋우어 으악 쓸어 나오는 것을 혀끝으로 꼭 깨물었다.

맹서방은 얼핏 새벽에 무심히 들어두었던 수방의 말이 생각키우며 아마 어젯밤에 저 애가 매를 또 맞은 모양이구나 하고 가만히 물었다.

"마마가 또 때리더냐?"

그는 좌우로 머리를 흔든다.

"그럼 웨 울어?"

수방이는 머리를 번쩍 들었다.

"맹서방!"

너무나 침착한 그의 음성에 맹서방은 눈이 둥그레질 뿐 대답이 얼핏 나가지 않았다.

"수방이는 고추 따라!"

어머니가 소리치는 바람에 그는 소스라쳐 놀란다.

그리고 귀밑까지 빨개진다. 맹서방은 의아하여 멍하니 바라볼 뿐이었다.

수방이는 얼른 일어나 고추밭으로 왔다. 그래서 고추를 따며 이 말을 해야 좋은가 안 해야 되나? 하고 맘으로 물어보았다. 물론 마마와 바바를 생각한다면 안 해야 될 것 같았다.

그러난 웬 일인지 이 말을 하지 않고는 자기 맘에 이렇게 편치 않고 곧 슬펐다.

'어떻거나…… 맹서방도 추서방도 이서방도 그러구, 그러구 모두 다들 좋은 사람들이 이렇게 나와 같이 일만 할 줄 알지. 일만 하는 사람은 나쁜 사람인지 몰라? 바바와 같이 마마와 같이 노는 사람이 좋은 사람일까? 그러면 이 고추가 어떻게 달리며 감자가 어떻게 땅속에서 나와, 마마같이 놀고 가만히 있다면 말이야.

그러면 일하는 사람이 좋은 사람들이지 뭐야. 그래두 우리들은 좋은 옷은 못 입으니……'

그의 생각에는 고운 옷 입은 사람이 훌륭하고도 무엇을 많이 아는 사람으로 짐작되었던 것이다.

그는 뜨거운 햇볕을 피하여 복숭아나무 아래로 왔다. 그때에 무심히 흘려 듣는 괭이소리가 뚝 끊어지고 한참이나 들리지 않으매 그는 머리를 번쩍 들며 감자를 다 캐었나? 얼마나 캤누? 하고 바라보았다.

맹서방은 감자 담은 광주리와 참대바구니를 어깨에 올려놓고 손에 들고 벌컥 일어난다. 그러나 왜죽왜죽 집으로 들어간다. 이것을 바라보는 수방이는 가벼운 감격이 사르르 올라오는 것을 깨달았다. 그리고 더구나 광주리 우로 수북이 담아 올라간 감자를 보니 말로 형용할 수 없이 기뻤다.

저것을 내일 장에 갖다 팔면 돈이 되지. 그 돈은 아버지가 가지고서 쌀도 사오고 나무도 사오지. 그리고 우방이 양복도 사오고 마마의 옷도 사오고 내 것만 안사오지…… 바바는 나쁜 사람이여……

만일에 그 돈을 맹서방이, 아니, 다른 일군들이 가지면 반드시 자기의 옷부터 사다줄 것 같았다. 누가 아나? 그 사람들도 다 내 맘과 같지 않아. 이렇게 생각하다가 얼핏 맹서방이 자기머리에 꽂은 핀을 담배용에서 떼어서 사다준 것을 생각하고 아니야, 그들은 그렇지 않아 하고 머리핀을 슬슬 만져보았다.

마침 매서방이 충충 걸어온다.

"맹서방!"

"너 핀 또 만지누나, 허허."

빨간 유리알 박힌 핀 만지는 손을 보다가 무심히 바라보니 구슬 같은 눈물이 방울방울 떨어진다.

"맹서방 나 핀 사주었지. 후담에 또 뭐 사줄 테야?"

이웃어머니한테서 시달리는 그라 항상 불쌍하게 보았지마는 더구나 몇 푼 주지 않고 사다준 핀을 만지며 저러할 때에는 눈허리가 시큼시큼해서 바라볼 수가 없었다.

"그래, 너 원하는 대로."

"정말!"

그의 조그마한 가슴은 감격에 넘쳐 들먹이는 것을 보았다. 그리고 그의 눈은 충혈되는 것을 보았다.

수방이는 한걸음 다가서며 사면을 휘휘 둘러본 후에 맹서방 귀에다 입을 대고 종알종알 하였다. 맹서방의 눈은 점점 둥그레지며 비분한 기색이 양볼 우로 뚜렷이 흘러내려온다.

다 듣고 난 맹서방은 한참이나 무슨 생각을 하였다. 수방이는 안달을 하여 저리 가라고 하였다. 그리고 바바와 마마에게 말하지 말라고 몇 번이나 부탁하고도 맘이 안 놓여 얼굴을 찡그리면서도 어딘가 모르게 시원하였다.

다음날 아침 맹서방은 수방이의 아버지인 왕서방과 마주 앉고 이러한 조건을 제출하였다.

1, 어떠한 일이 있더라도 우리들을 겨울까지 내보내지 말 일.

2, 우리들의 옷을 한 벌씩 해줄 일.

이 두 조건을 듣지 않으면 그들은 오늘로 나가겠다는 것이다.

왕서방은 눈이 둥그레졌다. 어젯밤 자리 속에서 귓속말로 한 것을 어떻게 저들이 알았을까 하는 의문과 함께 어떻게 처리를 해야 좋을지를 몰라 무겁게 내려덮은 그의 눈까풀이 가늘게 떨렸다.

"우리는 말로만은 신용을 할 수 없으니까 이런 것을 대서방에 맡기어 써 왔습니다."

종잇조각을 내놓는다. 아무리 생각해도 갑자기 일군을 사대서 채마밭 부침을 한다고 하면 돈이 더 들 터이고 그들의 말을 들어주는 수밖에 없었다. 그래서 그는 그 종이에다 도장을 눌렀다.

며칠 후에 수방이는 소문 없이 죽고 말았다. 그의 머리에는 여전히 핀이 반짝였다.

출처: 『신가정』, 1933.9.

강경애

축구전

어렴풋이 잠들었던 승호는 깜짝 놀라 벌떡 일어나며 이젠 시간이 되지 않았나? 하고 문을 열고 내다보았다.

그리 번화하던 이 거리도 어느덧 고요하고 전등불만이 가로수 사이로 두어 줄의 긴 빛을 던지고 있다. 그는 눈을 두어 번 비비고 나서 밖으로 뛰어나왔다.

한참이나 나오던 그는 싸늘한 볼을 어루만지며 자기 머리에 모자가 없음을 새삼스럽게 깨달았다. 그래서 곧 돌아와서 모자를 눌러쓰고 총총히 걸었다.

그가 목적지인 S공원까지 왔을 때 하늘을 찌를 듯이 올라간 백양나무숲을 바라보면서 희숙이가 와서 기다린 지가 오래지나 않았나 하는 불안과 어떤 감격으로 발길이 허둥지둥해졌다. 그러나 그가 S공원 안으로 들어와서 정자까지 왔을 때 희숙이가 아직 안 와있으므로 다행하면서도 섭섭하였다.

그는 정자 난간에 비껴 앉아 어디로부터 희숙이가 나타날지 몰라 두리번두리번 살펴보았다. 그리고 누가 이 공원에 놀러 오지 않았나 하는 불안도 일어났다.

마침 싸늘한 바람이 소르르 정자 안으로 밀려들어오며 나뭇잎을 대그르르 굴린다. 그는 웬 일인지 소름이 오싹 끼치며 무시무시한 생각까지 든다.

벌써 이곳은 완전한 가을이었다. 두툼한 고구라양복을 입었는데도 이렇게 온몸이 싸늘하게 얼어들어온다. 그는 팔짱을 끼며 아직 시간이 멀었는가, 어째 안와 하고 무심히 손목을 굽어볼 때 일 년 전에 전당포에 들어간 시계 생각이 문득 났다.

일 년 전 바로 이때 학교에 검거가 일어났을 때 다수의 그의 동무들이 영사관으로 잡혀 들어가게 되었다. 그런데 날은 추워오고 그들이 홑옷을 입고 들어갔으니 어떻게 해서라도 솜옷을 만들려고 두루 애쓰다가 마침내 동무들에게서 약간 얻은 돈과 시계를 잡혀 솜옷을 지어 차입해주었던 것이다.

그는 이러한 생각을 하며 지금까지도 나오지 못한 동무들을 생각하였다. 그 어두운 감옥에서 지금쯤 잠을 자고 있을까? 혹은 우리들을 생각하며 그나마 잠도 이루지 못하고 있을 것인가? 하는 생각과 함께 무어라고 형용 못할 불길이 가슴이 벅차도록 올라온다.

그는 한숨을 후 쉬며 무심히 정자 아래를 굽어보았다. 정자 아래로 깔린 연못에는 달빛이 떨어져 유리알같이 빛났다. 그는 나오는 줄 모르게 "달밤이구나." 하며 머리를 들었다.

어두컴컴한 수림 속으로 약간씩 보이는 저 전등불은 마치 그의 문우들이 Y시에 섞여있는 듯이 그렇게 드물었다. 그러나 저 불이 마침내 이 공원을 정복할 때가 멀지 않은 것 같았다. 어째 안 올까 하고 그는 가만히 일어나 정자 안을 거닐었다.

멀리 이십오세(마차이름)가 지나는 말굽소리가 툭탁툭탁 들리며 지르릉지르릉 울리는 종소리가 가늘게 들려온다. 종소리가 끊어진 후에 자박자박 신발소리가 나므로 승호는 얼핏 몸을 숨기며 바라보았다. 저편 수림 속으로 아장아장 걸어오는 사람은 확실히 희숙인 듯하였다. 그는 맘을 놓고 앞으로 나왔다.

희숙이는 멈칫 섰다가 승호의 기침소리를 듣고야 이편으로 걸어왔다.

"기다리셨지요."

"네."

곁으로 오는 희숙의 가는 숨결소리를 들으며 승호는 맘이 푹 놓였다. 그들은 가지런히 난간에 걸터앉았다.

"동무를 나오라고 한 것은……"

희숙이는 머리를 번쩍 들며 승호를 똑똑히 바라본다.

"이번 ××회 주최로 열리는 축구대회에 우리 학교도 참가하는 것이 좋을 듯한데 동무의 의견은 어떠합니까."

희숙이는 잠잠히 무엇을 생각하는 듯하더니 말했다.

"동무! 표면만이 ××회의 주최이지 기실은 Y시 안의 온갖 ×들이 주최하는 것입니다."

승호는 말끝을 얼른 받았다.

"네, 잘 압니다! 그러나 우리들이 그들 틈에 섞여서 뛰논다더라도 과오만 범치 않으면 됩니다. 그런데 특히 이번에 나가야 할 필요를 말하겠습니다. …… 우리 학교가 작년 검거사건이래 너무나 죽은 듯한 감이 있습니다. 그래서 이번 출전하는 것은 하필 승리를 겨루어보겠다는 것보다도 우리들의 꺾이지 않은 존재를 대중에게 알려주고저 함이외다!"

승호는 기침을 칵 하였다. 그리고 다시 말을 계속하였다.

"지금과 같은 반동기에 있어서는 지배계급의 적극적 탄압에 대중이 낙망을 하고 비관하게 됩니다. 그러므로 우리들의 활동이 어느 편으로 보나 더욱 게으르지 않아야 합니다."

희숙이는 작년 이때 검거가 일어났을 때 동무들을 숨겨주느라 밤중에 돌아다니던 기억이 얼핏 떠오르며 그때에 몹시도 얄밉던 저 달이 또 솟았구나! 하고 흘끔 쳐다보았다. 그리고 웬일인지 주위가 그날 밤 같아 휘휘 돌아보았다.

"출전하려면 다소의 경비가 들 터인데 그것은 어떻게 할 예정입니까?"

"글쎄요. …… 그것이 난처합니다. 뻔히 아는 바라 학교에서는 나올 곳 없고…… 아무래도 동무들이 힘써야지요. …… 우선 우리들은 이렇게 생각해보았습니다. 우리 동무들 몇몇은 지금 길회선철도공사 인부로 들어가서 며칠 일하기루요!"

희숙이는 어떤 감격으로 조그마한 가슴이 터질 듯하였다. 그리고 우리들이 돈 벌 것은 없을까 하고 이리저리 생각하다가 의견을 말했다.

"우리들도 좀 어떻게 했으면 좋겠는데요."

"글쎄요. 저…… 이걸 해보시렵니까. 이번 축구대회가 열리는 동시에 경마대회까지 열린답니다. 축구장서 바라보이는 바루 정거장 앞벌입니다."

"네."

희숙이는 무슨 좋은 벌이자리가 나는가 하여 바짝 곁으로 온다.

"그런데 그곳서 임시여급을 채용하겠다고 거리에 광고를 붙였더군요. 혹 동무도 보았는지요?"

희숙의 머리에는 경마장이 얼핏 떠오르며 부끄러운 생각이 눈가로 사르르 지나치는 것을 느꼈다. 그러나 남동무들이 길회선철도공사 인부로 나가겠다던 승호의 말을 다시금 생각할 때 오냐 무엇인들 못할 것이냐! 하고 맘을 푹 가라앉히며 승호를 쳐다보았다.

"똑똑히 보셨나요? …… 참이라면 우리들은 그곳에 운동해보겠습니다. 대체 여급이란 뭘 어떻게 하는 게인지요? 호호."

이제 자기들이 그 사람 많은 곳에서 여급으로 행세할 것이 우습기도 하고 어찌 생각하면 눈물겨운 장면 같았다.

승호는 희숙의 손이라고 콱 붙들고 싶게 고맙고도 다정해보였다. 그리고 그의 몸 전체에서 이성을 초월한 동지로서의 믿음직한 체취를 감득한 것이다.

"별게 있겠습니까. 그저 차물이나 부어놓고 혹은 그곳에 오는 손님들에게 길안내 같은 것을 하겠지요. …… 그러면 내일 학우회에서 출전여하문제는 정식으로 결정합시다."

승호는 말을 마치며 가만히 일어났다. 양어깨가 딱 바라진 승호를 쳐다보는 희숙이는 새삼스럽게 그의 담력이 뚜렷이 보이는 듯했다.

"몇 시나 되었을까."

이렇게 혼자 하는 말처럼 중얼거리며 희숙이도 따라 일어났다.

"아마 퍽 오래 되었으리다."

그들은 정자 안을 벗어나 나무그늘로 들어섰다.

며칠 후 희숙이와 그의 동무들은 드디어 경마장의 임시여급으로 채용되어 경마장 위편 '바라크' 속에서 경마권증을 팔며 혹은 손님들에게 찻물을 날랐다.

용기를 내어 여기에 들어왔으나 차완을 들고 손님들 앞에 서게 될 때는 차마 얼굴을 들지 못하리만큼 두 볼이 화끈거렸다. 그리고 모든 사람들의 시선이 자기들에게만 집중된 듯하였다. 그러나 좀 안심되는 것은 이 '바라크' 가 사면이 꼭꼭 막혀서 경마장은 보이지 아니함이었다. 그러므로 이 안에 들어오는 손님들만 대할 뿐이다.

날씨가 이 북국에서는 얻기 어려운 따뜻한 날씨였다. 밖으로부터 약간의 말똥내가 섞인 먼지가 사람들의 발길에 채여 후끈후끈 들어온다. 그리고 얼마나 사람들이 모였는지 여러 사람의 말소리가 한 뭉치가 되어 와와 하고 떠들었다. 그 틈으로 어린 애 울음소리만은 버들피리 부는 것 같다.

벨이 찌르릉찌르릉 운다. 경마권 파는 입구에는 사람들이 들이몰리어 제 각기 표를 사려고 덤볐다.

희숙이와 그의 동무들은 차완을 들고 이리 가고 저리 가면서도 맘만은 축구장으로 쉴 새 없이 달아났다. 이제 운동이 시작되었나? 우리 선수들이 어느 학교 팀과 시합이 되었나, 혹은 되지 않았나, 벌써 꼴을 먹지 않았나? 하는 불안과 초조로 발길이 허둥거렸다.

밖에서는 사람들이 뛰어가고 뛰어오는 소리가 요란스레 난다. 그때마다 그들은 저 소리가 선수들이 뽈을 다 놓쳐 뛰어오는 신발소리 같다. 가슴이 선뜻해서 한참이나 멍하니 '바라크' 벽을 바라보곤 하였다.

그리고 낯선 손님이 들어오면 웬 일인지 반가웠다. 막연하게나마 축구장을 거쳐 오지 않았는가, 그래서 그가 축구장에 대한 말을 하지 않는가 하여 한참이나 그들을 주시해보곤 하였다. 그러나 그 많은 사람이 들어오고 나가고 하건마는 축구장의 이야기는 한마디도 꺼내지 않았다.

경마권 파는 입구에는 벌써 지화가들이 몰리어 사무원이 미처 손 놀리기가 바쁜 모양이다. 그들은 지화를 바라보며 이때까지 느껴보지 못한 어떤 욕심을 부적 느꼈다. 저것을 가지면 서수들이 신고 싶어 하는 축구화도 살 수 있고 쌀밥도 해서 배가 부르도록 먹일 터인데, 그러면 이번에는 꼭 승리를 할 터이지 하며 아침에 조밥을 먹고 출전한 동무들의 그 모양이 애처롭게 떠오른다.

글쎄 조밥을 먹고야 어찌 이긴담! 그 해어진 '지까다비'를 신고야 어찌 뽈을 찬담!

방금 동무들이 발끝에 채어 돌아가는 뽈을 축구화를 신은 적에게 무참히도 빼앗기어 기가 말라 쫓아가는 모양이 뚜렷이 보인다. 그들은 가슴이 송구해졌다. 그래서 다시 한 번 돈뭉치를 바라보았을 때 당장에 사무원이라도 집어치우고 그 돈뭉치를 들고 달아나고 싶었다. 그러나 그것은 쓸데없는 맘뿐임을 깨달으며 가볍게 한숨을 몰아쉬었다.

벨이 또다시 운다. 경마장에서는 말발굽소리와 함께 사람들의 환호소리가 우레같이 일어난다.

그들은 이 소리가 저편 축구장에서 오는 동무들의 힘찬 응원소리 같아서 기운이 번쩍 나는 것을 등에 땀이 나도록 느꼈다.

"아니, 어쩌면!"

동무 하나가 거의 울듯이 중얼거린다. 그들은 일시에 시선을 마주치고 헤어졌다. 그들의 눈에는 어느덧 눈물이 글썽글썽 했다.

2호다! 2호다! 외치는 소리를 따라 발자취소리가 벼락 치듯 난다. 그리고 이십 원! 이십 원 배당! 하고 목이 말라 고함치는 소리가 이 '바라크'를 잡아 흔드는 것 같았다. 저편 배당구에서는 십 원짜리 지화가 훨훨 내달아간다. 그들은 물끄러미 이 모양을 바라보며 증오의 불길이 확 일어남을 느꼈다.

오늘 저 축구장에는 세상이 다 죽은 것으로 알았던 자기들의 동무가 씩씩한 웅자로 나타나서 맘껏 뽈을 차는데 그 뽈은 이 Y시 하늘 위에 까맣게 높이 떴을 터인데 그 축구장을 지나쳐온 저들! 그 뽈을 무심히 바라본 저들! 아아 저들은 과연 자기들과는 딴 인종 같았다. 아니 딴 인종이다.

이렇게 가슴을 졸이며 하루의 사무를 지루하게 마친 그들은 축구장으로 달렸다.

마침 어떤 부인이 마주나오는 것을 보자 그들은 그새가 바빠서 물었다.

"P학교가 어떻게 되었습니까?"

부인은 그들을 한참이나 돌아보다가

"졌소꼬마! 뽈은 잘 차드구만도 웨 퍽퍽 거꾸러지기를 잘 해, 아마 먹지를 잘 못했는지? 아이, 그게야 애처로워서 어디 보겠드라구…… 저편 선수들은 무엇을 잘 먹이는 모양이두먼. 그냥 운동장에서까지 뭘 자꾸 먹이두먼 그래. 그런데 이 편은 냉수만 들이키어 아이, 볼 수 없어. 다리를 채어 피가 흐르고 한 학생을 골이 터져서……"

부인은 눈살을 찌푸리며 머리를 설레설레 흔든다. 그리고 눈에는 눈물이 가득 고였다.

그들은 졌다는 말에 그만 온 전신이 하사분해서 다시 두말도 못하고 멍하니 서있었다.

"학교에 아마 친척이 다니나보우…… 나는 친척도 아무것도 다니는 것 없으나……"

말끝을 흐리며 머리를 돌리는 부인의 눈에는 선수들의 피나는 다리와 골머리가 확실히 보이는 모양이다.

"어서 가보우. 그리고 위로나 잘 해주우."

그들은 울음이 북받쳐 어쩔 줄을 모르다가 부인이 앞을 떠나감을 알았을 때 힐끔 돌아보니 아주 남루한 옷을 입은 부인임을 새삼스럽게 발견하였다.

그들은 순간에 어떤 힘을 불쑥 느끼며 축구장으로 달려왔다. 벌써 동무들은 행렬을 지어 한끝은 시가로 향하였다.

행진곡은 쾅쾅 울린다. 얼핏 바라보니 승호가 기발을 쥐고 앞장섰다. 행진! 그 뒤로는 군중이 물밀 듯 따라섰다.

마저 넘어가는 햇볕에 P학교의 기발은 피같이 붉었다.

1933. 12.

출처: 『신가정』 12, 1933.12.

김광주

鋪道의 憂鬱

"아이구, 이건 사람 죽겠구려! 으흥! 으흥!"

이불을 뒤집어쓰고 침대에 엎드려서 괴로워하는 아내의 목소리가 '철'에게는 두 볼의 피란 피는 모조리 긁어가겠다는 듯이 짜증만 돋우었다.

남에 없이 약한 마음이라 괴로워하는 아내에게 마주 대놓고 성미를 부릴 수도 없고 애꿎은 좁은 유리창을 열었다 닫았다 하고 그도 짜증이 나면 대엿 발만 옮겨놓으면 벽과 이마가 맞부딪쳐지는 좁은 방을 걸음을 배우는 어린 아이같이 왔다 갔다 하였다.

"먹을 것도 없는데 자식은 왜 생긴담!"

'철'은 입 밖에도 못 내놓는 말을 목구멍 속에서 굴렀다. 그러나 암만 짜증을 내고 혼자 성미를 끓여도 어리석다는 결론밖에 나서지 않았다.

안내는 만삭(滿朔)이 되어가지고 가냘픈 몸에 가엾을 만한 통통한 배를 안고서 어제 저녁부터 해산기미가 보인다고 자리에 누웠으나 첫애여서 그런지 좀처럼 낳지를 못하고 쩔쩔맬 뿐이다.

장방형 유리창 밖으로 내다보이는 상해(上海)의 가을 하늘은 유리같이 푸르고 군데군데 조그마한 구름들이 죽은 사람모양으로 꼼짝 안하고 떠있다.

'철'은 담배 잿털이를 들고 꽁초를 찾아보았다. 뒤지고 또 뒤진 잿털이 속에 꽁초가 남아있을 리가 없다. 손가락에 묻은 뽀얀 재를 바지에다 문질렀다. 긴 한숨이 '철'을 유리창 앞으로 유인했다.

'철'은 힘없이 주먹으로 창문턱을 서너 번 두드렸다. 불평이 있을 때마다 하는 그의 버릇이다. 잠이 부족한 붉은 두 눈을 창 아래 길가로 던졌다.

좁은 골목 한 모퉁이에 눈먼 중국 여자 하나가 콧물을 질질 흘리는 어린 것을 옆에 세우고 '호궁'(胡弓)을 뜯고 섰다. 대엿 사람의 구경꾼들이 어여쁜 얼굴에 눈먼 것이 가엽다는 듯이 멀리 서서 쳐다보고 있다. 그것이 마치 한 폭의 흐릿한 채수화같이 '철'의 눈에 어른거렸다. '호궁' 소리! '철'은 갑자기 못 볼 것을 본 사람같이 유리창을 닫아버렸다.

'호궁' 소리! 이 년 전 겨울 골방같이 컴컴한 중국 사람 집. 좁은 정자간(亭子間)에서 상해의 시끄러운 밤거리가 깊어갈 때 들창 밑으로 처량히 들리던 '호궁'소리.

그래도 그때에는 '철'에게도 젊은이의 정열이 있었다. 굶주림과 헐벗음을 같이 하고 세상을 바로잡아 보겠다는 든든한 동지(同志)들이 있었다. 저녁을 못 먹고도 밤을 새우며 얼굴과 손에 먹투성이를 하고 등사판 '로―러'를 굴러 섰다.

'철'은 팔짱을 끼고 방 한복판에 우뚝하니 서서 군데군데 거미줄 친 좁은 천정을 쳐다보았다. 서너 달 전에 격문을 뿌리다가 잡혀서 조선으로 나간 여러 동지들의 얼굴이 차례 없이 천정 위로 달음질하였다. 그중에서도 함경도 태생으로 여러 동지들에게 '황소'라고 별명을 듣던 K의 무뚝뚝하고 우락부락하게 생긴 얼굴이 '철'의 시선을 떠나려 들지 않았다.

"잉테리(인텔리란 말을 K는 이렇게 발음했었다.)란 놈들은 모두 멀쩡한 도적들이다. 네놈들이 언제 결단성 있는 일을 해보겠니! 아는 게 병이니라. 이론(理論) 죽는 날까지 말다툼들만 하잔 말인가! 민중은 다 죽어 없어지더라도 붓끝으로만 일을 하겠단 말이냐!"

흥분 될 때마다 무섭게 생긴 얼굴에다 핏대를 올려가며 부르짖던 K의 목소리가 희미한 환영 속에서 터져 나오는 것 같았다. 그리고 또 무슨 목소리가 그 뒤를 이어서 '철'의 귀를 찌르는 것 같았다.

"계집애같이 마음 약한 놈!"

"이 간사스런 놈아! 일을 하겠다고 이곳까지 튀어나온 놈이 계집에게 정신을 쏟아. 그래 가정생활의 맛이 어떠하냐!"

'철'은 쏟아지는 폭풍우 속에 혼자서는 비를 맞는 자기 자신을 발견하였다(안전지대를 찾아와서 일을 하겠다는 것은 거짓말이다. 비열한 일이다. 조선으로 다시 들어가야 한다.)고 늘 말하던 동지들이 기어이 가고야 말았다.

'철'은 아픈 것이 겨우 진정이 되어 가쁜 숨을 할딱거리며 드러누운 아내의 모양을 내려다보았다. 하룻밤사이에 여윌 대로 여윈 두 볼에 가냘픈 콧날만이 톡 삐져나왔다.

"모든 것이 너 때문이다!"

아내의 머리채를 휘어잡고 한바탕을 몸부림을 하였으면 만사가 해결될 것 같은 부질없고 어리석은 생각을 하면서도 차서 내던진 이불을 다시 덮어주는 '철'이다.

"정 괴로우면 병원에라도 가봅시다."

그것이 전혀 불가능한 일인 줄 뻔히 알면서도 입 밖에 내보고 싶은 것이 사람의 마음이다. 아내의 다물었던 뾰족한 입이 갑자기 열렸다.

"먹을 것도 없고 방세에 쫓기면서 병원으로 가기만 하면 어떻게 한단 말이요!"

"그래도 설마 죽을라구— 어떻게 되겠지!"

결단성 없는 남편의 시원치 않은 말이다. 아내는 말대답하기도 싫다는 듯이 저편으로 돌아누우며 가느다란 한숨을 길게 내뿜었다.

낙엽소리도 들을 수 없는 시끄러운 도회지이건만 쓸쓸한 가을바람이 좁은 유리창을 가볍게 흔들며 회색빛 황혼을 방안으로 던졌다. 죽음같이 고요한 침묵 속에서 아내의 숨소리가 쌔근쌔근 어두컴컴해지는 공기를 헤쳤다. '철'은 두 번째 힘없는 주먹으로 창문턱을 두드렸다.

　"저렇게 주변성 없는 이는 처음 보겠소! 남에게 싫은 소리를 안 하고 어떻게 세상을 살어간단 말이오. 헛걸음칠 셈 잡고 한 번 가보구려! 사정을 하면 몇 십 원 안 돌려주겠소!"

　흐트러진 머리를 가다듬어 올리며 아내가 또다시 말을 꺼냈다. 가보라는 그 뜻이 물을 것도 없이 자기의 오라버니 집에 가서 오늘 내일 해산이 절박해오고 집세도 밀리고 하니 몇 십 원 돌려달라는 뜻임을 '철'은 잘 안다.

　아내와 동거한지 벌써 이년이 지났건만 '철'은 처갓집이라고는 한 번도 발을 들여놓지 않았었다. 장인도 장모도 없는 고로 물론 자주 드나들 까닭이야 없겠지만 첫째로 손위처남의 만사에 우월감을 내세우려드는 성격이 '철'에게는 생각만 하여도 구역질을 자아내었다.

　처남은 물러주고 간 아버지의 재산으로 서양 사람들만이 살고 있는 日로(路)에서 식료품점을 경영하고 있다. 장사가 잘 되어 가게가 풍성풍성해 갈수록 작달만한 키에 보기 싫은 만큼 배에 살이 올라가지고는 가끔 '철'을 거리에서 만날 때마다 이런 말을 하였다.

　"돈을 벌게 돈을 벌어. 세상을 뒤흔들 듯한 소리를 하던 놈들도 돈 앞에는 꼼짝 못하네. 뱃속에서 쪼로록 소리가 나 보아야 사람이 어떻다는 것을 아느니—"

　그러나 이럴 때마다 '철'의 대답은 한결 같았다.

　"글쎄요—"

　'철'은 언제나 그 이상 더 말하기를 싫어하였다. 더욱이 사람에게는 돈밖에는 감정도 의리도 아무것도 없다는 듯이 빈둥빈둥 살만 쪄가는 처남의 얼굴. 까닭 없이 사람을 멸시하는 것 같은 흐리터분한 두 눈은 자다가 생각하여도 일종 증오에 가까운 기분을 갖게 하였다. (굶어 죽어보지. 내가 그놈의 문전에 가서 밥을 달라나!)

'철'은 노란 목소리로 이렇게 악을 썼다. 자존심이란 자존심이 있는 대로 머리끝까지 치밀어 올랐다. 고양이에게 물려가는 조그만 생쥐가 바등바등 몸부림을 하면서 발악을 하듯이 그것이 쓸데없다는 것을 모르는 바는 아니었으나 남은 것은 신경뿐이다. 악을 쓰지 않고는 견디기 어려운 '철'이다.

별안간 전등불이 활짝 커졌다. 불 밑에 더 한층 또렷하게 보이는 아내의 얼굴이 '철'의 전신의 신경을 머리위로 잡아당겼다.

"야뽀우"(晩報) "야뽀우" 신문 파는 아이들의 떠들썩한 소리가 상해의 첫 저녁을 던지면서 거리저편으로 반향해갔다.

×　　×

밤 아홉시가 다 되어서 '철'은 아내의 괴로워하는 신음소리를 뒤로하고 거리로 나왔다. 일 분 후가 어떻게 될지도 알 수 없으나 어젯밤부터의 경과로 보아서 좀처럼 빨리 순산할 것 같지도 않았다. 납을 끓여 부은 것 같이 반드러운 '페이브멘트' 위로 바람에 날리는 가로수의 낙엽이 이따금 이따금 발에 차였다. 밤거리의 요란한 아우성소리도 '철'의 귀에는 없었다.

복면을 하고 권총을 들고 밤중에 남의 집에 침입하여 금품을 달라고 협박하는 한 청년의 무서운 모양을 앞에 상상하면서 무거운 다리를 꿈에서 깨여난 사람같이 소스라져서 걸음을 빨리 하였다.

집에서 나올 때 생각은 이 꼴 저 꼴 보지 말고 누구에서 누구에게 싫은 소리를 하던지 몇 십 원 돌려서 될 수 있으면 밤중에라도 병원으로 데리고 가서 해산할 때까지 맡겨버릴 생각이었으나 나와 보니 갈 곳이 없다. 한 열흘 가량 하고 입원료가 최하로 십오 원은 될 것이니 전부는 고사하고 단돈 오 원이라도 선 듯 꿔줄 사람은 있을 것 같지 않았다.

"여보게! 철이!"

얼마동안을 걸었는지 다리에 맥이 풀려 길옆에 우뚝하니 선채로 전차가 토해놓는 사람의 떼를 바라보고 있노라니 덜미에서 부르는 사람이 있다. 깜짝 놀라 몸을 돌이키니 군인 같은 '인스펙―터(電車査票員)'의 '유니폼'을 입은 A의 둥글넓적한 얼굴이 뜻 없이 웃고 있다.

"이사람 요새는 왜 그렇게 한 번도 볼 수가 없나! 대체 어쩌려는 셈이야?"

"심심해서 바람 좀 쏘이려고."

'철'은 말끝을 맺지 못하고 A의 우락부락한 손을 잡았다. 조선사람 '인스펙터'들 가운데 술 잘 먹고 놀기 잘하기로 유명한 그이요, 고양이 같은 서울이라고 무조건하고 '철'을 좋아하는 A이다.

"오래간만이니 차라도 한잔 마시세!"

"투 컵스 커피―"

발음도 제대로 안 되는 영어로 A가 차를 식히는 동안에 '철'은 우뚝하니 유리창 밖으로 거리 저편을 바라보면서 A의 월급날을 손꼽아 보았다.

(그믐날이 월급이니까 오늘이 초닷새, 집세를 이 원쯤 주었을 것이고 쌀값, 나뭇값 밀린 것을 이십 원 치고 어린아이들 학비로 오 원 월급이 육십 원을 될 터이니 아직 한 이십 원 남었을까?)

'철'은 남의 살림살이를 들여다보는 듯이 이렇게 손을 꼽으면서 A의 얼굴 빛을 살폈다.

흙물 같은 '커―피' 차 두 잔이 네모진 좁은 상위에 놓여있다.

"그래 요즘은 생활이 어떠한가. 자네 스위트하트(철의 아내를 가리키는 말이다.)께서도 건강하시고." 숟갈로 찻잔을 휘휘 저으면서 A가 입을 열었다.

'철'은 이때라고 생각하였다. 주변성 없다고 늘 핀잔을 주던 아내에게 커다란 분풀이나 하는 듯이 온몸의 기운을 입으로 모았다.

"말이 났으니 말이지 죽을 지경일세. 사실은 지금도 어데 돈을 좀 취해볼까 하고 나온 길일세. 용돈 있거던 다소간 돌려줄 수 없겠나. 취직자리가 되면 갚을 것이니."

"갚고 안 갚는 것은 둘째고 대관절 얼마 가량이나?"

"우선 한 십오 원만 있었으면."

"흐─응"

찻잔과 찻잔사이로 보이는 A의 이마 위에 주름살이 잡힐 때 '철'의 눈앞에는 초췌한 아내의 얼굴이 커다랗게 떠올렸다. 그리고 그 얼굴이 이와 같이 말하는 것 같았다.(당시 주변으로 어데가 돈을 돌리겠소!)

'철'은 반쯤마신 찻잔을 힘없이 놓았다. 일종 모욕을 당한 것 같은 야릇한 기분을 느끼면서 얼굴이 홧홧해짐을 깨달았을 때 A는 예한 것과 틀림없는 그의 유일한 인간철학을 토했다.

"아내고 자식이고 모두 귀찮은 것인데 그저 단신으로 훨훨 돌아다니며 살다가 죽었으면 제일이겠데. 나도 지금 간신히 돈 이 원을 돌려가지고 집으로 가는 길일세. 월급 푼 받은 것 흐지부지 녹아버리고 아내는 멋모르고 활동사진 구경식이라고 도지개를 트니 하는 수 있나. 언제나 철이 알리는지 자식이 둘씩, 셋씩 되면서도 남편을 내세워서 활동사진 갈 돈을 취해오라니 상해 여자들이란 활동사진이 아니면 죽어 죽어…… 내가 어리석은 놈이지만 하는 수 있나 살아가려니. 하……"

A는 너털웃음으로 어색한 기분을 막아내려 하였다.

'철'도 따라서 웃어버리는 것밖에 별도리가 없었다.

"없는 걸 할 수 있나. 도리어 미안하이…… 하……"

쓰디쓴 차를 한 모금에 쭉 들이키고 나서 '철'은 벌떡 일어섰다. 차라리 말하지 않았던 편이 낳았으리라는 자존심의 한 조각이 가슴 한 구석을 쿡 찌르는 것 같고 허덕허덕 집으로 기어들어갈 생각을 할 때 공연히 손이 머리 위로 올라갔다 내려왔다 하였다.

'패랭이' 같은 상투 달린 모자를 머리뒤통수에다 걸치고 술이 취하여 비틀거리며 몰려들어오는 '불란서해군'들의 틈을 비비며 '철'은 '티— 룸'문을 나섰다.

"그거 참 안된 걸. 흐— 응 안 된 걸—"

이 원이나마 선뜻 꺼내주지도 못하면서 거리로 나올 때까지 되풀이하는 A의 이 말이 '철'의 신경을 송곳같이 만들었으나 그를 나무랄 일도 아니었다.

가로수의 낙엽이 또 하나 발에 채우며 반드러운 '페이브멘트' 위를 달음질 하였다.

× ×

밤이 얼마나 깊었는지 그런 생각은 할 사이도 없이 아내가 조바심을 하고 누웠을 생각을 하고 공연히 나왔던 것을 후회하면서 '철'은 어두컴컴한 층계를 총총걸음으로 올라갔다.

"앵 앵."

의외의 어린것의 울음소리가 들렸다. 공교히 자기도 없는 사이에 해산을 했단 말인가? 산모는 죽었는가 살았는가 하는 놀라움에 이마에서 식은땀이 흐르는 것도 깨달을 새 없이 '또어'를 열자니 피비린내가 왈칵 코에 끼친다.

방 안에는 뜻밖에도 옆집에 사는 '애희할머니'라는 노인이 언제 걸어 올린 소매인지 내릴 줄도 모르고 앙상한 팔을 내놓은 채로 서 있다. 철은 정신이 아찔하였다. 아내의 가슴이 올라갔다 내려왔다 하는 것을 보고야 간신히 마음을 놓고 노인의 두 손을 고마움에 못 이겨 덥석 쥐었다.

"이웃 간에서 죽은 들 누가 알겠소. 해산때가 가까운 줄은 알았지만 이런 줄이야 누가 알았소. 안 부끄러운 게 다 뭐란 말이요. 어제 저녁이라도 기별만 했으면 내 와서 안 보아주겠소. 그래도 사람은 살기 마련이지. 저녁을 먹고 났더니 공연히 나오고 싶어서 와봤지. 하여간 후산까지 순순히 되었고 또 첫 아들을 나었으니 한 턱을 단단히 내야지."

노인은 빼송빼송한 잇몸을 드러내고 가벼운 웃음을 띠웠다. '철'은 아무 대답도 나오지 않았다. 꿈틀거리는 핏덩어리를 정신 잃고 내려다보자니 동지 K의 비웃음 가득한 얼굴이 벽으로 유리창으로 왔다 갔다 하였다.

"산모를 혼자 내버려두고 나가는 사람이 어데 있더란 말이요. 아무리 젊은 사람이기로서니…… 밤중에라도 무슨 일이 있거던 아무 걱정 말고 우리 집에 와서 나를 깨워주우."

'애희할머니'는 고마운 말을 남기고 문짝으로 나갔다. 층계를 내려가는 발소리에 죽어가는 사람 모양으로 꼼짝 안하고 누워있던 아내가 스스로 눈을 떴다가 남편의 얼굴을 쳐다보고는 또다시 감았다. 자는 듯한 두 눈에서는 기쁨과 슬픔이 한데 엉클어진 뽀얀 눈물이 흘러나왔다.

'철'은 아내의 이마에서 쉴 새 없이 흐르는 식은땀을 수건으로 씻어주며 엉클어진 머리를 가만가만히 가다듬어주었다. 어린것의 울음소리가 주변에 없는 애비를 비웃는 것같이 쓸쓸한 방안의 공기를 흔들었다.

멀리서 들리는 전차의 '카―브' 도는 소리와 함께 가을 밤바람이 장방형 유리창에 깊은 밤을 가져왔다. (丁)

一九三三年 二月 作

출처: 『新東亞』 제3호, 1934. 2.

母子

눈이 펄펄 내리는 오늘 아침에 승호의 어머니는 백일기침에 신음하는 어린 승호를 둘러업고 문밖을 나섰다. 그가 중국인의 상점 앞을 지나칠 때 며칠 전에 어멈을 그만두고 쫓겨 나오듯이 친가로 정신없이 가던 자신을 굽어보며 오늘 또 친가에서 외모와 쌈을 하고 이렇게 나오게 되니 이젠 갈 곳이 없는 듯하였다. 그나마 그는 외모는 말할 것 없지만 아버지만 쳐다보고 그래도 딸자식이니 몇 해는 그만두고라도 몇 달은 보아주려니 보다도 승호의 백일기침이 낫기까지는 있게 되려니 하였다가 그 역시 딴 남인 애희네 보다도 못하지 않음을 그는 눈물겹게 생각하였다. 어디로 가나? 그는 우뚝 섰다. 사람들은 부절히 그의 옆으로 지나친다. 그는 멍하니 하늘을 쳐다보면서 이제야말로 원수같이 지내던 시형네 집에나마 머리 숙여 들어가지 않을 수가 없었다. 그렇게 생각하고 나니 자신은 도수장에 들어가는 소 모양으로 온몸이 부르르 떨리고 차마 발길을 떼놓는 수가 없었다. 그러나 한편으로 생각하면 비록 그의 남편은 이미 죽었지만 남편의 뒤를 이을 이 승호가 있지 않은가! 이 승호야말로 친가에서보다도 시형네 집에서는 유리한 조건이 되지 않는가. 조카자식도 자식이지. 오냐 가자! 하고 그는 억지로 발길을 떼어놓았다. 더구나 시형네는 방금 약방을 펼쳐 놓고 있으니 들어가기가 어려워서 그렇지 그가 들어만 가면 승호의 이 기침도 곧 나아질 것 같았다. 그는 용기가 났다. 아무러한 모욕을 주더라도 꿀꺽 참자 하고 느려지는 발길에 힘을 주었다. 그러나 동서의 그 낚시눈과 시형의 호박씨 같은 눈이 자꾸 그의 발길을 돌리려고만 하였다.

만주사변 전만 하여도 시형이 자기의 남편을 하늘같이 떠받치었으며 그래서 자기들까지도 시형이 군말 없이 생활비를 대주었던 것이나, 일단 만주사변이 일어나고 그리고 이 용정 사회가 돌변하면서부터는 시형도 맘이 변하여 끔찍하게 알던 그 아우를 밤낮으로 욕질을 해가며 역시 자기네 모자를 한결같이 대하였다. 그래서 일정 생활비도 대주지 않는 까닭에 승호의 어머니는 남의 어멈으로 들어가게 되었던 것이다. 그리고 특히 일 년 전에 남편이 객지에서 죽었다는 기별이 왔을 때 시형은 오히려 좋아하는 눈치를 보였기 때문에 승호의 어머니는 있는 악이 치밀어서 큰 쌈을 하게 되었으며 그후로는 발길을 아주 끊고 말았던 것이다. 그런데 오늘 이렇게 그가 머리 숙여 들어간대야 시형네 내외가 물론 덜 좋아할 것을 뻔히 아는 터이고 해서 그는 이렇게 주저하고 망설이지 않고는 견디지 못하였다.

가만히 엎디어 있던 승호는 갑자기 머리를 들며 그 몹쓸 기침발을 또 내놓았다. 그리고 기침에 못 이겨서 숨이 꼴깍 넘어가는 소리를 한다. 그는 얼른 승호를 앞으로 돌려 안으며 승호의 볼 위에 볼을 맞대고 몸을 부르르 떨었다.

"승호야! 아가!"

그는 안타까워서 이렇게 부르르 승호의 입에 그의 입술을 대고 입김을 흠뻑 빨았다. 그것은 아들의 백일기침이 자기에게로 옮아오고 말았으면 하는 생각으로 그는 언제나 승호가 기침을 내놓을 때마다 이렇게 하곤 하였다. 그리고는 승호가 기침한 지가 한참이 지나도록 하지 않으면 그가 입김을 빤 효과가 나는가 하여 가슴을 태우다는 번번이 그 기침발을 또다시 만나곤 하였던 것이다. 승호의 기침이 좀 진정한 뒤에야 그는 다시 걸었다. 어느덧 시형네 담모퉁이로 들어섰다. 그는 멈칫 섰다. '시형이 왜 왔느냐? 물으면 뭐라고 하나? 살러 왔습니다…… 그러나 뭐라 하나? 그만 잠자코 있을까. 아님 어멈 그만둔 것을 말해야지. 그러나 그 집에서도 모른다면은 어찌나?' 그는 어떤 지하에나 떨어지는 듯 아찔하여 그만 돌아섰다. 차라리 그렇게 될 바에는 아예 들어가지도 말았으면도 하였다. 그러나 그러고 보니 갈 곳이 없다. 그만 오늘밤이나 누구네 집에 가서 자구서 눈이나 그치거든 어디로든지 갈까? 그때는 애희네 집에서 쫓겨 나오던 광경을 머리에 그리며, '남이야 다 같지. 누구라 우리 모자를 하룻밤인들 재울쏘냐. 이 몹쓸 기침에 걸린 우리 승호를 나 외에야 누가 좋다고 할 사람이 어디 있어. 그나마 자식값에 가니 그래도 시형이 났겠지. 가서 말이나 해보자. 설마한들 내쫓을까.' 그는 다시 발길을 옮겼다. 발길은 점점 무거워 오며 자꾸 망설이게 된다. '그리고 승호가 시형과 마주 앉아 이야기할 때 그 기침을 하면 어쩌나. 그래서 다소 불쌍한 맘이 들어 집에 두랴고 했다가도 그만 그 기침에 놀라 딱 잡아떼면 어떡허나! 좀 기다려서 승호가 기침을 한 후에 들어가지.' 그는 우뚝 서서 승호가 어서 기침을 하기를 고대하였다.

이렇게 바람 차고 눈 오는 날에 밖에서 오래 있는 것이 승호에게 해롭다는 것을 모르는 것은 아니건만 그는 이렇게 망설이며 가슴을 졸이지 않을 수가 없다.

"승호야, 너 큰아버지 앞에서 기침을 참아야 한다. 그래야 한다."

자는 듯이 엎디어 있는 승호의 등을 가볍게 두드리며 이렇게 애원하다시피 하였다. 그는 멈칫 섰다. 시형네 문이 눈에 선뜻 띄었던 것이다. 그리고 새로 페인트칠을 한 시형네 대문은 그가 오래간만에 왔다는 것을 말해주는 듯 그는 뛰는 가슴을 쥐며 또다시 망설였다. 그때 별안간 문이 열리어 H보통학

교에 교사로 있는 시형의 딸이 앞뒤를 굽어보며 나온다. 그는 흠칫하여 물러설 때,

"아이 작은어머니, 오래간만이네……"

눈같이 흰 얼굴에 부드러운 그의 외투깃털이 살짝살짝 스친다.

"잘 있었니……"

그는 질녀만 보아도 머리가 숙여지며 말문이 꾹 막힌다.

"어서 들어가요. 승호는 자우?"

질녀는 곁으로 오는 체하더니 도로 물러난다.

"난 저기 다녀올게. 작은어머니는 어서 들어가요. 나 오기 전에 집에 가면 못써. 응 작은어머니."

질녀의 음성은 몹시도 명랑하였다. 그때 그는 질녀를 붙들고 이런 사정을 해볼까 하는 생각도 들었으나 질녀는 말을 마치자 생긋 웃어 보이고 돌아서 간다. 그는 하는 수 없이 문안으로 들어섰다. 신발소리를 들었음인지 맏동서의 낚시눈이 유리창으로 나타난다. 그는 얼굴이 화끈 달며 마치 원수를 대하는 듯하였다.

"이거 웬일이어? 자네가 다 우리 집엘 올 때가 있나?"

미닫이를 드르르 열고 내다보는 동서는 은연중에 노기를 띠고 그를 대하여 준다. 그는 아무 말 없이 방으로 들어가 앉는다. 약내가 물큰 스치며 훈훈한 방 기운이 그의 달은 볼 위에 칵 덮씌운다. 그는 승호가 기침을 할까 하여 누더기를 승호 머리까지 뒤집어씌우고 앉아서 가슴을 졸였다.

"그래 돈벌이 한다더니 돈 많이 모았겠구먼…… 사람이 못쓰느니. 자네, 아직도 자네가 옳게 한 것 같으냐?"

동서는 장죽을 당겨 담배를 담는다.

"잘못했어요."

"그러구 말이지, 싸울 때는 혹 싸웠더라도 성이 까라지면 잘못했다고 빌어야 하는 게지. 그래 일 년이 넘도록 발길 하지 않으니 아랫사람으로 윗사람 대하는 법이 어디 그런가."

잘못했다는 말에 동서는 성이 좀 풀린 모양인지 이러한 말을 한다. 그는 목을 놓아 울고 싶은 것을 겨우 진정하며 자신의 맘이 참말 좁은 것 같았다. 그는 감격하였다. 윗방에서는 중국인이 약을 사러 왔는지 중국인의 음성 틈에 시형의 굵단 음성이 들린다. 그는 동서가 성이 좀 풀린 때에 모든 것을 탁 털어놓고 사정하리라 하였다. 그리고 무슨 말을 꺼내렸으나 앞서는 것은 눈물뿐이요, 입을 때는 수가 없었다. 그러자 승호가 머리를 들더니 기침발을 또 내놓았다. 그의 어머니는 어쩔 줄을 몰라 쩔쩔매었다.

"아니 그 애가 백일기침이 아니라구?"

동서는 금시로 눈이 샐쭉해진다. 승호 어머니가 어째서 온 것을 짐작하였던 것이다.

"백일기침에는 약이 없다네. 언제부터 그 병에 걸렸나?"

승호 어머니는 약 없다는 말에 기가 질리어 얼굴이 새하얗게 되었다. 그러면 승호는 죽는 수밖에 없구나! 하는 생각이 그의 머리를 아뜩하게 하였던 것이다.

"애를 잘 간수할 것이지. 자네 있는 집에 누가 앓는가?"

"아 아니유!"

"그러면 그 집에서도 싫어하지 않겠는가?"

"아 아주 나왔어요!"

말끝에 그는 울고야 말았다. 동서는 휭 돌아앉는다.

"백일기침은 전염병이니 누가 좋아하겠나."

동서는 처음에 약을 얻으러 온 것으로만 알았으나 지금 생각하니 있을 곳이 없어 온 것임을 알았다. 동서는 갑자기 멸시하는 생각과 함께 가라앉으려던 분이 치받친다.

"흥, 좋을 때는 발길 안 하더니 새끼가 죽게 되구 있을 데가 없으니 온단 말이어. 우리는 모르네. 아 자네 왜 그리 기세 좋게 떠들고 나가더니 일 년이 못 되어 돌아오는가. 우리는 그런 꼴 못 보아. 자네 친정집 있지. 그리 가든지 시집을 가든지. 우리와는 그때부터 인연을 끊지 않았나!"

담뱃대로 재떨이를 땅땅 친다. 승호의 어머니는 볼을 쥐어 박힌 듯 온 얼굴이 안 아픈 곳이 없었다. 그는 입술을 다물며 다시 한 번 사정하리라 하였다.

"어쩌겠습니까! 한 번 용서하십시오."

"흥! 용서, 용서라는 게 몇 푼짜리 가는 게야. 우리는 몰라."

그때 윗방 미닫이가 열리며 시형의 얼굴이 나타난다.

"이거 왜들 이리 시끄럽게 구니!"

소리를 지르며 눈알을 굴린다.

"글쎄 생전 면대하지 않을 것같이 굴더니 새끼가 병들고 있을 곳이 없으니 또 왔구려."

"듣기 싫어!"

시형은 소리를 냅다 치며 미닫이를 도로 닫는다. 그나마 실끝같이 믿었던 시형조차도 저 모양이다. 그는 벌떡 일어났다.

"잘들 살아요."

그는 미친 듯이 밖으로 뛰어나왔다. 그는 정신없이 행길까지 나왔다. 눈은 여전히 소리 없이 푹푹 쏟아진다. 그는 우뚝 섰다. 남편을 그는 원망하지 않을 수 없었다. 그러나 그는 곧 후회하였다. 잠 한 잠 뜨듯이 자지 못하고 밥 한 끼니 달게 먹어보지 못하고 산으로 들로 돌아다니다가 적에게 붙들려 죽은 남편을 원망하는 자신이야말로 너무나 답답한 여자 같았던 것이다.

남편이 산으로 가기 전에 그를 붙들고 뭐라고 말했던가. "우리는 아무리 잘살고자 하나 잘살 수가 없다." 고 하던 남편의 말. 그때는 무슨 말인지 하였으나 그가 살아올수록 남편의 말이 옳은 것 같았다. 아니 옳은 것이다. "승호에게도 우리는 그렇게 가르쳐야 하오……" 남편의 말. 아아 그 남편을 잃은 자신을 어떻게 해야 좋을까. 남편이 살았을 때는 아무러한 고생을 하여도 그래도 희망이 떠나지 않더니 지금에야 그는 무슨 희망이 있으랴. 그저 앞이 캄캄한 것뿐이었다.

그는 우뚝 섰다. 이런 생각을 하니 그런지 남편의 그 눈, 그 입모습이 자꾸 떠올라서 그는 소리쳐 울고 싶었던 것이다. 그는 떨어지는 눈송이를 멍하니 바라보았다. 그리고 저 눈송이가 혹은 기침에 약이나 되지 않을까 하는 생각에 그는 넓적 입을 벌리고 눈송이를 받았다. 그때 그는 시형네 방에서 맡던 약내를 얼핏 생각하며 혀끝이 선뜻해지는 눈송이를 느꼈다. 그리고 매정하게 말하던 동서의 말이 떠올라 그는 눈을 무섭게 떴다. 다음 순간에 그는 승호가 이 몹쓸 바람을 쐬어 더 기침을 하게 되면 어쩌나 하는 불안에 그는 머리에 썼던 수건을 벗어 승호를 씌웠다. 그리고 걸었다. 어디로 가나? 아무 데라도 가지. 그저 용정만 벗어나자. 인심이 야박한 이 용정. 아니 돈만 아는 놈이 사는 이 용정! 자기 모자를 내쫓는 이 용정! 이 용정만 떠나서 자기네 모자와 같은 이러한 궁경에 있는 사람들이야말로 자기네 모자를 박대하지는 않을 것 같았다. 이렇게 생각하고 나니 남편이 처음 떠나누라는 그 산이 문득 생각 키운다.

"아니 어딜 가셔요, 글쎄 말이나 해요."

그의 안타까워 묻던 말에 남편은 묵묵히 앉았다가

"산으로 가우."

남편의 말.

"어느 산?"

"그저 산이라구만 알아두지……"

그 후부터 그는 멀리 바라보이는 산을 유정하게 바라보게 되었으며 누구의 입에서나 산이 어떻다는 말만 들어도 그는 가슴이 뛰곤 하였던 것이다. 산! 남편은 필시 어느 산인지는 모르나 산으로 갔을 것만은 틀림없었고 그래서 죽는 때까지도 산에서 산으로 옮겨 다니다가 ×에게 붙들리었을 것이라 하였다. 눈송이에 묻혀 잘 보이지 않는 저 산, 꿈같이 아득히 보이는 저 산. 자기네 모자는 남편의 뒤를 따라 저 산으로 갈 곳밖에 없는 듯하였다.

"가자, 승호야. 아버지를 따라!"

그는 흥분에 겨워 이렇게 말하였다. 그렇게 생각하니 그런지 저 산에를 가면 남편의 해골이나마 대할 것 같고 그리고 죽으면서 자기네 모자에게 남긴 말이나 얻어들을 것 같았다. 그는 힘이 버쩍 났다. 눈송이 송이는 그의 타는 듯한 볼에 떨어지고 또 떨어진다.

한참 후에 그는 휘휘 돌아보았다. 보이는 것은 이 눈에 묻힌 끝도 없는 들뿐이요, 아무도 없는 듯하였다. 오직 자기네 모자와 그나마 자기네 모자로 하여금 희망을 가지게 하는 산뿐이었다. 그러나 그 산은 웬 일인지 앞으로 가면 갈수록 아득해 보일 뿐이다. 그러고 보니 그의 얼굴도 눈바람에 부닥치어 못 견디게 쓰리고 아팠다. 따라서 그의 전신에서 활활 붙는 듯하던 열도 흔적도 없이 사라지고 자기는 쓸데없는 환영을 쫓고 있다는 것을 그는 후회하면서 돌아보았다. 용정은 보이지 않았으며 벌써 이 리, 삼 리 가량이나 온 듯하였다.

그는 돌아갈까도 하였다. 그러나 용정으로 돌아가기 전에 먼저 얼어 죽을 것 같았다. 그는 다시 돌아섰다. 가는 데까지 가보자. 그래서 집이 있으면 자구서 내일 어떻게 하더라도 우선 가자. 그는 발길을 옮기며 어디가 집이 있는가를 살폈다. 이제부터는 확실히 날이 어두워가는 것임을 그는 알았을 때 그는 한층 더 조급하였다. 그리고 그는 인가를 찾아 헤매었다. 승호는 몇 번이든지 된기침을 하였다. 그는 기침에도 관심하지 않고 오직 인가만 찾았다. 그가 이 길이 초행이 아니요 늘 다니던 길이므로 이 길 구비를 지나가면 마을이 있을 것을 짐작하나 웬일인지 그 길 구비를 다 지나와도 집이란 없고 그저 눈에 묻힌 들뿐이었다. 한참이나 이렇게 헤매던 그는 그가 필시 길을 잘못 들은 것이라고 해서 눈을 똑바로 뜨고 두루 살펴보았으나 어디가 어딘지를 짐작할 수가 없었다. 그저 무서운 바람 속에 현기증을 일으킬 만큼 빛나는, 아니 그의 머리를 흔드는 흰 눈뿐이었다. 그는 우뚝 섰다. 그리고 눈에 손을 갖다 대었다. 눈을 비비고자 함이었다. 그러나 손은 마치 나무로 만든 손 같았으며 임의로 움직이는 수가 없었다. 그는 정신이 바짝 들었다. 자기가 지금 죽어가는 것이 아닐까 하는 생각이 번개같이 들었던 것이다. 그는 손발을 자꾸 놀려보며 승호를 불러도 보았다. 그러나 그는 이러하고 있을 때가 아니라 하여 앞으로 걸었다. 그때 그는 저 멀리 인가 같은 것이 보이는 듯해서 허방지방 뛰어왔다. 그러나 역시 인가가 아니요, 눈을 뒤집어쓰고 있는 기둥 몇 개였다. 그는 놀랐다. 이 집터가 마차 정류소 터이었던 것을 알 수가 있었다. 그런데 기둥 몇 개만 남고 이리 되지 않았는가. 그때 그는 토벌난에 농촌의 집이란 대개가 다 탔다던 말을 얼른 생각하며 전신의 맥이 탁 풀렸다. 그는 어쩔 줄을 몰랐다. 그리고 저 앞에 높은 토성을 가지고 있던 중국인의 집을 살펴보았다. 역시 그 집도 보이지 않았다. 그는 몇 걸음 앞으로 나와 살펴보았으나 역시 없었다. 확실히 없었다.

바람은 좀 자는 듯하나 눈은 점점 더 내린다. 그리고 땅에 깔린 눈은 그의 무릎마디를 지나쳤다. 그는 기둥을 바라보며 어쩔까 하다가 에라 죽으면 죽고 살면 살구 가보자! 그는 이을 악물고 걸었다. 그러나 어쩐지 앞이 캄캄해

오고 자꾸만 넘어지려고 하였다. 그리고 그의 고무신은 언제 어디서 벗어졌는지 버선발뿐이었으며 버선발에는 눈이 떡같이 달라붙어서 무겁기 천근이나 되는 듯 암만 떨어도 떨어지지는 않고 조금씩이라도 더 붙으므로 어찌는 수가 없었다. 그리고 머리와 눈썹 끝에는 누가루가 허옇게 붙었으며 입술에도 역시 그랬다. 그는 달음질쳤다. 그의 생각만이 달음질칠 뿐이요 그 자리에 그냥 서서 있었다.

그는 갑자기 허전해지며 스르르 미끄러지자 눈이 눈으로 코로 입으로 막 쓸어들며 숨이 콱 막힌다. 그는 어떤 구렁이나 혹은 개천으로 빠져들어 오는 것임을 직각하였을 때, '나는 죽는구나! 참말 죽는구나.' 하는 생각이 버석 들었다. 그는 두 손을 내저으며 무엇을 붙잡으려 하였다. 붙잡히는 것은 푸실푸실한 눈덩이뿐이고 아무것도 잡히는 것이 없었다. 그는 소리를 지르려고 악을 썼다. 그러나 들어올 데까지는 들어오고야 만 듯 그는 마침내 우뚝 섰다.

그는 우선 숨이나 쉬도록 손으로 머리를 내휘둘러서 구멍을 내려 하였다. 그러나 구멍을 내면 낼수록 위에서 눈이 자꾸 내려 밀린다. 그때 그는 갑자기 승호가 이 눈에 묻혀서 그만 죽었는가 하여 승호를 붙들고 승호 편을 머리로 자꾸 받아서 구멍을 내놓았다. 눈은 머리털 밑으로 새어서는 차디찬 물로 변하여 그의 목덜미로 뱀같이 길게 달아 내려온다. 그는 이 물이 승호에게로 새어 들어갈까 하여 그의 저고리 깃에 스며들도록 목을 좌우로 내저었다. 그러나 물줄기는 이리저리 스며들어 간다. 그는 맥이 탁 풀렸다. 그리고 '우리 모자가 참말 죽는구나!' 하고 다시 한 번 생각되었다. 그때 그는 남편의 죽음을 생각하였다. 그가 죽게 된 것은 이러한 눈 속에서 헤어나지 못함도 아니요, 바다 속에서 혹은 어떠한 구렁이나 개천이 아니다. "우리는 아무리 살려고 갖은 애를 다 써도 결국은 못살게 되고 또 죽게 된다." 남편의 말. 그렇다! 옳다! 그가 살려고 얼마나 애를 썼던가. 그래도 사람이 산 이상에야 살 수 있겠지, 설마한들 죽을까. 이러한 미련에 그날도 그날같이 애쓰다가 결국은 이러한 눈 속에서 죽게 되지 않았는가. 남편의 죽음과 지금 자기네 모자의 죽음은 얼마나 차이가 있는 죽음이냐.

그는 얼결에 아들을 부르며 이 아들은 결코 자신과 같은 인간을 만들지 않으리라 결심하였다. 그리고 아버지가 못 다한 사업을 이 아들로 완성하게 하리라 하였다.

"승호야!" 그는 가슴이 벅차서 이렇게 승호를 부르지 않고는 견디지 못하였다. 그리고 이까짓 눈 속 같은 것은 아무 꺼릴 것이 없다고 부쩍 생각키웠다.

출처: 『개벽』, 1935.1.

원고료 이백 원

친애하는 동생 K야.

간번 너의 편지는 반갑게 받아 읽었다. 그러고 약해졌던 너의 몸도 다소 튼튼해짐을 알았다. 기쁘다. 무어니 무어니 해야 건강밖에 더 있느냐.

K야, 졸업기를 앞둔 너는 기쁨보다도 괴롬이 앞서고 희망보다도 낙망을 하게 된다고? 오냐 네 환경이 그러하니 만큼 응당 그러하리라. 그러나 너는 그 괴롬과 낙망 가운데서 단연히 깨달음이 있어야 한다. 그래서 기쁘고 희망에 불타는 새로운 길을 발견해야 한다.

K야, 네가 물은 바 이 언니의 연애관과 내지 결혼관은 간단하게 문장으로 표현할 만한 지식이 아직도 나는 부족하구나. 그러니 나는 요새 내가 지내는 생활 전부와 그 생활로부터 일어나는 나의 감정 전부를 아무 꾸밀 줄 모르는 서투른 문장으로 적어놓을 터이니 현명한 너는 거기서 버릴 것은 버리고 취하여 다오.

K야, 내가 요새 D신문에 장편소설을 연재하여 원고료로 이백여 원을 받은 것은 너도 잘 알지. 그것이 내 일생을 통하여 처음으로 많이 가져보는 돈이구나. 그러니 내 머리는 갑자기 활기를 얻어 온갖 공상을 다하게 되두구나.

K야, 너도 짐작하는지 모르겠다마는! 나는 어려서부터 순조롭지 못한 가정에서 자랐고 또 커서까지라도 순경에 처하지 못한 나는 그나마 쥐꼬리만

큼 배운 이 지식까지라도 우리 형부의 덕이었니라. 그러니 어려서부터 명일 빔 한 벌 색 들여 못 입어 봤으며 먹는 것이란 언제나 조밥이었구나. 그리고 학교에 다니면서도 맘대로 학용품을 어디 써보았겠니. 학기 초마다 책을 못 사서 울고 울다가는 겨우 남의 낡은 책을 얻어 가졌으며 종이와 붓이 없어 나의 조그만 가슴은 그 몇 번이나 달막거리었는지 모른다.

K야, 나는 아직도 잘 기억난다. 내가 학교 일년급 때 일이다. 내일처럼 학기시험을 치겠는데 나는 종이 붓이 없구나. 그래서 생각다 못해서 나는 옆의 동무의 것을 훔치었다가 선생님한테 얼마나 꾸지람을 받았겠니. 그러구 애들한테서는 '애! 도적년 도적년' 하는 놀림을 얼마나 받았겠니. 더구나 선생님은 그 큰 눈을 부라리면서 놀 시간에도 나가 놀지 못하게 하고 벌을 세우지 않겠니. 나는 두 손을 벌리고 유리창 곁에 우두커니 서 있었구나. 동무들은 운동장에서 눈사람을 맨들어 놓고 손뼉을 치며 좋아하지 않겠니. 나는 벌을 서면서도 눈사람의 그 입과 그 눈이 우스워서 킥 하고 웃다가 또 울다가 하였다.

K야, 어려서는 천진하니까 남의 것을 훔칠 생각을 했지만 소위 중학교까지 오게 된 나는 아무리 바쁘더라도 그러한 맘은 먹지 못하였다. 형부한테서 학비로 오는 돈은 겨우 식비와 월사금밖에는 못 물겠더구나. 어떤 때는 월사금도 못 물어서 머리를 들고 선생님을 바루 보지 못한 적이 많았으며 모르는 학과가 있어도 맘 놓고 물어보지를 못했구나. 그러니 나는 자연히 기운이 죽고 바보같이 되더라. 따라서 친한 동무 한 사람 가져 보지 못하였다. 이렇게 외로운 까닭에 하느님을 더 의지하게 되었으니 나는 밤마다 기숙사 강당에 들어가서 목을 놓고 울면서 기도하였다. 그러나 그 괴롬은 없어지지 않고 날마다 달마다 자라만 가두구나. 동무들은 양산을 가진다, 세루 치마저고리를 입는다, 털목도리 자켓을 짠다, 시계를 가진다. 지금 생각하면 그 모든 것이

우습게 생각되지마는 그때는 왜 그리도 부러운지 눈물이 날 만큼 부럽두구나. 그 폭신폭신한 털실로 목도리를 짜는 동무를 보면 나도 모르게 그 실을 만져보다가는 앞서는 것이 눈물이두구나. 여학교 시대가 아니구서는 맛보지 못하는 이 털실의 맛! 어떤 때 남편은 당신은 왜 자켓 하나 짤 줄 모루? 하고 처다볼 때마다 나는 문득 여학교 시절을 회상하며 동무가 가진 털실을 만지며 간이 짜르르하게 느끼던 그 감정을 다시 한 번 느끼곤 하였다.

K야, 어느 여름인데 내일같이 방학을 하고 고향으로 떠날 터인데 동무들은 떠날 준비에 바쁘두구나. 그때는 인조견이 나지 않았을 때이다. 모두가 쟁친 모시 치마 적삼을 잠자리 날개처럼 가볍게 해 입고 흰 양산 검은 양산을 제각기 사두구나. 그때에 나는 어째야 좋을지 모르겠더라. 무엇보다도 양산이 가지고 싶어 영 죽겠두구나. 지금은 여염집 부인들도 양산을 가지지만 그때야말로 여학생이 아니구서는 양산을 못 가지는 줄로 알았다. 그러니 양산이야말로 무언중에 여학생을 말해주는 무슨 표인 것같이 생각되었니라. 철없는 내 맘에 양산을 못 가지면 고향에도 가고 싶지를 않두구나. 그래서 자꾸만 울지 않았겠니. 한방에 있는 동무 하나가 이 눈치를 채었음인지 혹은 나를 놀리누라구 그랬는지는 모르나 대 부러진 낡은 양산 하나를 어데서 갖다 주더구나. 나는 그만 기뻤다. 그러나 어쩐지 화끈 달며 냉큼 그 양산을 가질 수가 없두구나. 그래서 새침하고 앉았노라니 동무는 킥 웃으며 나가두구나. 그 동무가 나가자마자 나는 얼른 양산을 쥐고 펼쳐보니 하나도 성한 곳이 없더라. 그때 나는 무어라 말할 수 없는 울분과 슬픔이 목이 막히도록 치받치두구나. 그러나 나는 그 양산을 버리지는 못하였다.

K야, 나는 너무나 딴 길로 달아나는 듯싶다. 이만하면 나의 과거 생활을 너는 짐작할 터이지…… 나의 현재를 말하려니 말하기 싫은 과거까지 들추어 놓았다. 그런데 K야, 아까 말한 그 원고료가 오기 전에 나는 밤 오래도록

잠을 못 이루고 그 돈으로 무엇을 할까? 하고 생각하였다. 지금 생각하면 부끄러운 말이지만 '우선 겨울이니 털외투나 하고, 목도리, 구두, 내 앞니가 너무 새가 넓으니 가늘게 금니나 하고, 가늘게 금반지나 하고, 시계나…… 아니 남편이 뭐랄지 모르지. 그래두 뭘 내 벌어서 내 해 가지는 데야 제가 입이 열이니 무슨 말을 한담. 이번 기회에 못하면 나는 금시계 하나도 못 가지게. 눈 딱 감고한다. 그러고 남편의 양복이나 한 벌 해줘야지, 양복이 그 꼴이니.' 나는 이렇게 깡그리 생각해 두었구나. 그런데 어느 날 원고료가 내 손에 쥐어졌구나. K야, 남편과 나와는 어쩔 줄을 모르게 기뻐했다.

그날 밤 나는 유난히 빛나는 등불을 바라보면서,

"이 돈으로 뭘 하는 것이 좋우?"

남편의 말을 들어보기 위하여 나는 이렇게 물었구나. 남편은 묵묵히 앉았다가 혼자 하는 말처럼,

"거참 우리 같은 형편에는 돈이 없는 것이 오히려 맘 편하거던…… 글쎄 이왕 생긴 것이니 써야지. 우선 제일 급한 것이 응호 동무를 입원시키는 게지……"

나는 이같이 뜻밖의 말에 앞이 아뜩해지며 아무 말도 할 수가 없두구나. 그러고 나를 쳐다보는 남편의 그 얼굴이 금시로 개 모양 같고 또 그 눈이 예전 소눈깔 같두구나.

"그러고 다음으로 홍식의 부인이지. 이 겨울 동안은 우리가 돌봐야지 어찌겠수?"

나는 이 이상 남편의 말을 듣고 싶지 않더라. 그래서 머리를 돌려 저편 벽을 물끄러미 바라보았구나. 물론 남편의 동지인 응호라든지 혹은 같은 친구인 홍식의 부인이라든지를 나 역시 불쌍하게 생각하지 않는 배는 아니오, 그래서 이 돈이 오기 전까지는 우리의 힘 미치는 데까지는 도와주고 싶은 맘

까지 가졌지만 그러나 막상 내 손에 이백여 원이라는 돈을 쥐고 나니 그때의 그 생각은 흔적도 없이 사라지두구나. 어쩔 수 없는 나의 감정이더라. 남편은 대답이 없는 나를 한참이나 바라보다가 약간 거세인 음성으로,

"그래 당신은 그 돈을 어떻게 썼으면 좋을 듯싶소?"

그 물음에 나는 혀를 깨물고 참았던 눈물이 샘솟듯 쏟아지두구나. 그 순간에 남편이야말로 돌이나 깎아 논 듯 그렇게도, 답답하고 안타깝게 내 눈에 비치어지두구나. 무엇보다도 제가 결혼 당시에 있어서도 남들이 다하는 결혼반지 하나 못해 주었고 구두 한 켤레 못 사주지 않았겠니. 물론 그것이야 제가 돈이 없어서 그리한 것이니 내가 그만한 것은 이해 못하는 것은 아니다. 그러나 돈이 생긴 오늘에 그것도 남편이 번 것도 아니요, 내 손으로 번 돈을 가지고 평생의 원이던 반지나 혹은 구두나를 선선히 해 신으라는 것이 떳떳한 일이 아니겠니. 그런데 이 등신 같은 사내는 그런 것두 염두에도 먹지 않는 모양이더라. 나는 이것이 무엇보다도 원망스러웠다. 그러고 지금 신는 구두도 몇 해 전에 내가 중이염으로 서울 갔을 때 남편의 친구인 김경호가 그의 아내가 신다가 벗어 논 구두를 자꾸만 신으라구 하두구나. 내 신발이 오죽잖아야 그리했겠니. 그때 나의 불쾌함이란 말할 수 없었다. 사람의 맘은 일반이지 낸들 왜 남이 신다 벗어 논 것을 신고 싶겠니. 그러나 내 신발을 굽어볼 때는 차마 딱 잘라 거절할 수는 없두구나. 그래서 그 구두를 둘러보니 구멍 난 곳은 없더라. 그래서 약간 신고 싶은 맘이 있지만 남편이 알면 뭐라고 할지 몰라 그 다음으로 남편에게 편지를 했구나. 며칠 후에 남편에게서는 승낙의 편지가 왔겠지. 그래서 나는 그 구두를 신게 되지 않았겠니. 그러나 항상 그 구두를 볼 때마다 나는 불쾌한 맘이 사라지지 않두구나. 그런데 오늘밤 새삼스러이 그 구두를 빌어 신던 그때의 감정이 목구멍까지 치받치며 참을 수 없이 울음이 응응 터지는구나. 나는 마침내 어린애같이 입을 벌리고

울지 않았겠니. 남편은 벌떡 일어나며 윙 소리가 나도록 나의 빰을 후려치누나. 가뜩이나 울분에 못 이겨 울던 나는 악이 있는 대로 쓸어나두구나.

"왜 때려. 날 왜 때려!"

나는 달려들지 않았겠니. 남편은 호랑이눈 같은 눈을 번쩍이며 재차 달려들더니 나의 머리끄댕이를 치는 바람에 등불까지 왱그렁 젱 하고 깨지두구나. 따라서 온 방안에 석유내가 확 뿜기누나.

"죽여라. 죽여라."

나는 목이 메어 소리쳤다. 이제야말로 이 사나이와는 마지막이다 싶더라. 남편은 씨근벌떡이며,

"응, 너 따위는 백 번 죽어도 싸다. 내 네 맘을 모르는 줄 아니. 흥 돈푼이나 생기니까 남편을 남편같이 안 알구. 에이 치사한 년, 가라! 그 돈 다 가지고 내일 네 집으로 가. 너 같은 치사한 년과는 내 못 살아. 온 여우같은 년…… 너도 요새 소위 모던껄이라는 두리홰농년이 되고 싶은 게구나. 아, 일류 문인으로서 그리해야 하는 게지. 허허 난 그런 일류 문인의 사내 될 자격은 못 가졌다. 머리를 지지고 볶고, 상판에 밀가루 칠을 하구, 금시계에 금강석 반지에 털외투를 입고, 입으로만 아! 무산자여 하고 부르짖는 그런 문인이 되고 싶단 말이지. 당장 나가라!"

내 손을 잡아 끌어내누나. 나는 문밖으로 쫓기어 났구나.

K야, 북국의 바람이 얼마나 찬 것은 말할 수 없다. 내가 여기에 온 지 4개 성상을 맞이했건만 그날 밤 같은 그러한 매서운 바람은 맛보지 못하였다. 온 세상이 얼음덩이로 된 듯하더구나. 쳐다보기만 해도 눈등이 차오는 달은 중천에 뚜렷한데 매서운 바람결에 가루눈이 씽씽 날리누나. 마치 예리한 칼끝으로 내 피부를 찌르는 듯 내 몸에 부딪치는 눈발이 그렇게 따굽구나. 나는 팔짱을 찌르고 우두커니 눈 위에 서 있었다. 그때에 나의 머리란 너머나 많

은 생각으로 터질 듯하더구나. 어떻게 하나? 나는 이 여러 가지 생각 중에서 어떤 결정적 태도를 취하려고 이렇게 중얼거리며 머릿속에 돌아가는 생각을 한 가지씩 붙잡아 내었다. 제일 먼저 내달아오는 것이 저 사나이와는 이전 못 사는 게다. 금을 줘도 못 사는 게다. 그러면 나는 어떻거나. 고향으로 가나? 고향…… 저년 또 다시 살았나, 글쎄 그렇지 며칠 살겠기, 저런 왜눙년 하고 비웃는 고향 사람들의 얼굴과 어머니의 안타까워하는 모양! 나는 흠칫하였다. 그러면 서울로 가서 어느 신문사나 잡지사에 취직을 해? 종래의 여기자들이 염문만 퍼친 것을 보아 나 역시 별다른 인간이 못 된다는 것을 깨닫자 그 말로는 타락할 것밖에 없는 듯…… 그러면 어디로 어떡허나. 동경으로 가서 공부나 좀 해봐. 학비는 무엇이 대구. 내 처지로서는 공부가 아니라 타락공부가 될 것 같다. 나는 이러한 결론을 얻을 때 어쩐지 이 세상에서 버림을 받은 듯, 나는 여기를 가나 저기를 가나 누가 반가이 맞받아줄 사람이라구는 없는 듯하구나. 그나마 호랑이같이 씨근거리며 저 방안에 앉아 있을 저 사나이가 아니면 이 손을 잡아줄 사람이 없는 듯하구나.

K야, 이것이 애정일까? 무엇일까. 나는 그때 또다시 더운 눈물을 푹푹 쏟았다. 동시에 그 호랑이 같은 사나이가 넙쩍넙쩍 지껄이던 말을 문득 생각하였다. 그리고 홍식의 부인이며 그 어린 것이 헐벗은 모양, 또는 뼈만 남은 응호의 얼굴이 무시무시하리 만큼 떠오르는구나. 남편을 감옥에 보내고 떠는 그들 모자! 감옥에서 심장병을 얻어가지고 나와서 신음하는 응호! 내 손에 쥐어진 이백여 원…… 이것이면 그들을 구할 수가 있는 것이다. 나는 아직까지 몸이 성하다. 그리고 헐벗지는 않았다. 이 위에 무엇을 더 바라는 것이 허영 그것이 아니냐! 나는 갑자기 이때까지 어떤 위태한 꿈을 꾸고 있었다는 것을 확실히 알았다.

K야, 나와 같은 처지에서 금시계 금반지 털외투가 무슨 소용이 있는 게냐.

그것을 사는 돈으로 동지의 한 생명을 구원할 수 있다면 구원하는 것이 얼마나 떳떳한 일이냐. 더구나 남편의 동지임에랴. 아니 내 동지가 아니냐. 나는 단박에 문 앞으로 뛰어갔다.

"여보 나 잘못했소."

뒤미처 문이 홱 열리두나. 그래서 나는 뛰어들어가 남편을 붙들었다.

"여보 나 잘못했소. 다시는 응."

목이 메어 울음이 쓸어 나왔다. 이 울음은 아까 그 울음과는 아주 차이가 있는 울음이었던 것만은 알아다오. K야, 남편은 한숨을 푹 쉬면서 내 머리를 매만진다.

"당신의 맘을 내 전연히 모르는 배는 아니오. 단벌 치마에 단벌 저고리를 입고 있으니…… 그러나 벗지는 않았지. 입었지. 무슨 걱정이 있소. 그러나 응호 동무라던가 홍식의 부인을 보구려. 그래 우리 손에 돈이 있으면서 동지는 앓아 죽거나 굶어 죽거나 내버려 둬야 옳단 말이오…… 그러기에 환경이 같아야 하는 게야, 환경이. 나부터라도 그 돈이 생기기 전과는 확실히 다르니까."

남편은 입맛을 다시며 잠잠하다. 그도 나 없는 동안에 이리저리 생각해 본 후의 말이며 그가 그렇게 분풀이를 한 것도 내게 함보다도 자기 자신에서 일어나는 모든 불쾌한 생각을 제어하고저 함이었던 것을 나는 알 수가 있었다. 나도 도리어 대담해지며 가슴에서 뜨거운 불길이 확 일어나두구나.

"여보, 값 헐한 것으로 우리 옷이나 한 벌씩하고 쌀이나 한 말, 나무나 한 바리 사구는 그들에게 노나 줍시다! 우리는 앞으로 또 벌지 않겠소."

남편은 와락 나를 쓸어안으며,

"잘 생각했소!"

K야, 네가 지루할 줄도 모르고 내 말만 길게 늘어놓았구나. 너는 지금 졸

업기를 앞두고 별의별 공상을 다 할 줄 안다. 물론 그 공상도 한때는 없지 못할 것이니 나는 결코 너의 그 공상을 나무라려고 드는 것은 아니다. 그러나 그 공상에서 한 보 뛰어나와서 현실에 착안하여라.

지금 삼남의 이재민은 어떠하냐? 그리운 고향을 등지고 쓸쓸한 이 만주를 향하여 몇 만의 군중이 달려오고 있지 않느냐. 만주에 와야 누가 그들에게 옷을 주고 밥을 주더냐. 그러나 행여 고향보다는 날까 하고 와서는 처자는 요릿간에, 혹은 부호의 첩으로 빼앗기우고 울고불고 하며 이 넓은 벌을 헤매지 않느냐. 하필 삼남의 이재민뿐이냐. 요전에 울릉도에서도 수많은 군중이 남부여대하여 원산에 상륙하지 않았더냐. 하여간 전 조선의 빈한한 군중은, 아니 전 세계의 무산대중은 방금 기아선상에서 헤매고 있는 것을 너는 아느냐 모르느냐.

K야, 이 간도는 토벌단이 들이밀리어서 지금 한창 총소리와 칼소리에 전 대중이 공포에 떨고 있는 중이다. 그러니 농민들은 들에서 농사를 짓지 못하였으며 또 산에서 나무를 베이지 못하고 혹시 목숨이나 구해볼까 하여 비교적 안전지대인 용정시와 국자가 같은 도시로 몰려드나 장차 그들은 무엇을 먹고 살겠느냐. 이곳에서는 개목숨보다도 사람의 목숨이 헐하구나.

K야, 너는 지금 상급학교에 가게 되지 못한다고, 혹은 스위트 홈을 이루게 되지 못한다고 비관하느냐? 너의 그러한 비관이야말로 얼마나 값없는 비관인가를 눈 감고 가만히 생각해 보아라. 네가 만일 어떠한 기회로 잠시 동안 너의 이상하는 바가 실현될지 모르나 그러나 그것은 잠깐 동안이고 너는 또다시 대중과 같은 그러한 처지에 서게 될 터이니 너는 그때에는 그만 자살하려느냐.

K야, 너는 책상 위에서 배운 지식은 그것만으로도 훌륭하다. 이제야말로 실천으로 말미암아 참된 지식을 얻어야 할 때이다. 그리하여 너는 오직 너의

사회적 가치(社會的價值)를 향상시킴에 힘써야 한다. 이 사회적 가치를 떠난 그야말로 교환가치(交換價値)를 향상시킴에만 몰두한다면 너는 낙오자요 퇴패자이다. 이것은 결코 너를 상품시 혹은 물건시 하는 데서 하는 말이 아니요, 사람이란 인격상 취하는 방면도 이러한 두 방면이 있다는 것을 네게 알려주고자 함이다.

출처: 『신가정』, 1935.2.

김광주

남경로의 창공

상해의 새벽은 소제부들의 빗자루 밑에서부터 새어온다. 쏴쏴 빗자루가 단단한 세멘트 바닥을 스칠 때마다 한곳으로 몰리는 쓰레기들의 속삭임. 그리고 "또 하루의 싸움이 시작됩니다." 하는 듯이 거리거리로 몰렸다 흩어지고 흩어졌다 다시 몰리는 쓰레기 밀차들의 어수선한 소리.

"하루의 쓰레기는 소제부가 새벽마다 담아가나 인생의 쓰레기는 누가 언제 어떻게 담아갈 것인가? ……"

어젯밤 열어젖힌 채 그대로 있는 유리창으로 첫가을 신선한 바람이 뺨을 스치고 천천히 달음질할 때 명수는 선뜩 눈을 뜨고 한참동안 멍하니 천정을 바라보고 드러누워서 이런 부질없는 생각을 하는 것이다. 누구나 취했던 술에서 깰 때 느끼는 일종의 흐리멍텅한 정신 그리고 전신이 찌뿌드드한 감각, 이속에서도 명수의 두 눈 앞에는 어젯밤에 지낸 일이 비록 순서는 찾을 수 없으나 오히려 한 폭의 선명한 수채화같이 또렷이 떠올랐다.

산 설고 물 선 남의 땅에서 콧물을 졸졸 흘릴 때부터 같이 자라난 동무들! 부잣집 딸과 결혼하여 아들딸 낳고 놀고 먹는 친구, 일 년에 아니 일생을 통해서 단 한 편의 소설을 쓰고 죽겠다고 밤낮으로 책과 원고지와 씨름하더니 어느 중국 여자에게 실연을 당하고 문학도 예술도 다 집어치우고 넥타이 행상을 하는 친구…… 생각하면 모두가 그리운 옛날의 친구들이다. 더군다나

P시에서 K대학 문과를 마치고 돌아온 명수를 위하여 죽었던 동무가 살아온 것같이 없는 주머니들을 털어서 술잔을 나누고 명수의 성공을 축하해주었음에랴!

그러나 명수는 어젯밤 지난 일을 생각하면 생각할수록 이루 형언키 어려운 불쾌한 감정이 북받쳐 올라 자신도 모르게 우울함에 빠지는 것이다. 그는 팔을 뻗어서 머리맡에 놓인 사진첩을 집어 들고 한참동안 이장 저장 넘기다가 마치 히스테리에 걸린 여자같이 방 한구석으로 홱 집어 던졌다.

사진첩에 붙은 여러 친구들의 얼굴, 어젯밤에 술잔을 높이 들고 자기의 앞길을 축복해주던 친구들의 얼굴…… 그들은 틀림없이 자기를 비웃고 있는 것이다. 멸시하고 있는 것이다.

"……자네야 무엇이 걱정인가? 대학을 갓 나온 문학사…… 밥이 있어, 옷이 있어, 부모가 계셔, 중어, 영어, 불어, 각국 언어에 능통하겠다…… 심심소일로 소설줄 시줄 써보다가 안되면 화려한 도시의 꽃 같은 새아씨들의 웃음이나 따르며 일생을 살지…… 내가 자네라면 만사태평이겠네. ……"

중학시대에 수학을 잘하고 총명하기로 첫손을 꼽던 H, 비록 지금은 모 중국인 소학교의 교원이 되고 말았다 하더라도 그의 입에서 이런 말이 나오리라고는 천만뜻밖이었다.

"……아—니, 자네는 문학이란 것을 무슨 도락으로 아나? ……" 모처럼 그리운 친구들이 모인 좌석에서 얼굴에 핏대를 올리고 이렇게 쏴부치던 자기의 음성.

"아니, 그건 자네가 오해일세. 나의 철학이 그렇다는 말일세…… 허……" 웃음으로 말끝을 흐리던 H.

"자— 술잔이나 또 드세! 우리의 젊은 시인."

"우리는 믿네, 자네의 그 예리한 칠치 아래 상해의 모든 암흑면이 여실히 표현되고 값있는 예술이 낳아질 것을!"

"그리고 꽃다운 여인과 결혼하여 행복한 가정을 이룰 것을!"

두 어깨가 무거우리만치 퍼붓던 어젯밤의 그들의 찬사의 한 마디 한 마디가 아직도 명수의 귓가에 새롭다. 그러나 그 찬사 속에서 웃음 속에 품어있는 칼날 같은 비웃음을 찾아내는 명수의 신경은 자신을 몸 둘 곳을 찾을 수 없으리만치 괴롭게 하는 것이다.

친한 친구, 정말로 친구의 앞날을 위한다면 왜 정면으로 바로 쏘아주지를 못하는가? 너는 아편 밀수입자의 아들이다. 아름다운 명사를 간판으로 내세우고 뒤로는 갖은 추악한 행동을 떡 먹듯이 하고 있는 브로카의 아들이다. 네가 '문학사'라는 영광스러운 이름을 얻은 것도 이 넓은 대륙을 좀 먹이고 있는 수천수만의 아편 중독자들의 주머니를 턴 돈이다. 네가 참으로 인간다운 생활을 하려면 그 허위적 가정을 박차고 용감히 나오너라. 왜 이렇게 싸늘한 충고를 한 마디라도 해주는 친구가 없는가? ……

여기까지 생각할 때 명수의 마음속에는 갈피 잡을 수 없게 흐트러진 안타까움이 벌레가 과실 속을 파먹어 들어가듯이 숨겨들어 온다.

"오빠!"

"퉁" 하는 피아노의 첫소리와 함께 아래층에서 명수를 부르는 누이동생 미미의 야무진 부름소리가 명수를 잡아 일으켰다. 명수는 벌떡 일어나서 싸움하고 난 어린 아이가 분풀이할 곳이 생겼을 때처럼 자리옷을 갈아입을 것도 잊어버리고 휘청휘청하는 다리로 아래층으로 내려갔다.

"아버지는 어데 가셨니?"

"내가 아나요?" 악보를 읽기에 분주한 미미의 두 눈은 오래비를 쳐다볼 생각도 없이 이렇게 냉담한 대답을 던진다.

"내가 아다니? 너는 허수아비냐? 아버지가 밖에 나가 밤을 새워도 좋고 계집의 집에 가 세상모르고 있어도 너는 너 할 일만 하면 그만이란 말이냐?"

미미는 그래도 피아노우를 달음질치는 두 손을 멈출 줄 모르고 두 눈이 샐쭉해지면서 툭 쏘아붙였다.

"공연히 아침부터 내게다 화풀이를 하는구려! 집에 돌아온 지 일주일도 채 못 되어서부터 왜 그리 야단이우?"

"내가 야단이냐? 흥, 네 말이 좋다. 그래 나는 집에 온지 일주일 동안에 아버지의 얼굴은 정거장에 내릴 때 보았을 뿐 여지껏 한 번도 못 봤다."

"그렇게 아버지가 보고 싶우, 어린애처럼?"

"듣기 싫다!" 명수의 음성은 날카롭게 떨렸다. 미미는 그제야 공기가 험해다는 것을 알고 피아노 뚜껑을 닫아버리고 창가 쏘파에 몸을 비스듬히 던지고 호리호리한 허리와 엉덩이 곡선으로, 창틈으로 새어 들어오는 가을 아침 햇빛을 받았다. 오 년 전만 해도 해진 가방을 부끄러운 줄 모르고 메고 학교에서 돌아올 때마다 오빠를 부르던 미미의 천진한 태도와 방울 같던 음성, 명수는 한참 동안 누이동생의 옷 속으로 드러나온 통통한 젖가슴에서 시선을 옮기려 하지 않았다. 그것은 미미의 여성적 변화를 말해주는 동시에 오 년 동안의 아버지의 타락된 행동을 연상케 하는 것이다. 더욱 이제 겨우 중학을 마친 나어린 것이 도시처녀들의 예에 벗어지지 않고 만사에 처녀티를 내면서 오래비를 대하는 누이동생의 순진한 맛이라고는 손톱마치도 찾을 수 없는 미미의 행동을 생각할 때 명수의 음성은 더한층 높아졌다.

"너도 나이 스물이 내일 모레요, 중등교육까지 받았으면 세상일의 선악을 가릴 만한 이지쯤은 가지고 있겠구나. 세상 사람들이 우리 집에 대하여 어떻게 손가락질을 하고 있는지 모르니? 그래서 우리는 지사의 아들딸이라는 그럴듯한 이름을 짊어지고 있다. 생각하면 얼굴을 들고 밖에 나가지도 못할 노릇이다. 너는 늙은 아버지가 무슨 짓을 해서든지 긁어 들이는 돈으로 분이나 바르고 굽 높은 구두에 양풍이나 마시며 그날그날을 보내던 그것으로 만족하단 말이냐? 오 년 전 J로에 동약국을 내놓고 그날그날의 생활에 쪼들리면서도 아들딸 공부시키겠다고 허덕허덕하던 그때의 아버지 그리고 너와 나. 남과 같이 옷을 못 입고 신발을 때 찾아 못 얻어 신었을망정 그 시절이 얼마나 사람다운 생활이었었니? 긴 말은 그만두자. 아버지는 아버지대로 나이 오십이 넘은 이가 술과 계집을 좇아 밤을 새우고 어머니는 어머니대로 마작에 정신을 쏟고…… 너는 이것을 모르는 척하고 바라보면서 피아노나 퉁탕거리고 살아가잔 말이지……”

“오빠는 하나만 알고 둘은 몰라. 남이 잘되는 것을 좋다는 놈들은 없다우. 남이 밥술이나 먹게 되면 공연히 시기나 나서 그러지. 세상 놈들이 무어라든지 상관할게 뭐 있소, 실컷 하라지…… 공연히 신경을 부리지 말고 어서 소설 한 편이라도 써서 세상에 내놓구려. 오빠는 문학을 뜻하는 사람이 아니요? 세상일을 좀 더 둥그렇게 바라보구려!”

“신경질! 귀가 보배다, 세상을 둥그렇게 본다는 말이 어느 곳에 쓰는 말인지나 알고 하니? 소설! 소설이란 게 네가 밥 먹고 심심하면 피아노나 치듯이 그렇게 드러누워서 떡 먹듯이 손쉽게 되는 것이 아니다. 양옥, 보드라운 침대, 너는 이것을 호화로운 생활로 알겠지만 나는 이 아편냄새에 젖은 침대 위에서 하룻밤이라도 더 살고 싶지는 않어……”

“살기 싫거던 오늘이라도 어데로 나가구려.” 이렇게 한마디를 던지듯이 쏴붙이고 미미는 쏘파에서 몸을 일으켜 피아노 우에 놓인 꽃병에서 다리야 한 송이를 빼어들고 미용원에 매일 간다는 것을 증명하고 있는 뾰족한 손톱으로 꽃잎을 톡톡 쳐서는 땅바닥에 떨어뜨렸다. 명수는 그 이상 분을 참을 수 없었다.

“무엇이 어째? 오래간만에 만나는 오래비에게 너는 이런 소리를 하지 않

고는 못 견디니? 나가라? 내가 그것을 조금도 두려워하거나 겁내는 것은 아
니다.”

　“그럼, 무엇을 잊지 못한단 말이요?”

　“이년!” 명수가 세상에 나와서 처음으로 누이동생에게 하는 말이다.

　“끝까지 너는 나에게 대항하겠단 말이냐? 다른 것은 다 그만두자. 너는 내
가 P시에 가있는 동안에 왜 한 번도 집안일에 대하여 편지를 안 해주었니?”

　“오라버니의 공부를 위해서……”

　“내 공부를 위해서…… 흥! 너는 아편쟁이들의 피를 빨아들인 돈으로 그
다지도 나를 대학졸업을 시키고 싶었니?”

　“그럼, 오라버니의 앞날을 생각하는 동생의 참된 마음으로……”

　“이년, 듣기 싫다!” 신경이란 신경이 송곳 끝같이 날카로워진 그는 거의
자신도 모르는 사이에 와락 피아노가로 달려들어 꽃병을 집어서는 방 한구
석으로 던졌다. 산산조각으로 깨어진 꽃병 속에서 꽃가지를 지키고 있던 물
이 ‘이제는 내 생명이 그만이요.’ 하는 듯이 반듯한 마룻바닥으로 고요히 한
줄기 곡선을 그리면서 흘렀다. 그 위로 비치는 첫가을 아침 햇볕이 그 곡선
을 한층 또렷이 두 사람의 눈 속에 집어 넣어주었다. 깨어진 꽃병— 아버지
와 어머니가 상해로 나오기 전부터 생명같이 여겼다는 꽃병, 지금은 세상을
떠난 아버지의 가장 존경하던 친구가 결혼기념으로 남기고 간 꽃병— 그 병
의 최후를 바라보고 있는 남매의 마음은 마치 한 줄기의 평행선같이 제각기
다른 방향으로 달음질쳤다. 칼로 베인 것 같은 쌀쌀한 침묵이 지나간 다음에
미미는 뜻밖에 그 갓 익어 오르는 능금 같은 토실토실한 두 볼에 가느다란
미소를 띠우고 석류 속 같은 이빨을 방긋이 드러 내놓았다.

　“오빠! 나는 잘 알지…… 돈 때문에 그러지. 그러면 그렇다고 사내답게 말
하구려…… 돈 몇 십 원쯤 아버지한테 타내는 것은 낮잠 자기보다 쉬운 일이

지. 내 책임지고 맡으리다. 대체 얼마나 쓰려오? ……"

"이년, 너는 오래비를 사람으로 아느냐? 개나 돼지로 아느냐? 말하는 내가 잘못이다. 그만두자……"

명수는 실성이나 한 사람같이 별안간 피아노 옷뚜껑을 열고 한편구석을 시름없이 짚었다. "투…" 피아노는 점잖은 목소리가 방안의 거치른 공기 속으로 기만스럽게 흘렀다.

"얘들은 아침부터 무슨 싸움이냐?"

영문도 모르고 마작으로 밤을 새우고 이제야 들어오는 어머니의 석쉼한 목소리가 피아노소리에 반주를 보내며 맞은편 문을 열었다. 주름살을 감추려고 죄 없는 분만을 더덕더덕 바른 어머니의 얼굴, 명수는 얼른 두 눈을 꽉 감았다. 그러나 어머니! 누이동생이 끊을래야 끊을 수 없는 혈육관계 앞에서 눈가가 촉촉해지는 것을 어찌할 수 없는 명수이다.

'……이런 생활 속에서 소설을 천만 편을 쓴들 소용이 무엇이랴……'

점심 먹는 것도 저버리고 하루 종일 최대 우에 누워서 이리 뒤척 저리 뒤척하던 명수는 전후생각도 없이 벌떡 일어나서 집을 나왔다.

"공연히 이마에 주름살을 펼 줄 모르고 제 복을 제가 떨어버리려 드는구나…… 애비가 늦게 난봉을 좀 피우기로 그걸 가지고 오랫동안 그렸던 누이동생 년과 싸움을 하고…… 온 집안 꼴이 무어냐…… 남들이 알까 무섭다. 그러지 말고 너도 인제는 공부도 할 만큼 했고 나이도 먹을 만큼 먹었으면 늙은 어미에게 며느리 재미라도 보여줄 생각을 해야지……"

간다 온다 말도 없이 나가는 아들을 보고 충고하던 어머니의 말, 명수는 입 속으로 이 말을 다시 씹으면서 넓은 거리로 나왔다.

"오냐! 다시는 집이라고 찾아 들어가지도 말자!"

그러나 아직도 새파랗게 젊은 책상물림, 갈 곳이 어데냐? 끝없이 뻗친 네 줄기 전차 레루. 명수의 가슴 속의 갈피 잡을 수 없는 산란한 마음도 차례 없이 레루를 타고 달음질친다.

　'너무나 괴로운 생활 속에서 나온 물질에 대한 욕망?'

　'영웅호색이라는 썩어빠진 관념의 작난?'

　'뜻을 이루지 못하는 환멸의 비애?'

　남을 속일 줄은 손톱만치도 모르던 아버지, 남에게 내 의지를 굽히기는 죽기보다 싫어하던 그가 한 아편 밀수입자가 되어 밤이면 밤마다 다른 여자의 유방에서 저 여자의 허리로 육향을 좇아다니게 된 그 원인이 그중의 어떤 것이든지 그것을 이제 와서 생각하는 것이 어리석다는 것을 깨달을 때 명수는 반쯤 탄 담배를 홱 집어던지고 황혼이 기어 들어오는 회색빛 페이브멘트 위로 허청허청 다리를 끌었다.

　'아들의 충고쯤으로 마음을 돌릴 그가 아니다. 한 번 마음먹은 일이면 옳고 그르고 간에 뿌리를 빼고야마는 그의 성질이 아닌가? 아버지나 어머니나 누이동생이나 이런 모든 간사스러운 실마리를 끊어버리고 혼자서 내 길을 걷자. 사람이란 소유하고 있는 모든 것을 완전히 버릴 때 조금이라도 전보다 새로움과 총명함을 찾을 수 있다.' 얼마를 걸었는지 명수가 자기 자신을 발견하였을 때 그는 뜻밖에도 중학시대의 영어교수 A선생의 집문 앞에 와 서 있었다. 취직이라는 한줄기 가느단 희망을 품고 남을 찾아다니며 조르는 것도 생각하면 비루한 짓 같고 무엇보다도 A선생의 아내 소니아의 음탕하게 생긴 얼굴, 남편의 일이라면 자기와는 직접 이해관계가 없는 일에도 기를 쓰고 말참견을 하려 드는 그 여자의 모양을 또 볼 것이 마음 한구석을 꺼림칙하게 찔렀으나 그래도 제자들을 아들딸같이 귀히 여기던 A선생을 생각할 때 명수는 애써서 얼굴에 명랑한 빛을 짓고 이층으로 올라가 굳게 닫기운 A선생의 방에 가볍게 노크를 하였다.

"컴인—"

예기한 소니아의 경쾌한 음성과 함께 방문이 열리고 자리옷을 입은 채 침대에 앉아서 아내와 화투장을 치고 있던 A선생의 사십을 훨씬 넘은 기다란 얼굴이 씽긋 웃으면서 명수를 맞아들였다. 한창 시절에는 상해의 젊은 자제님들을 수십 명씩 손아귀에 넣고 주물렀다 폈다하고 해삼위 태생으로 로어 잘하고 영어 잘하기로 유명하던 댄서 소니아, 그를 아내로 맞이하기에 월급푼 받는 것을 다 털어 바치고 일시에는 교육계에서 쫓기어나리라는 아름답지 못한 소문을 전하던 A선생, 온갖 고심 끝에 얻은 이 가정의 만족에도 취한 것 같이 아래턱 수염을 한 번 보기 좋게 쓰다듬고 나서 옆에 놓인 의자를 명수에게 권하였다. 그러나 두 손은 왜 그런지 머리를 긁적거렸다.

"선생님, 전번에 말씀 드린 그 교원자리가 어떻게 되었는지요?"

"그게 어디 그리 손쉽게 돼야지…… 더군다나 조선 사람이라는 벗을 수 없는 탈을 뒤집어쓰고 있으니 말이지…… 중국 사람들도 대학출신들이 데굴데굴 구으는 판이 아닌가?"

그는 자기가 조선 사람으로 중국인학교의 교수로 있다는 것을 자못 자랑하듯이 테블카로 나와서 이렇게 명수를 대하고 있었다. 한편으로 어수선하게 벌려져있는 브란데병, 술컵, 안주접시들을 정리하면서

"요새, 내 생활이란 이러하오. 자네 비웃지는 말게…… 술과 춤과 도시, 더군다나 상해 같은 곳에서 살자니 할 수 있나…… 이것을 소위 샹하이안의 생활이라 할까……" 하고 나서 세상의 근심걱정은 모른다는 듯이 너털웃음을 쳤다. 명수는 이 입에 발을 들여놓은 것이 후회가 난다는 것보다도 사회가 어떻고 민족이 어떻다고 떠들며 가장 진실한 인간으로 자처하던 이 노교수의 과거를 생각할 때 도리어 자기의 얼굴이 붉어지는 것을 깨닫지 않을 수

없다.

"사내자식이란 춤도 좀 추고 술도 좀 마실 줄 알아야 해…… 곧은 짓만 하고는 이 세상을 살아갈 수는 없으니라…… 이런 일도 있고 저런 일도 있지……"

며칠 전에 아침 밥상을 대하고 앉아서 아버지가 하던 말, A선생은 이 말을 또 명수에게 반복하여 들려주는 것이다.

"샹하이안 이름이 좋소이다. 샹하이안은 반드시 춤과 계집과 술에 빠져서 살아야 한다는 법이 어데 있소?"

명수는 취직이 되고 안 되는 것은 둘째요. 이렇게 쏘아주고 침이라고 탁 뱉고 이 자리를 일어서 나오고 싶었다.

"미스터—명수!"

무슨 신기한 일이나 있는 것처럼 오동통한 두 볼에 미소를 띄우면서 소니아가 이렇게 일어서려는 명수의 마음을 잡아 앉혔다.

"명수씨! 재미있는 얘기나 하시구려! 북평에는 땐쓰홀을 허락지 않는다지요? 상해보다 놀기 좋아요? …… 고향에 돌아오신지 며칠도 안 되어서 왜 어느새 취직자리를 구하세요? …… 오라…… 결혼을 하시려고?"

그래도 남의 말에 대답을 안 해서는 저편의 감정을 상하리라하는 마음, 명수는 울며 겨자 먹는 격으로

"공부하는 사람에게는 상해보다 낫지만 무슨 놀만한 곳이 있나요!" 하고 간신히 대답을 모면하였다.

"오늘밤 땐스홀에 안 가세요? 제가 한 턱 내지요…… 이 사람 취직자리를 운동시키면 가끔 땐싱·틔겔장아라도 사가지고 와야 하느니…… 허…… 웃음의 소리일세…… 허……"

늙은 남편, 젊은 아내, 그들의 웃음은 명수의 침울한 마음을 비웃는 듯이

그칠 줄을 몰랐다.

아버지, 어머니, 누이동생, A선생, 그의 아내 소니아…… 명수는 아무것도 더 생각하기가 싫었다. 춤과 계집과 술과 마작, 연분홍빛 향락을 쫓아 살아가는 계급들, 그러나 지사의 거리 상해라는 이 아름다운 명사가 그들의 이런 생활을 곱게 곱게 덮어주고 있는 것이 아니냐?

'껍질을 벗겨야 한다. 그들의 생활을 덮고 있는 이 어두컴컴한 껍질을 벗겨서 밝은 태양 아래 드러내야 한다. …… 나는 이것만 위하여서라도 일생을 붓대를 들고 싸워보자!'

명수는 남경로의 넓은 거리로 다시 나왔다. 그러나 하루 종일 먹은 것이 없는 뱃속에는 먹어야 산다는 본능이 얄밉게 머리를 드는 것이다. 그는 호주머니를 뒤지다가 손에 집히는 니켈시계를 들고 정신이상이나 생긴 사람같이 맞은편에 바라보이는 전당포로 들어갔다. P시로 갈 때 아버지가 친히 사준 시계가 삼 원이라는 두 자를 커다랗게 쓴 종이쪽과 바뀔 때 그 종이쪽 우로 여러 동무들의 자기를 비웃는 얼굴이 차례로 떠올랐다.

'그것은 어린아이 같은 소극적 행동이다.'

그러나 명수는 거의 자포자기에 가까운 걸음으로 끝없이 넓어진 밤거리를 바라보면서 집과는 반대 방향으로 발을 옮겼다. 몸은 비록 피곤하나 '아편 밀수입자의 아들'이란 껍질을 벗어버린 것이 굴레 벗은 말같이 시원하였고 거리 저 끝에서부터 한 개의 초점이 달음질하여 두 눈으로 대들었다.

얼굴은 창백하나 튼튼한 두 팔, 두 다리가 있지 않느냐? 가을밤 하늘 높이 솟은 마천루의 사이사이로 네온싸인이 음탕한 웃음을 던졌다. 동그란 달이 어여쁜 얼굴을 구름 속으로 갸웃이 숨겼다.

출처: 『조선문단』 23, 1935.6.

안수길

장

구경하던 사람의 말

그렇습니다. 내가 보았지요. 이야기하라구요? 하다뿐인가요. 점심 먹으러 오던 길인데요. 오늘이 정거장 장날이 아닙니까. 저의 집이 바로 해성학교 옆이여요. 하니깐 장을 지내서 저의 집으로 가게 되지요. 한데 어느 난전 앞에 사람이 둥그렇게 모여 서있고 안에서 웅얼웅얼하는 소리가 나드군요. 요새 삼형제 바요링을 하면서 약을 파는 것이 퍽 구경거리라고 하여 한번 보자 보자 하던 터임으로 달음박질하다시피 그리로 가서 발도듬을 하고 머리를 기웃거려 겨우 안을 들여다보았지요. 했더니 거기 서있는 것은 삼형제가 아니고 장타령을 하는 다리 하나 없는 거지더군요. 그냥 가버리려고 하였으나 어깨를 으쓱으쓱하면서 하는 장타령이 청승맞기도 하려니와 거지의 생김생김이 묘하기에 그냥 서있었지요. 어떻게 생겼느냐고요? 코가 묘해요. 옷이라든가 귀까지 막 싸서 쓴 수건이라든가, 체부처럼 가로 맨 주머니라든가, 겨드랑이에다 낀 지팡이라든가 보통 길거리에서 늘 보는 거지와 틀림이 없지요마는 코가 달라요. 마치 어린애들이 껌을 씹다가 팽개친 것을 보면 잇자리가 아무렇게나 나 있는 것 같이 그 거지의 코끝이 이빨로 마구 씹다가 그냥 팽개친것 같애요. 벼리별스럽게 생긴 코를 많이 봤지마는 고로케 생겨먹은 코는 처음이에요. 해서 고 코를 재미있게 쳐다보고 있노라니깐 거지가 장타령을 끝치고 그러지 말고 한 푼 적선합시오 하겠지요. 그 소리에 이쪽을 보니 거기에는 두루마기아제비(두루마기보다 짧은 것으로 솜을 두툼하게 노아 입은 것)를 입은 나이 오십이 훨씬 넘어뵈는 아마도 난전 주인인 것 같은 사람이 잔뜩 찌푸리고 서있습니다. 거지는 주인이 아모 대답이 없는 것을 보고 또 한 푼 적선합시오 하더군요. 그래도 주인이 대꾸 안하니까 어익키놈 영감 죽을 죄를 지어도 그만 빌었으면 용서해주겠는데! 네 놈이 날 안 준 한 푼을 관 널로 넣어가지고 가겠느냐? 에익키 개벽장놈의 영감 너는 자식도 없니? 네가 살면 얼마나 살겠느냐? 네놈의 자식이 나 같은 병신이 되어서 얻어먹으러 다니리라. 얻어먹으러- 입에 거품을 물고서는- 빨래비누 두어 개 성냥갑 네댓 개 펴놓은 난전을 들부술 기세로 달려들더군요. 영감은 무어 어째 이 놈 자식의 악담을 하며 얼굴을 파랗게 질려 가지고 뛰어나와 아 글쎄 다리 하나 없는 병신을 난장이 패듯 한단 말이예요.

(의분강개한 어조로) 아 글쎄 이런 법도 세상에 있단 말예요? 이런 법도 글쎄 법이라 병신거지를 유혈이 나게 패는 법이 있더란 말이요? 이렇게 세상인심이 악착하고서야 어디 가서 자존심을 찾을 수 있고 어디가 동포애를 찾을 수 있겠오. 아편장이나 무릎에 피가 서말이나 감어 있는 쌩쌩한 놈들이 빌러 다니는 것은 우리도 욕하고 좁쌀 한 알 안 주지만 몸을 맘대로 못 놀리는 의지가지없는 병신을 아니 그래 성냥 한 갑을 쥐어주면 그만인 것을 안 주고 그렇게 지독스럽게 패는 것이 그게 어디 사람인가요? 그게 어디 인도 상 용서할 일인가요?

거지의 말

그 영감한테 맞은 거지는 전뎁쇼. 귀찮은 미천한 것이 좀 뒤딜겨 맞은 걸 가지고 여러 선생님들한테 폐 끼쳐 안 되는 걸입죠. 다린 언제부터 병신이 되었냐고 물으십죠? 재작년인뎁쇼. 간도가 좋다고 돈 벌러 와서 빠두거우 금광에서 돌지이를 하다가 다쳤죠. 돈은 없고 하여 병원에 맘대로 못 뵈여서 그만 다리가 썩었죠. 그래서 잘라버렸죠. 뒤딜겨 맞아 설지 않은 갑죠? 무어 늘 당하는 일인뎁죠. 그런 일어 설어하는 비위를 가지고야 어디 거지노릇을 하루나 해먹을 수 있던갑죠. 하지만입쇼. 고놈이 영감쟁이 독하든뎁쇼. 어떻든 고노미 영감 난전 앞에서 장타령을 부른 것이 두 시간을 훨씬 넘었을 건뎁쇼. 고 영감 눈만 말뚱말뚱하곤 까딱하지 않굽죠. 나중에는 우리 쌍놈의 말로 고양이 낙태한 상을 해가지고 잔뜩 찌푸리고 섰겠죠. 줄 사람이 안 주려는데 다른 델 갔으면 그만 입죠만 그 놈의 영감쟁이 찌푸리고 섰는 꼬락서니가 어찌도 쌍심지를 독가주는 지(돋구어주는 지) 난 마주 뻗대고 서서 그저 타령만 했습죠. 구경꾼들이 잔뜩 모여든 것을 보굽죠. 더 기운이 나서 불렀죠. 글쎄 선생님네들 생각해보십쇼. 예펜네들이라면 모릅죠만 사내자식이고고 무어란 말입죠. 예펜네들은 얻으러 가면 정주목에 누워있으면서요 나는 이집 주인이 아니깐 모르겠소 하고 썩은 밥도 안주는 데가 있죠만 그래 사내가 여편네처럼 그러는데 골이 안 나겠습니까. 그래 아마 본래 뵈지 못한 넘이라 입에서 나오는 대로 쌍소리를 했겠습죠. 그랬더니 요 주리를 틀 녀석이 나를 마구 때리는 뎁쇼. 다리 하나 없으니 두딜겨 맞을밖에 없었죠. 이런 원통한 일이 있습니까. 그래 병신은 이 세상에서 마구 천대 굴어도 좋단 말입니까. 죽여도 좋단 말입니까. 예!(분한 태도)

노친의 말

우리 영감이 거지를 때렸다지요? 아이고 이런 끔찍한 일이 세상에 있단 말이요. 아니 그 영감이 죽을 날이 가까워 망녕을 부리는 게로군. 오늘 아침에 그런 일을 저질러 놓고 또 거지를 때리다니요? 이 년은 무슨 팔자를 타고 나서 늙어 꼬부라지도록 번-한 세상을 못 보고 이 지경이란 말이요. 영감과 만난 지 삼십년이 넘었는데 그날이 그날이니 이런 애통하고 답답한 노릇이 어디 있단 말이요. 예-예-넋두리는 거두고 아침에 무슨 일이 있었느냐고요?

내 이야기를 들어보십시오. 영감하구 소생이라고는 겨우 지금 열 살 먹은 사내애밖에 없지요. 하늘이 어떻게 살펴서 늘그막에 하나 끼쳐주었으니 우리에게는 금은보배가 어디서 이 애보다 중하겠서요마는 저 못난 영감이 글쎄 사람이면 다 시키는 공부도 못 시키고 그 어린 것을 난전구루마를 끌켜 가지고 다니면서 못이 박히게 고생을 시키지 않소. 그리고는 부끄러워하는 생각은 꿈에도 없이 저 영감이 글쎄 오늘 아침에는 그 애 머리를 방치로 때려서 죽일 뻔 하지 않았어요. 너무나도 끔찍하고 무서운 일이니 어쨌으면 좋을지 말이 나오지 않소. 그 애가 엊저녁에 제 아버지의 주머니를 뒤져서 돈 5전을 꺼내어 호떡을 사먹었다든가 봐요. 나는 몰랐지요. 아침에 영감이 돈 회계를 하다가 돈이 틀린다고 야단을 치드니 그 애가 집어낸 것을 알고 밖에 나갔다 들어오는 애를 방치를 던져 단번에 머리를 마스고 모르는 듯이 나가 버리지 않소. 머리에서 피가 철철 흐르고 정신을 잃은 애를 안았을 때 이 마음이 어쨌겠어요.

(한숨을 쉬며) 이보시오. 어린 것이 여북 배고팠으면 돈을 꺼내가지고 호떡을 사먹었겠소. 여북 먹고 싶었으면 돈을 꺼냈겠소… 젊었을 적에는 살림은 구차해도 마음이 그렇지 않드니 늙어가면서 점점 악독해지니 이거 어찌 된 셈이요. 글쎄 또 거지를 때리다니 어쩌자고 이런단 말이오. 나는 어쩌면 좋

단 말이오.

영감의 말

모든 것이 제 잘못인줄 압니다. 어린 자식을 때려서 정신을 잃게 하고 다리 없는 병신을 두들긴 것이 다 저의 잘못인 것을 잘 알고 있습니다. 여기 대해서 무슨 낯으로 무슨 염치로 말하겠습니까마는 제 말을 들어주십시오.

범도 제 새끼를 귀하게 할 줄 안다는데 어찌 사람인 제가 항차 오십 줄을 넘은 늙은 녀석이 겨우 하나밖에 없는 제 새끼를 미워할 리 있습니까. 속으로 한없이 귀해 하고 중해하고 아끼고 끔찍해 하는 자식이지만 겉으로 마음대로 사랑해 줄 수 없는 것을 본다면 아마 나 같은 것은 호랑이보다도 훨씬 못 한가 봅니다. 보통학교도 못 보내고 구루마를 끌켜가지고 대니니(다니니) 남들이야 저 영감이 모질다고 하겠지요만 이 늙은 가슴은 터질 것 같답니다. 이래도 애비라고 뻔뻔히 말할 수 있을까. 남들이 돈을 벌어서 자식을 공부시킬 동안 나는 무엇을 하고 지냈느냐. 공부는커녕 밥도 제 양껏 먹이지 못하니 이것이 애비 노릇일까 이렇게 생각한다면 그만 그 아이에게 대하여 부끄러운 생각이 치밀어 올라와서 늘 마음이 편치 못하고 성질이 이상해지며 나중에는 도리어 그 애가 미워집니다. 그리고 노친이고 자식이고 다 없어졌으면 하는 생각도 납니다. 처자를 죽이고 자식을 팔아먹는 사람의 마음이 이런 거겠지요. 별거겠습니까.

이렇게 마음이 이상해지고 보니 집안에 들어와서는 늘 머릿살을 찌푸리게 되고 조그만 일에도 트집을 걸어 들부수게 됩니다. 이래서는 못쓰겠다고 생각해도 안 됩니다. 오늘 아침 일도 그렇지요. 생트집이지요. 그 애가 그런 나쁜 행실을 해서는 장래 희망이 없다는 생각이 없는 것은 아니지요만 말하자면 그저 트집이지요. 내 분풀이를 그 애에게 한 거지요.

…그렇지마는 여보시오. 애비의 정이라는 것은 하늘이 벌써 꼭 정해놓은 어쩔 수 없는 건가 봅니다. 부자의 정을 끊는 칼이 없다는 말이 있습니다만 옳은 말입니다. 방치를 던질 때까지 그 애한테 대하여 조금도 미안한 생각이 없이 도리어 악이 치받치더니 내가 던진 방치가 그 애의 머리를 딱 하고 맞아 머리에서 피가 흐르는 것을 보자 나의 마음은 나로서도 이상하게 생각하게끔 변하여졌습니다. 나는 이 세상에서 제일 큰, 제일 중한 도무지 용서할 수 없는 죄를 지은 것 같았으며 이 죄를 갚기 위해서는 그에 앞에 엎드려 혀로 땅을 핥으면서 온종일 빌어도 아니, 내가 죽을 때까지 빌어도 부족할 것 같았습니다. 그 애가 그때 너 죽어라 했다면 나는 그 당장에서 목을 찔러 죽기라도 했을 것입니다. 아니 그래도 시원치는 않았을 것입니다.

장에 구루마를 끌고 나오니 장에 모든 사람들이 모두 나를 노려보는 것 같았으며 이 몹쓸 놈 하는 것 같았습니다.

예- 예-그런데 왜 거지를 때렸느냐 말씀입니까? 나는 겨우 마음을 바로 잡아 이렇게 생각했습니다 이제부터는 그 애를 위하여 내 몸뚱아리를 모두 바치자. 빌어먹고 도적질을 해서라도 그 애를 학교에도 보내고 받들자. 이렇게 생각하니 내 눈에는 눈물이 핑 돌았습니다. 그 애가 귀여워서 견딜 수가 없었으며 앞이 환히 터지는 것 같았습니다. 나는 몬첨 오늘 저녁때 호떡을 잔뜩 사가지고 집으로 돌아가려고 하였습니다. 그러나 정오가 넘도록 내 죄 죄한 난전에는 한사람도 손님이 찾아오지 않았습니다. 그런데 다리 없는 거지가 와서 돈 달라고 합니다. 그의 장타령이 내 귀에 들리지도 않았습니다. 두 시간이나 장타령을 했다고요? 모르지요. 하여튼 나는 거지를 주는 일전이면 호떡 한 개 더 하는 생각만 머리에 떠돌았을 뿐이니깐. 그런데 그 거지가 네 자식이 나 같이 거지가 되리라고 악담을 하니 그 말을 듣는 순간 세상이 막 뒤집히는 것 같았습니다. 어떻게 내가 거지를 때렸는지 모르지요. 이 때는 거지가 만약 세상에서 제일 높은 사람이고 그 사람을 때려서는 당장 목이 떨어진다고 하더라도 그를 때리지 않고는 못 배겼을 것입니다. 여보세요. 아무리 밥 얻어먹고 다니는 거지라도 그렇게 무심하게, 악하게, 못이 박히게, 말할게 어디 있습니까? 여보세요. 거지가 더 중합니까. 아들이 더 중합니까. 예-예-

그리고 옆에서 장타령을 재미있게 듣는 사람이 무어라고 나를 욕합디다만 거지가 그렇게 불쌍하면 왜 주머니에서 돈을 꺼내 주지 못하고 거지한테도 괄시를 받는 나를 욕할게 무언가요. 신문에 나지 않을 것이니까 동정 못하는 건가요?

1936.2.27.

출처: 『북향』 동인지, 1936.2.

김광주

북평서 온 '영감'

"⋯⋯그런 괘씸한 년이 있더란 말이요." 그가 '장기(長崎)' 감옥으로 간 지 벌써 삼 년— 그의 이름이나 성보다는 송곳 끝으로 찌르듯이 때때로 나의 귓가에 쟁쟁한 것은 그의 이런 느릿느릿한 음성이다. 사십도 채 못 된 그를 왜 '영감'이라고 불렀느냐고? "새파랗게 젊은 사람더러 왜 영감이래요—?" 말 끝을 길게 빼는 그의 남도 사투리, 비록 밥을 때 찾아 못 먹어도 태연자약한 그의 팔자걸음, 음식을 먹고 나면 수염도 별로 없는 아래턱을 쓰다듬고 쩍하면 큰 기침을 잘하는 그의 버릇— 얼른 말하자면 늙은 사람 같은 버릇이 너무 많았기 때문이었다.

그해 봄.

나는 어느 날 고향에서 어렸을 때부터 같이 자라난 친구 하나가 상해로 오겠다는 실없는 편지를 받고 아침부터 부실부실 내리는 비에 우산 하나도 없이 포동(浦東)부두 녹 쓴 난간을 부여잡고 황포탄의 누런 물을 바라보고 서 있었다.

'이 지옥 같은 놈의 곳엘 무엇 하러 또 오는고?'

'그는 무슨 소식을 가지고 오려는고? 고향! 얼마나 변했을까?'

봄비를 맞아 찰랑거리는 강물—벗을 기다리는 내 마음도 오래 그렸던 애인이나 맞이하러 나온 사람같이 까닭 없이 어수선하였다. 그러나 항해에 지친 배가 한숨이나 쉬듯이 토해놓는 수백 명의 선객 속에서 종내 벗의 얼굴을 찾지 못한 나는 공연히 아침 일찍 일어나서 허둥지둥한 것이 한편으로 생각하면 어리석기도 하고 여태까지 긴장되었던 마음이 일시에 맥이 풀려 한참 동안 정신 잃은 사람같이 바다 저편을 바라보고 섰다가 하는 수없이 실없는 친구를 속으로 꾸짖으면서 해관을 지나 H로의 넓은 거리로 어슬렁어슬렁 걸어 나왔다. 바로 이때다.

"거기 거기 가시는 분이 조선분이 아니신지?"

나는 그래도 복잡한 사람 속에서 하도 오래 동안 보지 못한 친구라 잘못 보고 그대로 오지나 않나 하는 생각에 깜짝 놀라 걸음을 멈추고 몸을 돌이켰다. 두어서너 간 떨어진 곳에서 별로 분주히 구는 기색도 없이 내 앞으로 걸어오던 그때 '영감'의 고독한 모습, 어기적어기적 걸어가는 '그 늙은이'의 걸음과 태도, 그때 그의 모양은 나에게 이런 것을 인상케 하였다. 나는 직감적으로 갈 곳 없는 사람이 또 하나 상해로 흘러왔거니 생각하고 도대체 무슨 일인가 하여 그가 나의 앞으로 다가설 때까지 나무로 깎아 세운 사람같이 우두커니 서있었다. 작달막한 키, 때가 꾀죄죄 흐르는 남빛 중복(中服) 두루마기, 햇빛에 바랠대로 바랜 낡은 중절모, 등에 짊어진 괴나리봇짐, 주름살 잡힌 이마, 여윈 두 볼, 피곤한 두 눈, 고향을 등지고 낯선 곳으로 흘러 다니는 사람들 그나 내나 얼마나 달랐으랴! 나는 갑갑함을 참지 못하고 먼저 입을 열었다.

"무슨 일이신지요?"

"내 그저 암만 봐야 조선양반 같드라니…… 내 눈이 틀림없지…… 아이구, 이놈의 곳에는 사람의 종자는 많구만도 어디 말 한마디 붙일 곳이 없구려…… 짐짝에 도장 찍는 그 코 큰 사람보고 암만 주서 섬겨야 소 귀에 경 읽기요, 되놈들은 어디 대꾸나 해줘야 말이지……"

"대체 어데서 누구를 찾아오십니까?"

그는 잊어버린 것을 생각하듯이 한참 동안 손을 꼽더니

"어제, 그저께 아마 닷새나 되나보오. 북평서 이놈의 배를 탄 것이…… 찾아갈 사람이 있으면 뭐이 걱정이겠소? 어델 간들 잘 왔다고 손목 잡아줄 사람이 있으리까만 대관절 조선 사람이 많이 산다는 법계(法界)란 곳은 어데 바로 붙어있단 말이요?"

나는 그 이상 더 묻고 싶지 않았다.

"제가 법계로 가는데 함께 가시죠!" 얼른 말은 해놓고도 내 자신도 모르게 두 손은 머리를 긁적거렸다. 나의 눈앞에는 그때 나의 보잘 것 없는 생활이 새삼스럽게 뚜렷이 떠올랐다. 겨울에는 춥고 여름에는 덥기로 상해 명물 중에서 첫손을 꼽히는 소위 '정자간(亭子間)'이라는 좁고 어두컴컴한 방, 그 속에서 석유풍로에 쟁개비 하나를 걸어놓고 밥을 끓여먹는 나의 살림, 이런 살림에 어데로 굴러다니던 사람인지도 모르는 그를 데리고 들어간다는 것이 얼른 말하자면 경솔한 짓이랄 수도 있고 근본을 캐어보면 일종의 미지근한 동정심의 발로라겠으나 그때 영감의 모양은 왜 그런지 내 마음을 잡아당기는 데가 있었다.

"고맙수다." 그는 바로 내 뒤를 따라섰다. 벗을 맞으러 나온 몸이건만 나의 두 주머니는 털털이였다. 십여 리 길을 착실히 되는 법계까지 배에 시달린 그를 걷기는 수밖에 없었다.

"그대로 사람이란 살게 마련이요!"

그는 등 뒤에 늘어진 보따리 끈을 다시 질끈 졸라매고 나서 어수선한 상해 부두에 처음으로 내릴 때 누구나 느끼는 일종의 어둠침침한 불안과 일정한 목적지가 없이 이리저리 흘러 다니는 사람이 생소한 곳에 처음 내릴 때 느끼는, 왜 그런지 형언키 어려운 허전한 마음, 이런 감정들을 될 수 있는 대로 얼굴에 나타내지 않으려는 듯이 이따금 이따금 넓은 거리를 이리저리 둘러보면서 얻어 신었거나 그렇지 않으면 고물상에서 사 신었음직한 몸집에 맞지 않게 멋없이 코가 커다란 낡은 구두를 터벅터벅 끌었다.

봄이 봄 같지 않은 상해건만 실발같이 가느다란 보슬비만은 때를 찾아 넓은 아스팔트 적시기를 저버리지 않는다. 그러지 않아도 얄미울만치 반드러운 베이브멘트는 이슬비에 추겨서 물독에서 나온 생쥐모양으로 자르르 흘렀다. 이때나 그때나 '상해는 나를 위해서 생겼소.' 하는 듯이 이 반드러운 거리 양 옆으로 코 큰 서방님, 눈 파란 아가씨들이 이렇다는 일도 없건만 어디서 금방 큰 수나 나는 것처럼 활갯짓을 하고 갈팡질팡 헤매었다.

"저렇게 살들을 내놓고 감기가 안 드노?" 토실토실한 팔뚝 살을 자랑하느라고 비 맞는 것도 불구하고 소매 짧은 옷을 입은 아가씨들을 보고 이렇게 하던 '영감'의 우스운 소리도 그가 나에게 남기고 간 말 중에서 가끔 생각나는 것이거니와 한참 내 뒤를 따르다가 걸음을 멈추고 서서

"에잇! 고약한 놈의 곳이로군. 세상에 나와서 사람구경을 못했단 말이요. 왜 가다가 말고 우두커니 돌아서서 남을 쳐다보는겨?" 하던 그의 모양!

나는 그때 이 사람이 혹 정신에 이상이 있는 사람이나 아닌가 하고 다소 불쾌한 마음과 걱정까지 일으켰었다. 지금 생각하면 몹시 평범한 일이고 싱거운 말이지만 왜 그런지 가볍게 웃어버려지지가 않는다. 무슨 잡된 짓을 해서 살아가든지 그런 것은 둘째요, 거중으로만 보면 그림같이 말쑥하고 깨끗한 키 크신 서방님과 아가씨네들, 그들의 향수냄새에 젖은 사람의 물결을 헤치고 걸어오던 '영감'과 나, 그리고 그의 등 위에 짊어진 괴나리봇짐, 밥은 굶어도 구지질한 것을 쳐다보는 것만도 수치라고 여기는 그들에게 두 '코리맨'의 초라한 모양이 유달리 눈에 띄운 것이 무엇이 이상한 일이랴!

'시골뜨기 영감'은 확실히 세상에서 흔히 말하는 '시골뜨기'였다. 상해 같

은 인종들의 싸움터에서는 용납할 수 없을 만치 어수룩한, 너무나 어수룩한 그이었다.

서로 가까워지기가 어려운 것도 사람이요, 하룻밤 사이에 친형제나 다름없이 가까워질 수 있는 것도 사람이다. 타향으로 흘러 다니는 사람들에게 있어서는 더욱 그렇다. '영감'이 그 거리에서 고운 아가씨님네들과 서방님네들에게 웃음거리가 된 괴나리봇짐, 뚫어진 곳을 깁고 또 깁은 양말이 서너 켤레, 중복 겨울 두루마기가 한 벌, 그리고 겉장이 다 해진 '심청전'이 한 권 들어있는 그 조그마한 보따리를 나의 방구석에 내려놓은 지 일주일이 되었을 때 '영감'과 나는 벌써 이역에서 우연히 만난 친한 친구가 되었다.

'빠리'에서 나체 무도단이 왔다고 상해천지가 떠들썩하던 어느 토요일 밤 결혼한 지 일 년이 채 못 되어 시끄러운 가정생활에서 진저리가 난다는 듯이 가끔 나를 찾아와서 아내에 대한 불평불만을 허물없이 이야기하는 '인스펙터' 안(安)이 그날 마침 월급날이라 '유니포'도 채 벗지 못한 채로 '소흥주' 한 병을 옆구리에 차고 조선서 고추장을 누가 부쳐 주었다고 조그마한 항아리를 한 손에 들고 나를 찾아왔다. 이래서 나의 좁은 방외는 상도 없는 술상이 벌어진 셈이었다. 안군이 가지고 온 고추장 외에 저녁에 먹다 남은 찌개 쟁개비 그리고 장아치 부스러기가 한 접시, 아무것도 식욕을 돋우는 것은 없었으나 우리는 커다란 요리상이나 대하는 것처럼 일제히 젓가락을 들었다.

"술 먹어본지 참 오래군!" 감사하다는 뜻을 이밖에 더 말을 만들 줄 모르는 '영감'. 언제부터 보따리 속에 지니고 다녔는지 모르나 겉장이 해어진 품이 적어도 열 번 이상은 읽었음직한 '심청전'을 되풀이하고 들어 누었다가 벌떡 일어났다.

"그런 무어라고 그렇게 밤을 새가며 보고 계시우?" 우스운 소리 잘하고 놀기 좋아하는 안군이 먼저 입을 열었다.

"고년 참 신통하거든. 지금 세상에 눈 먼 애비를 이렇게 생각하는 딸년들이 있다우?" 어린아이 말 같은 어림없는 소리, 그러나 구수한 그 어조. 안군은 한 손에 든 술잔에서 술이 엎질러지는 것을 모르고 너털웃음을 참지 못했다.

"여보, 영감! 그전에 지내던 이야기나 들려주시구려. 북평은 상해보다 살기 좋답데다그려. 대관절 북평서 무슨 일을 하셨소?"

"글쎄 왜 새파란 사람더러 영감이래요."

늙기 싫은 사람의 본능. '영감'은 불그스레하게 술이 오르는 얼굴에 별로 슬프다거나 남에게 하소연한다는 빛이 없이 어린 소학생이 옛날이야기 하듯이 말을 꺼냈다.

"……그런 괘씸한 년이 있더란 말이요!" 그는 밑도 끝도 없이 어두운 밤중에 홍두깨 내밀 듯 이렇게 한마디를 꺼내놓고는 반쯤 남은 술잔을 한옆에 놓으면서 수염 없는 턱을 쓰다듬었다.

"대체 누가 말이요?" 남의 일이라면 기를 쓰고 덤비는 안군.

"가만히 계슈. …… 천천히 얘기합시다. 들었댔자 무슨 뾰족한 수가 생기는 얘기겠소? 싱겁고 구지질한 일뿐이지. …… 언제 아버지와 어머니가 돌아가셨는지 나는 그런 것도 모르오. 십칠, 팔 세 때 벌써 나는 어느 집 더벅머리 머슴이었소. 아침이면 일찍이 외양간을 쓸고 소죽을 끓이고 소를 몰고 나가서 꼴을 베고 지금 생각하면 그래도 그때가 사람 살던 때 같우. 여름이면 그 지긋지긋한 보리곱쌀미, 봄이면 강조밥, 그래도 그때만치 좋은 때가 다시 있을 것 같지 않소. 더군다나 정월이면 멍석 펴놓고 상투잡이들이 모여 앉아 장자 윷 놀던 재미란…… 그러던 것이 공연히 장가인가 빌어먹을 것 들어가지고 이 지경이 되었구려. 어디가 그렇게 이뻤는지 생각도 잘 안 나고 납작코에 뚱뚱보였었지만 내 정말 고년한테 마음을 폭폭 쏟았었구려. 장날엔 그래도 내가 담배는 굶어도 신발을 사다 신겼구 더군다나 첫 애를 배고

'미깡'이 먹고 싶다고 어린애같이 보챌 때 남에게 비럭질을 하다시피 해가지고 이십 리나 되는 장에를 싫은 줄 모르고 갔다 왔지. 아, 그러던 것이 계집의 마음이란 변하려 드니깐 하룻밤 새입데다. 고런 발칙한 년이 있더란 말이요. 그야 조 곱쌀미 새우 젖 꽁댕이에 진저리도 났겠지만 어린 것을 낳아두고 열 달이 채 못 되어 간다온다 말한 데도 없이 야간도주를 했구려. 내 다시 찾으려 들지도 안했었소. 그때만 해도 그 윗마을 마름집 물새 아들 녀석 눈깔이라도 빼놓고 불이라도 퍽 질러버리고 싶습데다만…… 풍설에 듣자니까 꼬여가지고 서울로 갔답데다. 이러니 코백이나 찾아볼 수가 있어야지. 이런데다가 엎친 데 덮친다고 웬 놈의 장마인지 밭날갈이 갈고 심고 해논 것을 모다 물에 제사를 지내고 온 동리가 생 나리구려. 그나 그뿐이겠소? 에미 생각을 하면 얄밉다가도 애비라고 쳐다보고 벙실대는 것을 보면 그래도 더 측은하고 불쌍해서 이 핏덩이를 안고 이집 저집 젖비락질을 하다시피 했더니 요게 며칠 동안 감기처럼 기침을 콕콕 하더니 죽어버리고 마는구려. 할 수 있소? 핏덩어리를 뒷산에 내 손으로 흙을 파고 묻어버리고 그래도 어델 간들 튼튼한 젊은 놈이 굶어죽으랴 하는 어리석은 마음에 남의 꾀에 빠져 만주로 농사품을 팔러 나섰구려.

그 무지막지한 뙤되놈들의 학대한 밤을 샌들 다 얘기하겠소만 보리곱쌀미면 오히려 삼중이지 그 강냉이밥이란 그게 어디 사람 먹을 거요. 그나마 마음 편하게 먹고 살 수 있다면 타고난 팔자에 무슨 큰소리를 하리까. 지금 생각하면 어느 놈과 어느 놈이 그렇게 날마다 싸움질인지 알 수도 없지만 총소리 대포소리…… 이곳에 가 밭을 좀 붙일 만 하면 조선 놈에겐 농사를 안 시킨다고 내쫓고 저곳에 가 집이라고 돼지우리처럼 잠자리를 만들어 놓으면 도적놈같이 생긴 놈들이 와서 으르딱딱거리고 몰아내지…… 이런 사람이 왜 나 하나뿐이겠수만…… 이렇게 칠팔 년 동안 길림으로 간도로 만주바닥을 헤매고 나니 나이는 벌써 삼십줄이 아니요? 언제 따뜻한 아랫목에서 자식의 볼기짝이나 두드리며 흥야흥야 하는 그런 단꿈을 꿀 생각이나 해봤겠소? 그러나 계집의 정이란 묘한 것입데다. 이렇게 쫓겨 다니면서도 자나 깨나 고년의 통통한 두 볼, 몸집과 같이 달달 구르는 음성을 저버릴 수가 없구려…… 몹쓸 년 얄미운 년 하다가도 오라! 네가 내나 천생 강조밥을 먹고 살게 마련된 때문이지, 내 너를 욕하고 꾸짖은들 소용이 있으랴 하는 불쌍한 마음이 들어 한편으로는 이왕이면 아들딸 낳고 잘 살라고 밤낮으로 축수를 하였었소.……"

'영감'은 얘기를 여기서 그치고 반쯤 담긴 술잔을 들어 한 모금에 꿀꺽꿀꺽 마시고 나서 별안간 모든 지나간 일을 씻어버려 보자는 듯이 방이 흔들릴 만큼 큰 웃음을 쳤다. 그러나 그것은 울지 못하여 웃는 쓰디쓴 웃음이었다. 밤이 얼마나 깊어졌는지 그리 멀지 않은 H로에서 한시도 그칠 줄 모르고 울려오던 무도단의 '재즈밴드' 소리도 어느 사이엔지 슬며시 사라져 버렸다. '영감'도 졸음이 왔던지 목소리를 나지막하게 가다듬어 가지고 다음 말을 시작했다.

"……그래서 그게 바로 삼 년 전 일이요. 용정촌에서 뭐라던가 무슨 회에서 일하는 분이랍데다. 그도 역시 나이 사십이 넘은 분이 그저 없는 사람의 일이라면 기를 쓰고 쫓아다니려 드는 분인데 마음은 착하나 먹을 게 없어서…… 그이가 북평에 자기의 친구가 하나 있으니 찾아가면 이곳보다는 나으리라고는 소개를 해줍데다그려. 애비와 자식 간에도 속마음을 모르는 세상에 그이인들 먼 곳에 오래 떨어져 있는 친구의 마음을 알 리가 있었겠소? 모두 내 팔자지. 예를 가면 좀 나을까 제를 가면 밥이나 안 굶을까 하는 생각으로 행두가리 나부레기를 팔아가지고 또 그곳엘 가지 않았겠소. 지금 생각하면 이 길이 또 고생할 징조였구려. 이를테면 머슴살이 셈인데 보리곱쌀미

강조밥을 먹고라도 시골서 머슴 사는 게 낫지 이건 정말 못해먹겠습디다. 세상의 일이 고되면 얼마나 고되겠소. 뼈가 부러지지 않는 일이라면 가릴 게 있겠소만 이건 첫째 마음을 놓을 수가 있어야 해먹지. 처음에 북평 천지에서 선생님 선생님하고 만나는 사람마다 떠올려 받치니까 누가 그런 줄 알았소. 집안 차림차림이라든지 돈 쓰는 품이라든지 정말 우리 같은 사람이 처음 보니까 눈이 부실만큼 으리으리합데다. 내 팔자 한탄이나 했지 그래 구태여 남의 집안 흉담을 하고 싶겠소만 내 얘기를 하자니 할 수 없이 이런 말까지 하게 되는구려. 주인 영감은 그때 마흔 일곱인가 여섯이라고 했으니까 지금쯤은 오십이 넘을게요. 그런데다가 딸벌 밖에 안 되는 새파란 아가씨를 모시고 그 앞에서는 절절 기시는 구려. 그야말로 불 속에라도 뛰어 들어가라면 들어갔지 그려. 남의 말을 들으면 이분이 셋째 부인이랍데다. 하여튼 아씨가 몹시 표독하게 생기셔서 상제보다 복제가 더 섭다는 격으로 하인들도 까닭 없이 가지고 흔드시는구려. 세숫물 대령을 조금이라도 마음에 거슬려…… 하루 종일 원수 벼르듯 앙앙대시는 구려. 그리고 몇째 부인의 소생인지는 몰라도 전실 마나님의 소생이 두 분, 대학교에 다니는 서방님, 그 아래로 열칠, 팔 세 되는 따님, 이 양반들도 나이가 이렇게 찼으니 새파란 후모와 마음이 맞을 리도 없으나 밤낮으로 공부는 간다며 서로 싸움질로 세월을 보내는 구려. 서방님 이 두 분은 학교라고 며칠 만에 한 번씩 다녀오면 어느 놈의 계집애들과 몰켜서 춤이나 추러 다니기에 눈이 벌겋고 아씨님은 아씨님대로 오라버니에게 져서는 안 되겠다고 그저 무슨 거짓말을 꾸며 가지고든지 아버지의 돈을 우려내려고 만들고…… 이 몇 사람들이 한 달 동안에 몸치장하는 돈만 해도 우리 같은 사람은 일 년 열두 달 먹고도 남겠습데다. 그런데 이 돈이 어데서 나오는가 하면 참 기가 막힐 노릇이지. 얼른 말하자면 아편 장사요 갈보 장사구려. 바깥세상 사람들도 모를 리가 있겠소만 알고도 슬쩍슬쩍 눈을 감아버리는 가 봅데다. 뒤로 돈푼 얻어 쓰는 사람도 많은 모양이고. 그러기에 무슨 회가 있을 때마다 신주 받들 듯 모셔다가 연설을 시키는 게 아니요. 연설하실 때에는 그래도 연상 '에헴' 하고 큰기침을 해가며 주먹으로 책상을 두드리면서 뽐냅데다만. 그래 내 일이란 게 바로 어두운 밤중에 소매 상인들에게 아편을 날라다 주고 때때로 색시들을 다른 시골로 넘겨다주고 오는 것이구려. 시골 댁 관청에 잡아다놓은 격이지. 내 천생이 이런 약삭빠른 일을 해봤어야 말이지. 에라, 빌어먹을 것! 도적질도 하는 세상에 무슨 짓을 못 하랴! 나도 참 어림없는 놈이지! 그래도 이런 못난 생각으로 일 년 동안이나 쓰다 달다 말 한마디 없이 심부름을 해주지 않았겠소. 그러나 원 도무지 나 같은 위인이 이런 일을 마음에 맞게 척척 해 바칠 수가 있어야지. 잘해도 핀잔, 잘못해도 핀잔. 이러고도 월급이란 다 뭐 말라죽은 거요. 옷 한 벌 끌끌히 때 찾아 얻어 입어봤겠소. 지금 생각하면 장사가 장사이니 중간에서 슬금슬금 새치기라도 해먹어도 아무 일 없었을 것을 그래도 고지식한 생각에…… 아! 그런데……"

'영감'의 음성은 여기까지 와서 칼로 똑 자른 듯이 높아졌다. 한옆에 비스듬히 팔베개를 베고 누워서 옛말 듣는 어린아이처럼 정신 잃고 '영감'의 오르내리는 입만 쳐다보고 있던 안군의 두 눈이 별안간 휘둥그레졌다.

"……어느 겨울날이었었소. 북평의 겨울 추위란 것이 또 기가 막히지. 그야말로 뺨이라도 베여갈 듯이 모진 바람이 흙먼지를 몰아다가는 눈도 바로 뜨지 못하게 하는데 목 매인 소인지 별 수 있소. 자정이 훨씬 넘은 이 밤중에 또 일을 시키는 구려. 삼백 원어치나 되는 가루약을 자루 속에 넣어서 허리에 지니고 나섰구려. 이십 리나 착실히 되는 길을 걸어서 성 밖 어느 소매상에게 갖다 전하고 오라는 것이요. 그래 성문을 썩 나서서 굴속같이 어두컴컴한 산길을 한 반쯤 오지 않았겠소. 바로 이때요. 앞을 척 막아서는 놈이 있지 않겠소. 어두운 밤중에 홍두깨란 말이 이걸 두고 하는 말인가 싶습데다. 아!
이놈이 사뭇 번쩍거리는 총부리를 내대고 몸수색을 하는 구려. 이 중국의 혁
명이란 자기네들도 뒤로야 아편을 먹지만 파는 사람을 그대로 둘 리가 있겠
소. 이런 것을 잡아다주고 상관에게서 돈푼 받아먹는 게 큰 벌이랍데다. 이
거야 막다른 골목이지 달아나긴 하겠소. 그래 거기서 다시 뒷걸음을 쳐서 십
오 리나 되는 공안국으로 끌려갔구려. 이런 싱겁고 억울한 일이 어디 있소.
모든 것을 바른대로 대었건만 주인은 잡아들이는 기색을 없고 애꿎은 나만
가지고 주리를 트는 구려. 내 천생 이런 일을 당해봤소. 처음에야 영문도 몰
랐더니 나중에 알고 보니까 일 년 반 거진 이 년 동안이나 날 가둬둔 것이 전
혀 뒤로 돈 먹자는 수작이었습데다 그려. 그런 도척 같은 영감이 어디 있겠
소. 자기 일을 보다 잡혀간 사람인데 죽거나 살거나 모르는 척하고 저는 뒤
로 무슨 짓을 했는지 잡혀가긴 커녕 살만 피둥피둥 져가지고 있습데다. 이년
이 아니라 십 년을 가둬두어도 돈 나올 리 없으니 그제야 내놔준 셈인데 나
오니 또 갈 곳이 있소? 이가 북북 갈리지만 그놈의 문전에 다시 어슬렁어슬
렁 발을 들이밀었구려. 그런데 이 주인 영감님이 하는 말이 또 기막힐 말이
지. '원, 사람이 어찌 그리 변변치 못해. 그깐 놈들에게 잡혀가다니?' 이게 날
보고 할 소리요? 그저 그 자리에서 멱살을 부여잡고 볼치를 우리고 싶습데
다만. 자기가 안 당해봤으니까 엮는 말이지 그래 코 밑에다 총부리를 내대는
데 달아날 수가 있소? ……"

'영감'은 나오는 하품을 손으로 막으면서 여기서 얘기를 끊었다. 좁은 유
리창으로 간신히 내다보이던 으스름달이 어느 사이엔지 보슬비로 변하여
옷 적시기 좋으리만큼 소리 없이 내렸다. 고향! 흘러 다니는 사람들에게 까
닭 없이 내 땅을 그립게 하는 간사스런 밤이었다.

"사람이 팔다리가 부러졌다면 모르겠지만 그렇지도 않은데 두 눈을 꿈벅꿈벅하고 앉아서 놀고먹어서 쓰나?" 이것이 '영감'의 인생에 대한 철학의 전부였다. 머리도 단순했고 아는 거라고는 간신히 언문글자를 붙여보고 쓴다는 것이 또 잘 알아볼 수 없는 것이지만 그 대신 남 일에 참견하기도 즐기지 않는 성질이었고 또 무엇을 가장 아노라고 뽐내려 드는 성질도 아니었다. 황소— 이 한마디로 '영감'의 전부를 형용할 수 있을 것이다. 다리팔이 억세고 마음이 꿋꿋해서가 아니라 무슨 일이든지 맡기면 쓰다 달다 말없이 받가는 황소같이 죽는 날까지 해나갈 그이었다. 그밖에 인생에 대한 또 다른 희망이나 욕망이 있다면 그것은 밉든 곱든 마음 착한 아내를 데리고 다만 한간 방에서라도 자식을 안고 살아보고 싶다는 것이었다.

일을 즐겨하면서도 일을 얻지 못하는 사람, '영감'도 그중의 한사람이었다. 봄이 가고 여름도 반이나 기울 때까지 하루 한시 쉬지 않고 이집 저집 조선 사람의 집이라고는 모조리 찾아다닌 모양이나 일자리라고는 싹도 보이지 않았다. 중어라고 한다는 것이 몇 마디에 지나지 않고 이렇다고 내세울 기술 없는 사람이 상해 같은 바삭바삭 하는 도회지에서 일자리가 있을 리가 없었다. 그렇다고 품팔이 노동 같은 것이 제 나라 일군들도 길바닥에 수두룩하게 굴러다니는 판이니 조선 사람이란 굴레를 벗지 못하는 이상 꿈도 못 꿀 일이었다.

밤새도록 이리 뒤치락 저리 뒤치락 하고 잠을 제대로 못 자고 무슨 궁리를 하였는지 하루는 내가 채 눈도 뜨기 전에 새벽같이 나가더니 큼지막한 사과궤짝을 하나 안고 들어왔다.

"아—니, 그건 뭘 허시려우?" 나는 무슨 일인지를 알 수 없어 졸린 눈을 부비며 이렇게 물었다.

"아무 말 말고 어서 일어나서 여기다 몇 자 써주시우."

그의 뜻은 점점 더 알 수가 없었다.

"쓰긴 무엇을 말이요?"

"소고기 파는 사람이라고 서너 글자만……"

하면서 '영감'은 궤짝을 들고 머리맡으로 다가들면서 일변 벼루를 꺼내놓고 먹을 가는 것이었다. 그제야 나는 그의 뜻을 알고 벌떡 일어나서 악필로 유명한 글씨로 '우육행상(牛肉行商)'이라고 넉자를 큼직하게 써주었다. 제 먹을 것은 무슨 짓을 해서든지 제 손으로 일하고 먹어야 한다는 '영감'의 뜻에는 공부합네 하고 학비를 부쳐다가는 중국 색시들에게 빠져서 허덕허덕 하는 젊은 서방님 네들에게 약으로 먹이고 싶을 만치 귀여운 곳이 있었다.

이튿날부터 '영감'은 매일같이 창이 훤하기를 기다려 이십 리 길이나 되는 '홍구' 마겔에 걸어가서 소고기를 받아가지고 와서 조선 사람들의 집으로 메고 다녔다. 밑천이 모두 일 원, 몇 집 안 되는 조선 사람 집에서 하루에 그 이상 팔릴 리도 없고 일 원어치를 운수 좋아 현금으로 파는 날은 본전 빼고 많아야 사오십 전을 들고 들어왔고 그것도 여의치 못한 날은 모두 외상으로 고기만 줘놓고 들어와서는 텅 빈 궤짝을 한 번 다시 열어 보고는 이마의 땀만 씻는 것이었다.

"외상을 자꾸 놓으면 무슨 밑천이 넉넉한 장사라고 셈이 맞겠소?" 내가 이렇게 말할 때마다 "그럼 어떻게 하우? 돈이 없다고 고기는 베놓고 이담에 오라는 걸……" 하면서 빙그레 웃던 영감의 얼굴, 지금도 때때로 내 눈 앞에 얼른거려 성낼 줄 모르던 그 부드러운 얼굴. 동짓달, 남국에도 아침저녁으로 제법 매운바람이 불기 시작했다. 어느 일요일 '영감'은 푼푼전전 모은 돈으로 새로 중국 겹두루마기를 한 벌 사 입고 설빔을 입은 어린아이같이 자못 상쾌한 듯이 점심을 먹고 어데인지 나갔다가 해질 임시에야 무슨 큰 일이 난 것처럼 뛰어 들어오며 어떤 말을 먼저 해야 좋을는지 모르고 황당하게 밑도 끝도 없는 말을 또 꺼냈다.

"아! 세상에 이런 일도 있소! 어쩌면 그렇게 똑같을 수가 있담매……"

"무엇이 말이요?"

"색시 말이요."

"아니, 어데서 뭘 보고 오셨소?"

"왜 그 맨 앞줄에 서서 노래하는 색시가 말이요, 내 '순이 에미'(이것은 그를 버리고 간 그전 날의 아내의 이름이었다.)를 똑따다 논 것같습데다. 코라든지 입맵 시라든지 더군다나 그 오동통한 두 볼이란…… 처음에는 가슴이 선뜩 내려 앉습데다, 그게 내체 뉘 집 딸이요?"

그네야 나는 '영감'이 예배당에를 갔던 것을 알았다. 그리고 말하는 색시 란 것은 '영감'의 이말 저말 형용하는 것을 종합해보면 일시에는 운동가로 그 이름을 멀리 남북 만주에까지 떨치더니 근자에는 풍설에 들으면 첩을 얻 어가지고 이러쿵저러쿵 사람들의 입에 오르내리는 B씨의 맏따님 '메리'라는 여자인 것을 추축할 수 있었다. 이름도 평범하거니와 돌아다니는 말을 들으 면 하와이가 고향으로 공부라고는 소학을 겨우 마쳤으나 영자 신문 잘 보기 로 유명하고 그와 동시에 조선 글이라고는 가갸 뒷다리도 모르기로 첫 손 꼽 는 여자였다. 당자가 '영감'의 말을 들었다면 길길이 뛰고 한바탕 야단을 할 일이지만 사실에 있어서 작달막한 키에 둥글납작한 얼굴, 몸에 감은 옷과 향 수 냄새 분 냄새를 제해 놓는다면 '영감'이 말한 '순이 에미'보다 별로 나은 사람이 아닌지도 모를 일이다. 사실이야 어찌 되었든 그래도 그는 국제도시 에서 양풍을 마실 대로 마시고 자라난 귀한 아가씨이다. 그들에게 말하라면 사람감에도 못가는 '영감' 같은 사람이 이런 고운 처녀를 넘겨다본다는 것은 자다가도 웃을 일이고 하늘의 별을 따려는 어림없는 일일 것이다. 나도 공연 히 웃음의 소리를 하는 것이거니 하고 그 여자에 대한 것을 아는 데까지 얘기해 주었다. 그러나 '영감'은 한 손에 사들고 들어온 흙으로 만든 벙어리를 내모이면서 이런 소리를 하는 것이었다.

"상해에선 돈만 있으면 장가갈 수 있다는 걸…… 내 또 뭐 병신인가? 눈, 코, 입 제대로 다 있겠다. ……"

"누가 그런 소릴 합데까?"

"마나님들이 모두들 그러십데다. 나이야 사십이든 오십이든 돈만 있으면 처녀 색시 얻을 수 있다고……"

"어림없는 소리 마시우. 허허허……"

나는 그것을 실없는 웃음의 소리로 흘려들으려 했다. 그러나 영감은 그 날부터도 건느지 않고 십 전이면 십 전, 없을 때는 다만 동전 몇 잎이라도 그 벙어리 속에다 집어넣고 밤에 자리에 눕기 전에 의례 한 번씩 흔들어보곤 잠이 드는 것이었다. 지금 생각하면 얼마나 안타까운 '영감'의 마음이랴. 그것을 십 년, 아니 이십 년을 모으기로서니 이런 도회지 아가씨들의 향수 값이나 되랴. 먹어야 한다고 본능, 그리고 성(性)에 대한 본능 이 두 가지 중에 한 가지만을 가졌던들 사람들의 생활도 반쯤은 간단해졌을 것이다. 그러나 이 것은 누구나 죽는 날까지 떠메고 가지 않을 수 없는 괴로움이다. '영감'도 이 피치 못할 본능 때문에 때로 웃고 때로 우는 평범한 사람 중의 하나였다.

"제길 할 것! 열 번 찍어 안 넘어가는 나무가 있답데까?"

그는 이런 일이 있은 뒤부터는 새벽같이 고기궤짝을 메고는 제일 먼저 B 씨의 집으로 가는 모양이었다. '메리'의 얼굴이라도 보고 부드러운 말소리라도 듣고 오는 날이면 피곤한 것도 저버리고 벙긋벙긋 하고 기뻐서 어쩔 줄 몰랐다.

"말소리까지 똑 따왔거든…… 그거 참……"

피곤하여 저녁 밥 숟갈을 놓기가 무섭게 자리에 쓰러져서 코를 드렁드렁

돌면서도 어떤 때는 잠꼬대를 몹시 하고 스스로 자기 소리에 소스라쳐서 눈을 뜨고 방안을 맥없이 휘더듬고는 다시 잠이 들곤 했다.

"'순이 에미!' 조밥 고리곱쟁이, 제길 할 것…… 입쌀밥…… 에잇 발칙한 년……" 하고는 꿈속에서 웃을 때가 있고 또 어떤 때는 '메리!' 하고 아씨따님의 이름을 거침없이 불러놓고는 그대로 다시 잠이 들 때도 있었다. 그러나 나는 한편으로는 가엾다는 생각은 하면서도 그저 잠꼬대거니, 처녀를 보면 공연히 마음이 싱숭생숭해지는 총각의 마음 같은 실없는 생각으로 그러거니 하였을 뿐이요, 다음 같은 일이 있으리라고는 꿈에도 상상치 못했었다.

'영감'이 상해로 온지도 그럭저럭 일 년을 바라보게 되었을 때 어느 일요일, 이날은 아침부터 '메리'의 결혼에 대한 이야기가 조선 사람들 사회의 중요한 화젯거리였었다. 더군다나 밥이나 지어먹고 나면 별로 할 일이 없어 남의 집 소문 험담을 일삼는 마나님 네들은 이집 저집으로 떼를 지어 모여 앉아서 그런 말을 못들은 것이 부러운 듯이 혹은 공연히 샘이 나는 듯이 마치 먹고 살 일이 생긴 것처럼 이일 저일 닥치는 대로 짚고 까불었다.

"복 많은 색시의 혼인날이라 날도 참 좋구만……"

"그러게 말이지…… 그런 신랑을 어데 가 또 얻겠소?…… 월급이 이백 원이나 된다는 구려…… 무슨 서양 사람 은행에서 일을 본다더라……"

"난…… 그래도 그런 자리에 딸 주고 싶지 않아…… 본처가 조선에 눈을 멀뚱멀뚱 뜨고 살아있다는 걸…… 소생도 둘이나 되고……"

"그럼 첩이나 진배 없개……"

"첩은 무슨 첩? 살아있긴 해도 이혼한 셈이나 마찬가지라는데. 그건 어렸을 때 든 장가랍데다. 미국 가서 대학공부를 하는 동안에는 편지 한 장 한 일이 없다는 걸……"

"뭐니 뭐니 할 게 있나? 지금 혼인들 다 그렇지…… 그런데 침세만 백 원짜리라지…… 서양식 화류장이 여섯 개나 된다던가…… 나도 나이나 젊다면 그런 데로 또 한 번 시집이나 가보지…… 그런 호강이 어데 있어? 호……"

"점잖지 못한 소리도 하우…… 내 생각엔 신랑보다도 돈 때문에 딸을 주나봅데다. 신랑이라는 궐자 내 어제 잠깐 봤는데 대학졸업은 어떻게 했는지 몰라도 징글징글하게 생긴 얼굴에 말하는 솜씨하고 왜 그런지 반편 같습데……"

"그까짓 상관있소. 이러니저러니 해도 그저 돈이 제일입니다. 내 딸년 시집이라도 보낸 지 오 년이 되건만 여태까지 겨울에도 털외투 하나 못 얻어 입고 달달 떠는 것을 보니까…… 사람이 너무 똑똑해도 소용이 없습데다. 제 딴에는 똑똑하다고 하는 놈 치고 내 밥 안 굶는 놈 못 봤으니…… '메리'야 좀 좋은가…… 결혼식만 끝나면 미국으로 신혼여행을 가…… "

내 땅을 등지고 이역에서 사는 마나님들에게는 조선의 맛있는 음식타령이나 하고 그렇지 않으면 아들딸 장가들이고 시집보내는 것이 일생에 제일 큰일이었다. 아들딸이 없는 사람은 이런 얘기를 하고 듣는 것만도 커다란 위안인 것 같았다. 점심 먹은 설거지를 하다말고 그대로 뛰어 온 마나님, 치마폭 터진 것을 기워 입을 새도 없이 그대로 움켜잡고 달려온 노인, 좁은 예배당 문은 사람의 물결을 집어 삼키기에 눈 코 뜰 사이가 없었다.

이날 마침 나는 공교롭게 어느 중국 동무를 찾아나갔다가 저녁때가 다 되어서 집으로 돌아왔다. 화독에 불을 피우거나 그렇지 않으면 '심청전'을 뒤적거리고 드러누웠을 '영감'이 보이지 않는다. 두루마기가 걸려있지 않는 것으로 보아 무슨 반찬거리를 사러 나간 것 같지도 않았다. 그보다도 이상한 것은 신주 받들 듯 모시어두던 벙어리가 산산조각으로 깨어져서는 쓰레받기 한구석에 담겨있는 것이었다. 그래도 나는 무슨 돈 뜰 곳이 있어서 가지고 갔거니 하는 무심한 생각으로 혼자서 저녁을 먹는 둥 마는 둥 하고 쓰러진 것이 이튿날 새벽 창이 훤할 때에야 겨우 누이 떠졌다. 그도 제절로 깨워진 것이 아니다.

"문 여시오! 문 여시오!" 하는 낯 설은 음성에 놀랐기 때문이다. 언제 들어왔는지 옆에 누운 '영감'은 이제야 한잠이 달게 든 모양이다. 그러난 문을 연 나는 생각지 못한 불의의 내객에 어안이 벙벙할 수밖에 없었다. 보자, 수염을 맵시 있게 갈라붙인 불란서 경장이 한사람, 그리고 뒤를 따라서 자다가 끌려나온 모양으로 눈을 비비는 중국 순사가 두 사람, 그중의 한사람의 손에서는 커다란 식도 한 개가 번쩍이었다. 앞장선 불란서 경장은 들어올 때 빼어든 단총부리를 내 턱살밑에다 들이댄 채로 새파란 두 눈으로 아래위를 훑어보고 나서는 곤히 잠든 '영감'을 흔들어 일으켰다. 눈을 비비며 일어나 앉은 '영감'의 초조한 모양!

"이 칼이 누구의 것인지 두 사람 중에 대답을 해!"

"내 것이요!" '영감'은 서슴치 않고 그들의 뒤를 따라 나갔다.

지난밤 B씨의 집에서 성대한 결혼식을 마치고 신랑 신부가 잠자리를 정하고 막 자리에 누우려는 밤 한 시가 훨씬 넘었을 때 식도를 번뜩이며 이 신방에 침입했다가 무엇에 놀랐음인지 칼을 집어던진 채 달아난 어리석은 사나이— 그가 '영감'이었던 것이다. 이 무슨 정신없는 사람의 부질없는 어리석은 짓이었던가. '순이 에미'에 대한 쑥스러운 복수의 불길? 그러나 그것은 당자 자신이 아니고는 똑똑히 한마디로 규정할 수 없는 심리이다. 무선전보다 소문이 빠른 상해 조선 사람들 사이에 이 소문이 쫙 퍼지자 그들은 이구동성으로 '영감'의 어리석음을 욕하고 비웃었다.

"쓸개 빠진 놈! 넘겨다 볼 게 따로 있지!"

"상해란 데가 원체 묘한 곳이니까 별 놈이 다 흘러들어오지. 그런 싱겁고 어림없는 놈! 그놈이 내체 어디서 굴러먹던 놈이요?"

"말할 게 있나? 미친놈이지!"

말의 형식은 달랐으나 그들의 '영감'에 대한 결론은 '싱거운 놈', '어리석은 놈' 내지는 '미친놈'으로 일치되고 말았다. 이는 당연한 말인지도 모른다. 그러나 나는 때때로 바다건너 저편 쇠창살 아래까지 흘러간 그를 "영감! 영감!" 하고 친히 불러보고 싶은 충동을 어찌할 수가 없을 때가 있다. 그리고 지금도 귀를 찌르는 그의 느릿느릿한 말소리

"그런 괘씸한 년이 있더라 말이요?"

출처: 『신동아』 52, 1936.2.

김국진

설

　왁자지껄하던 C신문지국실내도 하나둘씩 신문을 들기 시작하여 차차 조용하여졌다. 바깥유리창문이 드르렁드르렁 두 번 미끄러지고 방문이 열리더니 검정투구(모피방한모를 이곳 사람들은 이렇게 부른 것이다.), 알룩테 안경에 검정 베두루마기를 입은 삼십 남짓한 풍채 좋은 청년이 들어왔다.

　"어떻게 승용군이 늦었군!" 하고 바로 문 옆에서 신문을 보던 T선생은 항용 인사대신 이렇게 말했다. 나머지 세 사람도 일제히 각각 한마디씩 인사를 했다. 승용이는 빙긋이 웃으면서 고개만 끄덕끄덕하고 투구는 벗어서 테이블위에, 그리고 의례하고 버릇으로 안경을 벗어들고 앉으며

　"무슨 좋은 소식이나 있소? 그리들 열심히 보게!" 하고 물었다.

　"좋은 소식은 무슨 좋은 소식! 이 키 크고 속없는 사람아." 하고 동효의 롱에

　"웨?" 하고 한마디 반사적 반문을 해놓고는 어디 내일 아니, 참 명년 운수 패나 떼여볼까 하였다.

　동댕이질에 지칠 대로 지쳐 되는대로 나자빠져있는 화투를 모아다가 재(財)자패를 떼기 시작하였다.

　곁에서 신문을 보던 T선생은 힐끔힐끔 보다가 패가 슬슬 떨어지는 것을 보고

　"내년에는 운수가 툭 터지는 판이로구나!" 하였다.

승용이는 마지막 패를 힘껏 치고서

"자! 내 새해운수가 이렇소! 어떻습니까?" 만족한 듯이 웃으면서 좌우를 둘러보았다.

"화투패쯤으로야 한을 못 풀어줄 것 있나! 승용이도 인제는 아주 화투패 독신자가 되였군!"

궁하고 한가한즉 그런 종류의 손장난을 하며, 절당이나 교회당에서 찾는 신불은 부인하면서도 부지불식간 우연의식은 아쉬운 생각에 믿게 되는 것이다.

"잘 되어도 운수 못 되어도 팔자, 행여나 하고 바라는 것도 운수팔자!"

동효는 안타깝다는 듯이 이렇게 말하다가 또 철학이 나온다고 비꼬는 승용이의 얼굴을 빤히 쳐다보았다. 그의 여윈 검푸른 얼굴가운데서 작은 눈은 가끔 빛나고 허튼 소리는 안한다는 듯 입은 야무지게 다물어져있다. 그전에 보던 명랑한 기색은 지금 그의 얼굴에서 찾아볼 수 없으나 그의 전신에는 어디에인지 믿음직하고 힘찬 것이 아직도 살아있지 않는가.

삼용이가 승용이란 이름을 얻은 칠판 년 전에 맹호같이 거침없이 날뛰는 그 시절의 승용이와 지금의 승용이를 대조하여 보면 지금의 승용이는 쇠살창안의 빈공이란 가시밭에 앉은 젊은 호랑이에 불과한 것이다. 울안의 호랑이가 때때로 울적에 못 이기여 힘껏 뛰어도 보고 으르렁거리기도 하고 쇠살창에 발을 뻗혀보듯이 승용이도 술이 얼근히 취하면 평소의 자기 자신에 대한 불만, 동무와 가정 그리고 사회에 대한 불평이 죽어 참아라하는 평시의 경계선을 돌파하여 칼날 같은 바른 소리도 나오고 동무가 무심코 한 말에도 벼락같은 따귀 부림도 하는 것이었다.

동효는 승용이의 거울에 자기 자신의 초췌한 모양을 비추어 보고 남모르는 가느다란 한숨을 내쉬었다. 동효가 이런 생각을 하고 있는 사이에 나머지 동무들은 화제를 신문의 정치면에서 사회면으로 돌려가며 이야기를 했다.

때마침 괘종이 세시를 쳤다. C선생은 투구를 쓰며 "동효! 무얼 그렇게 골똘히 생각하고 있나? 인제는 가지들 않겠소?" 하고 동의를 하였다.

다른 동무들이 다 나가버린 후 승용이는 K 지국장에게서 연말축하광고 모집에 수고했다는 치하와 약소하나마 설이나 쇠라고 주는 금일봉을 받아 가지고 나왔다. 그는 일자리를 붙들지 못해 삼 년의 세월을 허송하다가 금년 섣달 초순부터 C지국의 연말광고모집을 하여 못 만져보던 십 원짜리 몇 장을 벌어가지고 양복 한 벌을 사 입었을 뿐으로 사 년 만에 모처럼 집에서 쇠는 설이나마 도리어 객지에서 설을 못 쇠는 것이 괴로운 판이라 K의 그 후의는 참으로 고마웠다. 그는 제일당사진관 앞까지 와서야 자기가 퍽 흥분되었다는 것을 깨닫고 잦은 걸음을 늦추었다.

"무엇 때문에 흥분해?" 이렇게 생각하니 한숨 섞인 헛웃음이 허-하고 절로 나왔다. K지 국장이 준 봉투를 꺼내어보니 울긋불긋한 커다란 5원짜리 만주국지폐가 한 장 있었다. 그는 지폐를 자세히 살펴보았으나 역시 한 장의 종잇장에 불과하였다.

뚜벅뚜벅 무겁게 발을 옮기면서 희미한 기억에서 쉐익스피어의 "…너(황금)는 흑을 백으로…천한 놈을 귀인으로…"의 구를 연상했다.

승용이는 집에서 나와 장으로 가는 도중에서도 아내가 한낱 주정뱅이로 치고 있는 것이 불쾌했다. 사실은 아내의 그 말이 찔리었던 것이다. 승용이도 일터에서 떨어져있는 인테리어 상례에 벗어나지를 못하고 …현실의 모순과 고통과 우울을 정도(正道)로가 아니고 모던보이 식으로 한 잔의 술로 순간적으로 해결 아니, 마춰시켜 도피의 일로를 밟아온 것이다.

승용이 아내는 저녁을 일찍 해먹고 남편이 오래간만에 애비노릇을 하겠다고 떠온다는 옷감으로 아이들 설 옷이나 해줄 생각으로 저녁을 짓기 시작했다. 남편이 돈벌이는 못할망정 정월 초하룻날 조밥 상을 차마 드릴 수는 없다고 생각한 그는 며칠 전부터 한 되 남짓한 쌀을 아껴두었다. 아까 5원짜리를 본 김이라 좀 불안은 했지만 그 쌀로 밥을 짓고 빨래품을 팔아 30전 받은 것을 가지고나가서 반찬거리를 사다가 장만해놓고 장에 간 남편을 기다리었다. 방에 불을 켜놓고 졸리다 못해 먼저 아이들에게 밥을 주고, 밥 먹고 난 아이들이 아빠 안 온다고 눈이 빠지게 기다려도 종시 장에 간 남편은 돌아오지를 않았다.

승용의 아내는 혹시나 하는 불안으로 이웃집 박 선생에게 가서 물어보았으나 역시 알 길이 없었다. 정훈이와 정숙이는 큰집에서 가져온 떡과 전으로 소꿉살이 하기에 흥이 났다. 정훈이 저고리 등에 커다란 얼룩이 둘이나 뚜렷이 나타나있는 것을 보자 정훈이 엄마는 눈가죽이 뜨거워졌다. 어제 저녁 장에 간 남편을 기다리다 못해 승용의 아내는 마지막 남아있는 자기의 자주색 저고리와 남색치마로 두 아이의 설옷을 만들었다. 철없이 쌕쌕거리며 단잠자는 아이들 옆에 앉아서 흥그대 소리를 벗 삼아 바느질을 하노라니 모르는 사이에 눈물이 뚝뚝 떨어져 얼룩이 진 것이었다.

밖에서 귀에 익숙한 에헴 하는 기침소리가 들리더니 남편이 힘없이 들어왔다. 정훈이는 아빠 왔다고 좋아서 엄마의 눈물로 수놓은 자주색 저고리를 가리키며 "아빠! 곱지? 엄마가 해주었어." 하고 자랑했다. 그 말을 듣는 승용이는 마치 상처를 다친 것처럼 가슴이 뜨끔하여 할 말이 없어하다가 "응- 참 곱다."고 겨우 대꾸를 해주었다. 승용의 아내는 그 말이 얄미웠다. 오늘은 초하룻날이니 아무 말도 하지 않으려고 하였지만 걸핏 하여 방아쇠만 건드리면 "꽝!" 하고 터져나가는 탄환같이

"여보-. 그런 말이 어디서 나와요? 호랑이도 제 새끼는 사랑한다는데…글쎄 말을 안 했다면 몰라도 저 어린것들을 그렇게 달래놓고 장에 간다는 사람

이 그 돈을 가지고가서 혼자만 술 먹고 놀다가 인제야 어슬렁어슬렁 온단 말이요?" 이런 화풀이가 순간에 폭발되었다.

승용이도 아내가 무어라고 해도 참겠다는 결심으로 집에 들어왔으나 아내의 마지막 말에는 신경이 찔- 울리어 인내줄은 그만 뚝 끊어지고 말았다.

"술은 어떤 개아들 놈이 먹어? 계집년이 초하룻날부터 에익!" 하고 따귀를 갈겼다. 아이들은 "엄마!" 하고 일제히 울음을 내놓았다. 승용의 아내는 분함과 설움이 한꺼번에 북받쳐

"오냐! 죽여라. 차라리 너한테 맞아 죽으란다." 하며 대들었다. "오냐! 죽어봐라." 하고 승용이는 달려드는 아내를 치면서 넘어뜨렸다. 그 순간 승용이는 앗차 하고 후회하였다. 그는 얼른 조끼에서 일원짜리를 꺼내어 방바닥에 내던지고 밖으로 나와 버렸다.

"이놈의 세상 모두 누구의 죄냐?" 이렇게 중얼거리며 다시금 5원짜리의 무서운 마술성에 몸서리를 쳤다. 그리고 돈을 만든 인간과 그 사회적 화근을 저주하였다. 그는 어디로 갈까 잠간 망설이다가 동산으로 발길을 향하였다.

중국인상점 번지에는 빨간 종이쪽지에 먹으로 곱게 '발복생재', '새시대길'이라 쓰여 있었다. 우매하고 무력한 인간의 헛된 기원은 언제나 없어지려나! 승용이는 어제저녁에 장에 가다가 우연히 조를 만나 영춘이네 집에 끌려가서 화투로 밤새우던 광경을 그려보았다. 영춘이네 집에 가서 셋이서 일전내기 화투를 하고 있었다. 같이 놀자는 것을 승용이는 굳이 사양하였으나 같이 간 조까지 밑천이 없으면 대줄 것이니 하자고 강권함으로 또 승용이도 화투에 못하는 축이 아니라 잃으면 그 까짓것 일원밖에 더 잃을까 하는 생각으로 대들었다. 그의 맘 한구석에는 따가지고 가서 아내와 아이들을 한 번 더 기쁘게 해주리라는 야심도 있었다.

얼마하지 않아서 화투판은 일전내기에서 이전내기로 올라갔다. 승용이

는 짝패가 잘 젖혀지고 손바람이 나서 따기 시작했다. 그가 4원각수를 땄을 때 화투판은 2전대에서 다시 5전대로 껑충 올라갔다. 승용이는 그만두고 오고 싶었으나 놀음판에서 따가지고 가는 것은 놀음판의 도덕을 무시하는 것이라 싫었지만 하는 수가 없었다. 5전내기에 들어서는 모두 눈이 벌개가지고 속이려고까지 하였다. 그들은 모두가 적어도 룡정의 일류신사요 인테리가 아니었던가. 중학교선생, 신문지국장, 서점주인, 음악가 등…. 그 판에서는 예의도 체면도 평시에 모든 도덕적화장과 가면이 다 벗겨지고 남의 행복과 이익을 사정없이 희생시킴으로써 자기의 행복과 이익을 추구하려는 벌거숭이의 이기심만이 염치없이 난무하였다.

승용이는 새벽 네 시까지 악전고투한 결과 5원짜리로 일원짜리를 바꾸어 왔다. 승용이는 인생을 도박장이라고 생각하였다. 적어도 현대에 있어서는 갑의 행복이 을의 불행과 인과를 맺으며 재치는 패가 짝패냐 아니냐를 예측할 수 없는 것과 같이 인간의 성쇠가 우연성의 지배를 받고 있다는 그 의미에서.

그는 벌써 동산중턱에 올라왔다. 시가는 뽀얀 저녁연기에 자욱이 덮여있었다. 사람은 자기 자신의 심정을 토하여 외계의 사물을 내다본다. 승용의 눈에는 연기가 연기로 보이지 않고 자기와 같은 불행한 사람들의 한숨이 뭉친 것이나 그들을 산채로 그슬리는 생내(生烟)로 보였다.

저녁바람은 잦다.

광명여고보 앞까지 내려왔을 때 늙은 걸인 하나가 전대와 바구니에 떡이며 나물 부스러기를 대득 얻어가지고 쩔룩쩔룩 지나갔다. 승용이는 어두워가는 하늘을 쳐다보며 언제나 만인이 다 즐길 수 있는 인류의 새 설이 동 트려나 하는 생각을 하면서 동효의 숙소로 무거운 발길을 띠엄띠엄 옮겨놓았다.

1936.2.16.

출처: 『북향』 동인지, 1936.2.

지하촌

해는 서산 위에서 이글이글 타고 있다.

칠성이는 오늘도 동냥자루를 비스듬히 어깨에 메고 비틀비틀 이 동리 앞을 지났다. 밑 뚫어진 밀짚모자를 연방 내려쓰나 이마는 따갑고 땀방울이 흐르고 먼지가 연기같이 끼어 그의 코밑이 매워 견딜 수 없다.

"이 애 또 온다."

"어아."

동리서 놀던 대들은 소리를 지르며 달려온다.

칠성이는 저 놈의 자식들을 또 만났구나 하면서 속히 걸었으나 벌써 애들은 그의 옷자락을 툭툭 잡아당겼다.

"이 애 울어라 울어."

한 놈이 칠성의 앞을 막아서고 그 큰 입을 헤벌리고 웃는다. 여러 애들은 죽 돌아섰다.

"이 애 이 애, 네 나이 얼마?"

"거게 뭐 얻어오니? 보자꾸나."

한 놈이 동냥자루를 툭 잡아채니 애들은 손뼉을 치며 좋아한다. 칠성이는 우뚝 서서 그중 큰놈을 노려보고 가만히 서있었다. 앞으로 가려든지 또 욕을 건네면 애들은 더 흥미가 나서 달라붙는 것임을 잘 알기 때문이다.

"바루바루 점잖은데."

머리 뾰족 나온 놈이 나무꼬챙이로 갓 눈 듯한 소똥을 찍어들고 대들었다. 여러 놈은 깔깔 거리면서 저만큼 소똥을 찍어들고 덤볐다. 칠성이도 여기는 참을 수 없어서 막 서두르며 내달아갔다.

두 팔을 번쩍 들고 부르르 떨면서 머리를 비틀비틀 꼬다가 한발 지척 내디디곤 했다. 애들은 이 흉내를 내며 따른다. 앞으로 막아서고 뒤로 따르면서 깡충깡충 뛰어 칠성의 얼굴까지 똥칠을 해놓는다. 그는 눈을 부릅뜨고

"이 이놈들!"

입을 실룩실룩하다가 겨우 내놓는 말이다. 애들은

"이 이놈들!"

하고 또한 흉내를 내고는 대굴대굴 굴면서 웃는다. 소똥이 그의 입술에 올라가자 웹 투— 하고 침을 뱉으면서 무섭게 눈을 떴다.

"무섭다, 바루 바루."

애들은 참말 무섭게 보았는지 슬금슬금 꽁무니를 빼기 시작하였다. 칠성이는 팔로 입술을 비비치고 떠들며 돌아가는 애들을 물끄러미 바라보았다. 웬 일인지 자신은 세상에서 버림을 받은 듯 그렇게 고적하고 분하였다.

그들이 물러간 후에 신작로는 적적하고 죽 뻗어나가다가 조밭을 끼고 조금 굽어진 저 앞이 뚜렷했다. 그 위에 수수밭 그림자 서늘하고…… 그는 걸었다. 옷에 묻은 소똥을 털었으나 떨어지지 않을 뿐만 아니라 퍼렇게 물이 든다. 그는 어디라 없이 멍하니 바라보다가 산 밑으로 와서 주저앉았다.

긴 풀에 잔바람이 홀홀히 감기고 이따금 들리는 벌레소리, 어디 샘물이 있는가 싶었다. 그는 보기 싫게 도운 머리를 벅벅 긁어당기며 무심히 앞을 보았다. 수림 속에 햇발이 길게 드리웠고 짹짹 하는 새소리 처량하게 들리었다. 난 왜 병신이 되어 그놈의 새끼들한테까지 놀림을 받나 하고 불쑥 생각

하면서 곁의 풀대를 북 뽑았다. 손목은 찌르르 울렸다.

큰년이가 살까? 그는 눈이 멀고도 사는데 난 그보다야 훨씬 낫지. 강아지의 털같이 보드라운 털을 가진 풀 열매를 바라보며 이렇게 생각하였다. 큰년이가 천천히 떠오른다. 곱게 감은 눈, 그것 참! 그는 진저리를 쳤다. 그리고 곁에 놓인 동냥자루를 보면서 오늘 얻어온 것 중에 가장 맛있고 좋은 것으로 큰년에게 보내야 하지 하였다. 어떻게 보낼까? 밤에 바자우로 넘겨줄까. 큰년이가 나와 바자 곁에 서있어야 되지. 그럼 누가 나오라고는 해둬야지. 누구가 그래? 안되어. 그럼 칠운이 들려서 보내야지. 아니 아니, 큰년의 어머니가 알게 되고 또 우리 어머니가 알지. 안되어, 낮에 김들 매러 간 다음에 몰래 바자로 넘겨주지. 그는 가슴이 설레어 부스스 일어나고 말았다.

가죽을 벗겨낼 듯이 내려쬐던 해도 어느덧 산속으로 숨어버리고 어디선가 불어오는 바람이 풀잎을 살랑살랑 흔들고 그의 몸에 스며든다. 그는 동냥자루를 매만지다가 어깨에 메고 지척하고 발길을 내디디었다.

하늘을 망망한 바다와 같이 탁 터지고 저 멀리 붉은 노을이 유유히 떠돌고 있다. 그는 밀짚모자를 젖혀 쓰고 산 밑을 떠났다. 걸음에 따라 소똥내가 물씬하고 났다.

그가 산모퉁이를 돌아 동리 앞까지 왔을 때 그의 동생인 칠운이가 아기를 업고 쪼르르 달려온다.

"성 이제 오네. 히, 자꾸자꾸 봐도 안 오더니."

큰 눈에 웃음을 북실북실 띠고 형의 곁으로 다가서는 칠운이는 시커먼 동냥자루를 덥석 쥐어 무엇을 얻어온 것을 어서 알려고 하였다.

"오늘도 과자 얻어왔어?"

"아 아니."

칠성이는 얼른 동냥자루를 옮기고 주춤 물러섰다. 칠운이는 따라섰다.

"나 하나만 응야, 성아."

침을 꿀떡 넘기고 새카만 손을 내민다. 그 바람에 아기까지 두 손을 쭉 펴들고 칠성이를 말끔히 쳐다본다.

"이 이새끼는……"

칠성이는 홱 돌아섰다. 칠운이는 넘어질 듯이 쫓아갔다.

"응야 성아, 나 하나만."

"어 없어……"

형은 눈을 치떴다. 칠운이는 금시로 눈물이 글썽글썽해서 형을 보았다.

"난 어마이 오면 이르겠네. 씨, 도무지 안 준다고. 아까 아까 어마이가 밭에 가면서 아기 보라면서 저 성이 사탕 얻어다 준다구 했는데. 씨, 난 안 준다고 다 일러. 씨, 흥."

칠운이는 입을 비쭉 하더니 주먹으로 눈물을 씻는다. 아기는 영문도 모르고 으아 하고 울음을 내쳤다.

주위는 감실감실 어두워오는데 칠운이는 흑흑 느껴 울면서 그들의 어머니가 올라가 있을 저 산을 바라고 뛰어간다.

"어머이, 어머이."

하고 칠운이가 목메어 부르면 번번이 아기도

"엄마, 엄마."

하고 또랑또랑히 불렀다. 응응 하는 앞산의 반응은 어찌 들으면 어머니의 "왜" 하는 대답 같기도 했다. 칠성이는 칠운이와 영애가 보이지 않는 것만 다행으로 돌아서 걸었다.

동네는 어둠에 푹 싸여 아무것도 보이지 않으나 동네 앞으로 우뚝 서있는 늙은 홰나무만이 별을 따려는 듯 높아 보였다. 그는 이제 어떻게 해서라도 큰년이를 만날 것과 또 얻어오는 이 과자를 큰년의 손에 꼭 쥐어줄 것을 생각하며 걸었다.

"칠성이냐?"

어머니의 음성이 들린다. 그는 돌아보았다. 나무를 한 임 이고 이리로 오는 어머니의 얼굴은 보이지 않으나 웬 일인지 그의 머리가 숙어지는 듯해서 번쩍 머리를 들었다.

"왜 오늘 늦었느냐?"

아까 밭에서 산으로 올라갈 때 몇 번이나 아들이 나오는가 하여 눈이 가물가물 해지도록 읍길을 바라보아도 안 보이므로 어디 가 넘어져 애를 쓰는가? 또 애새끼들한테서 돌팔매질을 당하는가 하여 읍에까지 가볼까 하였던 것이다. 칠성이는 어머니의 이 같은 물음에 애들에게 소똥칠 당하던 것이 불시에 떠오르고 코허리가 살살 간지럽기 시작하였다.

어머니는 갈잎내를 확 풍기면서 그의 곁으로 다가선다. 그 큰 임을 이고서 아기까지 둘러 업었다.

"어마이, 나 사탕, 성은 안 준다야 씨."

칠운이는 어머니의 치맛귀를 잡고 늘어진다. 그 바람에 어머니는 앞으로 쓰러질 듯했다가 도로 서서 한손으로 칠운이를 어루만졌다.

"저놈의 새 새끼, 주 죽이고 말라."

칠성이는 발길로 칠운이를 차려 하였다. 어머니는 또 쓰러질 듯 막아섰다.

"그러지 말어라. 원 그것이 해종일 아기 보느라고 혼났다. 허리엔 땀띠가 좁쌀알같이 쭉 돋았구나. 여북 아프겠니 원."

어머니는 말끝에 한숨을 푹 쉰다. 칠성이는 문득 소똥 냄새를 물큰 맡으면서 화를 버럭 올리었다.

"누 누구는 가만히 앉아있었나!"

"아니, 그렇게 하는 말이 아니어, 칠성아."

어머니는 목이 메어 다시 말을 계속하지 못한다. 그들은 잠잠히 걸었다.

집에 온 그들은 나뭇단 위에 되는 대로 주저앉았다. 어머니는 칠성의 마음을 위로하느라고 이말 저말 끄집어냈다.

"올해는 웬 살쐐기 그리 많으냐. 손이 얼벌벌하구나."

어머니는 그 손을 한번쯤 들여다보고 싶은 것을 참고 아이를 어루만지다가 젖을 꺼냈다. 칠운이는 나뭇단을 퉁퉁 차면서 흥흥거린다. 칠성이는 동생들이 미워서 더 앉아있을 수가 없어 일어났다. 그는 어둠속으로 휘 살피고 큰년이가 저속에 어디 섰지 않은가 했다.

방으로 들어온 칠성이는 이제 툇돌에 움찔린 발가락을 엉덩이로 꼭 눌러앉고 일변 칠운이가 들어오지 않는가 귀를 기울이며 문을 걸었다. 그리고 동냥자루를 가만히 쏟았다. 흩어지는 성냥과 쌀알 흐르는 소리, 솜털이 오싹 일어 그는 몸을 움찔하면서 얼른 손을 내밀어 하나하나 만져보았다. 역시 그 안에 있는 돈 생각이 나서 돈마저 꺼내가지고 우두커니 들여다보았다. 비록 방안이 어두워서 그 모든 것이 보이지 않으나 눈곱같이 눈구석에 박혀있는 듯했다. 성냥갑 따로, 쌀과 과자부스러기 따로 골라놓고 문득 큰년이를 생각하였다. 어느 것을 주나, 얼른 과자를 쥐며 이것을 주지 하고 하나 집어 입에 넣었다. 바삭 소리가 이 사이에 돌고 달콤한 물이 사르르 흐른다. 그는 입맛을 다시고 나서 칠운이가 엿듣는가 다시 한 번 조심했다.

그는 온 손에 땀이 나도록 쥐고 있는 돈을 펴서 보고 한 푼 한 푼 세어보다가 이것으로 큰년의 옷감을 끊어다주면 얼마나 큰년이가 좋아할까, 그의 가슴은 씩씩 뛰었다. 고것 왜 우리 집엘 안 올까, 오면 내가 돈도 주고 이 과자도 주고 또 큰년이가 달라는 것이면 내 다 주지. 응 그래. 이리 생각 되자 그는 어쩐지 마음이 송구해졌다. 해서 성냥갑과 과자부스러기를 한데 싸서 저편 삿자리 밑에 밀어놓고 돈은 거기에 넣은 다음에 쌀만 아랫방에 내려놓았다. 그리고 뒷문 곁으로 바싹 다가앉아서 큰년이네 바자를 바라다보았다.

바자에 호박넝쿨이 엉키었고 그 위에 벌들이 팔팔 날았다. 어떻게 만날까? 그는 무심히 발가락을 쥐고 아픔을 느꼈다. 서늘한 바람이 그의 볼 위에 흘러내렸다. 그는 안타까웠다. 지금이 발끝이 아픈 것보다도 어딘가 모르게 또 아픈 것을 느낀다.

"이 애 밥 먹어."

칠성이는 놀라 돌아다보았다. 어머니가 새문밖에 서있다는 것을 알자 웬일인지 가슴 한구석에 공허를 아득하게 느꼈다.

"왜 문을 걸었나?"

어머니는 문을 잡아챈다. 과자를 달라거나 돈을 달래려고 저리도 문을 잡아 흔드는 것 같다. 그는 와락 미운 생각이 치올랐다.

"난 난 안 먹어!"

꽥 소리쳤다. 전신이 후루루 떨린다.

"장에서 뭐 먹고 왔니?"

어머니의 음성은 가늘어진다. 언제나 칠성이가 화를 낼 때 어머니는 저리도 기운이 없어진다. 한참 후에

"좀 더 먹으렴."

"시, 싫어."

역시 소리를 질렀다. 그러나 어머니는 뭐라고 웅얼웅얼하더니 잠잠해버린다. 칠성이는 우두커니 앉았노라니 자꾸만 갈자리 속에 넣어둔 과자가 먹고 싶어 가만히 갈자리를 들썩하였다. 먼지 냄새 싸하게 올라오고 빈대 냄새 역하다. 그는 자리를 도로 놓고 내일 아침에 큰년이 줄 것인데 내가 먹으면 안 되지 하고 휙 돌아앉고도 부지중에 손은 삿자리를 어루만지고 있다. 큰년이 줘야지, 냉큼 손을 떼고 문턱을 꽉 붙들었다.

아침바람이 산들산들 밀려들어 이마에 흐른 땀을 선뜻하게 한다. 그는 얼른 적삼을 벗어던지고 그 바람을 안았다. 온몸이 가려운 듯하여 벽에다 몸을 비벼 치니 어떤 쾌미가 일어 부지중에 그는 몸을 사정없이 비벼 치고 나니 숨이 차고 등가죽이 벗겨져 아팠다. 그래서 벽을 붙들고 일어나 나왔다.

몸을 움직이니 안 아픈 곳이 없다. 손끝에 가시가 박혔는지 따끔거리고 팔뚝이 쓰라리고 아까 다친 발가락이 새삼스레 더 쏘고, 그는 꾹 참고 걸었다. 울바자 밑에 나란히 서있는 부초종 끝에 별빛인가도 의심나게 흰 꽃이 다문다문 빛나고 간혹 맡을 수 있는 부초냄새는 계집이 곁에 와 섰는가 싶게 야릇했다. 그는 바자 곁으로 다가섰다.

큰년네 집에선 모깃불을 피우는지 향긋한 쑥내가 솔솔 넘어오고 이따금 모깃불이 껌벅껌벅하는데 두런두런하는 소리에 귀를 세우니 바자가 바삭바삭 소리를 내고 호박잎의 솜털이 그의 볼에 따끔거린다. 문득 그는 바자 저편에 큰년이 숨어서 나를 엿보지나 않나 하자 얼굴이 확확 달았다.

어느 때인가 되어 가만히 둘러보니 옷에 이슬이 촉촉하였고 부초꽃이 물속에 잠긴 차돌처럼 그 빛을 환히 던지고 있다. 모깃불도 보이지 않고 캄캄하며 어디선가 벌레소리가 쓰르릉 하고 났다. 그는 방으로 들어서자 가슴이 답답하였다.

이튿날 아침에 눈을 뜨니 벌써 뒤뜰은 햇빛으로 가득하였다. 칠성이는 일어나는 참 어머니와 칠운이가 아직도 집에 있는가 살핀 다음에 아무도 없음을 보고 뒷문턱에 걸터앉아서 큰년네 바자를 물끄러미 바라보았다. 큰년이 아버지 어머니도 김매러 갔을 테고 고것 혼자 있을 터인데…… 혹 마을꾼이나 오지 않았는지, 오늘은 곡 만나야 할 터인데, 이런 생각을 하다가 무심히 그의 팔을 들여다보았다. 다 해진 적삼소매로 맥없이 늘어진 팔목은 뼈도 없고 살도 없고 오직 누렇다 못해서 푸른빛이 도는 가죽만이 있을 뿐이다. 갑자기 슬픈 마음이 들어 그는 머리를 들고 한숨을 푹 쉬었다. 큰년이가 눈을 감았기로 잘했지, 만일 두 눈이 둥글하게 띄었다면 이 손을 보고 십리나 달아날 것도 같다. 그러나 큰년이가 이 손으로 만져보고 왜 이리 맥이 없어요, 이 손으로 뭘 하겠소 할 때엔…… 그는 가슴이 답답해서 견딜 수 없다. 그저 한숨만 맥없이 내쉬고 들이쉬다가 문득 약이 없을까? 하였다. 약이 있기는 있을 터인데…… 큰년네 바자 우에 둥글하게 심어 붙인 거미줄에는 수없는 이슬방울이 대롱대롱 했다. 저런 것도 약이 될지 모르지, 그는 벌떡 일어나 왔다.

거미줄에서 빛나는 저 이슬방울들이 참으로 약이 되었으면 하면서 그는 조심히 거미줄을 잡아당겼다. 팔은 맥을 잃고 뿐만 아니라 자꾸만 떨리어 거미줄을 잡을 수도 없지만 바자만 흔들리고 따라서 이슬방울이 후두두 떨어진다. 그는 손으로 떨어져 내려오는 이슬방울을 받으려고 했다. 그러나 한 방울도 그의 손에는 떨어지지 않았다.

"에이, 비 빌어먹을 것!"

그는 이런 경우를 당할 때마다 이렇게 소리치고 말없이 하늘을 노려보는 버릇이 있다. 한참이나 이러하고 있을 때 자박자박하는 신발소리에 그는 가만히 머리를 돌리어 바라보았다. 호박잎이 그의 눈썹 끝에 삭삭 비비치자 눈물이 핑그르르 돈다. 눈물 속에 비치는 저 큰년이! 그는 눈가가 가려운 것도 참고 눈을 점점 더 크게 떴다.

빨래함지를 무겁게 든 큰년이는 이리로 와서 빨래함지를 쿵 내려놓고 일어난다. 눈은 자는 듯 감았고 또 어찌 보면 감은 듯 뜬 것 같이도 보였다. 이제 빨래를 했음인지 양 볼에 붉은 점이 한 점 두 점 보이고 턱이 뾰족한 것이 어디 며칠 앓은 사람 같다. 큰년이는 빨래를 한 가지씩 들어 활활 펴가지고 더듬더듬 바자에 넌다.

칠성이는 숨이 턱턱 막혀서 견딜 수 없다. 소리 나지 않게 숨을 쉬려니 가슴이 터지는 것 같고 뱃가죽이 다 잡아 씌었다. 그는 잠깐 머리를 숙여 눈물을 씻어낸 후에 여전히 들여다보았다. 지금 그의 머리엔 아무런 생각도 할수 없다. 그저 큰년의 동작으로 가득했을 뿐이다. 큰년이는 한 가지 남은 빨래를 마저 가지고 그의 앞으로 다가온다. 그때 칠성이는 손이라도 쑥 내밀어 큰년의 손을 덥석 잡아보고 싶었으나 몸은 움찔 뒤로 물러나지며 온 전신이 풀풀 떨리었다.

바삭바삭 빨래 널리는 소리가 칠성의 귀바퀴에 돌아내릴 때 가슴엔 웬 새새끼 같은 것이 수없이 팔딱거리고 귀가 우석우석 울고 눈은 캄캄하였다. 큰년의 신발소리가 멀리 들릴 때 그는 비로소 몸을 움직일 수 있었고 또 호박잎을 젖히고 들여다 볼 수 있었다. 큰년이는 빈 함지를 들고 부엌문을 향하여 들어가고 있다. 그는 급하여 소리라도 쳐서 큰년이를 멈추고 싶었으나 역시 마음뿐이었다. 큰년의 해어진 치마폭 사이로 뻘건 다리가 두어 번 보이다가 없어진다. 또 나올까 해서 그 컴컴한 부엌문을 뚫어지도록 보았으나 끝끝내 큰년이는 나오지 않았다. 그는 후 하고 한숨을 내쉬고 물러섰다. 햇볕은 따갑게 내려쬔다. 과자나 들려줄 걸…… 돈이나 줄 것을 아니, 돈은 내가 모았다가 치마나 해주지 하고 다시 들여다보았다. 바자만 바삭바삭 소리를 내고 고요하다. 이제 큰년의 손으로 넌 빨래는 희다 못해서 햇빛같이 빛나고 그는 눈을 떼고 돌아섰다. 자기가 옷가지라도 해주지 않으면 큰년이는 언제나 그 뻘건 다리를 감추지 못할 것 같다.

"성아 나 사탕 좀……"

돌아보니 칠운이가 아기를 업고 부엌문으로 나온다. 그는 도둑질이나 하다가 들킨 것처럼 무안해서 얼른 바자 곁을 떠났다. 칠운이는 저를 다우쳐형이 저리도 급히 오는 것으로 알고 부엌으로 달아나가 살짝 돌아보고 또 이리 온다.

"응야? 나 하나만……"

손을 내민다.

아기도 머리를 갸웃하여 오빠를 바라보고 손을 내민다. 아가의 조 머리엔 종기가 자잘하게 났고 거기에는 언제나 진물이 마를 사이 없다. 그 우에 가 늘고 노란 머리카락이 이기어 달라붙었고 또 파리가 안타깝게 달라붙어 떨 어지지 않는다. 아기는 자꾸 그 가는 손가락으로 머리를 쥐어 당기고 종기딱 지를 떼어 오물오물 먹고 있다.

아기는 그 손을 오빠 앞에 쳐들었다. 손가락을 모을 줄 모르고 짝 펴들고 조른다. 칠성이는 눈을 부릅떠 보이고 방으로 들어왔다. 칠운이는 문 앞에 딱 막아서서 흥얼거렸다.

"응야? 성아 한 알만 주면 안 그래."

시퍼런 코를 훌떡 들이마신다.

"보 보기 싫다!"

칠운이 역시 옷이 없어 잠방이만 입었고 그래서 저 등은 햇볕에 타다 못 해서 허옇게 까풀이 일고 있으며 아기는 그나마도 없어서 늘 벗겨두었다. 동 생들의 이러한 모양을 바라보는 그는 눈에서 불이 확확 일어난다. 눈을 돌려 벽을 바라보자 문득 읍의 상점에 첩첩이 쌓인 옷감이 생각났다. 그는 자기도 모르게 손을 번쩍 들어 칠운이를 치려했으나 그 손은 맥을 잃고 늘어진다.

"난 그럼 아기 안 보겠다야, 씨."

칠운이가 아기를 내려놓고 달아난다. 그러자 아기는 악을 쓰고 운다. 칠 성이는 눈도 거들떠보지 않고 돌아앉아 파리가 우글우글 끓는 곳을 바라보 니 밥그릇이 눈에 띄었다. 언제나 어머니는 그가 늦게 일어나므로 저렇게 밥 바리에 보를 덮어놓고 김매러 가는 것이다. 그는 슬그머니 다가앉아 술을 들고 보를 들치었다. 국에는 파리가 빠져 둥둥 떠다니고 밥바리에 붙었던 수없는 파리떼는 기급을 해서 달아난다. 그는 파리를 건져내고 밥을 푹 떠서 입에 넣었다. 밥이란 도토리뿐으로 밥알은 어쩌다가 씹히곤 했다. 씹히는 그 밥알이야말로 극히 부드럽고 풀기가 있으며 그 맛이 달큼해서 기침을 할 지경이었다. 그러나 그 맛은 잠간이고 또 도토리가 미끈하게 씹혀 밥맛이 쓰디쓴 맛으로 변한다. 그대로 도토리만은 잘 씹지 않고 우물우물해서 얼른 삼키려면 그만큼 더 넘어가지 않고 쓴물을 뿌리며 혀끝에 넘나들었다.

얼마 후에 바라보니 아기가 언제 울음을 그쳤는지 눈이 보숭보숭해서 발발 기어오다가 오빠를 보고 멀거니 쳐다보다가는 그 눈을 밥그릇에 돌리고 또 오빠의 눈치를 살핀다. 칠성이는 그 듣기 싫은 울음을 그친 것이 대견해서 얼른 밥알을 골라 내쳐주었다. 그러니 아기는 그 조그마한 손으로 밥알을 쥐어먹다가 성이 차지 않아서 납작 엎드리어 밥알을 쫄쫄 핥아먹고는 또 말가니 오빠를 본다. 이번에는 도토리 알을 내쳐주었다. 아기는 웬 일인지 당길성 없게 도토리를 쥐고는 손으로 조몰락조몰락 만지기만 하고 먹지는 않는다.

"아 안 먹게이!"

도토리를 분간해서 아는 아기가 어쩐지 미운 생각이 왈칵 들어 그는 이렇게 소리쳤다. 그러니 아기는 입을 비죽비죽 하다가 으아 하고 울었다.

"우 울겠니!"

칠성이는 발길로 아기를 찼다. 아기는 눈을 꼭 감고 방바닥에 쓰러졌다. 그 바람에 아기 머리의 파리는 웅 하고 조금 떴다가 곧 달라붙는다. 칠성이는 재차 차려고 달려드니 아기는 코만 풀찐풀찐 하면서 울음소리를 뚝 끊었다. 그러나 그 눈엔 눈물이 샘솟듯 흐른다. 칠성이는 모른 체하고 돌아앉아 밥만 퍼먹다가 객하는 소리에 머리를 돌렸다.

아기는 언제 그 도토리를 먹었던지 캑캑하고 게위놓는다. 깨느르르한 침에 섞이어 나오는 도토리 쪽은 조금도 씹히지 않은 그대로였고 그 빛이 약간 붉은 기를 띤 것을 보아 피가 묻어나오는 것임을 알 수 있다. 아기의 얼굴은 빨갛게 상기되고 목에 힘줄이 불쑥 일어났다.

그 찰나에 칠성이는 입에 문 도토리가 모래알같이 씹을 수 없고 쓴 내가 콧구멍 깊이 칵 올려 받쳐 견딜 수 없었다. 그는 술을 텡긍 내치고 아기를 번쩍 들어 문밖으로 내놓았다. 그리고 뼈만 남은 아기의 볼기를 짝 붙이니 얼굴이 새카매지면서도 여전히 느껴 운다. 이번에는 밥그릇을 냅다 차서 요란스레 굴리고 윗방으로 올라오니 게우는 소리에 몸이 오시러워서 가만히 있을 수가 없었다. 문득 삿자리 속의 과자를 생각하고 그것을 남김없이 꺼내다가 아기 앞에 팽개치고 뒤뜰로 나와 버렸다. 그는 빙빙 돌다가 침을 탁 뱉었다.

한참 만에 칠성이가 들어오니 방안이 단 가맛속 같았다.

그는 앉았다 섰다 안달을 하다가 머리를 기웃하여 보니 아기는 손을 깔고 봉당에 엎드려 잠들었고 게위놓은 자리엔 쉬파리가 날개 없는 듯이 벌벌 기고 있으며 아기 머리와 빠끔히 벌린 입에는 잔 파리, 왕파리가 바글바글 들싼다. 과자! 그는 놀라 둘러보았다. 부스러기도 볼 수 없었다. 아기가 다 먹을 수 없고 필시 칠운이가 들어왔던 것이라 생각될 때 좀 남기고 줄 것을 하는 후회가 일며 칠운이를 보면 실컷 때리고 싶었다. 그는 달아나오면서 발길로 아기를 차고 나왔다. 손을 거북스레 깔고 모로 누운 꼴에 눈에 꺼리고 또 여윈 팔다리가 보기 싫어서 이러하고 나온 것이다.

아기 울음소리를 들으면서 그는 칠운이를 찾았다. 저편 버드나무 아래에 애들이 모여 떠든다. 옳지 저기 있구나 하고 씩씩거리며 그리고 발길을 떼어 놓았다.

몰래몰래 오느라 했건만 칠운이는 벌써 형을 보고서 달아난다. 애들은 수수깡을 시시하고 씹고 서서 칠성이를 힐끔힐끔 보다가는 히히 웃었다. 어떤 놈은 칠성의 걸음 흉내를 내기도 한다.

　칠운이는 조밭으로 들어갔는지 보이지도 않는다. 그가 잡풀에 얽히어 넘어지니 뒤로 따르던 애들이 하하 하고 웃고 떠든다. 칠성이는 겨우 일어나서 애들을 노려보았다. 이놈들도 달려들지나 않으려나 하는 불안이 약간 일어 이렇게 딱 버티어 보인 것이다. 애들은 무서웠던지 슬금슬금 달아난다. 애들 같지 않고 무슨 원숭이무리가 먹을 것을 구하러 눈이 뒤집혀서 다니는 것 같았다. 이 동리 애들은 모두가 미운 애들만이라고 부지중에 생각되어 한참이나 바라보다가 걸었다. 이마가 따갑고 발가락이 따가운데 또 애들이 벗겨버린 수수깡껍질이 발끝에 따끔거린다. 애들은 내를 바라고 달아난다. 그 무리에 칠운이도 섞이었을 것이라고 그는 버드나무 아래로 왔다.

　여기는 수수깡껍질이 더 많고 또 소를 갖다 매는 탓이진 소똥이 지저분했다. 버드나무에 기대서 그는 바라보았다. 저절로 그의 눈이 큰년네 집에 멈추고 또 큰년이를 만나볼 마음으로 가득하다. 지금 혼자 집에 있을 텐데 가볼까, 그러나 누가 있으면…… 무엇이 따끔하기에 보니 왕개미 몇 마리가 다리로 올라온다. 그는 툭툭 털고 다시 보았다.

　멀리 큰년네 바자엔 빨래가 희게 널렸는데 금방 날으려는 새와 같이 되룩되룩하여 쉬 하면 푸르릉 날 듯하다. 있기는 누가 있어, 김매러 다 갔을 터인데…… 신발소리에 그는 돌아보았다. 개똥 어머니가 어떤 여인을 무겁게 업고 숨이 차서 온다. 전 같으면

　"요새 성냥 많이 벌었겠구먼, 한 갑 선사하게나."

　하고 농담을 건넬 터인데 오늘은 울상을 하고 잠잠히 지나친다. 이마에 비지땀이 흐르고 다리가 비틀비틀 꼬이고 숨이 하늘에 닿고. 그는 머리를 들어보니 등에 업힌 여인인즉 죽은 시체 같았다. 흐트러진 머리 주제며 입에

끓는 거품 꼴, 피투성이 된 옷! 눈을 크게 뜨며 머리카락에 휩싸인 여인의 얼굴을 똑바로 보니 큰년의 어머니였다. 그는 놀랐다. 해서 뭐라고 묻고 싶은데 벌써 개똥 어머니는 버드나무를 지나 퍼그나 갔다. 웬 일일까? 어디 넘어졌나, 누구와 싸움을 했나 하고 두루 생각하다가 못 견디어 일어나 따랐다. 맘대로 하면 얼른 가서 개똥 어머니에게 어찌된 곡절을 묻겠는데 다리가 말을 듣지 않고 점점 더 비틀거리기만 하고 앞으로 가지는 않는다. 그는 화를 더럭 내고 몸짓만 하다가 팍 거꾸러졌다. 한참이나 버둥거리다가 일어나서 천천히 걸었다.

큰년네 굴뚝에는 연기가 흐른다. 옳구나, 큰년의 어머니가 어찌해서 그 모양이 되었을까, 또다시 이러한 궁금증이 일어난다. 그가 큰년네 마당까지 오니 큰년네 집으로 들어가고 싶어 발길이 자꾸만 돌려진다. 그런 것을 참고 무슨 소리나 들을까 하여 한참이나 왔다 갔다 하다가 집으로 왔다.

봉당에 들어서니 파리가 와그르르 끓는데 그 속에서 아이가 똥을 누고 있다. 깽깽 힘을 쓰니 똥은 안 나오고 밑이 손길같이 빠지고 거기서 빨간 핏방울이 똑똑 떨어진다. 아기는 기를 쓰느라 두 눈을 동그랗게 비켜 뜨니 얼굴의 힘줄이 칼날같이 일어난다. 그 조그마한 이마에 땀이 비 오듯 하고. 그는 못 볼 것이나 본 것처럼 머리를 돌리고 방으로 들어왔다. 마음대로 하면 아기를 콱 밟아 죽여 버리든지 어디 멀리로 들어다 버리든지 했으면 오히려 시원할 것 같다.

칠성이는 발길에 채어 구르는 도토리를 집어먹으며 아기 기 쓰는 소리에 눈살을 잔뜩 찌푸리고 그만 뒤뜰로 나와 버렸다. 아기로 인하여 잠간 잊었던 큰년 어머니의 생각이 또 나서 그는 바짝 곁으로 다가섰다.

"으아, 으아."

하는 아기 울음소리에 머리를 돌렸다. 영애의 울음소리가 아니요, 아주

갓 난 어린애의 울음인 것을 직각하자 큰년의 어머니가 아기를 낳았는가 했다. 그러자 불안하던 마음이 다소 덜리나 아기 하고 입에만 올려도 입에서 신물이 돌 지경이었다. 지금 봉당에서 피똥을 누느라 병든 고양이 꼴을 한 그런 아기를 낳을 바엔 차라리 진자리에서 눌러 죽여 버리는 것이 훨씬 나을 것 같았다.

큰년이 같은 그런 계집애를 낳았나, 또 눈먼 것을…… 그는 히 하고 웃음이 터졌다. 그 웃음이 입가에서 사라지기도 전에 왜 이 동네 여인들은 그런 병신만을 낳을까 하니 어쩐지 이상하였다. 하기야 큰년이가 어디 나면서부터 눈 멀었다니? 우선 나도 네 살 때에 홍역을 하고 난 다음에 경풍이라는 병에 걸리어 이런 병신이 되었다는데, 하자 어머니가 항상 외던 말이 생각되었다.

그때 어머니는 앓는 자기를 업고 눈이 길같이 쌓여 길도 찾을 수 없는 데를 눈 속에 푹푹 빠지면서 읍의 병원에를 갔다는 것이다. 의사는 보지도 못한 채 어머니는 난로도 없는 복도에 한껏이나 서고 있다가 하도 갑갑해서 진찰실 문을 열었더니 의사는 눈을 거칠게 떠보이고 어서 나가 있으라는 뜻을 보이므로 하는 수 없이 복도로 나와 해가 지도록 기다리는데 나중에 심부름하는 애가 복도로 나와서 어머니 손가락만한 병을 주고 어서 가라고 하였다는 것이다.

어머니는 그 말만 하면 흥분이 되어 의사를 욕하고 또 세상을 원망하는 것이다. 그때마다 그는 어머니를 핀잔하고 그 말을 막아버리곤 하였다. 무엇보다도 불쾌하여 견딜 수 없었던 것이다.

약만 먹으면 이제라도 내 병이 나을까. 큰년의 병도…… 아니야, 이미 병신이 된 다음에야 약을 쓴다고 나을까, 그래도 알 수가 있나? 어쩌다 좋은 약만 쓰면 나도 남처럼 다리팔을 제대로 놀리고 해서 동냥도 하러 다니지 않고 내 손으로 김도 매고 또 산에 가서 나무도 쾅쾅 찍어오고 애새끼들한테서 놀림도 받지 않고…… 그의 가슴은 우쩍하였다. 눈을 번쩍 떴다. 병원에 가서 물어볼까…… 그까짓 놈들이 돈만 알지 뭘 알아? 어머니가 하던 말 그대로 되풀이하고 맥없이 주저앉았다.

큰년네 집도 조용하고 아기의 울음소리도 그쳤는데 배가 쌀쌀 고팠다. 그는 해를 짐작해보고 어머니가 이제 들어오면 얼굴에 수심을 띠고 귀밑에 머리카락을 듬뿍 흘리고서 너 왜 동냥하러 가지 않았니, 내일은 뭘 먹겠니 할 것을 머리에 그리며 무심히 서있는 대싸리나무를 바라보았다.

혹시 이 대싸리나무가 내 병에 약이 되지나 않을까? 그는 대싸리나무 냄새를 코밑에 서늘히 느끼자 이러한 생각이 불쑥 일어 대싸리나무 곁으로 가서 한입 뜯어 물었다. 잘강잘강 씹으니 풀내가 역하게 일며 욱하고 구역질이 나온다. 그래도 눈을 꾹 감고 숨도 쉬지 않고 대강 씹어서 삼켰다. 목이 찢어지는 듯이 아프고 맑은 침이 자꾸만 흘러내린다. 그는 이 침마저 삼켜야 약이 될 듯해서 눈을 꿈쩍거리면서 그 침을 삼키고 나니 까닭 없이 두 줄기 눈물이 주르르 흘러내린다.

그는 하늘을 바라보고 제발 이 손을 조금만이라도 놀려서 어머니가 하는 나무를 내가 하도록 합시사 하였다. 평소에 이런 생각을 한 번도 해본 적이 없건만 어머니가 나무를 무겁게 이고 걸음도 잘 걷지 못하는 것을 보아도 무심했건만 웬 일인지 이 순간에 이러한 생각이 일었다.

한참이나 꿈쩍 않고 있던 그는 손을 가만히 들어보고 이번에나 하는 마음이 가슴에서 후닥닥거렸다. 하나 손은 여전히 떨리어 움츠러든다. 갑자기 욱— 하고 구역질을 하자 땅에 머리를 쾅! 들이 쪼고 훌쩍훌쩍 울었다.

아주 캄캄해서야 어머니는 돌아왔다. 또 산으로 가서 나무를 해 이고 온 것이다.

"어디 아프냐?"

어둠속에 약간 드러나는 어머니의 윤곽이 피로에 싸여 넘어질 듯하다. 그리고 짙은 풀내가 치마폭에 흠씬 배어 마늘내같이 강하게 풍겼다.

"이 애야, 왜 대답이 없어?"

아들의 몸을 어루만지는 장작개비 같은 그 손에도 온기만은 돌았다.

칠성이는 어머니의 손을 뿌리치고 돌아누웠다. 어머니는 물러앉아 아들의 눈치를 살피다가 혼자 하는 말처럼

"어디가 아픈 모양인데 말을 해야지 잡놈 같으니라구."

이 말을 남기고 일어서 나갔다. 한참 후에 어머니는 푸성귀 국에다 밥을 말아가지고 들어와서 일으켰다. 칠성이는 언제나처럼 어머니 팔목에서 뚝 하는 소리를 들으면서 일어앉아 떨리는 손으로 술을 붙들었다.

"이 애야, 어디 아프냐?"

아까와 달리 어머니 옷 가에 그을음 내가 풍기고 숨소리에 따라 밥내 구수한데 무겁던 몸이 가벼워진다.

"아 아니."

마음을 졸이던 끝에 비로소 안심하고 아들이 국 마시는 것을 들여다보았다.

"에그, 큰년네 어머니는 오늘 밭에서 아기를 낳았다누나. 내남없이 가난한 것들에서 새끼가 무어겠니."

아까 버드나무 아래서 본 큰년의 어머니가 떠오르고 으아 으아 울던 아기 울음소리가 들리는 듯, 또 영애의 그 꼴이 선히 나타난다. 그는 눈살을 찌푸렸다.

"글쎄 새끼가 왜 태여, 진절머리 나지."

한숨 섞어 어머니는 이렇게 탄식하고 빈 그릇을 들고 나가버린다. 칠성이는 방안이 덥기도 하지만 큰년의 일이 궁금해져 그만 일어나 나왔다.

뜰 한 모퉁이에 쌓여있는 나뭇단에서 짙은 풀내가 산 속인 듯싶게 흘러나

오고 검푸른 하늘의 별들은 아기 눈같이 예쁘다.

왱왱거리는 모기를 쫓으면서 나무 말리어 모아놓은 곳에 주저앉았다. 마른 갈잎이 버석버석 소리를 내고 더운 김에 밑이 뜨뜻하였다. 어머니가 저리로부터 온다.

"칠성이냐? 왜 나왔니?"

버석 소리를 내고 앉는다. 땀내와 영애의 똥내가 훅 끼치므로 그는 머리를 돌리었다. 어머니는 젖을 꺼내 아이에게 물리고 한숨을 푹 쉰다. 무슨 말을 하려나 하고 칠성이는 어머니의 눈치를 살피나 안타깝게 병든 고양이새끼 같은 영애를 어루만지기만 하고 쉽사리 입을 열지 않았다.

해종일 김매기에 그 몸이 고달팠겠고 더구나 산에 가서 나무를 해오려기에 그 몸이 지칠 대로 지쳤으련만, 또 아기에게서라도 시달림을 받으니 오늘날이라도 잠만 들면 깨지 못할 것 같다. 그렇게 피로한 몸을 돌보지 않는 어머니가 어딘지 모르게 미웠다.

"계집애는 자지도 않아!"

칠성이는 보다 못해서 꽥 소리쳤다. 영애는 젖꼭지를 문채 울음을 내쳤다.

그 애가 어디 자게 되었니, 몸이 아픈데다 해종일 굶었고 또 이리 젖이 안 나니까 하는 말이 혀끝에서 뚝 떨어지려는 것을 꾹 참으니 눈물이 핑그르르 돌았다.

"오오, 널보고 안 그런다. 어서 머."

겨우 말을 마치자 눈물이 줄줄 흘렀다. 문득 어머니는 이 눈물이 겉으로 흘러서 영애의 타는 목을 추겨줬으면 가슴은 이다지도 쓰리지 않으련만 하였다.

한참 후에 어머니는

"글쎄 살지도 못할 것이 왜 태어나서 어미만 죽을 경을 치게 하겠니. 이제

가보니 큰년네 아기는 죽었더구나. 잘되기는 했더라만…… 에그 불쌍하지. 얼마나 밭고랑을 타고 헤맸는지. 아기머리는 고냥 흙투성이 라더구나. 그게 살면 또 병신이나 되지 뭘 하겠니. 눈에 귀에 흙이 잔뜩 들었더라니. 아이구, 죽기를 잘했지, 잘했지!"

어머니는 흥분이 되어 이렇게 중얼거린다. 칠성이도 가슴이 답답해서 숨을 크게 쉬었다. 그리고 자신도 어려서 죽었더라면 이 모양은 되지 않을 것을 하였다.

"사는 게 뭔지, 큰년네 어머니는 내일 또 김매러 가겠다더구나. 하루쯤 쉬어야 할 텐데 이게, 이게 어느 때냐? 그럴 처지가 되어야지? 없는 놈에게 글쎄 자식이 뭐냐, 웬 자식이냐?"

영애를 낳아놓고 그 다음날로 보리마당질하던 그 지긋지긋하던 때가 떠오른다. 하늘이 노랗고 핑핑 돌고 보리이삭이 작았다 커 보이고 도리깨를 들 때, 내릴 때 아래서는 무엇이 뭉클뭉클 나오다가 나중엔 무엇이 묵직하게 매어달리는 듯해서 좀 만져보았으나 사이도 없고 또 남들이 볼가 꺼리어 그냥 참고 있다가 소변보면서 보니 허벅다리에 피가 흥건했고 또 주먹 같은 살덩이가 축 늘어져있었다. 겁이 더럭 났지만 누구보고 물어보기도 부끄럽고 해서 그냥 내버려두었더니 그 살덩이가 오늘까지 늘어져서 들어갈 줄 모르고 또 무슨 물을 줄줄 흘리고 있다.

그것 때문에 여름에는 더 덥고 또 고약스러운 악취가 나고 겨울엔 더하고 항상 몸살이 오는 듯 오삭오삭 추웠다. 먼 길이나 걸으면 그 살덩이가 불이 붙는 듯 쓰라리고 또 염증을 일으켜 퉁퉁 부어서 걸음 걸을 수가 없으며 나중에 주위로 수없는 종기가 그나 그것이 곪아터지느라 기막히게 아팠다. 이리 아파도 누구에게 아프다는 말도 할 수 없는 그런 종류의 병이었다.

어머니는 지금도 척척히 늘어져 있는 그 살덩이를 느끼면서 한숨을 푹 쉬었다. 갈잎이 바삭바삭 소리를 낸다. 마침 영애는 젖꼭지를 깍 물었다.

"아이그!"

소리까지 내채고도 얼른 칠성이가 이런 줄을 알면 욕할 것이 싫어서 그다음 말은 뚝 그치고 손으로 영애의 머리를 꾹 눌러 아프다는 뜻을 영애에게만 알리었다. 그리고도 너무 눌렀는가 하여 누른 자리를 금시로 어루만져 주었다.

"정말 오늘 그 난시에 글쎄 큰년네 집에는 손님이 와서 방안에 앉아도 못 보고 갔다누나."

칠성이는 머리를 들었다. 어디서 불려오는 모기 쑥내는 향긋하였다.

"전에부터 말 있는 그 집에서 왔다는데 넌 정 모르기 쉽겠구나. 읍에서 무슨 장사를 한다나, 꽤 돈푼이나 있다더라. 한데 손을 이때까지 못 보았다누나. 해서 첩을 여라문두 넘어 얻었으나 이때가지 못 낳았단다, 에그, 그런 집에 나래지."

어머니는 영애를 잠잠히 내려다본다. 칠성이는 이야기하면서도 아기를 생각하는 어머니가 보기 싫었다. 하나 다음 말을 들으려니 가만히 앉아있었다.

"그런데 어찌어찌 하다가 큰년의 말이 났는데 사내는 펄쩍 뛰더란다. 그래두 안으로 맘이 켕기어서 그러다고 하더니 하필 오늘 같은 날 글쎄 선보러 왔다갔다니 큰년이는 이제 복 좋을라! 언제 봐도 덕성스러워. 그 애가 눈이 멀었다 뿐이지 못 하는 게 뭐 있어야지? 허드렛일이나 앉아 하는 일이나 횡 잡았으니 눈뜬 사람보다 낫다. 이제 그런 집으로 시집가게 되고 달덩이 같은 아들을 낳아놓게다. 아이그, 좀 잘살아야지……"

"눈먼 것을 얻어다 뭘을 해!"

칠성이는 뜻밖에 이런 말을 퉁명스레 내친다. 그의 가슴은 지금 질투의 불길로 꽉 찼고 누구든지 큰년이만 다친다면 사생을 결단하리라 하였다. 이러고 나니 머리에 열이 오르고 다리팔이 떨리었다.

"그 그래, 시 시집가기로 됐나?"

어머니는 아들의 눈치를 살피고 어쩐지 대답하기가 어려웠다. 동시에 저것도 계집이 그리우려니 하니 불쌍한 마음이 들고 또 아들의 장래가 캄캄해 보이었다.

"아직은 되지 않았더라마는……"

이 말에 그의 마음은 다소 가라앉은 듯하나 웬 일인지 슬픈 생각이 들어 그는 일어났다.

"들어가 자거라. 내일은 일찍이 읍에 가게 해. 어떻거겠니?"

칠성이는 화를 버럭 내고 어머니 곁을 떠나 되는 대로 걸었다.

발걸음에 따라 모기 쑥내 없어지고 산뜻한 공기 속에 풀내 가득히 흐른다. 멀리 곡식대 비벼치는 소리 바람결에 은은하고 산기를 띤 실바람이 그의 몸에 싸물싸물 기고 있다. 잠뱅이 가랑이 이슬에 젖고 벌레소리 발끝에 채어 요리 졸졸졸, 조리 쏠쏠쏠……

그는 우뚝 섰다. 저 앞은 지척을 분간할 수 없는 어둠으로 덮였고 하늘아래 저 불타산의 윤곽만이 검은 구름같이 뭉실뭉실 떠있다. 그 우에 별들이 나도나도 빛나고 별빛이 눈가에 흐르자 눈물이 핑그르르 돌며 통곡이라도 하고 싶었다. 저 산도 저 하늘도 너무나 그에겐 무심한 것 같다.

"이 애야, 들어가자."

어머니의 기운 없는 음성이 들린다.

"왜왜 쫓아다녀유."

칠성의 마음에 잠겼던 어떤 원한이 일시에 머리를 들려고 하였다.

"제발 들어가. 이리 나오면 어찌겠니."

어머니는 그의 손을 붙들었다. 칠성이는 뿌리치려 했으나 힘이 부친다. 길 풀이 그들의 옷에 비비어 실실 소리를 낸다. 어머니는 절반 울면서 사정을 하였다. 그는 어머니 손에 붙들리어 돌아오면서 오냐 내일 저를 만나보고 시집가는지 안 가는지 물어보고 또 나한테 시집오겠니도 물어야지 할 때 가슴은 씩씩 뛰고 어떤 실 같은 희망이 보인다.

"날 보고 네 동생들을 봐라."

어머니는 이러한 말을 하여 아들을 달래려고 한다. 칠성이는 말없이 그의 집까지 왔다.

이튿날 일부러 늦게 일어난 칠성이는 오늘은 기어이 큰년이을 만나 무슨 말이든지 하리라, 만일 시집가기로 되었다면…… 그는 아득하였다. 그때는 그만 죽여버릴까, 나도 그 칼에 죽지 않고 뒤뜰로 나와서 바자 곁에 다가섰다. 큰년네 집은 고요하고 뜨물동이에서 왕왕거리는 파리소리만이 간혹 들릴 뿐이다. 가자! 바자에서 선뜻 물러섰다. 눈에 마주 띄는 저 앞의 큰 차돌은 웬일인지 노랗게 보이었다.

그는 숨이 차서 방으로 들어왔다. 옷을 이 모양을 하고 가? 하고 굽어보았다. 소똥자국이 여기저기 있고 군데군데 헤졌고. 뭘 눈이 멀었는데 이게 보이나? 그럼 만나서는 뭐라구 말을 해야지? 그는 천장을 바라보고 생각하였다. 입가에 흐르는 침을 몇 번이나 시하고 들이마시나 그저 캄캄한 것뿐이다. 생전 말이라고는 못해본 것처럼 아득하였다.

내가 병신임을 제가 아나 하는 불안이 불쑥 일어 맥이 탁 풀린다. "너까짓 것에게 시집가?" 하는 큰년의 말이 들리는 듯해서 그는 시름없이 밖을 내다보았다.

바자에 얽힌 호박넝쿨, 박넝쿨, 그 옆으로 옥수수대, 썩 나와서 살구나무, 작고 큰 대싸리가 아무 기탄없이 하늘을 바라보고 가지가지를 쭉쭉 쳤으니 잎잎이 자유스럽게 미풍에 흔들리지 않는가. 웬 일인지 자신은 저러한 초목만큼도 자유롭지 못한 것을 전신에 느끼고 한숨을 후 쉬었다.

한참 후에 칠성이는 마음을 단단히 먹고 마당으로 나와서 큰년네 집 앞으로 몇 번이나 왔다 갔다 하다가 싸리문을 가만히 밀고 껑충 뛰어들었다.

　봉당문도 꼭 닫히었고 싸리비만이 한가롭게 놓여있다. 얼떨결에 봉당문을 삐걱 열었을 때 고양이 한 마리가 야옹 하고 뛰어나간다. 그는 어찌 놀랐는지 숨이 하늘에 닿을 것처럼 뛰었다. 봉당으로 들어가서 한참이나 망설이다가 방문을 열어보았다. 무거운 공기만이 밀려나오고 큰년이는 없었다. 시집을 갔나? 하고 얼른 생각하면서 부엌으로, 뒤뜰로 인기척을 찾으려 하였으나 조용하였다. 그는 이러하고 언제까지나 있을 수가 없어서 발길을 돌리려 했을 때 싸리문소리가 난다. 그는 얼떨결에 기둥이편으로 와서 그 뒤 멍석 곁에 바싹 다가섰다. 부엌문 소리가 덜그렁 나더니 큰년이가 빨래함지를 이고 들어온다. 그의 눈은 캄캄해지고 정신이 나른해진다. 큰년이가 그를 알아보고 이리 오는 것만 같고 그의 눈은 먼 것이 아니요, 언제나 창틈으로 볼수 있는 별눈을 빠끔히 뜨고서 쳐다보는 듯했다. 숨이 차서 견딜 수 없으므로 멍석아래 뒤로 돌아가며 숨을 죽이었으나 점점 더 숨결이 항항거리고 멍석 눈에 코가 맞닿아서 기절을 할 지경이었다.

　큰년이가 뒤뜰로 나간다. 짤짤 끄는 신발소리를 들으면서 머리를 내밀어 밖을 살피고 발길을 옮기려 했으나 온몸이 비비꼬이어 한 보도 옮길 수가 없다. 어색하여 그만 집으로 가려고도 했다. 그의 몸은 돌로 된 것 같았으나 마침 빨래 널리는 소리가 바삭바삭 나자 큰년이가 읍으로 시집간다! 하는 생각이 들며 발길이 허둥 하고 떨어진다.

　큰년이를 빨래를 바자에 걸치다가 힐끗 돌아보고 주춤한다. 칠성이는 차마 큰년이를 쳐다보지 못하고 우두커니 서있었다.

　"누구요?"

　"……"

"누구야요?"

큰년의 음성은 떨려나왔다. 칠성이는 무슨 말이든지 해야 할 터인데 입이 깍 붙고 떨어지지 않는다. 한참 후에 발길을 지척하고 내디디었다.

"난 누구라고……"

큰년이는 바자 곁으로 다가서고 머리를 다소곳 한다. 곱게 감은 그의 눈두덩은 발랑발랑 떨렸다. 칠성이는 자기를 알아보는 것을 알고 조금 마음이 대담해졌다. 이번엔 밖이 걱정이 되어 연방 눈이 그리로만 간다.

"나가 야, 어머니 오신다."

큰년이는 암팡지게 말을 했다. 어려서 음성이 그대로 남아있다.

"너 너 시집간다지. 좋겠구나!"

"새끼두 별소리 다 하네. 나가 야."

큰년이는 빨래를 조몰락거리고 서서 숨을 가볍게 쉰다. 해어진 적삼 등에 흰 살이 불룩 솟아있다. 칠성이는 무의식간에 다가섰다.

"아이구머니!"

큰년이는 바자를 붙들고 소리쳤다. 칠성이는 와락 겁이 일어 주춤 물러서고 나갈까도 했다. 앞이 캄캄해지고 또 빙글빙글 돌아가는 것 같았다.

"어머니 오신다야."

칠성이는 잠간 눈을 감았다가 덜덜 떨리어 나오는 소리에 눈을 떴다. 등으로 흘려 내려온 삼단 같은 머리채는 큰년의 냄새를 물씬물씬 피우고 있다. 칠성이는 얼른 큰년의 발을 짐짓 밟았다. 큰년이는 얼굴이 새빨개서 발을 빼어가지고 저리로 간다. 손에 들었던 빨래는 맥없이 툭 떨어진다.

재가 돌을 집어 치우려고 저러나 하고 겁을 먹었으나 큰년이는 바자 곁에 다가서서 바자를 보시락보시락 만지고 있는데 댕기꼬리는 풀풀 날린다. 야물야물하던 말도 쏙 들어가고 애꿎은 바자만 만지고 있다.

"사탕두 주구 옷…… 옷감두 주…… 주께. 시집 안가지?"

큰년이는 언제까지나 잠잠하고 있다가 조금 머리를 드는 체하더니

"누가…… 사탕…… 히."

속으로 웃는다. 칠성이도 따라 웃고.

"응야? 안 안가지?"

"내가 아니? 아버지가 알지."

이 말엔 말이 박힌다. 그래서 우두커니 섰노라니

"어서 나가 야."

큰년이는 얼굴을 돌린다. 곱게 감은 눈에 눈썹이 가무레하게 났는데 그 눈썹 끝에 걱정이 대글대글 맺혀있다.

"그 그럼 시집 가 가겠니?"

큰년이는 머리를 푹 숙이고 발끝으로 돌을 굴리고 있다. 칠성이는 슬픈 마음이 들어 울고 싶었다.

"안 안 안가지, 응야?"

큰년이는 대답 대신으로 한숨을 푹 쉬고 머리를 들려다가 돌아선다. 그때 어린애 울음소리가 들렸다. 칠성이는 놀라 뛰어나왔다.

집에 오니 칠운이가 아기를 부엌바닥에 내려굴리고 띠로 아기를 꽁꽁 동이려고 한다. 아기는 다리팔을 함부로 놀리고 발악을 하니 칠운이는 사뭇 죽일 고기 다루듯 아기를 칵칵 쥐어박는다.

"이 계집애 자겠니, 안 자겠니? 안 자면 죽이고 말겠다."

시퍼런 코를 쌍줄로 흘리고서 주먹을 겨누어 보인다. 아기는 바르르 떨면서 눈을 꼭 감고 눈물을 졸졸 흘리고 있다.

"그러구 자라, 이 계집애."

칠운이는 아기 옆에 엎어지고 한 손으로 그의 허리를 꼬집어 당긴다.

"어마이, 난 여기 자꾸자꾸 아파서 아기 못 보겠다야 씨…… 흥."

코를 혀끝으로 빨아올리면서 칠운이는 이렇게 중얼거렸다. 그 눈에 졸음이 가득하더니 그만 씩씩 자버린다.

칠성이는 무심히 이 꼴을 보고 봉당으로 들어섰다.

"엄마!"

자는 줄 알았던 아기가 눈을 동그랗게 뜨고 오빠를 바라본다. 칠성이는 머리끝이 쭈뼛하도록 놀랐다. 해서 이결에 발을 들어 찰 것처럼 하고 눈을 딱 부릅떠 보니 아기는 그 얇은 입술을 비죽비죽하며 눈을 감는다.

"엄마! 엄마!"

아기는 그 입으로 이렇게 부르고 울었다. 칠성이는 방으로 들어와서 빙빙 돌다가 뒤뜰로 나와 큰년이가 아직도 그 자리에 서있으면 하고 바자를 가만히 뻐개고 들여다보니 큰년이는 보이지 않고 빨래만이 가득히 널려있었다.

방으로 들어와서 벽에 걸린 동냥자루를 한참이나 바라보면서 큰년의 옷감 끊어다 줄 궁리를 하고 그러면 큰년이와 그의 부모들도 나에게로 뜻이 옮겨질지 누가 아나 하고 동냥자루를 벗겨 메고서 밀짚모를 비스듬히 젖혀 쓴 다음에 방문을 나섰다. 눈결에 보니 아기는 무엇을 먹고 있으므로 그는 머리를 넘석하여 보았다. 아기는 띠 동인데서 벗어나와 아궁이 곁에 오줌을 눈 듯한데 그 오줌을 쪽쪽 핥아먹고 있다.

"이 애! 이 계집애."

칠성이는 이렇게 버럭 소리를 지르고 밖으로 나왔다. 뜨거운 물속에 들어서는 듯 전신이 후끈하였다. 신작로에 올라서며 그는 옷을 바로하고 모자를 고쳐 쓰고 아주 점잖은 양 하였다. 이제부터는 이래야 할 것 같다. 에헴! 하고 큰기침도 하여보고 걸음도 천천히 걸으려 했다. 이러면 애들도 달려들지 못하고 어른들로 놀리지 못할 테지 할 때 큰년이가 떠오른다. 슬며시 돌아보니 벌써 그의 마을은 보이지 않고 수수밭이 탁 막아섰다. 수수밭 곁으로 다가서니 성성한 수숫잎내가 훅 끼치고 등이 근질근질하게 땀이 흘러내린다. 두어 번 몸을 움직이고 어디라 없이 바라보았다.

수수밭머리로 파랗게 보이는 저 불한산은 몇 발걸음 옮기면 올라갈 듯이 그렇게 가까워 보인다. 그의 집 창문 곁에 비껴 서서 맘 놓고 바라볼 수 있는 것은 저 산이요, 또 이런 수수밭머리에서 숨어가며 바라볼 수 있는 것은 저 산이다.

그는 한숨을 푹 쉬었다. 언제나 저 산을 바라볼 때엔 흩어졌던 마음이 한데 모이는 듯하고 또한 깜박 잊었던 옛날 일이 한두 가지 생각되곤 하였다.

먼 산에 아지랑이 아물아물 기는 어느 봄날, 그는 자리에서 일어나 창문 곁에 서니 동무들이 조그마한 지게를 지고 지팡이를 지게에 끼웃이 꽂아가지고 열을 지어 산으로 가고 있다. 어찌나 부럽던지 한숨에 뛰어나와서 우두커니 바라볼 때 언제나 나도 이 병이 나아서 재들처럼 지팡이를 저리 꽂아가지고 나무하러 가보나? 난 어른이 되면 저 산에 가서 이런 굵은 나무를 탕탕 찍어서 한 짐 잔뜩 지고 올 테야……

여기까지 생각한 그는 흠하고 코웃음 쳤다. 뼈 마디마디가 짜릿해오고 가슴이 죄어지는 것 같다. 두어 번 머리를 설레설레 흔들고 터벅터벅 걸었다. 지금 그의 앞엔 큰년이가 있을 따름이다.

이틀 후—

칠성이는 그의 마을로부터 육 리나 떨어져있는 송화읍 어귀에 우두커니 서있었다. 읍에 와서 돌아다니나 수입이 잘 되지 않으므로 이렇게 송화읍까지 오게 되었고 그래서야 겨우 큰년의 옷감을 인조견으로 바꾸어 가지고 돌아오는 길이었던 것이다.

이 밤이나 어디서 지낼까 망설이다 어서 빨리 이 옷감을 큰년의 손에 쥐어주고 싶은 마음, 또는 큰년의 혼사사건이 궁금하고 불안해서 그는 가기로 결정하고 걸었다.

쳐다보니 별도 없는 하늘, 검정 강아지 같은 어둠이 눈 속을 아물아물하게 하는데 웬 일인지 마음이 푹 놓이고 어떤 희망으로 그의 눈은 차차로 열렸다. 산과 물은 그의 맘속에 파랗게 솟아있는 듯 그렇게 분명히 구별할 수 있고 신작로에 깔린 자갈돌은 심심하면 장난치기 알맞았다.

사람들이 연락부절하고 자동차가 먼지를 피우며 달아나는 그 낮길 보다는 오히려 이 밤길이 그에게는 퍽 좋게 생각되었다.

그래서 다리 아픈 것도 모르고 걸었다.

가다가 우뚝 서면 산 냄새 그윽하고 또 가다가 들으면 물소리 돌돌 하는데 논물내 확 풍기고 간혹 산새 울음 끊었다 이어질 제 멀리 깜박여오는 동네의 등불은 포르릉 날아오는 것 같다가도 다시 보면 포르릉 날아간다.

그가 숨을 크게 쉴 때마다 가슴에 품겨있는 큰년의 옷감은 계집의 살결 같아 조약돌을 밟는 발가락이 짜르르 울리었다. "고것 어떻거나?" 그는 무의식간에 입을 쩍 벌리고 무엇을 물어 당길 것처럼 하였다. 지금 큰년이와 마주섰던 것을 그려본 것이다. 이제 가서 옷감을 들려주면 큰년이는 너무 좋아서 그 가무레한 눈썹 끝에 웃음을 띨 테지, 가슴은 소리를 내고 뛴다.

차츰 동녘하늘이 바다와 같이 훤해오는데 난데없는 빗방울이 뚝뚝 떨어진다. 그는 놀라 자꾸 뛰었으나 비는 더 쏟아지고 멀리서 비 몰아오는 소리가 참새무리를 건너듯했다. 그는 어쩔까 잠시 망설이다가 빗발에 묻히어 어림해 보이는 저 동리로 부득이 발길을 옮겼다. 큰년의 옷감이 아니면 이 비를 맞으면서도 가겠으나 모처럼 끊은 옷감이 이 비에 젖을 것이 안 되어 동네로 발길을 옮긴 것이다.

한참 오다가 돌아보니 신작로가 뚜렷이 보이고 어쩐지 마음이 수선해서 발길이 딱 붙는 것을 겨우 떼어놓았다.

동네까지 오니 비에 젖은 밀짚내 콜콜 올라오고 변소 옆을 지나는지 거름내가 코밑에 살살 기고 있다. 그는 어떤 집 처마 아래로 들어섰다. 몸이 오솔오솔 춥고 눈이 피로해서 바싹 벽으로 다가서서 웅크리고 앉았다. 그의 마을 앞의 홰나무가 보이고 큰년이가 나타나고…… 눈을 번쩍 떴다.

빗발 속에 날이 밝았는데 먼 산이 보이고 또 지붕이 옹기종기 나타나고 낙숫물소리 요란하고 그는 용기를 내어 일어나 둘러보았다.

그가 서 있는 이 집이란 돈푼이나 좋이 있는 집 같았다. 우선 벽이 회벽으로 되었고 지붕은 시커먼 기와로 되었으며 널판자로 짠 문의 규모가 크고 또 주먹 같은 못이 툭툭 박힌 것을 보아 짐작할 수 있었다. 그의 얼었던 마음이 다소 풀리는 듯하였다.

흰 돌로 된 문패가 빗소리 속에 적적한데 칠성이는 눈썹 끝이 희어지도록 이 문패를 바라보고 생각을 계속하였다. "오냐, 오늘은 내게 무슨 재수가 들어닿나보다. 이 집에서 조반이나 톡톡히 얻어먹고 돈이나 쌀이나 큼직이 얻으리라……" 얼른 눈을 꾹 감아보고 "눈도 먼 체할까. 그러면 더 불쌍하게 봐서 쌀이랑 돈을 더 줄지 모르지." 애써 눈을 감고 한참을 견디려 했으나 눈두덩이 간지럽고 속눈썹이 자꾸만 떨리고 흰 문패가 가로 세로 나타나고 못 견디어 눈을 뜨고 말았다.

어떻거나? 내 옷이 너무 희지. 단숨에 뛰어나와서 흙물에 주저앉았다가 일어나 섰던 자리로 왔다. 아까보다 더 춥고 입술이 떨린다. 그는 대문 틈에 눈을 대고 안을 엿보려 할 때 신발소리가 절벅절벅 나므로 몰래 몸을 움직이어 비켜섰다. 대문은 요란스런 소리를 내고 열렸다. 언제나처럼 칠성이는 머리를 푹 숙이고 어떤 사람의 시선을 거북스레 느꼈다.

"웬 사람이야?"

굵직한 음성, 머리를 드니 사내는 눈이 길게 찢어졌고 이 집의 고용인인 듯 옷이 캄캄하다.

"한술 얻어먹으러 왔유."

"오늘은 첫새벽부터야."

사내는 이렇게 지껄이고 나서 돌아서 들어간다. 이 집의 인심은 후하구나, 다른 집 같으면 의례 한두 번은 가라고 할 터인데 하고 어깨가 으쓱해서 안을 보았다.

올려다 보이는 퇴 우에 높직이 앉은 방은 사랑인 듯했고 그 옆으로 조그마한 대문이 좀 비딱해 보이고 그리고 안대청마루가 잠깐 보인다. 사랑채 왼편으로 죽 달려 이 문간에 와서 멈춘 방은 얼른 보아 창고인 듯 앞으로 밀짚 낟가리들이 태산같이 가리어 있다. 밀짚대에서 빗방울이 데룽데룽 떨어진다. 약간 누런빛을 띠었다. 뜰이 휘휘하게 넓은데 빗물이 골이 져서 흘러내린다.

저리로 들어가야 밥술이나 얻어먹을 텐데. 그는 빗발 속에 보이는 안대문을 바라보고 서먹서먹한 발길을 옮겼다. 중대문을 들어서자 안 부엌으로부터 개 한 마리가 쏜살같이 달려 나온다. 으르렁 하고 달려들므로 그는 개를 어를 양으로 주춤 물러서서 혀를 쩍쩍 찼다. 개는 날카로운 이를 내놓고 뛰어오르며 동냥자루를 확 물고 늘어진다. 그는 아찔하여 소리를 지르고 중문 밖으로 뛰어나오자 사랑에 사람이 있나 살피며 개를 꾸짖어줬으면 했으나 잠잠하였다. 개는 눈을 뒤집고서 앞발을 버티고 뛰어오른다. 칠성이는 동냥자루를 입에 물고 몸을 굽혔다 폈다 하다가도 못 이겨서 비슬비슬 쫓겨나왔다. 개는 여전히 따라 큰 대문에 와서는 칠성이가 용이히 움직이지 않으므로 으르렁 달려들어 잠방이 가랑이를 물고 늘어진다. 그는 악 소리를 지르고 달아나왔다. 아까 나왔던 사내가 안으로부터 나왔다.

"워리워리."

개는 들은 체하지 않고 삐죽한 주둥이로 자꾸 짖었다. 저놈의 개를 죽일 수가 있을까 하는 마음이 부쩍 일어 그는 휘돌아 서서 노려볼 때 사내는 손짓을 하여 개를 부른다. 그러니 개는 슬금슬금 물러나면서도 칠성에게서 눈을 떼지 않았다.

갑자기 속이 메슥해지고 등이 오싹하더니 온몸에 열이 화끈 오른다. 개를 찾았으나 보이지 않고 큰대문 안이 보기 싫게 버티고 있었다. 또 가볼까 하는 마음이 다소 머리에 드나 그 개를 만날 것을 생각하니 진전리가 났다. 해서 단념하고 시죽시죽 걸었다.

비는 바람에 섞이어 모질게 갈겨 치고 나무 흔들리는 소리, 도랑물 흐르는 소리에 귀가 뻥뻥할 지경이다. 붉은 물이 이리 몰리고 저리 몰리는 그 우엔 밀집이 허옇게 떠있고 파랑새 같은 나뭇잎이 뱅글뱅글 떠돌아간다.

비에 젖은 옷은 사정없이 몸에 착 달라붙고 지동 치듯 부는 바람결에 숨이 훅훅 막혔다. 어쩔까 하고 둘러보았으나 집집이 문을 꼭 잠그고 아침연기만 풀풀 피우고 있다. 혹 빈집이나 방앗간 같은 것이 없나 했으나 눈에 뜨이지 않고 무거운 눈엔 그 개가 자꾸만 얼른거리고 또 뒤에 다우쳐 오는 것 같다. 개에게 찢긴 잠방이 가랑이가 걸음에 따라 너덜너덜하여 그의 누런 다리마디가 환히 들여다보이고 푹 눌러쓴 밀짚모에선 방울져 떨어지는 빗방울이 눈물같이 건건한 것을 입술에 느꼈다. 문득 큰년의 옷감이 젖는구나 생각되자 소리를 내어 칵 울고 싶었다.

그는 우뚝 섰다. 들은 자옥하여 어딘가 산인지 물인지 분간할 수 없고 곡식 대들이 미친 듯이 날뛰는 그 속으로 무슨 큰 짐승이 윙윙 우는 듯한 그런 크고도 굵은 소리가 대지를 울린다.

지금 그는 빗발에 따라 마음만은 앞으로 앞으로 가고 싶은데 발길이 딱 붙고 떨어지지 않는다.

바라보니 동네도 거반 지나온 셈이요, 앞으로 조그마한 집이 두셋이 남아 있다. 그리고 발길을 돌렸으나 미련이 남아있는 듯 자주자주 멍하니 들을 바라보았다.

그가 개에게 쫓긴 것이 이번뿐이 아니요, 때로는 같은 사람한테도 학대와 모욕을 얼마든지 당하였건만 오늘 일은 웬 일인지 견딜 수 없는 분을 일으키게 된다.

"이 친구 왜 그러구 섰수?"

그가 놀라 보니 자기는 어느덧 조그마한 집 앞에 섰고 그 조그마한 집은 연자간이라는 것을 알았다. 머리를 넘석하여 내다보는 사내는 얼른 보아 사오십 되었겠고 자기와 같은 불구자인 거지라는 것을 즉석에서 알았다. 사내는 쫑긋이 웃는다. 그는 이리 찾아오고도 저 사내를 보니 들어가고 싶지 않아 머뭇거리다가도 하는 수 없이 들어갔다. 쌀겨내 가득히 흐르는 그 속에 말똥내도 훅훅 풍겼다.

"이리 오우, 저 옷이 젖어서 원……"

사내는 나무다리를 짚고 일어나서 깔고 앉았던 거적자리를 다시 펴고 자리를 내놓고 비켜 앉는다. 칠성이는 얼른 희뜩희뜩 센 머리털과 수염을 보고 늙은 것이 내 동냥해온 것을 뺏으려나 하는 겁이 나고 싫어졌다.

"그 옷 땜에 칩겠우. 우선 내 헌 옷을 입고 벗어서 말리우."

사내는 그의 보따리를 뒤적뒤적하더니

"자 입소. 이리 오우."

칠성이는 돌아보았다. 시커먼 양복인데 군데군데 기운 것이다. 그 순간 어디서 좋은 옷 얻었는데, 나도 저런 게나 얻었으면 하면서 이상한 감정에 사여 사내의 웃는 눈을 정면으로 보았을 때 동냥자루나 뺏을 사람 같지 않았다. 그는 머리를 숙이고 소매에서 떨어지는 물방울을 보았다. 사나이는 나무 다리를 짚고 이리로 온다.

"왜 이러구 섰우. 자 입으시우."

"아 아니유."

칠성이는 성큼 물러서서 양복저고리를 보았다. 난생 전 입어보지 못한 그 옷 앞에서 어쩐지 가슴까지 두근거린다.

"허! 그 친구 고집 대단한데. 그럼 이리 와서 앉기나 해유."

사내는 그의 손을 끌고 거적자리로 와서 앉히운다. 눈결에 사내의 뭉퉁한 다리를 보고 못 본 것처럼 하였다.

"아침 자셨우?"

칠성이는 이자가 내 동냥자루에 아침 얻어온 줄을 알고 이러는가 하여 힐끔 동냥자루를 보았다. 거기에서도 물이 떨어지고 있다.

"아니유."

사내는 잠잠하였다가

"안되었구려. 뭘 좀 먹어야 할 터인데……"

사내는 또 무슨 생각을 하는 듯하더니 그의 보따리를 뒤진다.

"자, 이것 적지만 자시유."

신문지에 싼 것을 내들어 펴 보인다. 그 종이엔 노란 조밥이 고실고실 말라가고 있다.

밥을 보니 구미가 버쩍 당기어 부지중에 손을 내밀었으나 손이 말을 안 듣고 떨리어서 흠칫하였다. 사내는 이 눈치를 채였음인지 종이를 그의 입 가까이 갖다 대고

"적어 안 되었우."

부끄럼이 눈썹 끝에 일어 칠성이는 눈을 내려뜨고 애꿎이 코를 들이마시

며 종이를 무릎에 놓고 입을 대고 핥아먹었다. 신문지내가 이사이에 나들고 약간 쉰 듯한 밥알이 씹을수록 고소하였다. 입맛을 다실 때마다 좀 더 있으면 하는 아쉬운 마음이 혀끝에 날름거리고 사내 편을 향한 귓바퀴가 어쩐지 가려운 듯 따가움을 느꼈다.

"저것이 원……"

사내의 이러한 말을 들으며 신문지에서 입을 떼고 히 하고 웃어 보이었다. 사내도 따라 웃고 무심히 칠성의 다리를 보았다.

"어디 다쳤나보! 피가 나우."

허리를 굽히어 들여다본다. 칠성은 얼른 아픔을 느끼고 들여다보니 잠방이 가랑이에 피가 빨갛게 묻었다. 다리엔 방금 선혈이 흐르고 있다. 별안간 속이 무쭉해서 그는 다리를 움츠리고 머리를 들었다. 바람결에 개비린내 같은 것이 훌씬 끼친다.

"개 개한테 그리 뜯었지우."

"아, 그 기와집 가셨우…… 그 개를 길러도 흉악한 개를 기르거던 흥! 한 놈이 아니우. 어디 이리 내놓우. 개에게 물린 것이 심상히 여길 것이 못 되우."

사내는 그의 다리를 잡아당기었다. 그는 얼른 다리를 치우면서도 코 안이 싸해서 몇 번 코를 움직일 때 뜻하지 않은 눈물이 주르르 흘러내린다. 사나이는 이 눈치를 채고 허허 웃으면서 그의 등을 가볍게 두드렸다.

"이 친구 우오. 울기로 하자면…… 허허 울어선 못쓰오."

칠성이는 머리를 번쩍 들어 사내를 바라보니 눈에 분노의 빛이 은은하였다. 다시 다리로 시선이 옮겨질 때 가슴이 턱 막히고 목에 무엇이 가로질리는 것 같아 시름없이 머리를 숙이고 무심히 부드러운 먼지를 쥐어 상처에 발랐다.

"아이고! 먼지를 바르면 뒤우?"

사내는 칠성의 손을 꽉 붙들었다. 칠성이는 어린애같이 히 웃고 나서

"이러면 나유."

"아 원, 그런 일 다시는 하지 마우. 약이 없으면 말지, 그런 일 하면 뒤우? 더 성해서 앓게 뒤우."

칠성이는 약간 무안해서 다리를 움츠리고 밖을 바라다보았다. 사내는 또 다시 무슨 생각에 깊이 잠기는 것 같다.

바람이 비를 안고 싸싸 밀려들고 천장에는 수없는 거미줄이 끊어져 연기같이 나부꼈다. 바라보이는 버드나무의 잎은 팔팔 떨고 아래로 시뻘건 물이 쫄쫄 소리를 내고 흐른다. 어깨 위가 어찔해서 돌아보면 큰 매통이 살겨를 뽀얗게 쓰고서 얼음 같은 서늘한 기를 품품 피우고 있다.

"배안의 병신이우?"

사내는 문득 이렇게 물었다. 칠성이는 머리를 숙이고 머뭇머뭇하다가

"아 아니유."

"그럼 앓다가 그리 되었구려…… 약 써봤수?"

칠성이는 또다시 말하기가 힘든 듯이 우물쭈물하고 다리만 보았다. 한참 후에

"아 아니유, 못 못 썼어유."

"흥! 생다리도 꺾이우는 지경인데 약 못쓰는 것쯤이야 허허……"

사내는 허공을 향하여 웃었다. 그 웃음소리에 소름이 오싹 끼쳐 힐끔 사내를 보았다. 눈은 무섭게 뜨고 밖을 내다보는데 이마엔 퍼런 힘줄이 불쑥 일었고 입은 꼭 다물고 있다.

"허, 치가 떨려서. 내 왜 그리 어리석었는지 지금만 같으면, 지금이라면 죽더라도 해볼걸. 왜 그 꼴이었어! 흥."

칠성이는 귀를 밝혀 이 말을 새겨들으려 했으나 무엇을 의미한 말인지 알

수가 없었다. 사내는 칠성이를 돌아보았다. 눈 아래에 두어 줄의 주름살이 돌아가신 그의 아버지와 흡사했다.

"이 친구, 나도 한 가정을 가졌던 놈이우. 공장에서 모범공이었구. 허허 모범공…… 다리가 꺾인 후에 공장에서 나오니 계집은 달아나고 어린 것들은 배고파 울고 부모는 근심에 지레 돌아가시구…… 허 말해서 뭘 하우."

사내는 칠성이를 딱 쏘아본다. 어쩐지 칠성의 가슴은 까닭 없이 두근거려 차마 사내를 정면으로 보지 못하고 꺾인 다리를 보았다. 그리고 사내의 다리 밑에 황소같이 말없는 땅을 보았다.

어느덧 밖은 안개비로 자옥하였고 먼 산이 눈물을 머금고 구불구불 솟아 있으며 빗소리에 잠겼던 개구리소리가 그의 동네 앞인가도 싶게 했고 또한 큰년의 뒷매가 홰나무 아래 어른거려 보인다. 칠성이는 부스스 일어났다.

"난 난 집에 가겠수."

사내도 따라 일어난다.

"아, 집이 있우? …… 가보우."

칠성이가 머리를 드니 사내가 곁에 와서 밀짚모를 잘 씌워주고 빙긋이 웃는다. 어머니를 대한 것처럼 어딘가 모르게 의지하고 싶은 생각과 믿는 마음이 들었다.

"잘 가우…… 세월 좋으면 또 만나지."

대답대신으로 그는 마주 웃어 보이고 걸었다. 한참이나 오다가 돌아보니 사내는 우두커니 서있다. 주먹으로 눈을 닦고 보고 또 보았다.

길 좌우에 늘어앉은 조밭 수수밭은 이랑마다 물이 충충했고 조이삭, 수수 이삭이 절반 넘어져 물에 잠겨있다. 올에도 흉년이구나 할 때 어디서 맹하니 또 어디서 꽁하는 소리가 들렸다. 저 멀리 귀 시끄럽게 우짖는 개구리소리는 무심한데 이제 그 어딘가 곁에서 맹꽁 한 그 소리는 사람의 음성같이 무게가 있었다.

안개비 나실나실 내려온다. 조금 말라오려던 옷이 또 촉촉이 젖고 눈썹 끝에 안개비 엉키어 마음까지 묵중하고 알 수 없는 의문이 뒤범벅이 되어 돌아간다.

그가 그의 마을까지 왔을 때는 빗발이 굵어지고 바람이 슬슬 불기 시작하였다. 언제나 시원해 보이는 홰나무도 찡그린 하늘 아내 우울해 있고 동네 뒤로 나지막이 둘러있는 산도 빗발에 묻히어 잘 보이지 않았다. 그러나 큰년이가 물동이를 이고 이 비를 맞으면서도 저 산 아래 박우물로 달려가지나 않나 하는 생각이 집집의 울바자며 채마밭의 긴 바자가 차츰 선명해 보일 때 선뜻 들어 그의 발길은 허둥거렸다.

집에까지 오니 어머니는 눈물이 그득해서 나왔다.

"이놈아, 어미 기다릴 것도 생각지 않고 어딜 그리 다니느냐."

어머니는 동냥자루를 받아 쥐고 쿨쩍쿨쩍 울었다. 칠성이는 잠잠히 방으로 들어오니 빗물 받는 그릇으로 절반 차지했고 뚝뚝 듣는 빗소리가 장단 맞추어 났다. 칠성이는 그만 우두커니 서서 어쩔 줄을 몰랐다. 몸은 아까보다도 더 춥고 떨리어서 견길 수 없다.

칠운이와 아기는 아랫목에 누워있고 아기 머리엔 무슨 헝겊으로 허옇게 사매있었다. 그들의 그 작은 몸에도 빗방울이 간혹 떨어진다.

"아무데나 앉으렴. 어쩌겠니…… 에그, 난 어젯밤 널 찾아 읍에 가서 밤새 싸다니다 왔다. 오죽하면 술집 문까지 두드렸겠니. 이놈아, 어딜 가면 간다고 하지 그게 뭐야."

이번에는 소리까지 내어 운다. 남편을 잃은 뒤 그나마 저 병신아들을 하늘같이 중히 의지해 살아가는 어머니의 마음을 엿볼 수가 있다. 칠운이는 울음소리에 벌떡 일어났다.

"성 왔네! 성 왔네!"

눈을 잔뜩 움켜쥐고 뛰었다. 그 통에 파리는 우그르르 끓고 아기까지 키성키성 보챈다. 칠운이는 두 손으로 눈을 비벼 치고 형을 보려다는 못 보고 또 비비친다.

"이 새끼야, 그만두라구. 그러니 더 아프지. 에그, 너 없는 새 저것들이 자꾸만 앓아서 죽겠다. 게다가 눈까지 더치니. 그런데 이 동리엔 웬 일이냐. 지금 눈병 때문에 큰일이구나. 아이 어른 모두 눈병에 걸려 눈을 못 뜬다."

칠성이는 지금 아무 말도 귀에 거치지 않고 비 새지 않는 곳에 누워 한잠 푹 들고 싶었다. 칠운이는 마침내 응응 울다가 무슨 생각을 하고 뒷문 밖으로 나다더니 오줌을 내뻗치며 그 오줌을 눈에 바른다.

"잘 발라라. 눈등에만 바르지 말고 눈 속에까지 발러…… 저것도 반가워서 저리도 눈을 뜨려누나. 어제는 성아 성아 찾더구나."

어머니는 또 운다. 칠성이는 등에 선뜻 떨어지는 빗방울을 피하여 앉으니 이번에는 콧등에 떨어져 입술에 흐른다. 그는 콧등을 후려치고 화를 버럭 내었다.

"제 제길!"

"글쎄 비는 왜 오겠니. 바람이나 불지 말아야 할 터인데, 저 바람! 기껏 키운 조는 다 쓰러져 싹이 나겠구나. 아이구, 이 노릇을 어찌해야 좋으냐. 하느님 맙시사."

두 손을 곧추 들고 애걸한다. 그의 머리는 비에 젖어 이기어 붙었고 눈은 눈곱에 탁 엉기었고 그 속으로 핏줄이 뻘겋게 일어 눈이 시커메서 바라볼 수 없는데 시커먼 옷에 천장물이 어룽어룽 젖었다.

칠성이는 얼른 샛문 턱에 걸터앉아 눈을 딱 감아버렸다. 눈이 자꾸만 피곤하고 그래선 새 속눈썹이 가시 같아 눈 속을 꼭꼭 찌른다.

그는 눈을 두어 번 굴렸을 때 문득 방앗간이 떠오른다.

"어제 개똥네 논에 동이 터졌는데 전부 쓸려 나갔다누나. 에구 무서워. 저게 무슨 바람이냐. 저 바람! 우리 밭은 어쩌나."

어머니는 밖으로 뛰어나간다. 칠운이는 울면서 따르다가 문턱에 걸려 공중 나가넘어지고 시재 가르려는 소리를 하였다. 칠성이는 눈을 부릅떴다.

"저 저놈의 새끼, 주 죽이고 말까부다."

어머니는 얼른 칠운이를 업고 물러나서 정신없이 밖을 바라보고 또 나갔다가 들어왔다. 칠운이를 때리다가 중얼중얼하며 돌아간다.

칠성이는 이 꼴이 보기 싫어 모로 앉아 눈을 감았다. 무엇에 놀라 눈을 뜨니 아랫목에 누워 할락할락하는 아이가 일어나려다 쓰러지고 소리 없는 울음을 입으로 운다. 머리를 삿자리에 비비치다가 시원치 않은지 손이 올라가서 헝겊을 쥐고 박박 할퀴는 소리만 징그러워 들을 수 없었다.

칠성이는 눈을 안 뜨자 하다도 어느새 문뜩 뜨게 되고 아기의 저 노란 손가락이 머리를 쥐어뜯는 것을 보게 된다. 조놈의 계집애는 죽었으면 하면서 눈을 감는다.

바람은 더 세차게 분다. 살구나무 꺾이는 소리가 뚝뚝 나고 집 기둥이 쏠리는지 씩컥쿵! 하는 소리가 뒷문에 울렸다. 칠운이는 방으로 들어와서 눕는다.

"성아, 내일은 눈약도 얻어오렴. 개똥인 저 아버지가 읍에 가서 눈약 사왔다는데. 그 약을 넣으니까 눈이 났다더라. 응야?"

칠성이는 잠잠히 들으며 얼른 가슴에 품겨있는 큰년의 옷감을 생각하였다. 차라리 눈약이나 사올 것을 하는 마음이 잠깐 들었으나 사라지고 어떻게 큰년에게 이 옷감을 들려줄까 하였다.

부엌에서 성냥 긋는 소리가 들리더니 어머니가 들어온다.

"아궁에 물이 가득하니 이를 어쩌냐. 저것들도 아무것도 못 먹었는데……

너두 배고프겠구나."

이런 말을 하고 밖으로 나가더니 곧 뛰어 들어온다.

"큰년네 논두 동이 터졌단다. 그리 튼튼하던 논두. 저를 어쩌니."

칠성이는 눈을 둥그렇게 떴다.

"좀 자려무나 요 계집애야, 왜 자꾸만 머리를 뜯니? 조놈의 계집애는 며칠째 안자고 새웠단다. 개똥 어머니가 쥐가죽이 약이라기에 쥐를 잡아 저리 붙였는데 자꾸만 떼려구 저러니 아마 나으려구 가려운 모양이지."

그렇다고 해줘야 어머니는 맘이 놓일 모양이다. 큰년네 말에 칠성이는 눈을 떴는데 딴 푸념을 하니 듣기 싫었다. 하나 꾹 참고

"그 그래, 큰년네두 논이 떴때?"

"그래! 젖이 난 나니……"

어머니는 연방 아기를 보고 그의 젖을 주물러본다. 명주 고름끈같이 말큰거린다.

아기는 점점 더 할딱할딱 숨이 차오고 이젠 손을 놀릴 기운도 없는지 손이 귀밑으로 올라가고는 맥을 잃고 다르르 굴러 떨어진다. 어머니는 바람소리를 듣더니

"이젠 우리 조는 못쓰게 되었겠다! 큰년네 논이 뜨는데 견디겠니…… 참 큰년이는 복 좋아 글쎄 이런 꼴 안 보렴인지 어제 시집갔단다."

"큰년이가?"

칠성이는 버럭 소리쳤다. 그의 가슴에 고이 안겨있던 큰년의 옷감은 돌같이 딱 맞질린다. 어머니는 아들의 태도에 놀라 바라보았다.

"어마이 저것 봐!"

칠운이는 뛰어 일어서서 응응 운다. 그들은 놀라 일시에 바라보았다.

아기는 언제 그 헝겊을 찢었는지 반쯤 헝겊이 찢어졌고 그리로부터 쌀알

같은 구더기가 설렁설렁 내달아오고 있다.

"아이구머니, 이게 웬 일이야 응, 이게 웬일이여!"

어머니는 와락 기어가서 헝겊을 잡아 젖히니 쥐가죽이 딸려 일어나고 피를 문 구더기가 아글아글 떨어진다.

"아가, 아가 눈 떠, 눈 떠라 아가!" 이 같은 어머니의 비명을 들으며 칠성이는 "엑!" 소리를 지르고 우둥퉁퉁 밖으로 나와 버렸다.

비는 좍좍 쏟아지고 바람은 미친 듯 몰아치는데 가다가 우르릉 쾅쾅하고 하늘이 울고 번갯불이 제멋대로 쭉쭉 찢겨나가고 있다.

칠성이는 묵묵히 저 하늘을 노려보고 있었다.

출처: 『조선일보』, 1936.3.12.-4.3.

안수길

함지쟁이영감

함지쟁이영감은 거리모퉁이 바자굽에 거적을 깔고 앉아서 깨여진 함지와 바가지를 꿰매고 헌 고무신짝과 망가진 양산 살을 손질하는 것이 그의 업이다.

그러나 그 영감이 거리에 나와 앉는 날이라고는 닷새에 한번이나 될까 그는 동리에 잔치가 있다든가 장례가 있다든가 하면 며칠 전부터 그 집에 가 배기여 아낙네들과 함께 떡방아를 찧기도 하고 음식을 만들기도 하고 또한 남이 손대기를 꺼려하는 일 도맡아 하여주고 밥을 얻어먹는 것이다. 그러기에 경사나 흉사나간에 동리에 일이 생기기만 하면 동리 어른들에게는 못 알리더라도 함지쟁이영감에게만은 먼저 알려야 되는 것이다.

그밖에 함지쟁이영감은 그 소박한 성격과 우둔한 행동으로써 우리 같이 얼마 만에 고향을 찾아오는 사람으로 하여금 고행의 정회를 맛보게 하는 것으로도 또한 유명타 할 것이다.

우리 부부가 고향에 온지 사흘이 되던 날이든가 낮에 할머니와 셋이서 이야기하고 앉아있는데 그가 바가지 꿰맨 것을 들고 들어왔다.

그는 부엌에 서서 푹 꺼진 거슴츠레한 눈으로 우리 부부를 번갈아보더니

"이 부부가 요전에 잔치했다던…" 하고 할머니께 묻는다.

할머니께서는

"그렇소. 우리 손주며느리 얌전하지요?" 하고 요즘 며칠 동안 늘 동리 늙

은이들에게 하신던 것 같이 우리들의 자랑을 하시였다.

그는 눈을 껌벅껌벅하고 누르퉁퉁한 얼굴의 근육을 축 늘어뜨리고 입을 하- 벌리고 있더니

"저런 얌전한 색시께 장가든 다음에야 세상에 부러울 게라구 있을 택이 있소." 하고는 한숨을 휘- 쉰다.

나는

"영감은 그래 노친이 없소?" 했더니

"노친? 허- 노친이 있우문야 이 꼴이겠소." 하고는 돌아서서 어깨를 축 드리우고 맥없이 밖을 내다본다. 어깨가 축 처진 그의 뒷모양은 너무도 허수하였다.

나는 웃으면서

"영감도 얌전한 노친을 하나 얻구려." 했더니

"아, 참 내 말 좀 들어보오." 하며 금시 기운이 나서 몸을 픽 돌려 나를 향하더니 신을 신은 채 손을 짚고 무릎으로 기여 와서 내 귀에다 입을 대고 은근히

"이 앞 장국밥집에 있는 고 젊은 여편네, 그걸 좀 말해주오. 그게 맘에 든다니요. 그게 좋아요." 하였다.

나는 그의 몸에서와 입에서 나는 역한 냄새에 구역질이 날듯하여 옆에 물러앉았더니 그는 허리를 쭉 펴고 목을 길게 뽑아 이번에는 입을 더 바싹 귀에 갖다 대고

"그게 마음에 든다니까. 그게 꼭 되도록 해주오. 꼭." 하고 뒷걸음으로 기어나가더니 부엌 앞에 서서 큰소리로

"그게 되기만 해보오. 그게 되는 날부터 내 이 집에 와서 뼈가 부서지도록 일을 해서 그 은혜를 갚겠다니요." 하였다.

나는 그의 행동이 하도 우스워서 박장대소를 했더니 그는

"그럼 믿겠소. 이제 내 신편이 펴이는 셈이로군." 하고는 어깨를 으쓱으쓱 하면서 나갔다.

할머니한테서 듣자니 그는 삼년 전에 노친을 죽이고 지금은 어린 것 남매를 거느리고 있는데 노친을 얻어달라고 만나는 사람마다 성화를 시키지만 얼토당토 안할 말이지 어떤 여편네가 그런 함지쟁이 거지영감에게 시집을 가느냐고 그 영감이 그런 말을 하고 덤비는 것이 이 동리의 웃음거리라고 한다.

그후 사흘이 지나서였다.

석양녘에 그가 혼겁이 뛰어 들어와서 다짜고짜로

"말해봤소?" 한다.

"무얼 말이요?"

"아니, 이 앞집에 말이요."

나는 그제야 알아차리고 하하 웃는다.

"안한 모양이로군! 에이 참, 일이 거의 되어 가는데."

"내 말 좀 들어보오."

그는 그 맥없는 눈을 멍하니 뜨고 목을 끄덕끄덕하면서 말을 이었다.

"하, 오늘 우리 애새끼들 데리고 그 집엘 가지 않았소. 고것들두 그런 땐 쓰겠단 말이거든. 한데 바가지 꿰맨 것을 주고 그 값으로 장국을 달라고 했지요. 그랬더니 주인여편네는 여우같은 턱을 더 뾰족하게 해가지고 그게 한 그릇 값이 되느냐고 동전 한두어푼 주라고 하고 어디로 나가드만요. 그런데 일하는 바로 그 여편네 말이요. 글쎄 그 여편네가 이봐요, 우리 애새끼를 보더니 <이 아이들이 영감 아이요?> 하고는 <고것들 어쩌면 요렇게도 귀여워.> 하며 머리를 쓰다듬어주고 <요렇게 귀한 것이 에미 없으니 얼마나 불쌍한가! 아이구, 가엾어라. 너희들 배고프지, 가만히 있어.> 하면서 밥 한 사발 가득 담고 그 위에 잘잘 끓는 국물을 붓고 숟가락 둘을 놓아 아이들을 갖다 주며 <많이 먹어 응.> 하드만요. 그리고는 나보고 <영감도 시장하지요?> 하고 또 장국밥 한 그릇 떠다주고 <참 영감도 불쌍하거든. 따근한 걸로 속을 덥히오.>한단 말이거든요.

이보십시오. 하, 그 여편네가 내한테 혹했다니요. 혹하다 뿐이요. 내 여편네가 되기를 원하는데 무얼 그래요!"

"그거 아주 잘 됐소."

"그러기에 선생님이 말만 해보오. 당장 들을 건데 무얼. 지금 말하기를 그 여편네가 기다린다나요."

그 이튿날이다.

늘 정지출입하던 그는 그 날은 방문으로 점잖게 나를 찾고 들어왔다.

나는 정지에 있다가 방에 뛰어 들어갔으나 그는 나에게는 주의도 안하고 창밖에 머리를 내밀고

"이 못난 것들아. 들어오라는데도…" 하고 소리를 지르면서 이끌려 데려온 것이 그의 어린 것 남매였다.

사내애는 바지가 엉덩이에 걸려있어 벗어지는 것을 겨우 면했고 배가 그대로 드러나 있는데 누런 코가 쿨럭쿨럭 두 줄로 들어갔다 나왔다 하는 것을 팔을 갖다가 쓱 씻어버린다. 팔소매는 코에 번질번질 윤기가 났다. 계집애는 제 오빠의 뒤에 숨어서 무서운 듯이 몸을 쪼그리고 섰다. 둘 다 의복은 남루할망정 빛나는 눈이라든가 둥그스름한 얼굴이라든가 앞집 아낙네가 귀엽다고 머리를 쓰다듬었다는 것도 있을 법한 일이다.

"이 망할 것들아, 이리 와서 이 선생님께 절해라." 하더니 나를 보면서

"저것들이 저래 보여도 아주 영민합네. 사내놈이 조놈이 이제 여덟 살

인데 일본말을 잘하지 않소? (아이를 돌아보고) 이놈, 바지춤을 끌어올리고 일본말을 해봐. (그리고 나를 다시 보고) 계집애년은 조게 다섯 살인데 또 아주 귀엽지 않소? 그게 글쎄. 어디 가서 배웠는지 창가를 곧잘 한다니요." 하였다.

그리고는 나한테 다가앉으며

"다 저것들 때문에 그러지. 그렇지 않으면야 노친이 무슨 소용이 있나요. …이것들이 글쎄, 애비가 거리에서 늦게 들어가면 쟁개비에다 밥을 끓여놓고 둘이 마주 앉아서 떨면서 나를 기다리고 있지 않소? 그걸 보면 가슴이 찢어지는 것 같이 아프오. 노친도 못할 짓을 했지. 저런 걸 두고 죽다니… 노친이 살고 내가 죽었다면 애들은 불쌍치 않지.…"

그는 눈을 고요히 감았다. 그 둔한 얼굴에도 슬픈 빛이 떠돌았다.

그러더니 그는 금시에 생각이 난 듯이 애들을 향하여 큰소리로

"이 선생님께 절을 해라.…어서." 하였다.

애들이 다시 꼼짝 안하니깐 다시 "어서-" 하더니 눈을 부릅뜨고 사내아이의 팔을 끌어당겼다.

아이는 바지가 엉덩이에 걸린 채 끌리지 않으려고 씩씩거리면서 발을 벋디뎠다. 계집애 역시 오빠가 끌리지 않게 제 오빠의 허리를 꽉 껴안았다.

영감은 수척한 팔에 핏줄을 세워가지고 끌었다.

아이들은 끌리게 되니까

"쌍놈 아버지!" 하고 꽥 소리를 지르고 방바닥에 뒹굴더니 아비를 발길로 마구 차면서 집이 깨여지게 운다.

영감은

"에이키, 나쁜 종간나새끼들아- 이런 건 당장 죽여야 된다." 하면서 두 어린 아이를 난장 패듯하였다.

나는

"이 영감, 이게 무슨 짓을, 애들 데리고 어서 가시오." 하고 소리를 질렀더니 그 소린 들은 체도 않고

"이놈의 새끼들아, 글쎄 이 선생님께 절하고 우리 엄마를 빨리 얻어주시오 하라고 했더니 어째 절을 하지 않고 이러는 거야. 이 목을 잡아 뺄 간나새끼들아~" 하고 애들을 밖으로 끌로 나갔다.

밖에 나가자 아이들은

"쌍눔 아버지."

"아버지 바보."

하면서 달아나고 영감은 그 뒤로 정신없이 장작개비를 쥐고 쫓아갔다.

그랬는데 그날 밤 책을 보느라고 늦게 앉으려니 그가

"아, 글쎄 이런 법이 어데 있단 말이요? 이런 쌍년이 그래 이런 화냥년이~"

하면서 마루를 탕탕 구르며 분주스럽게 쌍창을 열고 얼굴을 들이밀었다. 그는 분해서 누르퉁퉁하던 얼굴이 종잇장 같이 희게 되고 얼굴 전체가 실룩실룩하여 금시에 경련을 일으켜 나자빠질 것 같았다.

그러더니 그는 왜 그러느냐고 물을 겨를도 없이 뛰어나갔다가 조금 후 또다시 씩씩거리며 뛰어 들어와서

"저년을 이걸 죽이나, 이걸 어쩌나" 하며 어쩔 줄을 모르다가 또 뛰어나갔다. 그의 행동은 마치 자기의 처가 부정한 행동을 한 것을 현장에서 드러낸 것이나 다를 것이 없었다.

나는 그가 나간 뒤 그를 쫓아나가 앞집을 흘끔 들여다보았더니 거기에는 국밥 먹으로 온 술주정꾼이 그 여편네의 손목을 끌며 주정하는 중이었다.

강덕 3년 5월

출처: 『북향』 동인지, 1936.8.

김광주

野鷄
—이쁜이의 편지—

명숙아! 이렇게 부르는 것이 너의 귀에 거슬리거든 용서해라. 물론 며칠만 있으면 남의 부인이 될 너에게 이렇게 자지러지게 '해라'를 하는 것이 예가 아닌 것쯤은 나도 모르는 바는 아니다. 하지만 옛날에 너와 나의 지내던 일을 생각하면 나는 전에 부르던 그대로 이렇게 부르는 것이 더 정답다고 생각했기 때문이다.

아니, 얼마 안 되면 남의 착실한 부인이 되어 남편을 거느릴 너를 인제는 하느님의 도움이나 있어야지 그렇지 못하면 죽기 전에 다시 보지 못하리라는 생각을 할 때 있는 목소리를 다해 너를 불러보고 싶은 간절한 충동을 어찌할 수 없구나.

상해로 신혼여행을 떠날 작정이니 부두까지 마중 나올 것은 말할 것도 없고 약 삼 주일 예정이니 두루두루 구경을 잘하도록 안내를 해달라는 너의 편지, 등기라는 붉은 도장이 나를 비웃는 듯이 내 이름자 한복판에 보기 좋게 찍혀있더구나.

그 편지가 산산조각으로 찢어져서 값싼 분 냄새와 향수 냄새에 젖은 내 방 한구석에 흩어져있다는 사실을 들을 때 너는 놀라움과 불쾌함을 갖겠지. 또 의리 없는 동무를 나무랄 테지. 심지어 남편 될 이에게 언제나 이슬 머금은 아침 꽃같이 예쁘게 보여야 할 그 귀중한 얼굴에 핏대를 올려가지고 괘씸한 년이라고 나를 욕할 것이야. 혹은 내가 너에게 한 것과 같이 이 편지를 쳐다 보기 전에 찢어서 쓰레기통에 던져버릴지도 모를 일이다.

그렇다! 나는 너의 동무 될 자격을 잃은 지도 오래고 괘씸한 년이라는 소리 들어도 마땅한 몸이다.

그러나 명숙아! 원컨대 이 불쾌한 편지나마 옛날의 정리를 생각해서 끝까지 읽어다오. 이것은 내가 너에게 주는 마지막 편지일뿐더러 아마 내가 이 세상에서 붓대를 잡는 마지막 길도 될 것이다.

너의 부부가 일생을 통해 가장 즐겁다는 그 신혼여행의 목적지를 허다한 명승지와 풍경 좋은 곳을 제쳐놓고 하필 상해로 결정했다는 그 동기야 내 물을 바가 아니요, 알 수도 없는 일지만 나에게는 이보다 더 큰 공교로움과 비웃음이 어디 있겠니? 신혼여행의 즐거운 몇 주일을 황해바다의 시원한 바람을 쏘이고 이국정조를 즐기기 위하여 상해로 여행을 떠나기로서니 이 한 평범한 사실이 너에게 무슨 공교로움과 비웃음이 되느냐고? 그것은 당연한 말이다.

그러나 나는 어젯밤에 너의 편지를 받고 이 커다란 인생의 공교로움을 어떻게 해석해야 좋을지 몰라 방문을 굳게 닫아걸고 날이 새도록 울었다. 남의 신혼여행 편지를 받고 그것이 샘이 나서 울었다면 이 얼마나 우습고 어리석은 일이냐? 그러나 값싼 분을 더덕더덕 바르고 두 볼과 입술을 홍당무같이 물들인 내 얼굴, 뭇놈의 입김에 시달릴 대로 시달린 이 썩어가는 내 얼굴이 세간이라고는 하나밖에 없는 이지러진 체경 속에 비칠 때 걷잡을 새 없이 좍좍 흐르는 눈물을 무엇으로 막을 수 있었으랴! 여류 성악가라는 사회적 지위, 그리고 취미가 음악가, 미국을 갓 나온 젊은 피아니스트를 남편으로 삼는 즐거움, 미래에 이루어질 아름다운 가정의 아기자기한 꿈으로 터질 듯한 가슴을 부둥켜안고 희망을 계획으로 잠 못 이루는 너에게는 나의 이런 모든 소리가 두서를 찾을 길 없고 도무지 까닭 모를 일일 게다.

그리고 나의 이 편지를 받기 전까지도 너는 상해부두에 너의 부부를 태운 평안환(平安丸)이 닿을 때 손짓하며 맞이하고 서있는 한 여자 대학생— 한 마을 한 고향에서 콧물을 졸졸 흘릴 때부터 같이 자란 친한 동무— 나의 그림자를 즐거움에 미여질 듯한 그 복잡한 머리 어느 구석에인지 그려보았을 것이다.

그러나 명숙아! 내가 상해의 어느 여자대학 영문과에서 문학을 연구하고 있다는 것은 멀쩡한 거짓말이다. 놀라지 말아라.

나는 밤쥐와 같이 낮에는 잠자고 밤이 깊어 온 세상 사람들이 단잠을 이룰 때면 회박을 뒤집어 쓴 것같이 진한 분때문에 윤곽조차 비틀어진 것 같은 기괴망측한 얼굴에 음탕한 웃음을 짓고 상해의 한복판에 저 '따스가(大世界)' 뒷골목에 출발하여 오고 가는 행인의 팔목을 지근거려 하룻밤의 고깃덩이 임자를 낚시질하는 신세다. 온 세상 사람들이 천하다 더럽다 침 뱉고 손가락질하는 '얘지(野鷄)'가 되어버린 것이다.

아버님과 어머님의 따뜻한 사랑 속에서 무남독녀 외동딸로 자라난 너, 그야말로 금지옥엽같이 세상근심을 모르고 자라나 앞날에도 평화한 가정의 어머니가 될 너는 얘지라는 것이 무슨 말인지도 모를 것이고 또 네가 어디서인지 주소를 알고 서로 떨어진지 이 년 만에 편지로 나의 생활을 물었을 때 서슴지 않고 대학에서 문학을 전공하고 있다고 회답을 한 나의 심리를 이상히 여길 것이다. 그러면 나는 일종의 허영심으로 너를 속여 왔던가? 그렇지 않으면 스스로 제 생활이 부끄러워서 그랬던가? 나는 이왕 붓을 든 김이니 정신을 가다듬고 좀 더 자세히 써내려가련다. 동무의 결혼통지를 받고 이런 읽기 좋지 않은 편지를 준다는 것이 나의 본의가 아니지만 나는 이상 더 너를 속이고는 정말 괴로움을 참을 수가 없다. 즐거운 결혼날을 며칠 앞두고 한 동무의 너절한 인생을 보고를 접한다는 불행을 과히 피하려 하지 말고 끝까지 눈을 옮겨주기 바란다.

명숙아!

너의 집이 언제 서울로 솔가를 했던지는 모르지만 너는 아직까지도 우리들이 자라난 저 밤나무골을 저버리는 않았겠지. 낮에도 어두우리만치 밤나무가 빽빽하게 들어선 너의 집 뒷산. 가을이면 너와 나는 치맛자락에 한 아름씩 채 영글지도 않은 풋밤을 따가지고 너의 집 뒤뜰에서 소꿉질을 하지 않았었니? 그때부터 벌써 너는 부잣집 딸의 심술궂은 성미를 가졌고 나는 언제나 너에게 할큄을 받았었지. 밤을 딸 때나 나물을 캐러 갈 때나 시시덕거리고 곧잘 놀다가도 하찮은 일에 트집을 잡는 너에게 머리를 끄잡히고 볼따구니를 할퀴우곤 했지. 집에 돌아가면 도리어 엄마에게 핀잔을 맞는 날이 한 달에도 몇 번씩이었지. 어릴 때 일이지만 나는 지금 때때로 우리 어머님이 하시던 꾸지람이 생각날 때가 있다.

"이런 변변치 못한 년아, 왜 남에게 얻어맞고 남이 부끄럽게 우는 거야!"

너의 집 밤나무 산을 끼고도는 맑은 시내, 그 시내를 징검다리로 건너서면 그리 높지 않은 고개가 셋.

어깨동무를 하고 이 고개를 하나, 둘, 셋 헤면서 넘어가 가끔 구장집 검둥이란 놈이 튀어나와 어린 우리들을 놀래우던 그 방앗간을 지나서 보통학교에 다닐 때 그때 벌써 우리들의 싸움은 우정으로 변했고 무엇이든지 맛난 음식을 가지면 서로 나눠먹을 줄 알았지.

명숙아!

그때가 언제였니? 아마 보통학교 삼 학년 때였을 거야. 원족 갈 날을 앞두고 조 섞인 밥으로 도시락을 싸놓고도 넣어갖고 갈 반찬이 없어서 애꿎은 엄마만 조르고 있을 때 너는 너의 어머니 몰래 행주치마 옆자락에 장조림을 한 보시기 끼고 와서 쓰러져가는 우리 집 싸리 울타리를 흔들면서 "이쁜아, 이쁜아." 하고 나를 부르지 않았니?

그때 부드럽던 네 음성, 정말 너와 나는 친형제 부럽지 않게 자라났지. 하기야 너의 집은 밤나무 골에서 단지 하나밖에 없는 기와집이었고 우리 집은 토담과 싸리 울타리로 간신히 아니 들여다보이지 않게 된 오막살이……

동리 사람들이 호랑이같이 무서워하고 송충이같이 싫어하는 텁석부리 너의 아버지가 일 년 열두 달 가야 우리 집 울타리 안을 들여다보는 일이란 없었고 어려서부터 아버지의 얼굴도 모르고 자라난 내가 정말 아버지보다 더 어려워하는 우리 오빠도 왜 그런지 너의 집 대문 앞을 지나다니기를 그다지 좋아하질 않았어. 허지만 너와 나는 도리어 이런 일에는 무관심하였고 우리 집은 예날 조상 때부터 가난한 집안인고로 너의 집과는 서로 왕래를 않거니 그저 그렇거니 하는 생각뿐이었지.

하여튼 부잣집 맏며느리감이라고 동리 사람들이 탐내던 너, 머리채가 탐스럽지 못하다고 언제나 치렁치렁 땋아내린 내 검은 머리를 탐내었지. 그래도 오동통한 두 볼에는 언제나 복스러운 귀염성이 흐르던 너.

학교에서 집으로 돌아오는 길이면 논두렁에서 모를 가꾸는 더꺼머리 총각들과 상투잡이 머슴 녀석들에게 "아주…… 이쁜이란 년…… 시치미를 딱 떼고…… 얘, 이리 고개 좀 돌리렴…… 허리가 바로 양금채 같구나…… 인제는 엉간히 익었어 익은 걸…… 뉘 집 민며느리로 가련?" 하는 놀림을 받을 만큼 호리호리한 키의 나. 강냉이수제비와 조밥에 비록 혈색은 너만 못했지만 그래도 사람 좋은 구장영감에게 늘 이쁜이 이쁜이 하고 친딸같이 귀염을 받았었지. 정말 너와 나는 이 조그마한 밤나무 골의 고명딸이 아니었니?

그러나 우리들이 보통학교를 졸업하던 해 부모네들끼리야 어찌되었든 그런 것은 전혀 모르고 손톱만한 숨김도 거리낌도 없이 자라난 우리들의 대나무 순같이 보드랍고 깨끗한 감정을 망가뜨려 버리려는 의외의 사실이 생겼지. 너는 이런 사소한 일을 지금쯤은 깨끗이 잊어버렸을 게다. 그렇지만 나에게 있어서는 아마 죽기 전날까지는 가슴 한구석에 뭉클하게 맺혀있을 게다. 잊어버려지질 않는다. 그날이 바로 우리가 보통학교를 졸업한 뒤 처음으로 너의 집 앞마당 우물가에 언제나 음침한 늙은이처럼 꼼짝 안하고 서있는 굵은 느티나무 밑에서 만난 날이었지. 점심을 먹고 나서 학교 동네로 수놓을 실을 사러 가니 같이 가자고 네가 약속한 날이기도 했지. 나는 부리나케 집으로 돌아가서 상을 들고 우리 오빠 방으로 들어갔지. 다른 날 같으면 웃는 낯으로 나를 대할 우리 오빠가 그날은 웬 일인지 이맛살을 잔뜩 찌푸리고 평상시에도 열기가 대록대록한 그의 두 눈이 그야말로 사람의 가슴을 뚫고 들여다보는 듯이 매섭더구나. 급기야 밥상을 받아놓고는 숟갈을 들 생각도 없이 "너 이제부터는 명숙이하고 너무 가깝게 지내지 말아." 하는구나. 오빠는 자초지종을 이야기하였지. 그것은 우리 돌아가신 친할머니가 너의 아버지가 어렸을 때 너의 집 종노릇을 하였다는 것과 종의 자식과 너무 가깝게 지낸다는 까닭으로 어젯밤에 네가 밤새도록 꾸지람을 들었다는 사실이었다. 이 한 사소한 사실이 어린 내 가슴을 치는 힘은 도리어 컸다. 상전의 자식이 종의 자식과 친하게 지내오기로서니 내가 개나 돼지라면 모르거니와 다 같이 어렸을 때부터 싸움질을 하며 자라난 우리가 장성한 뒤 친하게 지내기로 무엇이 잘못이란 말이냐? 어린 소견에도 그때 나는 퍽 분하였다. 당장이라도 너의 집으로 뛰어가서 너의 아버지에게 친하게 지내서는 안 되는 까닭을 캐고도 싶었다. 그러나 전날 밤 집안에서 꾸중을 듣고도 이튿날 나를 대할 때 손톱만치도 그런 기색이 없는 너의 너그러운 마음을 생각할 때 나도 이런 일을 구태여 너에게 들려주고 싶질 않았다. 그때 이 일보다도 더한층 어린 내 맘을 아프게 하는 것은 보통학교를 첫째로 졸업을 하고도 서울학교에 갈 수 없다는 기막힌 사정이었다. 네가 며칠 안 있으면 여학교 입학시험을 치르러 서울로 간다는 말을 들었을 때 나는 밥 먹을 것도 저버리다시피 하고 방 속에 드러누워서 이틀 동안이나 울음으로 날을 보낸 것을 너는 생각하겠지.

중학교 사학년 되던 해에 남의 밭 마지기를 얻어 억지로 아들의 공부 뒤를 들던 아버지가 그리 중하지도 않은 병에 약을 잘못 쓴 까닭으로 세상을 떠나자 문학가가 된다던 터무니없는 희망도 걷어 차버리고 구장영감의 호의로 면사무소의 직원이 되어 몇 푼 안 되는 월급에 목을 매고 남 같으면 공부에 열중할 시기에 허덕허덕 하던 우리 오빠, 그보고 서울로 공부를 보내달라는 것이 도저히 될 수 없는 일이라는 것을 나는 잘 알고 있었기 때문이다. 누이동생이 우는 것을 알고도 안타까운 얼굴빛 이외에는 이렇다 저렇다 말이 없는 우리 오빠가 어느 날 밤에 나를 불러 앉히고 앞머리를 쓰다듬어 올려주면서 하던 말.

"오냐, 그렇게 정 하고 싶다면 가보아라! 내 담뱃값과 잡지, 신문 사보는 돈을 절약해서라도 학비는 댈 터이니 그 대신 너는 남에게 져서는 안 된다. 내가 공부를 마치지 못한 대신 너는 꼭 성공해야 한다. 종의 자식이라는 아니꼬운 소리를 들은 생각을 하더라도 명숙이한테 져서는 안 돼. 명숙이와 같이 고운 치마를 못 입고 고운 신발을 못 신는 것은 부끄러워하지 말고 이를 악물고 공부로 이길 생각을 해야 한다. 돈으로 지는 것은 떳떳한 일이지마는 사람으로 져서는 부끄러운 일이 아니냐!"

말을 채 마치지도 못하고 두 주먹을 힘껏 부르쥐면서 나의 얼굴을 쏘듯이 노려보던 그때 우리 오빠의 눈초리. 아! 그것을 생각하면 지금이라도 이 더러운 몸을 잘 드는 칼로 쪼각쪼각 져며 버리고 싶구나. 이렇게 우리 오빠의 남에게 지기 싫다는 꼿꼿한 마음 때문에 나는 또다시 너와 같이 서울 S여학교에 기차통학을 하게 되었지. 아침저녁으로 십 리 길을 족히 되는 산길을 걸어 눈이 오나 비가 오나 차 시간을 놓칠까봐 겁내며 종종걸음으로 정거장까지 걸어가고 걸어오던 그때 이야기를 다 쓰자면 한이 없겠지.

하여튼 너와 나는 밤나무 골에서 처음으로 서울공부를 보낸 고명딸이었지. 그때부터 너는 집에 돌아갈 기차시간을 가끔 놓치다시피 피아노를 둥당거리기에 미쳤었고 나는 작문선생이 시간마다 글 잘 짓는다고 너무 추켜 세워준 탓도 있지만 여류 작가가 되어 조선 천지에 이름을 떨치겠다는 철없고 엉뚱한 야심을 품고 공부시간을 도적질을 해가면서 소설책을 읽기에 골몰했지.

그러나 모든 것은 꿈이었나봐.

나의 세상모르는 어린 희망은 모두 물거품같이 사라져버리고 기괴한 운명이 나를 희롱하려고 입을 딱 벌리고 덤벼들기 시작했어.

이년급에 진급한 나를 부둥켜안고 눈물을 흘리다시피 즐거움을 어찌할 줄 모르던 우리 오빠, 동리에서 어려서부터 글씨 잘 쓰고 공부 잘한다고 칭찬으로 자라난 우리 오빠, 그가 밥벌이를 잃고 자리에 누워 시름시름 앓게 되었다. 이내 일어나지를 못하고 세상을 떠날 줄이야 귀신이 아닌 다음에는 어찌 꿈엔들 생각했겠니? 말하자면 우리 오빠는 면사무소 직원 같은 일을 충실히 하기에는 그리 적당하질 않은 사람이었어. 남에게 아첨하기를 죽기보다 싫어하는 그가 우리 동리에서 뚱뚱하기로 유명한 그 부면장(付面長)—면서기로서 부면장까지 승급된 것을 하늘의 별 딴 것 같이 장히 여기고 안하무인으로 제가 쎈 척 뽐내는 그 부면장— 그 영감의 눈 밖에 난 것은 세상에 너무나 뻔한 일이 아니냐? 더구나 직원들과 윗마을 강습소 선생들을 모아가지고 독서회인가 무엇을 만들고 동리를 소란케 하였다는 데야 더 길게 말할 것이 있니? 오빠는 면사무소에 도시락을 싸들고 다니게 되던 그날부터 노래 잘하고 동화(童話)하기 좋아하던 그 명랑 쾌활한 성격이 완전히 변해졌어. 꿀 먹은 벙어리 모양으로 집안 식구들과 말하기도 싫어하고 어두컴컴한 건넛 방 구석에서 책상과 씨름을 하거나 그렇지 않으면 일없이 하늘을 쳐다보며 뒷짐을 지고 묵묵히 문 앞을 거닐던 우리 오빠. 그가 죽기 전에 흐릿한 정신 속에서 헛소리를 치던 뼈에 사무치는 소리.

"져…… 져서는 안 된다. 돈으로 지는 것은 떠…… 떳떳하지만…… 사람 으로 지…… 지는 것은……"

의사는 장질부사니 뭐니 했건만…… 죽은 뒤에 무슨 일인지는 알 수 없지 만 우리 오빠가 부면장에게 앙가슴을 발길에 몹시 채웠다는 놀라운 사실을 발견했던 것이다. 억울하게 세상을 떠난 오빠, 살려고 바득바득 애를 쓰던 우리 오빠, 그의 죽음이 나에게 남겨준 것은 사람의 살림살이란 악착스런 것 이라는 무서운 사실이었다.

이렇게 되고 보니 너와 나는 엎어지면 코 닿을 데에 있으면서도 완전히 딴 세상 사람이 될 수밖에 없었지. 너는 그때 피아노와 서울의 신기한 재미 에 붙들렸지. 집에 돌아올 기차시간을 놓쳤다는 핑계로 서울서 묵어버리는 날이 한 달에도 대여섯 차례씩 되었지. 나는 그 좋아하던 서울학교를 2년이 채 되기도 전에 걷어치우고 사립문을 굳게 닫아걸고 눈물로 날을 보내게 되 었고.

명숙아!

이것을 단지 너와 난의 타고난 팔자로만 돌려야 옳단 말이냐?

그 후에 내가 언제 어떻게 밤나무골을 떠났는지 너는 마을 사람들의 풍설 이외는 자세히 모를 것이다. 나는 무슨 짓을 해서라도 죽은 오빠를 대신하여 오십이 멀지 않으신 어머님을 봉양하려 했다. 그러나 내 나이 열여섯 살, 세 상물정이라고는 얘기로 들은 것밖에 모르는 내가 어떻게 닥쳐오는 운명과 싸울 수가 있었겠니?

세상살이가 그악스러워지면 사람의 착한 마음도 변하나보더라. 오빠가 돌아간 지 두 달이 될까 말까할 때였어. 나는 유달리 등을 어루만지면서 귀여워해주던 그 구장영감이 나더러 부면장의 첩으로 들어가라고 뚜쟁이처럼 매일같이 우리 집을 드나들며 어머님을 조르게 될 줄을 누가 또 알았겠니?

나는 그제야 우리 오빠가 병들어 죽은 까닭을 뚜렷하게 짐작할 수 있었다. 생각만 해도 치가 떨리는 그 부면장의 얼굴. 그러나 마음 약하신 우리 어머니, 가난에 쪼들린 우리 어머니는 내가 첩으로 들어가기만 하면 새로 살림 배치를 해주고 밭 마지기 논 마지기 얼마든지 평생 먹고 살 것을 준다는 바람에 딸의 덕에 호강이나 해보자는 생각이었나 봐. 나를 달랬다가 울렸다가 하면서 조르시는구나. 우리 오빠를 생각한들 내가 그놈에게로 시집을 가서 하루 세 끼 밥에 목을 매고 첩 노릇을 하랴. 나는 죽기를 맹세하고 대답을 안 했다. 바로 이때였어. 술과 오입과 갖은 망나니를 다 부리다가 5년 전에 할 수 없이 밤나무 골을 떠나 만주로 달아났던 우리 삼촌이 편지를 했더구나. 우리 모녀를 오라고 하더니 마지막 편지에는 육십 원이 되는 여비를 부쳐주며 자기는 전자의 모든 잘못을 뉘우치고 지금은 농사를 지어 그럭저럭 살아가며 그곳에 조선 사람이 경영하는 조그마한 사립유치원이 있으니 거기서 아이들을 데리고 창가나 하루 몇 시간씩 가르쳐주면 어머님 한 분쯤은 아무 걱정도 없을 테니 꼭 떠나오라는 것이었다. 물에 빠진 사람은 지푸라기라도 매어달리고 싶다는 격으로 그때의 나는 전후를 돌아다볼 마음의 여유가 없었다. 부면장 영감의 손아귀를 벗어날 수만 있다면 죽기를 사양치 않고 달아나고 싶은 판이었으니까.

그러나 명숙아!

이 또한 얼마나 소설과 같이 남이 들으면 믿어지지 않는 기구한 나의 운명이었으랴. 그래도 그때만 해도 제 고향에서 살지 못하고 간다는 부끄러움에 야간도주를 하다시피 정든 밤나무골을 떠나버리지 않았겠니?

서울로 공부를 다닐 때는 어린 처녀의 이슬같이 빛나는 영롱한 희망을 안고 달음질치던 기차가 그때에는 목 메인 소리로 기적을 울리고 정거장을 천천히 뒤로 할 때 대여섯 개의 불이 멀리서 깜박이는 밤나무 골을 유리창으로 내다보다가 서로 부둥켜안고 북받쳐 오르는 눈물을 참지 못하던 우리 모녀의 정경, 그것을 내 이 둔한 붓으로 어찌 여기다 다 쓸 수가 있겠니?

돈, 더러운 돈 앞에는 피와 살을 나눈 형제도 소용이 없나보더구나.

아무리 망나니라지만 우리 삼촌이 나를 데려다가 되놈에게나 팔아먹자는 흉계를 꾸미고 있는 줄이야 당해보지 않은 사람은 거짓말이라고 믿지도 않겠지만 나는 감쪽같이 속아서 이 거친 땅까지 끌려왔구나. 길림서 성 밖으로 삼사십 리 되는 '따란툰(大藍屯)'이라는 곳인데 유치원이란 다 무어 말라죽은 게냐? 농사를 짓다짓다 안되면 악에 받쳐 아편장사, 그도 맘대로 안 되면 남의 집 유부녀와 처녀를 꼬여 내가지고 계집장사, 만주로 용 뿔이나 뺄 것 같이 나온 사람들의 말로가 모두 이렇더구나.

이런 눈치를 채고 몸을 빼려 할 때는 벌써 늦었다. 이런 바닥에서 굴러먹은 삼촌의 교묘한 수단을 말 한마디 통하지 못하는 내가 피할 길이 무엇이었겠니? 나는 돈 앞에 눈깔이 뒤집힌 우리 삼촌을 저주한다.

이 땅에서는 억울히 죽는 것도 죄 없는 백성뿐이었다. 토비를 칩네 공산군을 칩네 하고 밤낮 싸움질이요, 그런 싸움질이 한번 일어날 때마다 깨끗한 몸에 씻기 어려운 흠집을 받거나 그렇지 않으면 목숨조차 건지지 못하는 여자가 얼마나 많았겠니?

에그! 생각만 해도 이가 마주치고 소름이 끼치는 그날 새벽!

돌과 흙으로 담이라고 하나를 의지하고 장판도 없는 흙바닥에 돗자리를 하나 펴고 나란히 드러누워서 단잠이 든 어머니와 나. 난데없이 일어난 콩 볶는 듯한 총소리에 에구머니 소리를 치고 내가 눈을 떴을 때 옆에 누웠던 어머니는 벌써 간 곳이 없고 바위 같은 사나이의 앙가슴이 내 몸을 누르고 있지 않겠니?

명숙아! 네가 멀지 않아 한 남편을 위하여 고이 간직했다가 바치는 그 생명 같은 정조! 사나이에게 손찌검 한 번 받아본 일도 없는 내 몸, 내 깨끗한 몸은 이렇게 억울하게 호랑이의 아가리에 먹혀버리고 말았구나. 그때 고깃덩이를 발견한 굶주린 사자같이 씩씩거리던 그 자식의 숨소리, 그리고 머리 우에 얹힌 군모 한복판에 달렸던 청천백일의 마크, 지금도 그것을 생각하면 입 안에서 신물이 돌 지경이다.

하늘이 착한 사람을 돕는다는 것은 새빨간 거짓말이다. 이 싸움 속에서도 우리 삼촌은 죽지 않고 어머님만이 손수건으로 입을 틀어 막힌 채 영영 눈을 감고 말다니.

아차! 나는 가슴에 북받치는 내 설움만 생각하고 행복된 결혼을 앞둔 너에게 이런 악착스럽고 소름끼치는 애기를 해주었구나. 지긋지긋한 애기를 더 쓴들 무슨 소용이 있으랴.

이렇게 되고 보니 둘러치나 모로 치나 몸을 더럽히기는 마찬가지가 아니냐? 나는 될 대로 되라고 내 몸을 던졌다. 도적 같은 삼촌은 힘 안 들이고 목적을 달성했고 나는 만주바닥을 구르고 굴러서 상해까지 흘러왔다.

곱게 곱게 북돋은 깨끗한 몸을 사랑하는 남편을 위하여 바칠 너는 이 이쁜이를 개나 돼지만도 못한 인생이라고 욕하겠지? 당연한 일이다. 침이라도 뱉어다오.

돌아보면 상해로 온지도 벌써 일 년 하고도 열 달. 그동안 나는 몇 번이나 이 악마 굴을 벗어나려고 애썼으나 그러면 그럴수록 내 몸만 아프고 괴롭다는 걸 깨달았을 때 나는 영리해졌다.

우리 집에는 나 외에도 중국 여자가 셋, 나와 같은 조선 여자가 하나, 모두 다섯 여자의 고깃덩어리가 아귀같이 그악스럽고 심술궂은 포주 영감과 마누라의 배를 불리느라고 썩고 또 썩는다.

아! 나의 청춘은 이렇게 이렇게 좀먹어 들어가고 있다. 언제 사랑하는 사람의 가슴을 부둥켜안고 고이 눈을 감고 인생을 즐길 수 있으랴.

생각하면 금방 방성통곡을 해도 시원찮을 내 신세, 그러나 나는 도리어 껄껄 웃을 때가 있다. 웃지 않고 술과 담배를 입에 안 대고 어찌 이 세상을, 어지러운 세상 꼴을 보랴.

사람이란 매달고 치면 맞았지 별 수가 없더라. 처음에는 우리가 도주를 할까 겁을 내어 이곳 말고 '냥이(娘姨)'라는 감옥소의 간수와 같은 어멈이 한 사람 앞에 하나씩 붙어있었지. 시간이 늦었다고 어서 어떤 놈이든지 물어가지고 집으로 가자고 꼬집고 쥐어 박도 하지만 어디 차마 코빼기도 모르는 길 가는 남자를 건드릴 수가 있더냐? 아! 나의 넓적다리와 등덜미에 시퍼렇게 든 멍. 그러나 지금은 마음만 내키면 하룻밤에 한 놈쯤 물어들이기는 드러누워 팥떡 먹기보다도 쉬운 일이다. 넓은 상해 천지 으슥한 골목이면 어디를 물론하고 출몰하는 수백 수천의 우리 얘지떼.

'얘지'란 말이 어디서 나온 건지 내 알 수야 있겠니? 아마 넓은 들을 싸지르는 닭떼와 같대서 하는 말인지도 모르지. 우리는 밤 열한시만 넘으면 총본부인 '따스가(大世界)' 로터리를 중심으로 하여 줄을 지어 늘어선다. 그렇지 않으면 정말 넓은 들을 싸지르는 닭의 떼같이 놀이터란 데는 모조리 돌아다니면서 물건을 흥정하듯이 내 몸을 어떤 놈에게 내던진다. 애꾸눈이든 언청이든 입비뚜렁이든 그런 것은 우리 세상에서는 관계가 없다. 그의 주머니에 일 원짜리 지전이 두어서너 장만 들어있다면 말야. 그러나 우리들에겐 한 가지 법칙이 있다. 그것은 양복쟁이는 건드리지 말라는 것이다. 왜 그런고 하니 내 양복쟁이 치고 주머니에 전당표 없는 녀석을 별로 못 봤다. 천둥벌거숭이같이 머리에 기름을 자르르 흐르게 바르신 매끈한 서방님 네보다 구지레한 중복 두루마기를 질질 끄는 어수룩한 시골 영감쟁이 같은 것이 매일 밤마다 우리 낚싯대에 걸리겠니? 알깍쟁이 같은 녀석들을 녹여먹자니 자연 음침 맞은 추파를 배웠고 간사스런 웃음을 배웠다. 멀쩡한 코까지 찡긋거릴 줄 알게 되고…… 우리는 어떤 땐 일부러 얌전하신 서방님, 양복을 말쑥하게 차려입고 책권이나 옆에 끼고 단장을 흐느적거리며 지나가는 서방님들을 건드려볼 때가 있다. 연지로 물들인 두 볼에 얼른 웃음을 짓고 몸을 비비꼬며 눈을 찡긋하면서 옆구리를 쿡 찌르던지 소매를 지근거리면 그의 하는 말.

"이건 왜 이래? 점잖지 못하게…… 길 가는 사람을 붙들고."

"흥! 하나님맙쇼! 당신이 점잖으신 집 서방님인줄은 알았소이다. 그러나 나도 점잖은 집 고명딸이었다우."

나는 이렇게 코웃음을 칠 줄도 안다.

어떤 때는 배짱이 틀리면 심사가 나서 거리 저편 유리같이 반드러운 옆길로 자기 아내를 한옆에 끼고 밤산보를 나온 서방님을, 번연히 그의 옆에 어여쁜 아내가 따르고 있는 것을 알면서 시치미를 떼고 옆구리를 쿡 찌른다.

"밤도 늦었는데 웬만하면 같이 놀러 가시죠!" 하면 그 아내 되는 여자의 팔팔 뛰는 꼴이란 금시에 자기 남편을 누가 업어가는 것처럼 발을 동동 구르고 "이게 눈이 삐었나! 영업을 해먹어도 똑바로 보고나 해먹어!" 하면서 악을 쓰지.

"알았소이다. 그 남자가 당신의 남편인줄! 그러나 당신은 혹시 어려서부터 사랑하던 애인을 박차버리고 일생을 잘 입혀주고 잘 먹여준다는 조건 때문에 그 남자와 결혼을 하시지나 않았소?"

나의 뱃속에서는 이렇게 코웃음을 친다. 이것은 한 가지의 야유다. 야유 인줄을 알면서도 하지 않고는 못 견디는 나다. 사내자식들이란 모두 똑같아. 어여쁜 여자가 지근거리면 속으로는 그다지 싫지도 않으면서 심지어 침을 깨― 흘릴 지경인데도 아주 공연히 아래턱을 쓰다듬으며 잡아떼는 아니꼬운 꼴이지. 사람이면 한 꺼풀 벗기면 모두 똑같은 음침 맞은 동물이야.

이만하면 현명한 너는 모든 것을 잘 미루어 알겠지?

공연한 잔소리가 길어졌구나. 보기에 얼마나 지루하랴. 그러나 이왕 붓을 든 김이니 마지막으로 우스운 소리나 하나 더 하고 끝을 맺기로 하자.

그때가 언제였던가. 옳아! 내가 상해로 온 지 두 달이 될락말락 한 때였다. 나는 영문도 모르고 양복쟁이를 하나 물어들이지 않았겠니? 보아하니 옷은 그리 잘 입지는 못했을망정 열기가 대록대록한 눈이라든지 맵시 있게 다문 입이라든지 어디로 보든지 똑똑하게 생겼더라. 물론 중국 사람이지. 나이는 아마 스물일곱이나 여덟은 되었을까? 한옆에 책을 대여섯 권이나 끼고 얼빠진 사람같이 번잡한 사람 틈을 왔다 갔다 하기에 이게 어디서 굴러들어온 호박인가 하고 슬쩍 건드려봤겠지. 쓰다 달다 잔소리 한 마디 없이 내 뒤를 따라오더라. 주인마누라가 눈살을 찌푸리는 것도 못 본 체하고 방으로 끌고 들어갔지. 우선 오 원짜리 지전을 받아서 주인마누라에게 넘기고 자리를 잡지 않았겠니? 그런데 이 녀석이 마치 신부 방에 처음 들어온 초립동이 신랑 모양으로 한참이나 방안을 두리번두리번하고 도무지 말이 없어. 총각인지 아닌지는 몰라도 생전 여자라곤 가까이 못 해봤나봐. 가까스로 내가 말문을 터지게 해놓았더니 그제야 이야기가 나오는 게야. 자기는 이곳에서 자려고 온 것이 아니고 우리들의 생활을 보고 듣고 싶어서 왔으며 조금도 성가시게 굴지 않을 테니 안심하고 이야기나 자세히 해달라는 거야. 그제야 나는 그가 소설을 쓰는 사람인줄을 알고 나란히 드러누워 자초지종 지낸 이야기를 하나도 안 빼놓고 다 해줬지. 정말 동정하는 듯 무슨 큰 재료나 생긴 듯이 가끔씩 "허! 그것 참!" 하면서 듣고 있더라. 새벽녘에 돌아갈 때 고맙다는 치하를 그야말로 코가 땅에 닿도록 하고 가더라. 그래 문 밖까지 나가서 그를 보내놓고 막 들어오니까 집안에서는 법석이 났더구나. 다른 것이 아니라 내가 받은 돈을 가지고 담배를 사러 갔던 하인이 그 돈을 못 쓰고 도로 가지고 온 것이다. 그 돈이 가짜 지전이었다.

이런 우스운 일이 세상에 있단 말이냐? 내 상해에 가짜 돈이 많다는 말을 들었으나 어느게 어느겐지 알아낼 수가 있었겠니? 돈을 받을 때도 모르고 하룻밤을 재웠다가 야단을 하는 자기의 미련함도 모르고 주인마누라는 애꿎은 나만 가지고 주리를 트는구나. 어려서부터 동리 사람들이 탐스럽다고 하던 내 머리채가 남의 손에 휘어 잡혀 보기는 아마 이때가 처음일 게다. 하도 기가 막히고 우습기도 하고 억울하기도 해서 나는 하루 종일 목을 놓고 울었다.

내 그저 그 녀석이 왜 그런지 멈칫멈칫하고 내 몸에 손을 못 대고 어색하게 놀더라니. 필연코 곡절이 있는 거야. 그러나 돈 없고 계집 구경은 하고 싶고 해서 일부러 가짜 돈을 가지고 나를 속였던 건지? 혹은 정말로 우리들의 생활을 알고 싶어서 잘못 받아가지고 왔는지? 그야 알 수 없지만 나를 속인 세상이 그르단 말이냐? 속은 내가 그르단 말이냐?

이 년이나 되는 동안에 기막힌 일이 왜 이것뿐이겠니? 밤도 깊으니 이만큼 해두자.

유리창 아래로 내려다보이는 상해의 밤, 미칠 듯이 돌아가는 저 붉은 불 푸른 불, 개미떼같이 몰려들었다가 흩어지고 흩어졌다 몰려드는 저 사람의 물결을 헤치고 나는 또 오늘밤의 고기임자를 찾아나가야 하는 것이다.

명숙아!

나의 몸은 썩을 대로 썩고 짓밟힐 대로 짓밟혔다. 그러나 우리 오빠가 눈을 감기 전까지도 외마디 소리를 지르던 그 말은 죽기 전까지는 저버리지 않겠다.

"져…… 져서는 안 된다. 돈으로 지…… 지는 것은 떳 떳하지만…… 사람으로 지…… 지는 것은 ……"

너에게서 처음으로 편지를 받을 때 "흥! 그래도 조카딸년을 팔아먹고는 양심에 걸렸던 모양이지. 그 망나니 삼촌이 나를 상해로 유학을 보냈다고 조선까지 기어들어가 떠들고 다닐 때는……" 하며 네 편지를 한 자 한 자 읽어 내려갔다. 그때에도 눈물이 어린 내 눈 앞에 어른거리는 것은 우리 오빠의 노기 가득 찬 얼굴이었다. 귀를 찌르는 것도 오빠의 말이었다.

오빠! 내 오빠를 생각할 때 나는 돌아볼 생각도 없이 대학에서 영문학을 연구하고 있다고 회답을 썼던 게다.

"명숙이가 돈 많고 세력 좋아 성악가가 되어서 떠들거든 너는 붓대를 들고 세상 사람들을 울리고 웃기고 해서 이름을 날리지 걱정이냐?" 하면서 내 등을 두드려주던 오빠. 그의 무덤에는 풀이 얼마나 무성하였을까? 그러나 나는 이 편지를 마지막으로 세상의 누구에게도 내 사정을 호소하거나 애원하지는 않을 것이다. 나는 나는 반드시 원수를 갚고야 말겠다. 돈 오백 원에 오 년 동안 어떤 놈이든지 상대해주어야 한다는 조건이었으니 아직도 삼 년. 이 긴 세월을 이렇게 지내다가는 나는 뼈만 남고 말 것이다. 그 안에 나는 무슨 짓이라도 해서 내 몸을 빼내고야 말겠다. 소설도 시도 미지근한 세상의 동정도 나는 싫다.

돈, 돈만이 나를 구할 수가 있다. 나는 그것을 똑똑히 알았다. 어차피 이리 된 바에야 내 몸은 어찌되든 좋다. 그 대신 어느 놈이든 든든한 놈이 걸리거든 나는 덮어놓고 바가지를 씌워 내 몸값을 해주고 시원스럽게 이곳을 떠나겠다. 그야말로 굴레 벗은 말같이. 들을 훨훨 싸지르는 닭의 떼같이 돈을 계집의 몸을 저며 가는 사내놈들. 나도 돈으로 사랑을 살 것이고 남편을 살 것이다.

흥! 누가 나더러 남의 아내 될 자격이 없다고 할 것이냐? 정말 귀여운 아들딸을 두 팔에 하나씩 안고 하루라도, 다만 하루라도 에미노릇을 하다 죽고 싶다.

명숙아!

그만 쓰런다. 상해 부두에 배가 닿을 때 손짓하며 맞이해주는 동무가 없다고 과히 섭섭하게는 생각지 말아.

하루 이틀 여관의 단꿈에도 싫증이 나서 혹시 너의 부부가 상해의 밤거리를 손을 잡고 구경을 나왔다가 '따스가' 어두침침한 골목을 지나는 일이 있더라도 이쁜이를 찾을 생각은 애당초 하지 말아라.

넓은 천지에 찾을 수도 없으려니와 신혼의 단꿈을 꾸는 너의 부부에게는 이쁜이의 악착스런 꼴을 보는 것이 그다지 행복스런 일은 아닐 거다. 그저 아편 냄새와 술 냄새와 마작 소리에 젖은 상해의 거리를 지나가나 분을 뒷박으로 쓰고 음탕한 눈초리에 가엾은 웃음을 띠고 열을 지어 늘어선 '얘지'들이 있다면 그 속에 밤나무 골 이쁜이도 섞여있는 줄만 알아라.

그러면 부디 몸 튼튼하여라. 그리고 옥동자 낳아서 잘 키우기를 멀리서 빌고 빈다.

옛날의 이쁜이

1936년.

출처: 『조선문학』, 1936.9.

김창걸

수난의 한 토막

영삼이는 저녁 숟가락을 놓자마자 다급히 서둘러 김이 물물 나는 여물을 퍼서 금이야 옥이야 무척 귀중히 '모시는' 소를 먹이었다. ─나의 황소 맞잡이가 아닌가!

그리고는 동네 야학교로 나갔다.

야학교는 워낙 M학교에 다니던 학생이 가르치고 있었다. 그런데 M학교가 배일(排日)사상의 책원지라고 해서 지난 가을에 문이 닫히고 벽돌로 지은 학교 건물조차 일본 토벌대에 의하여 불에 타게 되자 그 학교에 다니던 키 큰 학생들이 부근에 있는 마을에 널려져 꾸리는 것이다. 영삼이는 원체 낮에 다니는 학교에는 갈 생각도 못하는 판이라 선참으로 야학교에 이름을 올린 것이다.

야학교에서 국어(당시 조선어문을 이렇게 불렀다─작자 주) 시간에 '의병대장 홍범도'에 대한 이야기를 듣고 영삼이는 연신 머리를 끄덕거리며 주먹을 부르쥐기도 하였다. 나라가 망한 설움, 돈이 없어 공부도 못하는 설움이 갈마들어 아무래도 진정할 수가 없었다.

영삼이는 야학교에서 돌아와 미리 누기를 들여 두었던 볏짚 단을 끄집어다가 삼을 섞어 미투리를 한 켤레 삼아놓고는 인차 자리에 들었다. 우선 먹고 불 때고 살아가기 위해서는 내일 봄 나무 하러 가기 위해서이다.

간도는 미운 놈 기장밥 주는 곳이라 밭도 쌀도 무척 흔해빠졌다고 하지 않는가! 그러기에 간도로 오기만 하면 당금 팔자를 고치리라고 생각했는데 정작 와보니 왜 그 꼴이 그 꼴인가? 간도 들어 온지 벌써 4년철을 잡건만 제 밭이랑을 장만하기는커녕 쌀고생조차 왜 이다지 막심한가? 지난해만 해도 보릿고개를 채우지 못해서 한 쉼에 허리띠를 두세 번 졸라매고서야 김을 매지 않았는가! 곧은 맘먹고 비뚠 일만 하지 않고 부지런히 일만 하면 잘사는 법이라던데 왜 그렇지를 못하고 도리어 거꾸로만 되어갈까.

영삼이는 어찌된 셈판인지 알고도 모를 일이었다. 아까 야학교에서 들은 선생의 말을 곱씹어 생각하며 몇 번이나 이리 뒤척 저리 뒤척 했는지 모른다.

"어쨌든 제 힘으로 살아가야겠다. …… 막대가 없어 못 일어나는 게야. …… 올부터는 제 소로 밭갈이할 테니까……"

영삼이는 마지막에 이렇게 생각하고 적이 안심된 듯싶었다. 사실인즉 온 밑천으로 꼬부랑 송아지를 한 마리 장만해서 이태 째나 정성들여 거뒀더니 올해는 아쉬운 대로 멍에를 메게 되었고 또 그 덕으로 수수한 중전이나마 두어 날갈이 더 얻어 부치게 된 것이 아닌가.

"문 열어! 문 열엇……"

늦게야 단잠이 든 영삼이는 호통 치는 소리는 놀라 버쩍 눈을 떴다.

"거, 누구 왔수?" 하고 눈을 비비었다.

아직 동살이 들랑 말랑 하여 글씨 쓴 백로지로 다닥다닥 바른 창문이 희끄무레한데 외양간문을 발길로 툭툭 걷어차는 소리, 부엌문을 덜컥덜컥 쥐어박는 소리가 소란스럽다.

"소표 내! 빨리 내어!"

그전에도 몇 번간 들은 적이 있는 '외양문 통사'의 고아대는 말소리다.(당시 소표를 떼고 검사하고 하는데 따라다니는 조선족 통역을 '외양문 통사'라고 불렀다.)

부엌문 걸쇠를 벗기자 셋이나 우루루 쓸어 들어왔다. 한 사람은 신발 신은 채로 구들에 올라와 이리저리 살펴보고 두 사람은 부엌문을 열어젖힌 채로 외양간에 마주 서서

"응, 암소 하나."

하더니, 그래도 못 미더운 듯이 짤막한 소 채찍으로 여물을 씹고 있는 소 대가리를 툭툭 치며 그 안쪽을 휘저어본다. 영삼의 어머니와 누이도 이통에 깨어나 우둘우둘 떨고만 있는데 영삼의 아버지 박영감은 펄떡 일어서더니 두세 번 싸고 싸서 갓집 속에 간직해두었던 소표를 꺼내어 주었다.

"흥, 고운 색시 있구나."

그들은 꾸기어진 소표를 빼앗듯이 낚아채어 집어넣으면서 열댓 살 되는 영삼의 어린 누이를 보고는 징글스레 웃으며 나가버렸다.

"자식들, 소 탄 개처럼 우쭐렁거리기는…… 조선 헌병 보조원 맞잡이야!"

영삼이는 혼자 가만히 투덜거리며 열고 나간 채 열려있는 문을 확 닫았다.

"간도로 오니 쌀알은 좀 흔하다 해두, 저런 꼴을 눈이 시어 어찌 본단 말인가, 음."

박영감은 홧김에 나무대통에다 잎담배를 꾹꾹 눌러 담아가지고, 밑굽에 불씨가 겨우 남은 질화로를 끌어당기었다. 대통에 담은 담배가 절반이나 흔들려 떨어지는 상 싶다.

영삼이네는 설친 잠을 깨고 나서 무어라 말할 수 없는 원한에 잠겼다. 어쩐지 자꾸 불안스러워만 지는 것이었다.

×　　×

춘분이 내일 모레지만 아직도 늦추위가 꽤 맵짜다. 소를 가진 사람들은

모두들 이른 아침을 지어먹고는 자기 소를 끌고 건넛마을 갑장네 집으로 꾸역꾸역 모여들었다. 영삼이도 사릅잡이 암소를 끌고 건너갔다.

갑장네 앞뒤 뜨락 마당에는 군데군데 소장이 선뜻했다. 소고삐를 잡은 채로 담배만 풀썩풀썩 피우는 사람, 남의 소를 얼마 간다고 물계 치는 사람…… 그런가 하면 제 소를 못 세운 사람들은 곁에서 살진 소들을 바라보며 군침만 삼키기도 하였다. 소들은 영각도 하고 실없이 곁에 있는 짚가리를 떠박는가 하면 뒤발로 땅바닥을 긁어 치기도 했다.

소표쟁이 일행은 갑장네 윗방에다가 사처를 정하고 살창문을 활짝 열어 놓은 채로 소표를 한 장씩 내어들었다. 그리고 문 앞까지 소를 끌어오게 한 다음 소표에 적힌 표적이 맞는가 하고, 아니, 틀려줬으면 하고 샅샅이 살펴본다.

표적이 그대로 맞아떨어져 무사히 통과된 사람들은 제 소 가지고도 요행이란 듯이 한숨을 후 내쉬고는, 소 살 때처럼 기뻐하면서 소를 몰고 돌아간다. 그러나 강떼질 판에 들어 따귀개나 맞고 요행 모면하는 사람이 있는가 하면 이름을 부를 때 인차 대령하지 않았다고 해서 발길에 서너 번 걷어 채우는 사람도 있다.

영삼이는 한 시간쯤 기다려서야 불려서 여러 사람 틈을 헤치며 소를 끌고 문 앞으로 다가섰다.

일행을 거느린 사팔뜨기와 통역이 자그마한 책상을 가운데 놓고 마주앉아 소표 대장과 소표를 번갈아 훑어보고 있다. 이 동네 '유력자'이며 지주인 송주사와 그리고 갑장이 각각 그들의 안쪽에 자리를 같이 하고 앉아있다. 소표쟁이 부하인 '나졸' 한사람이 소 곁에서 빙빙 돌아치면서 표적을 하나하나 검사하여 보고 있다. 꼬물만한 허물이라도 잡아내어 생트집을 쓰려고 애를 쓰는 모양이다. 사팔뜨기의 곁에 바짝 붙어 앉았던 송주사가 그의 옆구리를 꾹 찌르자 그는 통역을 시키며 돼지 멱따는 소리를 질렀다.

"표적이 맞지 않아! 딴 소로구나!"

영삼이는 가슴에 돌장이 떨어지듯 덜컥했으나 제 표에 제 소 그대로이니까 그저 턱없이 을러메는 수작이거니 만 생각했다.

'나졸'은 신이 난 듯 소아가리를 벌리고 본다, 정박노리를 다쳐본다, 털을 만져본다, 소꼬리를 들고 본다, 엎드리어 소배때기를 쓸어본다 하다가 소 배꼽 언저리의 털을 헤치고 샅샅이 뒤져보더니 양미간을 찡그리면서 다시 다시 살펴보고 나서 눈을 부릅떴다.

"소 배꼽노리에 흰 점이 있어!"

"그럴 리 없어유. 틀림없는 누렁소입지유."

영삼이는 허리를 구부려 소배때기를 들여다보면서 자신 있게 말했다.

"이놈아, 이거 누른 털이? 희 털이 늬 보아해!"

'나졸'은 억지로 그렇게 보려고 해도 알릴락 말락 돈짝만큼 한 소배꼽 언저리의 털을 헤치고 보았댔자 약간 희무스레할 뿐, 아주 흰 털이라고 할 것은 없다. 사실은 날마다 두세 번씩 자작비로 소등어리와 소배때기를 쓸어주곤 했지만 전혀 희다는 생각이 나지 않는 일이었다.

"그게 어디 흰 점이여유? 한창 자라는 소니까 자라면서 약간 번지는 겁지유!"

영삼의 말이 떨어지기 바쁘게 통역이 벌떡 일어나 뛰어나와서 영삼의 귀싸대기를 올려붙이었다.

"이놈아, 자라는 소는 그래 흰 털이 검게 된단 말이냐?"

영삼이는 가슴에 방망이 같은 분통이 왈칵 치밀어 올랐다. 그러나 이를 악물로서라도 참는 수밖에 없다. 영삼이는 불쑥 나가려는 손을 억지로 올려 얼벌하게 맞은 볼을 문질렀다.

"무슨 죄가 있다구 사람을 때리기부터 하나유? 누가 흰 털이 검게 된다나유? 뭐."

"그 말이나 한가지지 뭐야? 이놈아, 변명은 무슨 변명인가, 응?"

이번에는 두 손으로 번갈아 귀싸대기를 후려갈겼다. 영삼이의 손도 번갈아 제 볼로 올라갔다. 모여 섰던 사람들은 웅성거리기 시작했다. "저런 개자식 같은……" 하고 누군가 말하기는 했으나 통역 놈의 쏘아보는 눈총에 그만 입을 다물고 말았다. 모두들 손에 땀을 쥐고 떨었으나 감히 달려들지는 못했다.

"영삼이 정말 다른 소를 바꿔 세우지는 않았지!"

갑장이 이렇게 말하자 송주사는 그를 흘끗 건너다 거들떠보며 아니꼬워했다. 아무 말도 말고 참견 말라는 것이다.

"그놈 바른 대로 말할 때까지 쳐라!"

우두머리의 명령이 내리자 '나졸'은 마루 우에 놓았던 벌건 몽둥이를 집어다가 영삼의 등어리를 후려갈겼다. 영삼이는 아이구 하는 소리를 지르고 나서 등어리를 어루만지었다.

"누른 털이 끝이 좀 희슴희슴하다구 해서 이런 법이 어디 있어유? 참 억울하외다. 억울……"

"이 도적놈아, 소를 갈아세우고도 법을 속이자구 들어, 응?"

통역 놈은 또 귀퉁이를 갈겨댔다.

"도적놈은 누가 도적놈인 가유? 하늘이 알 일입지유!"

"그래 이놈아, 우리 법에서 잘못했단 말인가? 어디 말해봐!"

그 뒤를 이어 잘못했다고 실토할 때가지 때리라는 사팔뜨기의 명령이 또 내리었다. '나졸'이 손바닥에 침을 탁 뱉어 가지고 몽둥이를 메고 어깻죽지를 내리갈기는 순간 영삼이는 몸을 휙 돌리며 내리치는 몽둥이를 두 손으로 받아 쥐었다.

"이놈이 몽둥이를 뺏아가지구 도루 나를 칠라구!" 라고 하면서 '나졸'은 몽둥이를 홱 낚아챘다. 사실인즉, 빼앗으려는 것도, 도로 치려는 것도 아니고(속심대로 한다면 응당 그렇게 하겠지만) 그저 다급한 판에 엉겁결에 몽둥이를 받아 쥔데 불과하다. 그러나 다음 순간, 몽둥이를 빼앗아가지고 도로 법에 항거했다는 죄로, 어깨, 등어리, 신다리 할 것 없이 닥치는 대로 때리기 시작했다.

동네 사람들의 분노는 파도치기 시작했다. 처음에는 땅땅한 공깃돌 삼키듯 목구멍이 미어지게 침을 삼키며 "저런! 저런!" 하며 어깨를 들먹거렸다. 지난날의 경험으로 보아 이런 때 말리기라고 한다면 말린 '죄'로 죽도록 얻어맞아야 하는 것도 잘 알고 있다. 그러나 더 참기만 하고 바라볼 수만도 없었다.

"저런! 사람 백정 놈들, 생사람 죽이네!" 하고 협기 있는 몇 사람이 달려들었다. 그러나 그놈들에게 주먹맛을 보일 대신 '나졸'의 허리를 끌어안고 말았다.

"갑장어른! 당신 뭘 하우? 백성이 맞아죽는데……" 군중의 아우성이 높아갔다. 아까부터 뛰어내려와 '나졸' 곁에 서서 "말로 해도 될 일을, 이거, 이거……" 하던 갑장도 그제야 '나졸'의 몽둥이를 맞잡았다.

사실, 송주사의 조카가 갑장질 할 때 협잡이 너무 자심해서 이번 갑장으로 갈았지만 정작 이런 판에는 그도 너무나 힘이 없었다.

사람 살리라는 외마디 소리를 지르고 쓰러진 영삼의 왼쪽 머리에서는 피가 흘러내렸다. '나졸'은 뒤로 끌어 안기운 채 숨을 헐떡거리었다. 사팔뜨기의 팔소매를 잡아당기며 말리는지 부추기는지 알 수 없던 송주사가

"여보게들, 관청 사람을 그리하는 법 있나? 이러다간 온 동네가 불벼락

맞겠네!" 하고 말했다. 너무나 쓰라린 과거를 가진 동네 여러 사람들은 좀 주춤거리지 않을 수 없었다. 몇 놈을 까부시는 것은 쉬운 일이지만 뒷일이 미상불 켕기었던 것이다." 치는 시어미보다 말리는 시누이가 더 밉다더니, 조, 여우같은 자식!" 하고 누군가 중얼거렸다.

"어른님, 그건 제가 잘 압니다. 정마 그전 소가 틀림없습니다." 갑장은 사팔뜨기에게 이렇게 말했다.

"갑장, 그런 말을 하문 무슨 소용 있소? 일이 벌써 이쯤 됐으니 어떻게든 사정을 해달라구 빌어야지."

송주사는 팔자수염을 한 번 비비어 올리면서 사팔뜨기를 쳐다보았다.

"벌금까지 해! 나쁜 사람, 법을 속여? 우리 다 알아!"

사팔뜨기는 붓에 먹을 묻혀가지고 소표 용지에다 쓰기 시작했다.

"소표값 10원, 벌금이 5원, 알만한가?"

사실인즉, 규정대로 새로 소표를 낸다고 하여도 5원이 되나마나 하지만 소물계는 백 소시로 훨씬 올려치고 법을 속이고 항거했다는 '죄'로 벌금까지 안긴다는 것이다.

쓰러진 채로 끙끙 앓음 소리를 치던 영삼이는 그 말을 듣고 놀라며 머리를 들었다. 원한에 불붙는 그의 두 눈은 상대방을 꿰뚫을 듯이 쏘아보았다. 누군가 달려들어 부축해 앉혔다.

"글자 한 획 손 안 대인 제 표를 가지구 다시 떼는 법이 어디 있어유? 15원이라니? 퉁전 대푼도 못 내겠수!"

사팔뜨기는 두툼한 입술을 내밀며,

"저 집에 고운 색시 있소. 색시, 돈이 한 가지! 너 징역살이 해두 좋아?" 하고는 시쭉거리면서 소표에 응당 적어 넣어야 할 돈 액수만 안 쓰고 표적을 적어 넣었다. 사팔뜨기는 의례 하는 식대로 에누리 있게 표값을 불렀으니 이제는 갑장이나 지방 '유력자'의 권에 못 이겨 '선심 써서' 돈 액수를 좀 내리울 차례라고 생각한 것이다.

"펀펀히 있는 제 표인데 난 죽어두 다시 못 떼겠수! 동천하에 이런 억울한 법이 어디 있수?"

영삼의 말에 '나졸'은 몽둥이를 다시 다슬어 쥐고 어깨에 메었다.

"이 사람 영삼이, 표적이 틀리는데 하는 수 있나? 저녁 끼니 쌀이라두 팔아야지, 내좀 사정해서 낮춰볼게, 고집두 참!"

낯바닥에 개기름이 번지르르하게 도는 송주사의 얼굴을 힐끗 쳐다본 영삼이는 "곧이곧대로 정직한 게 죄란 말이유?" 하고 역시 그대로 뻗치었다. 별안간 벌건 몽둥이가 또 영삼의 어깨에 내려졌다. 영삼이는 또 쓰러졌다. 곁에 섰던 한 동네 농민이 보다보다 못해,

"영삼이는 푸른 하늘에 강벼락이 칠 일이지만 할 수 있나? 이러다간 생주검이 나겠네!" 하고 나지막이 말하자 이번에는 몽둥이가 그 사람을 겨누었다.

울며 겨자 먹기로 모두들 영삼이를 달래고 소표쟁이들에게는 사정사정하고 손이야 발이야 빌어서 돈 액수를 올리고 내리고 해서 겨우 12원으로 끊고 말았다. 물론 소표 대장에게는 3원밖에 적혀있지 않았다.

×   ×

영삼이가 생매를 맞아죽는다는 바람에 영삼이네 집에서는 발칵 뒤집혔다. 어머니는 그놈의 소 때문에— 소표쟁이 때문에 생때같은 아들을 죽인다고 방바닥을 치면서 목 놓아 울었다. 어린 누이도 느껴 울었다. 박영감은 담뱃대도 잊어버린 채 동저고리바람으로 줄달음쳐 건너갔다. 솥뚜껑 같은 손

으로 연신 눈물을 씻었다. 고향 떠날 때보다도 더 서러웠다.

겨울은 물론이고 봄가을 산산한 때이면 여물을 끓여 먹이며 남의 집 황소 열 맞잡이로 길러온 소다. 그 소가 올해는 처음으로 쟁기멍에를 메지만 명년이면 판전도 하루 이틀 갈이는 얻어 부칠 수 있으리라고 뼈물던 귀중한 소다. 그러나 그보다 몇 곱절 귀한 아들이 죽다니! 박영감은 사람들을 헤치며 달려들었다.

"영삼이 맞아죽다니, 응, 어디?"

영삼이는 비칠거리며 일어서다가 몸을 가누지 못하고 다시 쓰러졌다.

어디 네 죽고 내 죽고 해보자고, 죽자면 나라도 무섭지 않다고, 소표쟁이 들을 때려죽이겠다고 달려들려는 박영감을 장정 여럿이 겨우 말리어 마당 한구석으로 끌고 갔다. 전후 사정을 토막토막 듣고 난 박영감은 땅에 펄썩 주저앉더니 긴 한숨을 한 번 쉬고는 "엉" 하는 외마디 울음을 터뜨리고 주먹으로 땅을 내리쳤다. 손이 터져 피가 흘러내렸다.

영삼이도 여러 사람에게 부축 받아 아버지 곁으로 갔다. 갓 스물이 한해 가린 영삼이는 철모르던 시절부터 농사일에 잔뼈가 굳어왔지만 제 밭이 없어 못 사는 줄은 알았으되 이렇게도 세상이 억울한 줄은 몰랐다. 곧은 마음으로 곰상곰상 일만 잘하면 살길이 있으리라고 생각했던 것이다. 너무나 원통스러워 별로 아픈 생각도 나지 않았다. 노닥노닥 기운 큰 저고리 소매로 연방 눈물을 훔쳤다. 우뚝한 콧등으로 눈물이 자꾸 흘러내렸다.

이웃에 사는 가난한 농민들이 여편네의 옷고름에 고이 싸두었던 각전을 긁어모아 2원 각수가 되었다.

"중국 사람, 조선 사람 다 한 가지" 하고 가난한 로쑹도 베게 속에 감춰두었던 70전을 가져왔다. 그러나 10원 돈은 나고들 데가 없다. 이제 봄여름 풀 대죽에 한 절반 굶어 살 셈치고 저녁 끼니 쌀까지 팔려고 해도 담금 팔 데가 없다. 소를 팔려고 해도 역시 그렇다. 마침내 송주사에게 손이야 발이야 발 괄해서 장리변을 맡아 겨우 억울한 소표값을 치렀다. 그것도 곁사람들이 입 이 닳도록 빌어 주선한 것이다.

사실인즉, 송주사가 영삼이네 소표를 유심히 검사하라고 소표쟁이에게 미리 꾹 찔러준 것이다. ―그래야 자기 돈을 장리변으로 놓을 수 있다고, 소 가 있으니 돈을 떼일 리 없다고, 그보다도 자기의 조카의 첩감으로 영삼의 누이가 알맞춤하니 이런 일이 몇 번 있더라도 상관없겠다고 생각했던 것이 다. 그리고 또 한 가지는 자기 조카가 갑장이란 '벼슬'에 떨어진 앙갚음으로 협잡이 자심하여 백성의 신망이 없이 떨어진 것은 생각도 않고, 이번에 새로 세운 갑장이 백성들의 일을 얼마나 잘하나 보자고, 꿍꿍이를 꾸민 것이다.

삶은 암탉을 세 마리나 통째로 놓고 독한 배갈을 반주로 하며 그들이 점 심을 먹을 때에야 염삼이는 동네 사람들에게 부축 받아 일어섰다.

"거꾸로 된 이놈의 세상이…… 아무리 돌이 뜨고 나무가 가라앉는 세상이 기로서니…… 응, 강벼락 맞을 놈들……"

영삼이는 가까스로 몸을 돌려 소표쟁이들이 점심을 처먹는 윗방을 흘겨 보았다. 눈두덩이 퉁퉁 부었으나 그 날카로운 눈에서는 불이 번쩍 일어나고 있다. 눈을 들어 하늘을 쳐다보니 파란 하늘에 흰 구름조각이 남쪽으로 떠가 는 것이 보인다.

―조선이나 간도나 돈 없고 나라 없고 권리 없이는 매 한가지가 아닌가! 언 제나 바른 세상이…… 음, 이를 악물고서라도 살아서…… 그런 세월이……

영삼이는 너무나 더디 밝는 앞날을 원망하듯 북쪽 하늘을 한 번 쳐다보고 는 동네 친구들에게 부축되어 걸음을 떼었다.

"이제라도 홍대장 부대로 가야 할 텐데……"

1937.

출처: 『해방전편 김창걸단편소설선집』, 요녕인민출판사, 1982.

강경애

어둠

    툭 솟은 광대뼈 위에 검은빛이 돌도록 움쑥 패인 눈이 슬그머니 외과실을 살피다가 환자가 없음을 알았던지 얼굴을 푹 숙이고 지팡이에 힘을 주어 붕대한 다리를 철철 끌고 문안으로 들어선다.

    오래 깎지 못한 머리카락은 남바위나 쓴 듯이 이마를 덮어 꺼칠꺼칠하게 귀밑까지 흘러내렸으며 땀에 어룽진 옷은 유지같이 싯누래서 몸에 착 달라붙어 뼈마디를 환히 드러내고 있다. 소매로 나타난 수숫대 같은 팔에 갑자기 뭉퉁하게 달린 손이 지팡이를 힘껏 다궈쥐었다. 금방 뼈마디가 허옇게 나올 것 같다.

    의사는 회전의자에 앉아 의서를 보다가 흘끔 돌아보았으나 못 볼 것을 본 것처럼 얼른 머리를 돌리고 검실검실한 긴 눈썹에 싫은 빛을 푸르르 깃들이고서 여전히 책에 열중한 체한다. 저편 침대 곁에서 소곤소곤 지껄이던 간호부들은 입을 다물고 우두커니 서 있다. 그 중에 제일 나이 들어 보이는 간호부가 환자를 바라보자 얼굴이 해쓱해서 "오빠!" 하고 부르렸으나 다시 보니 오빠는 아니었다. 가시로 버티는 듯한 눈을 억지로 내려 떴다. 마룻바닥은 캄캄하였다. 귀가 울고 가슴이 달막거린다. 꼭 오빠였다. 조금도 틀림없는 오빠이었다. 한데 눈 한 번 깜박일 새 그가 제일 싫어하는 무료과의 입원한 환자가 아니었던가. 내가 미쳤나, 소리를 쳤더라면 어쩔 뻔했어, 하고 다시 환자를 바라보았다. 오빠는 저러한 불쌍한 사람을 위하여 목숨까지 바친 셈인가! 이러한 생각이 불쑥 일어나자 그의 조그만 가슴이 화끈 뜨거워진다. 그는 얼른 알콜 십뿌(濕布: 찜질수건)를 가지고 환자의 곁으로 가서 붕대에 손을 대었다. 오빠는 참으로 이런 사람을 위했음인가? 머리가 아찔해지고 손끝이 포들포들 떨린다. 풀리는 붕대에서는 살 썩은 내가 뭉클뭉클 일어난다. 참말 오빠는 사형을 당하였어, 거짓 소리가 아닐까. 손은 환부를 꾹 눌러 누런 고름을 뽑으면서 맘으로는 이리 분주하였다.

뻘건 피가 고름에 섞여 주루루 흘러내린다. 그는 손에 힘을 주었다, 퉁퉁 부은 환부에 손이 옴쑥 들어가며 다리뼈 마디에 맞질리운다. 발그레한 손끝에 피와 고름이 선뜻 묻혀진다. 오빠의 얼굴이 선히 떠오른다. 오빠는 목숨까지 바쳤거든 나는 요만 병자를 대하기도 싫어했구나. 눈이 캄캄해지며 형용할 수 없는 감격이 토실히 부은 그의 눈등에까지 흔흔히 올라오고 있다.

고름은 멈춰지고 피만 흐르매 알콜 십뿌로 환부를 박박 문지르고 핀셋으로 니바노루 가제를 집어 어웅한 환부 속을 헤치고 깊이 밀어 넣은 담에 소독한 가제에다 부로시 십뿌를 싸서 환부에 덮고 노란 유지를 놓아 붕대해 주었다. 환자는 이마에 흐르는 땀을 손등으로 부비치고 나서 지팡이를 잡고 일어나 나간다. 땀내에 머리카락 쉰내인 듯한 내가 후끈 끼친다. 그는 물러났다. 적삼깃을 쓰적이는 환자의 머리털이며 고름을 이겨붙여 말린 듯한 잠방이 밑, 저는 필시 부모도 처자도 없는 게로구나, 하고 돌아서서 스팀 곁에 있는 세면기에 손을 넣었다. 나도 단지 어머님뿐만이 아닌가, 크레졸 물이 그의 손에 가볍게 부딪칠 때 이리 생각되었다. 귀밑에 땀이 뽀르르 흘러내린다.

그는 보느라 없이 의사를 보았다. 양미간을 찌푸린 채 책을 보고 있다. 기분이 좋지 못할 때 언제나 저 모양을 한다. 그런 험한 환자가 다녀간 뒤라 그런지 의서 가운데 난해의 문구가 있어 그런지 딱히 집어낼 수는 없었다. 그러나 그는 뜻하지 않은 옛일을 문득 회상하고 코웃음 치지 않을 수가 없었다.

십년 전 의사가 이 병원에 갓 부임했을 때는 모든 일에 열과 피가 움직였다. 특히 빈한한 환자에게 한하여는 수술료 같은 것은 반감하였고 또는 사정만 하면 한 푼도 받지 않았다. 그래서 원장과도 말다툼이 잦았으며, 한때는 사직한다는 말까지 있어 시민들까지 우려하였던 것이다.

때는 흘렀다. 거기에 따라 인심도 흐른 것인가, 십년 전 의사와 오늘의 그는 딴 사람인 것처럼 변하여진 것이다. 하필 의사뿐이랴, 오빠가 떠난 후에 영실의 맘과 몸까지도 엄청나게 달라졌다는 것을 비로소 지금 느끼는 것이다.

—— 우리는 없는 놈이니까 같은 없는 놈을 동정하여야 하고 보다도 이러한 생지옥을 벗어나기 위해서는 싸우지 않으면 안 된다, 누이야. ——

어떤 날 밤중에 길 떠나면서 매어달리는 그 누이에게 이르던 오빠의 말, 결국 오빠는 그 길에서 돌아오지 못하고 말았다. "오빠 너무 해, 너무 해, 어머니는 어쩌구 저 모양이 되어, 온 세상이 우리 모녀를 업수이 보고 해치려는데……"

그는 커튼으로 눈을 옮겼다. 정낮 햇볕에 주홍빛으로 물들여진 커튼은 눈물에 어리어 뿌하기도 하고 어찌 보면 캄캄도 하였다.

열두 시를 땅땅 친다. 뒤이어 웅 하고 일어나는 저 사이렌 소리. 병원을 즈르릉 울려 준다. "너의 오빠는 사형당하였단다. 우웅우웅." 외치는 듯 호소하는 듯 땅을 울리고 하늘에 솟았다 툭 끊어져버렸다.

의사는 책을 덮어놓고 일변 수건을 내어 얼굴을 씻으면서 일어나 밖으로 나간다. 가죽 슬리퍼 끄는 저 소리, 그는 문득 신발소리를 따라 귀를 세웠음을 발견하고 스스로 조소하지 않을 수가 없다. 이젠 의사는 그를 잊은 지 오래였고 이미 딴 여자와 약혼까지 하지 않았나. 그런데 왜 자신은 그를 잊지 못하고 입때까지 생각하나. 호! 나오는 한숨을 언제나처럼 꿈쩍 삼키었다가 한참만에야 가만히 내뿜었다.

믿던 사나이도 변하였고, 행여나 나오면 나오게 되면, 하고 주야로 기다리던 오빠마저 영원히 가버리었다. 오빠가 나오면 어머님께도 숨긴 그 비밀을 이야기하여 이 억울함을 설치하고자 했건만 그 희망조차 툭 끊지 않으면 안 되게 되었다. 번득이는 카제관(罐)을 바라보자 눈에 핏줄이 따갑게 일어나는 듯해서 눈을 감고 침대에 걸어앉았다. 소매에서 크레졸내가 솔솔 품기고 있다.

"아이 언니, 오빠를 생각하지? 그러지 말아요, 이젠 그리된 것을 아끼라메(체념) 해야지 어쩐다나."

효숙이가 깨울하여 본다. 눈에 동정의 빛이 짜르르하다. 통통한 볼에 윤기가 돌고 엷은 입술 사이로 담은담은한 이가 구슬같이 동글다.

"어서 소지나 해요."

효숙의 뒤에서 물끄러미 바라보는 나까가와[中川]를 보았다.

"너무 슬퍼하지 말아요, 이상."

머리를 끄떡해 보인다. 그는 한숨을 후 쉬었다. 말로나마 동무들은 이리 위로하여 주건만 정작 위로하여 줄 의사만은 입을 다문 채 오히려 모르는 체한다. 이것이 무엇보다도 괘씸하고 분하여서 그 앞에서는 조금도 슬픈 빛을 띠지 않으려 적심을 다 기울이는 것이다.

효숙이는 영실의 눈이 까스스해지는 것을 보고 돌아가서 바께쓰를 가지고 수도 곁으로 가서 쏴르르 수도를 틀어 놓았다. 머리에 꽂힌 모자는 깨울하였고, 그 밑으로 토실한 목덜미가 나부룩한 머리에 덮이었다. 나까가와는 눈을 껌벅이면서 주사기, 핀셋, 존데 같은 기계를 한 줌 쥐고 소독가마[消毒釜] 곁으로 와서 나사를 틀어 놓으니 물이 쏼쏼 끓고 더운 김이 팡팡 기어오른다. 거기에 기계들을 집어넣고 물러난다. 금시코 밑에 땀이 송알송알 맺히었다.

영실이는 힘없는 다리를 옮겨서 그의 사무상으로 왔다. 손은 벌써 흐트러진 책상 위를 정돈하는 것이다. 누런 뚜껑을 한 의서에서 호르르 오르는 담뱃내와 가오루(薰: 향기)내, 그는 의사의 숨결을 문득 볼에 느낀다. 일변 눈을 찌푸리고 생각을 돌리려 효숙의 분주한 양을 바라보았다. 약간 푸른기를 띤 새하얀 간호부복에 또한 의사의 옷갈피를 홀연히 발견하는 것이다. 그는 하는 수 없이 천장을 바라보았다. 오빠는 사형당하였다. 천장에 시커멓게 쓰여지는 것을 또한 보게 된다.

효숙이는 걸레로 마루를 닦고 책상, 의자, 도다나(戶棚: 찬장)를 닦으면서 열심히 조잘거리고 있다. 머리 까딱이는 몸짓하는 게 나까가와 보니 훨씬 능란한 것 같다. 나까가와는 푸시시한 머리를 소독가마에서 오르는 김에 뽀얗게 적시우고 서서 기계를 꺼내어 하나하나 탈지면으로 닦으며 "그래" "참말" 하고 효숙의 말을 받고 있다. 그들은 아무 걱정도 없어 보인다.

소제가 끝나자 둘이는 머리를 까딱해 보이고 밖으로 통통 뛰어나간다. 이어 점심 종소리가 댕그릉 댕그릉 울려온다. 그는 엊저녁부터 굶었건만 밥 먹고 싶지 않았다. 이십여 일 전 의사가 약혼할 당시부터 굶기 시작한 것이 그 후로 한두 끼니는 예사로 굶게 되는 것이다. 보다도 그때로부터 밥맛을 잃어버렸다.

그는 복도로 통한 문을 닫고 포켓에 손을 넣었다. 신문이 바스락 만져진다. 몸이 흠칫해지고 솜치가 오스스해진다. 손을 빼어 볼에 대었다. 잘못 본 것이라면 얼마나 좋을까, 혹시 알 수가 있나, 손은 다시 포켓 속으로 들어간다. 땀이 뿌찐뿌찐 나고 팔이 후루루 떨린다. 신문을 쥐었다. 놓았다. 망설였다. 살금살금 끌어내었다. 눈에 칼날이 스치는 듯 산득산득해서 바로 볼 수가 없다. 절반 머그러진 사형수들의 사진 틈에 목이 상큼하게 패인 오빠가 툭 뛰어들었다. 그는 머리를 돌리고 같은 사람도 있지, 이름으로 눈을 옮기자 신문을 와락 접어 던졌다. 순간 철사로 그를 숨길 수 없이 꽁꽁 동였음을 느낀다. 아무리 벗어날래야 날 수 없는 그런 철망에 감긴 것을…… 오빠! 어머님께 뭐라고 하라우! 이때까지는 속여왔지만 이제는 뭐라고……

어제 이맘때 의사의 손을 거쳐 떨어지던 이 신문 호외! 얼마나 기막힌 소식이었던가. 그는 당장에 기색하였던 것이다. 그때 아주 피어나지 말았던들 이 아픈 양은 당하지 않을 것을, 그는 부지중에 손등을 꽉 물어 떼었다. 피가 봉긋이 솟아오른다. "오빠는 나쁜 사람이야. 그 어머님께 죽음을 뵈어. 너무 해, 너무 해. 어머님께 뭐라구 여쭐까." 그는 벌떡 일어나 빙빙 돌았다. 어머니만 아니면 약이라도 먹고 금방 이 괴롬을 잊고 싶다. 한데 칠순이 다 된 어머니가 있지 않나. 아들이 나오면 만나보겠다고 눈이 깜해서 기다리는 어머니가 있지 않나.

—— 영실아, 우리가 사형 언도를 받는 것은 신문지상으로 벌써 알았겠구나. 하지만 봐라, 결코 우리는 죽지 않는다. 언제든지 나가서 어머니와 너를 대할 날이 있을 터이니 그때를 기다려라. 어머니께는 당분간 숨겨다오, 누이야 ——

최후심에서 사형 언도를 받는 오빠에게서는 이러한 편지가 왔던 것이다. 온 세상이 뭐라고 떠들든지 그는 오빠의 이 말을 믿고 싶었으며 또한 믿어지던 것이다. 하나 결국은 사형을 당하고야 말지 않았나, 그는 신문을 와락 당기어 올올이 찢어 창밖으로 던졌다.

저편 정원엔 한창인 화단이 눈이 시릴 만큼 번거로왔고, 정원을 둘러싼 비수리나무 울타리는 요새 가지깎음을 받아 가지런하게 돌아갔다. 거기엔 이제야 봄이 툭툭 쥐어발렸다.

참일까, 거짓이지, 오늘이라도 오빠에게서 편지가 올지 모르지. 그는 시계를 쳐다보았다.

　물소리가 났다. 누가 편지를 들고 들어오는 것 같아 왁 울음이 나오는 것을 참고 머리를 돌렸다. 의사가 무심히 들어오다가 흠칫 하였으나 태연히 들어와서 의자에 걸어앉는다. 그의 손엔 아무것도 없었다. 일변 담배를 피어 문다.

　코끝에까지 울음이 빼듯이 내어민 것을 억지로 삼키려니 자꾸만 입이 비죽거려지고 숨이 가쁘다. 그러나 눈엔 독이 새파랗게 서리고 있다. 혀를 꼭 깨물고 책상을 힘껏 붙들었다. 혀끝에서 피가 나는 지 간간한 맛이 머리에까지 따끔따끔 느껴지고 있다. 의사는 성큼 일어나더니 도나다 곁으로 가서 담숙담숙 쌓아논 알콜 십뿌를 집어 손을 닦고 있다.

　"점심 먹었어?"

　이 물음에 영실의 보풀락한 눈등은 찢어질 듯이 팽팽하여졌다.

　"왜 대답이 없어?"

　말끝에 씩 웃는다. 그의 말버릇이 그렇게만 지금에 있어서는 자신의 처지를 비웃는 웃음 같아 더 참을 수 없는 분이 왈칵 내밀치므로 눈을 쏘아 보았다.

　포마드를 발라넘긴 머리카락은 보기 싫게 흔들거리고 거무틱틱한 눈에 거만함이 숭글숭글 얽히었다. 의사는 그의 시선을 피하여 열심히 손끝만 보고 부비친다. 전날에 고상해 보이던 그의 인격은 어디로 갔는지 흔적도 찾을 수 없고 머리에서 발끝에까지 야비함이 주르르 흘러내린다. 저런 사나이에게 귀한 처녀를 빼앗기었나, 보다도 오빠만을 고이 생각던 누이의 맑은 맘을 송두리째 빼앗기었나, 하니 자신의 어리석음이 기막히게 분하여진다. 그만 달려가서 저 사나이를 푹푹 찔러죽이고 싶다.

　의사는 그의 눈치를 채었음인지 슬금슬금 나가버린다. 그는 의사가 보이지 않도록 쏘아보다가 일어나 위층 쯔메쇼(詰所: 대기실)로 올라왔다.

활짝 열어제친 창으로 오빠를 잃은 저 하늘이 찰찰 넘쳐흐르고 책상위의
두어 송이의 백합이 그 하늘을 갸웃이 바라보고 있다. 그는 의자에 털썩 주
저앉아 하늘을 멍하니 바라보노라니 층대를 올라오는 신발소리가 아득히
들린다. 의사인가 싶어 휙 돌아보니 소사인 김서방이 바쁘게 올라온다. 울어
서 부은 눈을 아무에게도 보이기 싫어서 머리를 돌렸다. 한참 후에 무심히
머리를 돌리니 그의 옆에 김서방이 우뚝 섰지 않느냐. 그는 와락 반가운 맘
이 들어 벌떡 일어났다.

"편지 왔소?"

김서방은 뭣이 들어앉아 쪽 펴지 못하는 그의 굵단 손으로 반백이나 되는
머리를 어색하게 슬슬 어루만지며 차마 영실이를 바라보지 못하고 섰다.

"아니유."

"오늘은 꼭 편지가 와얄 텐데 어쩌나!"

그는 애처로이 김서방을 보았다. 입을 중긋중긋 하던 김서방은 눈을 번쩍
떠서 마주 본다. 항상 벙글거리던 그 눈에 웃음이 간 곳 없고 슬픈 빛이 뚝뚝
흘러내린다. 저도 알았구나, 하자 눈물이 핑그르르 돌아 떨어진다. 그는 흐
르는 눈물을 씻으려고도 아니하고 눈을 점점 더 크게 떠서 김서방을 보았다.
얼굴은 캄캄하게 어리우나 왼편으로 깨울히 내려온 흰수염 끝이 영실의 눈
에 가득히 어리운다.

"너무 너무 그렁마슈."

김서방은 발끝을 굽어보고 이렇게 말하였다. 김서방! 하고 힘껏 부르려
했으나 목이 메어 나가지 않았다.

이 병원에서 가장 오랜 연조를 가진 김서방과 자신, 가장 가난한 처지에
서 헤매는 김서방과 자기, 그래서 의사와 자기 사이도 아는 것 같고 역시 오
빠의 죽음에 대하여도 누구보다도 이해가 깊은 것을 깨달은 것이다.

밤 아홉시.

효숙이와 나까가와는 목욕탕에 들어가고 영실만이 쯔메쇼에 남아 있어 체온표에다 입원환자들의 체온과 맥박을 푸르고 붉은 연필로 그리고 있다. 손은 종이 위에서 넘노나 맘은 자꾸만 구승승해 오고 초초했다. 무엇보다도 어머니가 오늘쯤은 어디서 이 소식을 듣고 나한테 쫓아오다가 길에서라도 졸도를 하지 않았는지 하는 불안이 시시각각으로 커가는 때문이다. 마침내 그는 체온표를 철썩 덮어놓았다. 연필이 따르르 떨어진다. 숙직 의사에게 말하고 잠깐 다녀오려니 일일이 사정을 늘어놓아야 할 테고 이해 없는 그들 앞에서 구구한 사정이란 기막히는 노릇이다. 이것들이 웬 목욕을 이리 오래 하누, 하고 층대쪽을 바라보았다. 아래층 당구장에서는 한참 신이 나서 떠들고 있다.

어쩐지 저들과는 너무나 거리가 먼 곳에 있는 자신이라는 것을 새삼스레 느끼면서 두 손을 볼에 대고 한숨을 푹 쉬었다. 오빠가 사형을…… 거짓말이지. 그럼, 아직 감옥 안에 계시어? 숨이 답답해지고 대답이 나오지 않는다. 내일까지 아무 소식이 없으면 휴가를 맡아 가지고 경성 가봐야지, 그래야지 아무러면 오빠가 그리 되었을까, 신문에 난 것은 무어야! 그럼 그는 가슴이 오짝해서 일어나 빙빙 돌았다. 시커먼 사형수들의 사진이 얼씬얼씬 나타나고 있다. 참말일까? 그는 주위를 두리두리 살피다가 창 앞으로 왔다. 무의식간에 창문을 와르르 열고,

"참말일까요?"

허공을 향하여 소리쳤다. 밖에는 아무도 없다. 그는 따귀나 얻어맞은 것처럼 얼얼하여 우두커니 섰다. 싸늘한 바람이 그의 머리털에 비웃는 듯 조소하는 듯 팔팔 감기고 있다. 어둠을 뚫고 빛나는 전등불이 여기저기 흩어졌고 거기로부터 달려오는 긴 빛이 그의 눈가에 수없이 꽂히어 눈물을 가득히 어

리우게 한다. 원장의 집 곁에 간호부 기숙사가 있고 그 옆에 부원장인 외과의사의 저택이 유난히도 빛나는 전등을 문전에 달고 어둠 속에 뚜렷이 앉아 있다. 필시 지금쯤은 약혼한 계집이 찾아왔겠군, 불시에 이런 생각이 들자 불뚝 치달아 올라오는 질투심에 얼굴이 화끈 달았다. 그는 머리를 설레설레 흔들었다. 그리고 창을 등지고 서 버렸다.

―― 영실이, 나는 그대를 떠나서는 한시도 살수가 없소. 내 손이 가기 전에 그 부드러운 흰 손이 더러운 환부를 깨끗이 씻어주었고, 그래서만 이 내 손은 환부를 꼭 집어 알 수가 있소. 그 손! 그 이쁜 손은 영원히 내것이요 ――

이러한 한 구절의 편지가 서늘한 바람을 타고 흘러 들어온다. "악마!" 그는 부지중에 중얼거렸다. 그리고 창문을 요란스레 닫아버렸다. 이번엔 도다나 속을 수없는 기계들이 의사의 손! 영실의 손! 하고 속삭이는 듯하다.

그는 머리를 푹 숙이었다. 의사의 손과 그의 손이 합하면 어떠한 대수술도 무난히 돌파하지 않았던가. 나부죽한 손톱을 가진 약간 여윈 듯한 의사의 손! 까딱하면 무엇을 요구하는지를 알았고 또한 무슨 기계와 무슨 약을 들려줄 것을 이 손이 알지 않았던가. 그는 얼른 손등을 입에 대었다. 그만 탁 찍어버리고 싶다.

내가 미쳤나? 그는 당구장에서 일어나는 환성에 깜짝 놀라 머리를 들었다. 지금 어머니는 어떻게 되었는지 모르면서. "영식아! 영식아!" 오빠를 부르는 어머니의 음성이 금방 들리는 듯하다.

"언니 목욕해요."

효숙이와 나까가와는 층계를 올라오며 이렇게 말하였다. 그들의 얼굴은 빨갛게 상기되었고 하얀 손끝에서는 크림 냄새가 솔솔 풍기었다.

"저 잠깐만 집에 다녀올게. 병실에서 오거든 엠직만하면 선생님께 알리지 말고 둘이서 처리해요. 저기 주사기랑 약이랑 준비 다 했으니, 응."

영신이는 도다나를 가리키고 나서 황황히 탈의소로 와서 옷을 갈아입고 층계를 내려뛰었다. 긴 복도를 지나 병원을 나왔다.

밖은 새까맣다. 하늘엔 별들이 싸늘해 있고 이따금 가로등만이 뽀얀 빛을 땅에 던지고 있다. 웬일인지 발길이 풍풍 빠지는 듯하고 다리 마디가 자꾸만 꺾이려고 하였다. 신발소리만 나면 어머닌가 하여 살피게 되고, 늘 다니던 이 길이건만 어쩐지 처음 가는 골목 같아 한참이나 돌아보곤 하였다. 너무 숨이 차서 가슴을 쥐고 후 하고 숨을 길게 내쉬면 어둠이 새하얀 연기로 변하여 그의 갈한 목에 휘어감기고 있다.

집에 오니 대문을 걸렸다. 얼른 문 사이로 방문을 살피니 불이 희미하다. 어머니가 계시구나…… 맘이 다소 놓여서 대문을 가만히 붙들고 호 하고 숨을 몰아쉬었다. 아직까지는 어머니가 모르시는 모양이나 내일이라도 누구에게서 듣고 묻는다면 무어라고 대답할까.

"어머님께는 당분간 숨겨다오 누이야!" 그는 부지중에 털썩 주저앉았다. 비록 오빠가 감옥에 있다 할지라고 모든 일을 이리 가르쳐 주었는데 이제부터는 누구의 지시를 받나! 우선 어머님께는 뭐라구 하나, 오빠 나는 어찌라우. 그는 발버둥 쳤다. 어젯밤에도 이리 와서 어머니는 차마 만나지 못하고 간 것이다. 어머니만 뵈오면 울음이 탁 나가서 아무리 숨길래야 숨길 수 없음을 깨달은 것이다. 그렇다고 언제까지나 어머님을 만나지 않을 수는 도저히 없는 일이고 내가 좀 대담해야지, 좀 더 침착해야지 하고 가만히 일어났다. 대문을 붙들고 어머니! 하고 부르려니 벌써 눈등이 무거워지고 목이 꽉 메어 음성이 나가지 않는다. 그는 눈등을 한번 부비고 얼결에 대문을 쿵 받았다.

"누구냐!"

어머니의 음성이 흘러나온다. 그는 얼른 몸을 피하렸으나 울음이 왁 나오면서 픽 쓰러졌다. 아득히 들리는 신발소리. 그는 혀를 꼭 물고 발딱 일어났다. 이제야말로 정신을 차려서 어머니를 대하지 않으면 안 되리라 하였다. 대문이 삐꺽 열리면서 어머니의 흰옷이 새하얗게 보인다. 그는 아뜩하였으나 두 손에 힘을 주어 울타리를 붙들고,

"나! 나야 흑!"

말끝에 흑 소리가 턱을 차고 내달린다. 얼른 목을 꼭 쥐어 비틀고 섰노라니,

"서울서 소식 없니!"

하고 어머니는 딸의 곁으로 다가선다. 소르르 건너오는 잎담배 내에 그는 주춤 물러서며 얼굴을 울타리에 돌려대고 힘껏 부비쳤다. 나무판자 울타리에서 뜨끔 찔리는 볼, 그는 볼에 무엇이 들어박히는 것을 느끼면서도 울음은 자꾸만 쓸어나오려고 한다.

"어젯밤 꿈에 네 오빠가 왔기에 오늘은 무슨 소식이 있는가 해서 아까 기숙사에 갔더니 오늘 네가 당번이 되어 몹시 바쁘다고 장 간호부가 그냥 가라고 하기에 왔다마는, 소식 없니."

딸의 몸을 어루만지려는 어머니. 비틀 하고 어머니에게로 쏠리려는 것을 그는 울타리를 꼭 붙들고 섰으나 자꾸만 쓸어나오는 울음 땜에 견딜 수 없다. 그래서 그는 휙 돌아서 울타리를 붙들고 걸었다.

"이애야, 너 선생님헌테 무슨 꾸지람을 들었니, 왜 그러니."

쫓아오는 어머니에게 그는 아무 말이라도 하여서 안심시켜야 할 것을 느끼었으나 좀체로 입을 벌릴 수가 없었다. 어머니와 거리가 좀 멀어지자 목을 비틀었던 손은 놓고 입을 벌리고 속으로 울었다.

"이애야, 말이나 시원히 하여."

어둠을 뚫고 들리는 어머니의 음성은 애처로웠다. 휘끈 머리를 돌리고,

"어머니 들어가라우."

하고 말을 내놓았으나 그 말은 어머니의 귀에까지 들린 것 같지 않았다. 그는 숨을 몰아쉬고 크게 말을 하였으나 울음이 왁 쓸어 나온다. 그는 입을 꼭 다물고 섰다. 귀찮게 흐르는 눈물을 씻고 바라보니 대문 앞에 어머니가 그냥 서있듯 어머니의 흰 옷이 잡힐 것 같다.

"어머니, 어쩔까!"

그는 울음 섞어 이렇게 부르자 와락 어머니에게로 달려가는 발길을 억지로 멈추고 걷다가 돌아보면 어머니는 아직도 섰는 듯, 그만 우두커니 섰다. 그러다 어머니가 그를 쫓아 병원으로 오든지 그렇지 않으면 마을이라도 가려나 하는 맘이 자꾸만 들었던 것이다.

그는 살금살금 그의 집을 바라보고 걸었다. 대문 앞에 오니 어머니는 들어가신 듯 아무것도 보이지 않는다. 대문을 더듬더듬 쓸어보고야 다소 안심을 하고 돌아서 걸었다. 한참 오다가 보니 또 어머닌 듯 흰 그림자가 어둠 속에 뚜렷하였다. 눈을 아프게 쥐어 당기고 다시 한 번 와 보리라 하고 뛰어온다. 구두가 자꾸만 엎어지려고 해서 구두를 벗어 들고 그의 대문 앞에 와서 문틈에 눈을 대니 방에는 아까보다 불빛이 환하다. 들어가서 어머니를 안심시킬까 하니 벌써 울음이 다투어 기어나오므로 그는 눈에 손을 대고 엎으러질 듯 돌아섰다.

그가 보통학교 앞에 오니 숨이 차 견딜 수가 없다. 그래 잠깐 멍하니 섰노라니 어둠 속에 시커멓게 솟아 있는 중앙학교가 맘에까지 소복히 스며드는 것 같았다. 또다시 가슴이 화끈해지며 오빠와 그가 손을 맞잡고 이 길로 학교에 드나들던 것이 어제인 듯 톡 튀어오른다.

노닥노닥 기운 옷에 가방 한 개도 못 가지고 목수건 하나도 없이 어머니가 일본 집에서 얻어온 구멍이 송송 난 메린스 책보를 들고 그 몇 번이나 오르내렸던고.

어머니는 눈만 뜨면 일터로 가기 때문에 그는 언제나 오빠 옆에 붙어 있었다. 오빠에게서 하나 둘을 배웠고 또한 오빠의 등에서 오줌똥을 싼 것이다. 그러다 자라서 이 학교에 다니게 되니 오빠는 언제나 그의 손을 꼭 잡고 교실에까지 바래다주고 그의 교실로 들어가던 것이다. 몸이 아파도 오빠에게 하소하였고 동무들과 쌈을 하고도 오빠에게 고하였고 장난하다 손끝이 상하여도 오빠의 입술에 호 함을 받았고. 그렇던 오빠! 오빠! 난 어쩌라우, 그는 어린애같이 발을 동동 굴렀다.

어느 날 하학을 하고 나오니 눈이 와서 성 같이 쌓였다. 오빠는 그를 둘러 업고 눈 속을 빠져 집으로 온다.

"눈 꼭 감어."

눈 속을 헤엄치는 오빠는 이렇게 말하고 뛰었다. 눈이 얼굴에 부딪치어서는 녹아 얼굴을 쓰라리게 하고 목덜미에 스며들어 꼭꼭 찌른다. 그는 마침내 앙앙 울었다. 집에 오니 어머니는 아직도 안 돌아왔고 눈바람에 문풍지가 다 뜯긴 방 안은 밖에보다 더 추운 것 같았다. 오빠는 그의 몸에 눈을 떨어주고 얼굴을 소매로 닦아주면서,

"이제 어머니가 과자 얻어온다. 울지 말아야."

이렇게 얼리면서도 오빠도 쿨쩍쿨쩍 울고 문만 바라본다. 바람에 문풍지만 울려도 어머닌가, 옆집에서 무슨 소리만 나도 오누이는 달려 일어나,

"어머니."

하고 문을 열어 잡으면 밖에는 눈만 내리고 그는 발악을 하고 어머니를 부르면 오빠는 그를 업고 방안을 빙빙 돌면서 훌쩍훌쩍 울던 일…… 그는 미친 듯이 일어나 걸었다. 목이 찢어지는 듯 가슴이 막혀서 견딜 수 없었던 것이다. 발길이 느려지면서 이 길 위에 오빠의 신발자국이 어딘가 남아 있을 것 같아 펄썩 주저앉는다. 휘끈 돌아보니 저편에서 사람이 오므로 화닥닥 일

어났다. 꼭 어머니인 듯한 여인이 이리로 온다. 그는 서슴지 않고,

"어머니야."

하고 울면서 쫓아가니 어떤 낯모를 여인이 저즘저즘 하다가 지나친다. 그 여인이 보이지 않도록 바라보면서, 어머니가 지금쯤은 주무실까, 한 번 더 가보고 싶어서 발길을 돌리니 몸이 비틀하고 꼬이면서 집에까지 갔다가 돌아올 수가 없을 것 같았다. 그는 구두를 신었다. 높이 솟은 병원 창문으로 빨갛게 흘러나오는 불빛을 보고 얼른 손에 든 구두 생각이 났고 맨발이 부끄러웠던 것이다.

기미년 토벌난에 아버지를 잃어, 또 오빠를 이 모양으로 잃어, 우리집안은 무슨 못된 운수인가, 그는 돌연 이러한 생각을 하며 병원 현관에 들어서니 병원 안이 떠들썩하였다. 수술 환자가 왔는가 하는 불안이 머리를 아프게 후려치자 두루두루 살피니 저편 수술실에는 전등불이 환하고 수술복을 입은 의사며 조수들 간호부들까지 한참 분주한 가운데 있다. 어쩌나, 그는 잠깐 망설였으나 급히 위층 쯔메쇼로 올라왔다.

"언니! 어서 어서 내려가요, 맹장염 환자가 왔다우, 빨리. 선생님이 자꾸만 부르시어. 우리는 혼났어. 그래서 사실대로 여쭈었더니 아주 성이 났어요, 얼른."

효숙이는 공중 뛰어와서 영실이를 탈의소로 잡아끌고 일변 옷을 바꾸어 입히느라 색색거린다. 크림내가 숨결에 따라 몽클몽클 그의 볼에 부딪치고 있다. 그는 맘은 급하지만 몸은 딴 사람의 것같이 임의로 움직여지지를 않는다. 그래서 효숙의 하는 대로 내맡기었다.

효숙이는 그를 끌고 내려와서 수술실 문을 조용히 열고 등을 밀었다. 방안은 화끈하고 더운 김이 그의 머리털에까지 훈훈히 서리고 있다. 갑자기 그는 현기증이 콱 일어 앞이 아득해지므로 벽을 붙들고 멍하니 섰다.

벌써 환자는 수술대에 높이 뉘어놨고 호히[包被]로 푹 덮어 놨으며, 오직 오른편 배만은 장방형으로 나타나게 하였고 그 옆에 의사가 서서 주사를 놓고 있다.

두 사람의 조수가 좌우 옆에 갈라섰고 아래위로 간호부가 서서 병자를 붙들고 있다. 의사의 바로 옆에 수술복에 새하얀 수건을 쓴 나까가와가 수갑 낀 손에 핀셋을 쥐고 테이블에 늘어놓은 온갖 기계들을 차례로 섬기고 있다. 그 나머지의 간호부들은 세면기에 물을 떠 가지고 간혹 들어온 불나비를 잡느라 쫓아다니고, 혹 의사의 이마에 흐르는 땀이며 조수들의 땀을 씻어주고, 발이 시원해지라 냉수를 시멘트 바닥에 주르르 하고 붓기도 한다. 저편 구석에 환자의 친족인 듯한 사십 가까워 보이는 중년 부인이 눈이 뒤집히어 입을 헤 벌리고 서 있다.

의사는 영실이를 힐끗 보자 눈이 희뜩 올라가고 푸른 입술에 비웃음을 삐죽히 흘린다. 영실이는 이것을 보자 미안하던 맘이 홀랑 달아나고 어디선지 악이 바짝 치달아 온다. 그래서 얼른 세면기 앞으로 와서 브러시로 손을 닦기 시작하였다. 따끔 부딪치는 브러시를 따라 휑휑 돌던 머리가 딱 멈추어지고 맘이 꽁꽁 얼어붙는 것 같았다.

"아구! 아구!"

환자는 외마디 소리를 냅다 지르고 다리를 함부로 내젓는다.

간호부들은 머리와 다리를 꼭 누르니 환자는 더 죽는 소리를 내었다. 힐끗 돌아보니 의사는 방금 칼로 피부를 갈라놨고 흐르는 피 속에 지방이 희뜩희뜩 나타났으며, 혈관을 집은 고히루[止血繊子]가 두어 개 꽂히어 영실의 눈을 꼭 찌르는 듯하였다. 눈송이 같은 가제가 나까가와의 손에서 의사의 피 묻은 손에 쥐어 있는 핀셋으로 옮아와서 수술처에 들어가자마자 빨갛게 핏덩이가 된다.

영실이는 손을 다 씻고 나서 나까가와의 곁으로 갔다.

"미안하게 되었소."

"이상!"

나까가와는 머리를 돌린다. 이마엔 구슬땀이 방울방울 맺히었고 얼굴이 빨갛게 되어 영실이를 보자 시원하다는 듯이 핀셋을 내주고 머리를 설렁설렁 들어 땀을 떨구면서 물러났다. 수갑 낀 손에 쥐어지는 이 핀셋! 매끈하고도 든직한 감을 주며 무엇이나 집고 싶어지는 이 감촉. 손에 기운이 버쩍 나고 흩어진 맘이 바짝 모인다.

눈감고라도 이 핀셋만 쥐면 어떠한 기계라도 능란히 섬길 수가 있는 것이다.

"후꾸마꾸간즈[腹膜纖子]!"

의사는 이렇게 부르고 피 묻은 수갑 낀 손을 내밀다가 힐끗 영실이를 보고 눈이 꺼칠해서 나까가와를 돌아보았다.

"왜 물러났어. 누가 시키는 게야."

소리를 냅다 지르고 영실이가 들어주는 기계를 홱 뿌리치고 나서 손수 테이블에서 기계를 집어간다. 나까가와는 울상을 하고 영실의 손에서 핀셋을 빼앗다시피 하여 가지고 그를 밀고 테이블 앞에 다가선다.

영원히 그의 손에서 핀셋을 빼앗는 듯한 이 아픔, 손끝에 짜르르 울리고 뜨끔 찔리어 온 전신에 따갑게 퍼지고 있다. 그는 멍하니 섰다.

의사는 말할 것도 없고 평소에 그를 존경하는 간호부들이며 조수들까지 경멸히 여기는 듯 누구 한 사람 눈여겨보는 이 없다.

그만 울음이 탁 나오려는 것을 혀를 깨물어 참고 의사를 바라보았다. 한참 수술에 열중한 저 의사, 한 손에 칼을 들고 또 한 손에 핀셋을 쥐고 가제를 굴러가며 칼을 움직이는 저 의사, 누구보다도 저를 믿었고 그래서 일생을 의탁코자 아니했던가.

"아쿠! 아쿠!"

살을 지나 뼈를 할퀴는 듯한 환자의 비명에 그는 얼른 머리를 돌렸다.

환자에게서 툭 튀어오르는 오빠! 순간 그 비명이 오빠의 음성 같아 온몸이 화딱 달았다. 다음 순간에 착각임을 알았으나 가슴이 뛰고 부르르 떨린다. 그는 얼른 이 방을 나가리라 하고 한 발걸음 옮기었을 때 구역질이 욱 하고 내달린다. 입술을 꼭 물었다. 목이 찢어지는 듯하더니 코로 주먹 같은 무엇이 칵 내달리며 아뜩하여진다. 그 순간 의사가 쥔 칼이 다음에 번득 빛났다.

그 칼이 오빠를 향하여 살대같이 날아오는 것을 보았다.

"아이머니! 저놈이 사람을 죽여!"

영실이는 눈을 뒤집고 나는 듯이 의사에게로 달려드니 의사는 얼결에 주춤 물러서다가 발길로 탁 차버렸다. 영실이는 시멘트 바닥에 자빠졌으나 단숨에 일어나 달려든다. 입술과 코가 터져 온 얼굴은 피투성이가 되어 버렸다.

"이놈, 이놈! 오빠를 죽여. 아구, 오빠, 오빠, 호호호, 저놈."

간담이 서늘하게 부르짖는다. 방안은 그제서야 영실이가 미친 것을 알았다. 조수는 달려들어 영실의 손을 낚아챘다.

"김서방! 이 미친년 끌어내!"

의사는 발을 구르며 호통하였다. 밖에서 수술자를 담아내려고 들것을 준비하던 김서방은 너무나 큰 소리에 놀라 들것을 든 채 황황히 달려오다가 조수들에게 끌리어 나오는 영실이를 보고 그만 딱 서버렸다.

"미쳤어, 저리 내가, 내가."

조수 하나가 급급히 소리치고 나서 영실이를 김서방에게 맡겨버리고 수술실 문을 쾅 닫아 버린다. 벽이 쿵쿵 울린다.

김서방은 어쩔 줄을 몰라 영실이를 뒤집어 업었다. 영실이, 그는 김서방을 쥐어뜯고 몸부림친다.

"이놈, 오빠, 아구 아구 어머니, 양말만 깁지 말고 빨리 나와요, 하하하 저 놈이!"

김서방은 격리 병실로 뛰다가 몇 호실로 가란 말인고 아뜩하여 생각나지 않았다.

이번엔 위층 병실로 뛰어오며 생각하니 역시 아뜩하였다. 그만 다시 수술 실 문 앞으로 오다가 그도 모르게 욱 치밀어 오는 감정에 층층 밖으로 뛰어 나왔다. 어둡다.

출처: 『여성』, 1937.1.~2.

주요섭

봉천역 식당

1

봉천정거장 앞 넓은 마당에 척 나서 보면 어째 경성역 앞에 선 듯한 환각을 느끼게 됩니다. 환각이 아니라 기실 경성역 앞과 봉천역 앞은 그 규모의 대소가 있을 따름이지 아주 비슷한 것이 사실입니다. 맞은편에 선 집들의 광고판들이며 쭉쭉 뚫려나간 길들이며 앞으로 줄을 긋고 지나가는 전찻길까지가 서로 비슷하니까요.

정거장 구조조차 비슷하여서 들어가는 데와 나오는 데며 대합실(만주국이 생긴 이후로 대합실을 새로 훨씬 안쪽 이층 위에다가 크게 꾸며놓았지만 그전으로 치면 말입니다.)이며 식당위치 등이 모두 서로 비슷한 방향에 놓여있단 말씀이지요.

이 '비슷'은 외지로 오래 여행을 다니는 사람에게 우연 이상으로 반가운 일이올시다. 오랫동안 고향소식을 모르고 두루 헤매다가 봉천역에서 척 내려서자 곧 경성역의 맛을 맛볼 수 있다는 것은 여간한 기쁨이 아닌 것입니다. 차에서 내려서 표 주고 나가는 울타리 밖에 줄느런히 줄을 지어 읍하고 서있는 젊은 사람들, 곧 모자에다가 '××여관', '××여관', '××여관'……하고 여관이름을 달아서 쓰고 있는 '손님 안내꾼'들까지가 경성역 냄새를 끼친단 말씀이죠. 더우기나……

"오래간만에 조선 음식 잡수시지요. 조선 여관으로 가시지요." 하고 외치는 조선말을 들을 때 나는 나도 모르게 자연……

"아, 여기가……" 하고 새삼스레 놀라게 되는 것이다.

2

나는 사주팔자를 그렇게 타고났기 때문인지(서울에서 가장 유명하다는 사주쟁이 아무개씨의 명판단으로 보면 꼭 그렇게 타고났다고 단언하니까 말입니다.) 삼십 평생을 절반이상 해외로 떠돌아다니는 것이 나의 일이었습니다. 그런데 그동안에 봉천역을 거친 것이 무릇 20여 회에 달합니다. 그러나 봉천을 20여 회씩이나 들리면서도 이 또한 내 팔자였든지 또 혹은 봉천이란 도시의 팔자였든지, 누구의 팔자소관인지 자세히 모르나 하여튼 나는 한 번도 봉천에서 열 시간 이상을 머물러본 일은 없습니다. 물론 봉천에서 밤을 지내본 일도 없고 따라서 그 흔한 것이 여관이었지만 한 번도 그 안에 발을 들여놓은 일은 없습니다. 언제나 아침 혹은 오후에 내렸다가는 또다시 그날 밤차로 떠나게 되는데 언제나 봉천에서 차에서 내리면 나는 의례히 물건 한 가지에 대해서 십전씩만 돈을 주면 스물네 시간동안 잘 보관했다가 내주는(짐짝을 잠시 맡겨두는 곳)데다가 내 초라한 짐짝을 맡겨버리고는 혼자서 온 봉천시가를 두루 헤매다가 밤에 다시 차가 떠날 시간이 되면 정거장으로 돌아와서 짐을 찾아가지고 다시 기차 안에다가 지친 몸을 실어버리는 것이었습니다.

곧 봉천이란 도시는 내게 있어서는 하나의 '기차 바꿔 타는 곳'으로밖에는 아무런 다른 존재의 의미를 갖지 않은 곳입니다. 일 년에 한두 번 가끔 번개처럼 조선에 다녀올 일이 있어서 봉천역에 내리면

"오래간만에 조선 음식을……" 하고 운운해서 나를 적이 유혹하는 '손님 안내꾼'들의 말에 마음이 십분 움직여지지 않는 것이 아니나…… 뭘 몇 시 후면 다시 떠날 걸…… 하고는 넉넉지 못한 돈지갑생각이 나서 결국 여관을 단념하고 역시 보따리를 들고 '짐짝을 잠시 맡겨두는 곳'으로 어정어정 가는 것이 내가 의례히 하는 일이었습니다.

그러면 봉천에서 끼를 에워야 하는 경우엔 밥은 어데서 먹느냐? 지당한 물음이지요. 나는 반드시 정거장 식당으로 가지요. 그것은 십여 년 전 일인데 한 번 역시 내가 봉천에서 몇 시간을 보내게 된 때 나는 방향도 모르고 이리저리 싸다니다가 어떤 작은 골목 안에 일본 음식점이 하나 있는 것을 발견하고 들어갔다가 밥 위에 기름이 볶아낸 새우 두 마리를 얹어주는 무슨 '된동'이라던가 하는 밥 한 그릇을 먹고 놀라지 말지어다, 일금 일 원 이십 전야의 대금을 빼앗기고 난 일이 있은 후부터는 나는 익숙지 않은 음식점에는 일체 발을 들여놓지 않는 것으로 한 신조를 삼았었으니까요. 정거장 식당은 언제나 신용할 수 있을뿐더러 깨끗하고 또 밥값도 비교적 싼 셈이지요. 삼십 전만 주면 '카레라이쓰'라나요, 매캐한 밥을 한 접시 무드기 먹을 수 있고 오십 전을 내면 들척지근한 화식(和食)이라는 것을 먹을 수가 있고 또 용간을 내려서 한 번 더 모르는 집에 들어갔던 셈치고 일금 일 원 이십 전야라의 대금을 털어놓으면 맨물국으로 시작하여 생선, 소고기, 닭고기, 과자, 과일, 면포, 커피까지 아주 푸짐한 음식을 먹을 수 있지요.

3

이 이야기를 쓰는 목적은 봉천역 식당 메뉴선전에 있는 것은 절대로 아닙니다. 목적은 딴 데 있으면서도 서론이 너무 길어진 모양이니 미안한 말씀을 이루다 드릴 수 없습니다. 원체 잔소리를 많이 하는 성미라 그만 그렇게 되었습니다. 이제 곧 본 이야기로 들어가겠습니다.

　이야기는 한 팔구 년 전으로 뒷걸음을 쳐가지고 시작되어야 하겠습니다. 그것이 꼭 구 년 전이냐 십 년 전이냐 하고 정확한 대답을 하라고 따지는 이가 있으면 나는 그 대답을 할 수가 없습니다. 왜 그러냐 하면 그때에는 한 십 년 후에 내가 이 이야기를 쓰게 되리란 그런 선견지명을 못 가졌던 탓으로 그날 일을 공책에다 날짜를 적어두었던 것도 아니고 그때는 그저 무심히 지나쳐버렸건만 오늘 이 이야기를 쓰고 앉아있게 되고나니 자연 대강 짐작으로 팔구 년 이전 일이라고 생각됩니다. 하여튼 장작림의 폭사사건이 기억에 새롭고 조선인으로는 중국시가 안으로 들어가 다니기가 퍽 위험하던 때였으니까요.

　그때 나는 역시 어데론가 여행을 떠나서 봉천에서 기차를 갈아타게 되어 저녁을 정거장 식당에서 사먹으면서 차 떠날 시간을 기다리고 있었던 것입니다.

　정거장 식당이란 본래 목적이 여행자들을 위해서 설비해놓은 것이기 때문에 정거장 식당은 시내 다른 식당들보다 훨씬 더 재미있고 변화가 많은 곳이라고 나는 늘 생각하는 바올시다. 참으로 온갖 잡사람, 별 괴물(물론 나 자신도 그중의 하나이지만)이 다 한 번씩 거쳐지나가는 곳이 아닙니까? 정거장 식당에서 심부름노릇을 한 일 년만 하고나면 일생을 써먹고도 남을 소설거리가 얼마든지 생기려니 하고 나는 늘 생각하는 바입니다.

　여행자의 심리는 자연 구경으로 기울어지는 것도 사실이겠지요마는 나는 정거장 식당 안에 들어가 앉기만 하면 더한층 구경에 팔리곤 합니다. 별구경이 아니라 사람구경이지요. 남들이야 또한 나를 구경하겠지요마는!

이 식당에 혼자 앉아서 삼지창으로 밥을 퍼먹고 있다가 홀연 조선말이 들려오는데 더구나 그 조선말 목소리가 옥을 굴리는 듯한 쏘프라노 일적에 문득 눈을 들어 그 소리 나는 편을 바라보는 것이 무슨 괴이할 것 없는 평범한 일이겠지요. 더구나 그 목소리의 주인공이 꼭 찌르면 터질 것 같이 맑으면서 복사꽃같이 말그스레한 두 뺨의 소유자인 것을 발견할 때에 또 그 쏘프라노 목소리가 웃음소리로 변할 때마다 그 좌우쪽 뺨 위에 우물이 옴폭 패이고 메워지고 하는 광경이 눈앞에 나타날 때 그때 나이 스물 안팎인 총각이었던 내가 먹던 밥을 잊어버리고 한참이나 멀거니 바라보고 있다는 것을 지금 고백한다고 나를 가리켜 미친놈이라고 욕할 사람이 있습니까? 외지에서 동포 중에도 특히 이성의 동포를 볼 때 그가 아는 사람이건 모르는 사람이건 막론하고 갑자기 가슴 속에 요동치는 흥분을 직접 체험해보기 전에는 잘 이해하지 못하리라. 더구나 그 이성의 동포가 흑진주같이 빛나는 맑은 눈의 소유자일 적에. 양장한 두 팔목이 대리석처럼 희고 부드러워 보일 적에 십칠팔 세 되는 처녀로 보일 적에 그래 고독하게 외지를 헤매는 한 사나이가 미련스럽게도 공연히 가슴을 두근거리며 앉아있었다고 나를 미친놈이라고 욕을 할 사람이 있습니까?

더구나 이 처녀의 몸에 행복이 넘쳐흘러서 그 순진스런 즐거움이 온 방안 공기를 진동시키고 남을 때, 그 눈길마다, 그 움직임마다, 그 목소리마다 사랑이(그렇습니다. 오직 사랑만이 그렇게도 행복에 가득 찬 분위기를 발산할 수 있는 것입니다.) 넘쳐흐르는 것을 볼 때 그 처녀와 마주앉아서 그 아름답고 고운 사랑을 독차지하고 있는 한 젊은 사나이에게 향하여 내가 일종 질투 비슷한 또는 부러움 비슷한 야릇한 감정의 착란을 가지고 바라보고 있었다는 것을 내가 지금 말한다고 나를 미친놈이라고 욕할 사람이 있습니까?

그날 밤 차를 타고나서 잠을 좀 자볼까 하고 일부러 침대차로 가서 누웠건만 잠은 한 쉼도 못 잤습니다. 다른 생각은 별로 없고 그저……

'그 두 사람이 물론 애인일게다. 아니 혹은 오누이일지도 몰라. 아니야, 둘이 다 그렇게도 행복스러워 뵈던걸. 오누이간에야 무슨 그렇게…… 고향이 어델까? 무얼하는 사람들일까? …… 결혼했을까? 아니, 분명 처녀야. 아직 처녀티가 있던 걸…… 오누이일까? 아니지. 연인이지, 연인이야……'

자, 이런 소용없는 생각을 되풀이하고 또 되풀이하느라고 잠을 한 쉼도 못 잤으니 이제야말로 나를 미친놈이라고 욕을 한 대도 대답할 말이 없습니다.

4

어느덧 이삼 년 세월이 흘러간 뒤입니다. 나는 그동안에도 봉천을 두세 번 거치었지만 정거장 맞은편에 네온싸인이 더 많아졌다는 것밖에 이렇다 할 기억이 남은 것이 별로 없었습니다. 오직 정거장 식당에서 밥을 먹고 앉았을 때마다 문득 양장의 조선 소녀가 생각났으나

'아직도 봉천에 있을까? 행복스럽게 살기는 하는가?' 하는 당치않은 생각이 나는 것을 혼자 빙그레 웃으며 눌러버리고 그때 새로 배운 재간, 곧 콧구멍으로 담배연기를 내보내는 장한 재간을 연습하면서 앉아있었습니다.

한 번은 또 봉천에 내렸는데 이날 나는 봉천에 그때 새로 생겼다는 아라사 사람의 티룸에 석양에 잠시 들려본다던 것이 그 레코드음악에 취해서 그만 늦도록 앉아 있다가 여덟시가 지나서야 정거장 식당으로 저녁을 먹으러 갔습니다. 때가 늦은 지라 식당 안이 텅 비였는데 저편 한편에 사오 인이 한 무리가 되어서 웃고 떠들고 할 뿐 그 외에는 아무도 없었습니다.

나는 언제나 하는 버릇대로 식당 안에서 제일 구석진 자리에 자리를 잡고

앉았지요. 음식을 주문하고 나서는 할 일이 없어 갑갑해서 아무리 읽어야 소용도 없는 것이건만 메뉴를 들고 술값이 얼마 얼마, 담뱃값이 얼마 얼마 이런 것들을 읽고 또 읽고 하였습니다. 그런데 아까부터 귀에 익은 목소리, 말은 조선말이 아니건만 그 목소리는 귀에 퍽 익단 말씀이지요. 그래 나는 유심히 그쪽을 바라보았더니 그 목소리의 주인은 어떤 양장한 한 여성이었습니다. 대여섯 남자들 틈에 오직 두 여성이 앉았는데 한 여자는 일본 옷을 입었고 이 목소리의 주인은 양장을 했는데…… 그 목소리, 그 얼굴, 그 몸맵시, 분명 이 년 전에 이 식당 안에서 행복의 절정에 싸여있던 그 여자가 아니겠습니까?

그러나 그가 말하는 그 말은 조선말이 아니요, 함께 와 앉아 있는 사람들도 조선 사람이 아닌지라 나는 나 자신의 기억력에 의문을 느끼고 어느 딴 여자이리라고 생각을 해보려 했습니다. 그러나 보면 볼수록 그 쏘프라노 목소리라든지, 말끝마다 짜르르 웃으며 웃을 때마다 뺨에 우물이 패이고 메워지고 하는 것이라든지 나는 언제나 한 번 본 얼굴을 잊어버리는 일이 없느니라고 늘 자랑을 하는 처지입니다만 갈데없이 이 양장미인은 다른 여자가 아니고 이 년 전 그 사람이었습니다. 더구나 그 얼굴이 조선 여자인걸요. 양장을 했지마는 현해탄 건너쪽 여자보다는 한결 준수하고 압록강 건너 여자보다는 한결 명랑한 얼굴, 곧 봉천 여자들처럼 우둔하지 않고 또 동경 여자들처럼 깜찍하지 않고 복스러운 얼굴, 그것이 더구나 귀를 기울이고 자세히 들으니 그 여자가 유창하게 하기는 하는 말이지만 아무래도 조선식 악센트가 섞여있는 걸요.

나는 호기심이 바짝 당겨서 그 정체를 추측해보려 했습니다마는 혹은 어떤 카페의 웨트레쓰 같기도 하고 또 혹은 사무원 같기도 하여 정확히 추측을 할 수 없었습니다. 그러자 그들 일행은 모두 일어서서 밖으로 나갔습니다.

그의 일거일동을 추근추근히도 따르는 내 시선을 그 양장의 처녀(아마 지금은 처녀가 아니었겠지요마는)가 인색했던지 문까지 다가와서 잠시 내 쪽을 돌아보다가 그 시선과 나의 시선이 마쥐자 그는 놀란 토끼모양으로 얼른 고개를 돌립니다마는 그의 맑은 두 뺨 위에 홍조가 떠오르는 것을 나는 보았습니다.

'대관절 어찌 된 일일까? 그때 그 남자, 내가 연인이라고 단정했던 그 남자는 어찌 되었는가? 어찌 된 관계로 저런 사람들과 함께 밀려다니는가?'

이런 온갖 생각의 휩싸여서 나는 그날 저녁을 어떻게 먹었는지, 혹은 그날 저녁을 내가 정말 먹었는지, 또 혹은 심부름꾼이 잊어버리고 안 가져오고 (물론 그럴 리야 없겠지만) 나도 역시 잊어버리고 안 먹지나 않았는지 지금까지도 기억이 아니 납니다.

5

또 한 삼 년 세월이 흘렀습니다.

만주사변이 엊그제 생긴 일이라 봉천은 전시상태와 같았습니다. 이때 역시 나는 여행을 안 할 수 없는 일이 생겨서 그 무시무시한 감시와 취조를 받아가면서 봉천에 내렸던 것입니다.

그날 내가 봉천역 식당에서 또다시 그 양장미인을 만나보았다고 말씀드리면 나더러 거짓말한다고 하시렵니까? 세상에 어떻게 그렇게 우연히 중복되고 또 중복되는 일이 있을 수 있느냐고요! 글쎄, 나도 모르겠습니다. 아마 그것도 내 팔자의 한 부분인지 모르지요.

그러나 이번에 나는 어찌도 놀랐는지 모릅니다. 세상에 사람의 얼굴이 불과 이삼 년간에 그렇게 틀려지는 수도 있는지요. 꼭 누르면 터질 듯이 말롱

말롱하던 그 두 뺨이 핏기 하나 없이 노래져버린 데다가 입가에는 벌써 가는 주름이 잡혀서 입을 꼭 다물면 우는 상 비슷한 기분을 일으키는 얼굴, 그 명랑하던 웃음은 어데로 가고 아주 우울한 얼굴의 한 전형이 되어버렸던 걸요. 팔꿈치부터 들어내는 그의 팔은 오육 년 전 그때보다도 더 새하여졌는데 그때에는 대리석처럼 반지르르하고 아름답던 것이 지금은 회벽처럼 푸시시하고 거칠어버렸습니다. 오직 그 흑진주같이 빛나는 두 눈만이 그대로 옛날 그 아름다움을 간직해 내려왔습니다. 그래서 그 눈만을 바라보면 그 얼굴은 옛날 순진성은 없어졌지만 그 대신 더 요염한 매력을 아니 느낄 수 없었습니다.

그와 함께 온 사람들은 이번엔 어떠한 사람이드냐구요? 그 여자 혼자 와 앉아있었어요. 내가 식당으로 들어갈 때엔 벌써 그는 저녁을 다 먹고 치웠는지 식탁에는 아무것도 놓여있진 않고 그 여자 혼자서 턱을 괴고 앉아서 담배만 자꾸 피우더군요.

나는 그만 놀라고 슬프고 기분이 이상해져서 멀거니 그 여자만 바라보고 있었습니다. 그는 한두 번 나를 바라보았으나 이번엔 얼굴이 붉어지지도 않고 그렇게 놀란 토끼모양으로 시선을 피하지도 않고 그냥 잠시 바라보고는 다시 천정을 쳐다보면서 담배만 자꾸 피우는걸요.

아마 내가 식당에 들어온 뒤에도 그는 담배를 여라문 대 계속해 피웠지요. 나는 한 번만이라도 건너다볼까 하는 호기심이 불일 듯 일어났으나 원래 수줍음이 많은 성격인데다가 또 그 여자의 태도가 어찌도 냉랭하고 청승맞은지 그만 용기가 나지를 않았습니다. 심부름꾼이 내 음식을 가져온 때 그여자는 그만 휙 일어나서 밖으로 나가버리고 말았습니다.

6

그리고는 바로 어제 일입니다. 어제 저녁을 내가 봉천에서 먹었지요. 바로 아까 오후에 서울에 내렸으니깐요.

에, 벌써 짐작하시는군요. 그래요. 그 여자를 어제 저녁에 또 봉천역 식당에서 보았습니다. 그것도 무슨 인연이라고 할 수 있을런지요. 원!

정거장을 그 동안에 모두 수리해놓아서 아주 으리으리하더군요. 안으로 커다란 대합실을 새로 짓고 그 커다란 층층대를 무엇으로 만들었는지 파란색이 도는데 발로 밟으면 물큰물큰하더군요. 식당은 마침 수리중이여서 이편 한편 구석에 임시로 자그마하게 열었는데 새롭게 눈에 띠우는 것은 하―얀 에프론을 맵시 있게 입은 여급들이었습니다. 인제는 식당 심부름 직업도 사내들은 못 해먹게 된 세상입데다그려.

어서 그 양장미인 이야기를 하라구요? 예, 지금 곧 하겠습니다. 그렇게도 우울한 얼굴이 세상에 다시 또 있을 수 있을까요? 그 흑진주같이 빛나던 눈도 웬 일인지 그 광채를 잃고 언제나 눈물이 괴어있는 것 같이 보여서 금시에 먹던 밥을 먹다말고 울고 쓰러질 것 같이 마음이 조마조마해지더군요.

혼자 왔더냐구요? 아니요, 이번엔 둘이서 왔습데다. 내가 저녁을 한 절반이나 먹은 후 그 여자가 들어왔는데 포근히 잠든 어린애를 하나 업고 들어왔습니다. 어린애는 아마 두 살이나 될까 합데다. 아이는 계집애인데 교의에 올려놓으니까 그냥 식탁에 두 팔을 얹고 엎디어 쌕쌕 계속해서 자더군요.

양장의 그 여자는 이번엔 천정을 쳐다보지도 않고 담배도 안 피우고 오직 식탁만을, 마치도 그 위로 기어가는 개미까지도 놓치지 않으려는 듯이 들여다보고 앉아있었습니다. 내가 그렇게도 뚫어지게 바라보았으니 내 시선을 감각 못 했을 수도 없으련만 눈 하나 깜짝 안 하고 이 세상에는 오직 이 식탁 하나밖에는 아무런 다른 존재도 인식하지 못 한다는 듯이 한 곳을 그렇게 바라보고 있었습니다.

그리고 세상에 내 그렇게도 눈물 날만치 구슬픈 밥 먹는 태도를 나는 여태껏 본 일이 없었습니다. 밥을 한 술 입에 떠 넣고는 맥이 한 푼어치도 없는 사람처럼 입을 후물후물, 그것도 가끔 밥 먹기를 잊은 듯이 가만히 있다가는 갑자기 생각난 듯이 또 한 술 떠 넣고는 후물후물 그 모양이었습니다. 언제나 식탁 위 한 곳만을 뚫어지게 주시하면서……

그러더니 그는 밥 뜬 숟갈을 손에 든 채 입에 넣지 않고 한참이나 멀거니 앉아서 시선을 옆에 엎디어 잠자고 있는 애기를 잠시 동안 물끄러미 들여다보더니 한순간, 실로 눈 깜짝할 한순간 나는 그 창백한 뺨 위에 우물이 걸핏 패였다가 메워지는 것을 보았습니다.

그러자 그는 한 술 떠들었던 밥을 도로 접시에 놓고 고요히 일어나서 자기 등에 둘렀던 덧옷을 벗어서 잠자고 있는 아이의 어깨를 덮어주었습니다. 늦은 봄이어서 그리 추운 것은 아니었습니다마는—

그리고 그는 다시 앉아서 아까 모양으로 절반 정신은 딴 데다 둔 사람처럼 밥을 먹는 것이었습니다.

이야기는 이것으로 그칩니다. 나는 그 여자가 누구인지도 모르고 어디 사람인지도 모르고 지금 어떠한 곳에서 살고 있는지, 어떠한 환경에 있는지 도무지 모릅니다. 내가 그 여자를 봉천역 식당에서 서너 번 본 외는 그 여자에 대한 아무런 지식도 없고 그의 반생을 그려본다면 그것은 한갓 내 추측에 불과할 것입니다. 그러나 웬 일인지 나는 그 여자에 대한 내 구슬픈 추측이 꼭 사실일 것 같만 생각이 들어서 우울하고 슬픈 생각을 금할 수 없었습니다.

나는 여기서 마치도 해외로 떠도는 조선 여성의 한 타입의 표본을 눈앞에 앉히고 보고 있는 것 같이 생각되어서 처참한 감정을 금할 수 없었던 것입니다.

더구나 세상모르고 쌕쌕 잠자는 그 어린 딸— 추울세라 어머니가 덧옷을 벗어서 덮어주는 것도 느끼지 못하면서 지금 이 아이는 아이들만이 가질 수 있는 신선나라 꿈을 꾸고 있겠지요. 어머니의 슬픔도 모르고 또 자기 앞을 걸쳐 막고 있는 비애의 커다란 함정도 모르면서 어머니의 슬픔을 상속받아 대를 이을 이 애기! 어머니가 딸에게, 그 딸이 또 딸에게, 대에 대를 이어서…… 조선인으로서의 비극, 이 쇠사슬 같은 연쇄의 영원을 생각할 때 나는 나도 모르게 한숨을 길게 쉬었습니다.

나는 내 입에서 나와서 뭉게뭉게 구름처럼 피어오르는 담배연기를 바라보면서 그 연기 속에 지금 내 앞에 앉아 밥 먹고 있는 이 한 조선 여성의 조그마한 기쁨들과 커다란 슬픔으로 채웠을 반생을 그림 그려보고는 지워버리고 또 그려보고는 다시 지워버리고 하면서 하염없이 앉아있었습니다.

1936.6.

출처: 『사해공론』 21, 1937.1.

강경애

마약

"나는 등록 하였수!"

보득 아버지는 벌떡 일어나며 외쳤다.

"무슨 딴 수작야 계집을 죽인 놈이. 가자 너 같은 놈은 법이 용서를 못해."

순사는 달려들어 보득 아버지의 멱살을 쥐어 내몰았다.

"네? 계집을 계집을……"

보득 아버지는 정신이 버쩍 들어 순사를 쳐다보았으나, 나는 듯이 달려드는 매손에 머리를 푹 숙여 버렸다. 불을 움켜 쥔 그는 기막히게 순사의 입술을 바라볼 때, 불이 붙는 듯 우는 보득이가 눈에 콱 부딪친다.

"엄마, 엄마."

어디선가 아내가 꼭 뛰어들 듯한 저 음성, 널쩍한 미간 좌우에 근심에 젖은 꺼무스름한 아내의 눈이 툭 튀어 오른다. 여보, 보득일 울지 않게 허우. 가슴에서 울컥 내달리는 말, 돌아보니 아내는 없고 풀어진 고름끈을 밟고 쓰러질 듯이 서서 우는 저 어린것뿐이다. 발딱거리는 저 가슴, 아내의 손때에 까맣게 누웠던 저 머리털, 밤새에 포르르 일어섰다.

"이놈아, 가."

구둣발에 채어 보득 아버지는 뜰 아래로 굴러 떨어졌다.

어둠이 호수 속처럼 퐁그릉 차 있는 여기, 촉촉이 부딪치는 풀잎, 이슬. 쳐다보니 수림이 꽉 엉키었고, 소복히 드리우는 별빛. 갑자기 뒤따르는 남편의 신발소리가 이상해 돌아보는 찰나, 무서워 어쓸해진다. '대체 이 산골로 뭘하러 들어올까, 왜 그리 보득일 재워 눕히라 성화였나, 이리 멀리 올 줄을 짐작했다면 꼭 업고 올 것을. 또 한 번 물어봐.' 목이 화끈 달아오른다. 급할 때면 언제나처럼 열리지 않는 입술, 두 번 묻기가 어렵게 성내는 남편의 성질, 오물거리는 혀끝을 지그시 눌렀다. 발끝이 거칫하고 잠깐 다녀올 데가 있다던 남편의 말이 거짓말인 양 눈물이 핑 돈다.

조르르 소르르 어깨 위를 스쳐가는 것이 솔잎인 듯, 송진내 솔그러미 피어 흐르고 깜박깜박 나타나는 별빛이 보득의 그 눈 같아 문득 서게 된다. 남편의 호통에 안 일어나고는 못 배길 것이니 이렇게 따라 나섰고 또한 멀리 올 것을 모르고 보득일 재워 눕히고 온 것을 생각하니 남편의 말이라면 너무나 믿고 어려워하는 자신이 새삼스럽게 미워진다. 꼭 보득이 숨소리 같은 벌레소리가 치맛길에 가득히 스친다.

'날 죽이고 그가 죽으려고 이리 오나.' 거미줄 같은 별빛에서 뛰어오는 생각, 이년 전 뒤뜰 살구나무에 목매어 늘어졌던 남편의 꼴이 검실검실 나타난다. 소름이 오싹 끼쳐진다. '그래도 죽으려는 것은 못 죽게 하니까 이번엔 날 부텀 죽이고 죽으렴인가, 보득일 어쩔고.' 팔싹 주저앉고 싶은 것을 간신히 걷는다. 허리를 도는 바람결에 놓지 않으려던 보득의 혀끝이 젖꼭지에 오물오물 기어간다. 그는 돌아섰다. 솔잎이 빰을 찰싹 후려친다.

"보 보득이가 깨었겠는데 이젠 돌아가요."

아무 말 없이 그의 등을 미는 남편, 한층 더 무섭고 고함을 쳐 누구를 부르고 싶은 맘, 타박타박 비탈길을 올라간다. 이 고개를 넘으면. 무릎이 툭 꺾이려 하고 남편이 그를 끌고 저 산 속으로 들어갈 듯, 부들부들 떨면서 산마루에 올라서니 확 울고 싶게 마을의 등불이 날아온다.

"여긴 험하네. 내 앞서리."

돌연히 남편은 이런 말을 하고 그의 앞을 서서 걸었다. 악 하고 소리치고 싶은 무서움이 머리끝을 스치고 지난 뒤 오히려 저 등불에서 무서움이 덜리기 시작한다. '저기 누구를 찾아가는 게지. 그래서 쌀 말이나 얻어 오려고 날 데리고 오는 게지' 하자, 아편을 하기 시작하면서부터 공연히 남편을 의심하고 무서워하는 버릇이 생겼음을 새삼스럽게 느끼면서, 실직 후에 고민을 이기다 못해 자살하려던 남편, 재일이와 밀려다니다가 들키어 몹시 매를 맞더라는 남편, '미친년들 아무려면 그가 그런 짓을 했을까.' 그러나 남편의 얼굴에 퍼렇게 멍이 진 자욱을 생각하니 목이 콱 메인다.

비탈길을 내리니 보득일 업고 뛰고 싶게 길이 평탄하다. 수수 하는 바람소리에 머리를 돌리니 앵 하는 내 애기의 울음소리가 밀려 나가는 저 바람에 따르는 듯, '보득이가 울 텐데 어쩌까.' 그는 이렇게 중얼거리지 않고는 견디지 못하였다.

시가에 온 그들은 어떤 포목 상점 앞에 섰다. 간혹 지나가고 오는 사람은 있으나마, 거리는 조용하였다.

남편이 상점 안으로 들어가니 주인인 듯한 중국인이 반색을 하여 맞아 준다.

"이제 왔어, 우리 기다렸어."

이렇게 말하고 웃으면서 밖을 살피는 툭 불거진 눈, 얼른 발발이 눈을 연상시키고 이마에 흉터가 별나게 번질거린다. 빛 잃은 맥고모를 푹 눌러 쓴 채 금방 쓰러질 듯이 서 있는 남편, 혈색이 좋은 중국인에게 비하여 너무나 창백한지, 어느 때는 되놈 같은 것은 사람으로 인정치 않았건만…… 푸르고 붉은 주단 빛이 안개가 되어 상점 방을 폭 덮어주는 것이다. 남편이 머리를 돌려 끄덕끄덕할 제, 그는 아편인이 몰려와 저러는가 하여 화닥닥 놀라는 순간, 다음에 어서 들어오라는 뜻임을 어렴풋이 깨달았지만 허둥지둥 들어가면서 얼굴이 화짝 달아오른다. 뚫어져라 하고 그를 살핀 중국인은 앞을 서서 비죽비죽 걸었다. 그도 남편의 뒤를 따라섰다. 사뿐히 스치는 주단 냄새에 보득의 저고리 감이라도 얻으면 싶고 문득 남편의 후줄근한 아랫도리를 살피면서 타분한 냄새를 피우는 뜰로 내려섰다. 먼 길을 걸었음일까 아편인이 몰려옴일까 남편은 비칠비칠 하였다. 불행히 이 거동을 중국인이 눈치 챌까 그의 가슴은 달막거리고 몇 번이나 손을 내밀어 붙들까 하였다. 빨간 문 앞에서 남편과 중국인은 무어라고 수군거리더니,

"이 방에 들어가 있소. 나 잠깐 볼일 보고 올 테니."

문을 열고 그의 등을 밀어 넣다시피 한다. '필경 아편인이 몰려온 것이다.' 짐작한 그는 암말도 못하고 방으로 들어왔으나 어둠 속에서 사라지는 남편의 신발소리를 놓치지 않으려 문을 획 열어 잡았다. 상점 문이 드르륵 닫혀 버린다. '곧 오라고 할 걸.' 하며 문에 몸을 기대섰으려니 홀연 그의 집 방문턱에 기어오르는 보득의 얼굴이 불쑥 나타나고 어느 날 보득이가 문턱을 넘어 굴러 떨어지던 것이 가슴에 철썩 부딪친다. '어쩔까, 어쩔까.' 그는 빙빙 돌았다.

한참 후에 이리 오는 신발소리가 있으므로 달려 나왔다.

"보득이가 깨었어요."

목이 메어 중얼거리고 보니 뜻밖에 중국인만이 아니냐, 겁결에 발을 세우고,

"여보!"

진서방 뒤를 살피니 있으려니 한 남편은 없고 어둠이 충충할 뿐이다. 머리끝이 쭈뼛해진다. 단박에 진서방은 그의 손을 덥석 쥐고,

"변서방 말야. 그 사람 집에 갔어."

날쌔게 손을 뿌리치고 난 그는 이 말에 확 울음이 솟구치려는 것을 겨우

참으면서 나는 듯이 몸을 빼치려 하였다. 치마폭이 후둑 따진다.

"보득 아버지!"

막아서는 진서방의 가슴을 냅다 받았다. 진서방은 씨근거리면서 달려들어 그를 안아 가지고 방으로 들어와서 이어 문을 절거럭 걸어버린다.

"여보, 이놈 봐요. 여보!"

마치 단 가마 속에 든 것 같고 어쩐 일인가 아뜩 생각되지 않는다. 그저 이 방을 뛰쳐나가려는 것으로 미칠 것 같았다. 몇 번 소리는 치지 않았건만 목이 탁 갈라지고 목에서 겻불내가 훅훅 뿜긴다. 진서방은 차차 그 눈에 독을 피우고 함부로 그를 쥐어박아 쓸어안고 넘어지려고 한다.

"사람 살려요, 살려요."

그는 벽을 쿵쿵 받으며 고함쳤으나 음성은 찢기어 잘 나가지지 않는다. 이 방안은 도무지 울리지 않고 입술에까지 화기만 번쩍 올라타고 있다. 진서방은 그의 입술을 막아 소리를 치지 못하게 한다. 땀이 쯔르르 흐르는 손에서 누린내가 숨을 통하지 못하게 쓸어오므로 깍 물어 흔들었다. 벼락같이 쥐어박는 주먹이 우지끈 소리를 내고 피가 쭈르르 흘러 목을 적신다. 진서방은 눈이 등잔통 같아져서 무어라고 중국말로 투덜거리더니 시커먼 걸레로 입을 깍 막아 버린다. 온 입 안은 가시를 문 듯, 그 끝이 코에까지 꿰어 올라온 듯, 흑! 흑! 턱을 채었다. 진서방은 허리띠를 끌러 미친 듯이 돌아가는 손과 발을 동인 뒤 이마 땀을 씻으며 빙그레 웃었다. 핏줄이 섞인 저 개눈깔 같은 눈엔 야수성이 득실거리고 씩씩거리는 숨결에 개 비린내가 훅훅 뿜긴다. 퍼런 바지는 미끄러져 뱃살이 징글스레 드러났고 누런 침을 똑똑 흘리고 있다. 그는 이 꼴을 보지 않으려 눈을 감으니 들썩 높은 남편의 콧등이 까프름 지나가고 비칠거리는 그 걸음발이 방금 보이면서 이제야 어디서 아편을 하고 이리로 달려오는 모양이 가물가물 하였다.

"여보! 여보!"

문을 바라보고 힘껏 소리쳤으나 그 음성은 신음소리로 변하여질 뿐이었다.

이튿날도 진서방은 깜짝 아니하고 그의 곁에 앉아 활활 다는 그의 머리에 수건을 대어 주었다. 이미 몸을 더럽힌지라 진정하고자 하나 그만큼 열이 오르고 부러진 이가 쑤시는 것이다. 곁에 보득이만 있다면 되는대로 지내리란 생각도 때로는 든다. 새벽부터 남편이 자기를 이 되놈에게 팔았는가 하고 의문이 들었던 것이다. 하나 그것은 잠깐이고 어젯밤에 남편이 정녕 집에 갔는지, 여기 어디서 죽지나 않았는지, 만일 갔더라도 보득일 데리고 얼마나 애를 태울까 하는 걱정이 다투어 일어난다. 주르르 수건 짜는 소리에 놀라 그는 머리를 들었다. 진서방이 누런 이를 내놓고 웃는다. '보득의 오줌소리 같았건만!' 흑, 하고 뱃속에서 치달아오는 울음 때문에 눈을 꼭 감아 버렸다.

"생각이 잘이 해. 우리 금가락지, 비단 옷 해줬어, 히."

진서방은 웃는다. 그는 수건을 제치고 돌아누우니 성났던 젖에서 대살과 같이 뻗치는 젖, 젖을 꼭 쥐는 손가락은 바르르 떨리었다. 이어 보득의 출출 마른 젖내 몰크럼 나는 입김이 볼에 후끈 타오르고, 엄마를 부르고 온 방안 헤매다가 삿자리 가시에 그 조그만 발과 무릎이 상하여 피가 뚝뚝 흐르는 것이 눈에 또렷하였다.

"보득 아버지 어제 집에 갔어?"

그는 불쑥 물었다. 진서방은 반가워서,

"갔어. 돈을 가지고 갔어."

돈이란 말에 그는 울음이 왕 터져 나왔다.

이렇듯 하루해를 넘기고 밤을 맞는 보득 어머니는 이 밤에 모든 희망을 붙이고 축 늘어져 있었다. 될 수 있으면 진서방으로 하여 안심하게 하도록 눈치를 돌리곤 하였다. 여간 좋은 기색을 그 눈에 지질히 띠운 진서방은 엉덩이를 들썩들썩 추키면서 상점방에도 나갔다 오고, 먹을 것을 사들이고, 약을 사다 이에 바르라는 둥 부산하였다. 그러나 밖에 나가서 단 십 분을 있지 않고 들어와서는 힐끗힐끗 그의 눈치를 보았다. 그 눈에 흰자위가 몸서리나도록 싫었다. 왜 이리 불은 때었을까, 방안은 절절 끓었다. 누런 손으로 과일을 벗기는 저 진서방, 이마에 콩기름 같은 땀이 흘러 양 볼에 번지르르 하다. 제딴은 온갖 성의를 다 보이느라고 한다. 하도 여러 번째에 못 이기는 체 그 속을 눙쳐주려는 꾀에서 한 쪽 받아 입에 무니 이가 딱 맞질리고, '내 애기는 지금 뭘 먹노!' 잇새에 남은 과일 쪽은 보득의 살인 듯 그는 투 뱉아 버렸다. 피가 쭈르르 흘러내린다.

자정이 훨씬 지나 그는 머리를 넘석하였다. 다행히 진서방이 잠이 든 까닭이다. 그는 숨을 죽이고 몸을 조금씩 일으키면서 연방 진서방을 주의한다. 혹 잠이 안 들고서 저러나 하는 불안이 방안을 가득 싸고 돌고, 시계소리, 어디서 우는 벌레소리, 희끄므레하게 보이는 문, 뭉클 스치는 과일내까지도 사람의 숨결일까 놀라게 된다. 바시시 이불에서 몸을 빼칠 제 후끈 일어나는 땀내에 보득의 기저귀 한 끝이 너풀 코끝에 스치는 듯. 이제 가서 보득일 꼭 껴안을 것이 가슴에 번뜻거린다. 그는 용기를 얻어 곁의 옷을 집어 들고 사뿐사뿐 뒷문으로 왔다. 가만히 문을 열고 나오니 다리팔이 소리를 낼 듯이 떨리고 가슴이 씽씽 뛰어 어쩔 수가 없다. "넌 어디 가니?" 소리치는 듯 귀는 헛소리로 가득 차버린다. 허둥허둥 변소로 와서 우선 동정을 살핀다. 앞으로 나가려니 상점방이 있고 부득이 울타리를 넘어 나가는 수밖에. 울타리 위에는 쇠줄이 얽혀 있는 것을 낮에부터 유심히 바라본 것이다. 더구나 이 변소에서 넘는 것이 가장 헐하리라 한 것이다. 귀를 세워 안방을 주의하고 상점방을 조심한다. '이렇게 망설이다가 진서방이 깨게 되면 어쩔까.' 발딱 일어나 옷을 울 밖으로 던진 후에 껑충, 울타리에 매어 달렸다. 무엇이 발을 꽉 붙잡는 듯 몸은 푸들푸들 떨리고 맘은 어서 나가려는 조바심으로 미칠 것 같다. 쭈르르 미끄러지고 얼굴이 쇠줄에 선뜻 찔린다. 그러나 이를 악물고 철사를 힘껏 붙든 채 바둥거린다. 이 줄을 놓으면, 내 애기 내 남편을 못 만나 볼 듯, 어쩐지 그렇게 생각된 때문이다. 쇠줄 소리는 요란스레 난다. 이번에 야말로 진서방이 내달아 오는 듯 발광을 하여 몸을 솟구친다. 아뜩하여 가만히 살피니 그의 몸이 거꾸로 울 밖에 달려맨 것을 직각한 그는 쇠줄에 속옷 갈래와 발이 끼어서 있음을 알았다. 그는 마구 속옷 갈래를 쥐어 당기고 발을 뽑을 때 철썩하고 땅에 떨어졌다. 이어 딱 하고 무엇이 후려치므로 진서방이구나 하고 힘껏 저항하려다 만지니 돌에 머리가 마주친 것을 알았다. 단숨에 뛰어 일어난 그는 미친 듯이 뛰었다. 으드드 떨리게스리 터져 나오려는 이 환희! 어둠 속을 뚫고 폭풍우같이 몰아치는 듯, 나는 듯이 시가를 벗어난 그는 산비탈을 끼고 올라간다. 주르르 흘러오는 산바람이 그의 몸에 휘어 감기자 내 애기의 음성이 가까이 들리는 듯, 까뭇 그의 집이 나타나고, 우는 보득이 눈에 고드름같이 매달린 눈물, 귀엽고도 불쌍한 눈물…… 그의 눈에 함빡 스며 옮아오는 듯 거칫 쓰러진다. 발끝에서 확 일어나는 불길은 쓰러지려는 그의 몸을 바로 잡아준다. 그는 뛴다. 보득의 옆에 쓰러진 남편, 아편에 취하여 있을 그, 이제 가면 붙들고 실컷 울고 싶다. 원망도 아무것도 사라지고 오직 반갑고 슬픔만이 이락이락 일어나는 것이다. 응당 남편도 그를 붙들고 사죄할 것 같다. 꼭 아편도 뗄 것 같다. 조수같이 밀려나오는 감격에 아뜩 쓰러진다. '여보.' 소리를 지르고 일어나 달린다. 흑흑 차오는 숨 좀 돌리려고 하면 맥없이 쓰러지게 되고 다시 뛰면 숨이 꼴깍 넘어가는 듯 기절할 지경이다. 이마에선 땀인가 무엇인가 쉴 새 없이 흘러 눈을 괴롭히고 목덜미로 새어 흐른다. 비가 오는가 했으나 그것을 살필 여유가 없고 진가가 따르는가 돌아보게 된다. 씽씽! 철사줄 소리가 머리 위를 달리는 것이다. 그는 후닥닥 몸을 솟구치다가 맹하고 쓰러진다. 아직도 그가 철사줄을 붙들고 섰는가 싶었던 것이다. 다시 정신을 돌리고 나면 '이번에야 떼지, 그래. 우리 보득일 잘 키워야 하지.' 울면서 일어나 닫는다. 마지막 사라지려는 마을의 등불은 불에 단 철산가 싶게 길게 비친다. 뒤따르는 놈이 있다면 어렵지 않게 죽일 맘이 저 불에서 번쩍한다.

별빛만이 실실이 드리운 수림 속을 걷는 보득 어머니, 남편과 보득일 만날 희망으로 미칠 것 같다. 거칫하면 쓰러지고 쓰러지면 일어나 뛴다. 입에 먼지가 쓸어 들고 불을 붙인 것처럼 얼굴은 따갑다. 몸에서 피비린내가 진동하고 또 젖비린내가 뜨끈뜨끈히 떨어쳐 머리털 끝에까지 넘쳐흐른다. 쏴르르 수림을 흔드는 바람, 그 바람이 머리끝에 춤출 때,

"이번엔 떼야 해요, 떼야 해요."

부지중 그는 이리 중얼거리고 픽 쓰러진다. 발광을 하며 일어나려고 하나 깜짝할 수가 없다. 문득 이마를 만지니 상처가 깊이고 그리로 피가 흐르는 것을 직각한 그는 속옷 갈래를 찢으려다 기진하여 머리를 땅에 박고 만다. 이번엔 적삼을 어루만지려니 발가벗은 몸이고 아까 울 밖으로 옷을 던진 채 깜박 잊고 온 것을 짐작한다. 다시 속옷 갈래를 찢으며 애를 쓴다. 헛기운만 헙헙 나올 뿐 손은 맥을 잃고 만다. 떼야! 떼야! 정신이 까무루루해서 이렇게 부르짖다가 펄쩍 정신이 들 때에 일어나렸으나, 몸이 천근인 듯 무겁다. 팔을 세우면 다리가 말을 안 듣고, 머리를 들면 헛구역질만 나온다. '내가 죽어 가는 셈일까, 우리 보득일 어쩌고.' 벌떡 일어났으나 그만 쓰러지고 만다.

"아가, 아가!"

먼지를 한입 문 입을 벌려 이렇게 부른다. 응 하는 대답이 있을 듯하건만 그는 땅에 귀를 부비치고 내 애기의 음성을 들으려 숨을 죽인다. 이번엔 목을 비끄러매는 듯이 혀를 힘껏 빼물고 "아가." 불렀으나 아무 소리도 들리지

않는다. 머리를 번쩍 든다. 보득일 업은 남편이 저기 어디 비칠거리고 그를 찾아올 것만 같다. 깜짝 일어났으나 그만 쓰러지게 된다. 대체 왜 이리 쓰러지는지, 그는 아뜩하였다. 손가락을 아짝 씹는다. 불이 눈에 불끈 일어 감기려던 눈이 환해진다.

"아가, 여기 젖 있다, 머."

그는 허공을 향하여 부르짖었다. 숲속에 드리운 저 허공, 남편의 초라한 옷자락인가 봐 펄쩍 정신이 든다. 허나 아니었다. 그는 응 하고 울었다. 그리고 기어라도 볼까, 다리팔을 움직이다 그만 쓰러진다.

아가, 아가…… 어쭉 일어나 봐…… 흥 제, 남편은 어찌될 줄 알고. 이제 등록한 아편장이가 될지 어떨지…… 고요히 숨이 끊어지고 만다.

출처: 『여성』, 1937.11.

최명익

逆說

〈上〉

아카시아 하가지의 그림자가 레쓰문장 위에 금실금실 설레고 바람세여 덜컹거리는 유리창밖의 아침하늘은 맑은 가을빛이다. 아침저녁 절기를 다투는 이즈음 어느덧 앙상해진 나뭇가지 그림자의 문의 같이 흰 레쓰문장은 별로 옅고 너무도 가볍게 흔들린다. 지난 장마 때 습기에 축 늘어졌던 이문장의 기억이 지금은 오히려 마음에 그윽한 음향을 던지는 것이다. 문장도 나누어야할 시절이 되었다.

벼개머리에 놓인 신문은 역시 사람의 시력을 의심하는 듯한 큰 활자와 사변화보로 찬 지면이다. 뉴-쓰영화 필름의 중도막한장인 듯이 그 사진은 필요에 적응하는 사람들의 본능적 동작의 한순간들이다. 기관총의 너털웃음 외에는 숨소리도 상상할 수 없이 긴장한 사람들의 포-즈였다. 캄푸라-지 된 쇠투구와 불을 뿜는 강철기계에는 강한 일광조차 숨을 죽였고 내 뼈든 만화같이 큰 발의 구두동알이 오히려 린화(燐火)같이 반사하였다. 정확한 렌쓰와 검사적 카메라맨의 합작으로 그려진 희화(戲畵)였다. 그 면을 뒤친 그는 지방면 한편에 엄지가락 손톱만한 자기의 사진을 보았다. 그 사진의 배경같이 ××학교 창립 三十五주년 기념제의 사진이 있고 그 기사 끝에

"학교기념제와 아울러 근속 십 주년을 맞게 되는 金文一씨는 일찍 우리 문단의 대가이시든 별세한 이래 아직 후임교장이 없는 동교의 교장후보자 중에서는 가장 유망한 후보자이시다."

읽고 난 그는 "또 가십파의 껌이 되었구나—" 이렇게 중얼거리며 신문을 내던지고 담배를 부쳤다.

그러나 이 기사는 모두가 맹랑한 가십만은 아니었다. 오히려 단순한 보도 기사보다도 이렇게 가십파의 익살로 좀 비꼬아놓은 것이 좀 더 여실할는지 모를 것이다. 그래서 그는 더욱 불쾌하였다.

(일찍 문단의 대가이든 문학자)라는 말이 일찍 어느 문학사에 씌운 적이 있는 말인지 혹은 이기자의 창작인지는 알 수 없지만, 젊은 몸으로 자살을 하거나 여승이 되면 미인대접을 하는 신문투로 말하자면 나도 대가의 한사람이겠지-. 그리고 문학적으로 자살하고 문단을 떠난 지 오랜 지금(아직도 그 문명이 혁혁하다)고 한 것은 요새 잡지에 흔히 싣는 (우문현답)에 아직도 간혹 이름을 빌려온 것을 말함일 것이다. 그는 더욱 불쾌할밖에 없었다. 얼마 전에 서영이가 뒤적이던 신문광고에서 그의 이름을 집으며-오래잖아 교장이 되고 명사될 사람이 이런 잡지나부랭이에 이름을 이렇게 팔아 쓰겠나? 이런 문사 그만두게-하였을 때 무슨 따가운 핀잔이나 당한 듯이 면괴하였던 생각이 났다. 이 기사를 읽은 사람은 누구나 전군수(前郡守)라는 명함을 받은 때같이 잔등이 좀 가려울 것을 생각하고 그는 혼자 얼굴을 붉힐밖에 없었다.

(가장 유명한 교장후보자-)이 역시 (가장 유망한)이라는 말을 빼고 보면 맹랑한 허구는 아니다. 그러나 그 역시 지나가고만 일이었다.

지난봄에 전교장이 죽자 의례히 후임교장이 될 교무주임이 어떤 사건이 연좌되어 사직하였음으로 그다음으로 의례히 누구라고 할 만한 사람이 없으니만치, 교장 후보자가 의외로 많이 나서게 되어 문제는 일컬어지고 말았던 것이다. 그 무렵에 文一이도 낭자하게 떠도는 풍설중의 한사람이었다.

　아직도 재단법인의 기초공작을 하는 중인 학교라 외부에서 얼마식의 돈을 가지고 들어오려는 두 사람과 현재 교원인 S씨와 K씨, 이렇게 네 사람의 후보자가 한 겁언에 나섰던 것이다. 외부의 특지가[01] 두 사람을 한 교장자리에 모실 수는 없는 일이었다. 만일 두 분 중에 어느 한분을 모시자면, 다른 한분의 특지는 사절하는 셈이 될밖에 없었다. 그뿐 아니라 이 학교의 설립자요 임시교장인 선교사 L씨가 독단으로 S씨를 추천하였다. L씨는 자기가 오래지 않아 정년으로 은퇴한 후에라도 이 학교를 설립한 자기네의 본의를 가장 잘 이해하고 존중할 사람이라고 믿는 S씨를 내세우기로 고집하였다. 그래서 외무의 두 특지가만을 문제 삼는 이사회와 대립할밖에 없었다. 이사중의 몇몇 사람들은-학교경영 三十五년에 아직껏 재년법인도 만들어놓지 못하고 지금 일껏 재단의 기초가 될 만한 돈을 가지고 들어오려는 특지가를 물러 치느냐고 격론까지 하였다. 그러나 교장은 사고파는 것이 아니요-하고 떨리는 손의 손수건에 코를 묻고 자조 코를 푸는 늙은 선교사의 三十여 년로력과 지금의 심정을 모른다고 할 수도 없었다. 그보다도 단도 만들 수 없으므로 이사들의 의견만을 세우잘 수도 없는 형편이었다. 마침내 그들은, 사람이란 공평하기만 하면 실망도 만족하는 착각이 있음을 생각해냈던 것이다. 그래서 교장의 자리를 L씨의 의견대로 처불케 하여 특지가 두 분에게 공평한 실망을 드림으로써 만족한 그들의 특지만을 받도록 하자는 결의가 생기고 말았던 것이다. 그러나 문제는 결코 해결된 것이 아니었다.

　교원실의 석차로 교무주임의 다음이든 K씨가 몸소 활동을 일으킨 것이다. K씨는 교원중의 몇몇 부동자를 거느리고 이사 중에서 후원자를 얻기 시

---

01 특지가: 뜻있는 일을 하고자 하는 사람.

작하였다. 그뿐 아니라 K씨에게는 공평한 실망을 받고 물러선 특지가 두 분이 K씨가 교장이 되는 것을 조건으로 하여서만 그의 특지를 버리지 않는다는 큰 조건이 있었다.

L씨의 신임을 받는 S씨는 五十이 지나고 근속 二十년이 지난 교원실의 원로였다. 죽은 교장이나 사직한 교무주임보다도 나이만큼 연조로 오랜 그는 비록 교원실의 석차로는 중간층이지만 아침 채플시간에는 주재자였다. 비록 옛날 같지는 않아도 본시 선교사업의 한 기관으로 설립된 학교라 전교의 직원과 생고가 모이는 채플시간을 인도하는 것은 이학교의 전통을 지키고 이끌어나가는 직책이라고도 할 수 있었다. 이러한 S씨와 대립한 K씨는 이번에 교장이 되려는 기회만 없었으면 벌써 사직하고 완전이 시정의 한사람이 되였을 것이다. 이 몇 해 동안 투기적 토지경기와 일확천금의 자금을 위한 은행, 사채의 금융과 이률 등 시정의 현화한 풍경을 한때 이 교원실에 옮겨놓은 것이 K씨와 그의 일파였다. 그러한 교원실의 분위기와 일확천금 열에 휩쓸린 젊은 교원들이 적은 돈으로 큰 꿈을 꾸는 기미 주식의 이야기까지 벌어져서 교원실은 어느 큰상노배의 사랑 같은 풍경이었다. 그중의 가장 큰 성공자로 한자본 만들었으니 궁상스러운 교사노릇은 그만둔다든 K씨가 이번에 교장운동을 시작한 것을 보는 교원들은 불난 집에 들어온 도적같이 생각하는 이도 있었다. 그리하고 표면에 나서서 반대하는 사람도 없었다. 본시 K씨의 수단과 활동력을 으리으리하게 여기던 교원들이라 어느 사이에 K씨가 교장이 될지도 모르리라는 염려가 없지 않았다. 이렇게 속으로 망정 K씨를 배척하는 그들은 그러하고 L씨가 내세우는 S씨를 환영하지도 않았다. 조선어 한문 선생이든 S씨는 조선어로 가르치는 한문과가 폐지되자부터 이 교원실의 가장 한가한 사람이 되었다. 분주한 사람가운데 끼어있는 한가한 사람은 잊어버려지기도 쉽고 눈에 뜨이면 공연이 거추장스럽게 보이거나 하품의

충동을 일으키는 것이다. 그러한 S씨는 지금 한창 교장문제로 뒤숭숭한 판에 상급생에게 가르치려고 등사하였던 출사표(出師表)에다 四君子를 그리고 있었다. 요새 흔히 교원실에 홀로 남아앉아서 출사표를 읊으며 四君子중애도 蘭을 즐겨 그리고 있는 S씨는 K씨와 대조하여 너무도 열이 없고 야심이 없는 사람같이 보이는 것이다.

이같이 K씨는 경원할밖에 없었고 S씨도 그 같지 않게 여기던 중견층 교원 중에서 누가 시작한말인지는 모르지만 교장후보로 文一이가 구설에 오르내리기 시작할 것이었다. 일러놓고 보면 그리 어울리지 않는 말도 아니었다. 더욱이 며칠 안 있어 근속십년이라는 그의 경력, 어느새 십년! 적지 않은 세월이다. 그리고 보니 文一이도 로숙한 사람이었다. 이 학교출신인 그의 자리가 이전선생이든 S씨와 잇대어 있어서 두 사람의 대조로 더욱 그렇게 보였겠지만, 교원실에서 벌여지는 이야기에 한목 끼일 기회도 못 얻는 사람같이 책장만 뒤적이고 있는 그는 역시 눈에 뜨이지 않는 서생이었다. 그러나 십년 근속의 경력자요 교장후보의 한 사람이라고 보면 어느 때 한번 딴 길은커녕 곁눈도 팔지 않고 오직 한길만 걸어온 듯한 文一이가 교장의 자리에 가장 가까이 다다른 사람같이도 생각되었다. 그래서 이 새로운 소문은 한때 좋은 이야기꺼리가 되었던 것이다. S씨와 같이 추천하는 사람도 없었고 K씨와 같이 좋은 조건을 내걸고 몸소 활동하지도 않는 文一의 이러한 소문은 한풍설이라기보다 그의 인망이라고 떠드는 사람도 있었다. 文一이 자신도 이러한 풍설에 얻던 「긍지」를 느꼈다면 쑥스러운 일이었을까?

그러나 그뿐이었다. 아무런 진전도 있을 수 없는 풍설에 사람들은 언제까지나 흥미를 가질 수는 없었다. 더욱이 요새 새 사실이 생겼다. 그것은 지금까지 K씨가 가장 큰 조건으로 내세우던 특지가들이 K씨에게 그 같은 약조를 한일이 없다고 성명한 것이다. 그래서 근 반 년이나 두고 끌어온 교장문제는 까라지라는 文一의 풍설이 남을 뿐, L씨가 추천하는 S씨로 결정이 되나 다름이 없었다.

文一이는 자기의 이름이 「교장」과 관련되는 것을 들을 때마다, 소위 풍설이라는 것은 풍설이니만치 물론 허망한 것이지만 그러나 어떠한 풍설이든 반드시 맨 처음부터 낸 사람이 있을 것이요, 그 사람은 허망한 풍설로 단지 세상을 속이려는 악취미보다도 오히려 그 풍설의 내용인 허망한 사실의 여운으로 느끼고 감촉할 수 있는 쌔타이 아니다. 그럼으로 아무리 맹랑한 풍설인지라도 그 풍설의 주인공만은 그 마음 어느 한곳을 아프게 스치고 지나가는 풍설을 쓴 얼굴로 전송할 것이 아닐까?

이번 풍설은 때-마침-근속십년, 그만큼 나이도 먹은 文一이는 어떨까? 하고 교장문제로 심심치 않게 이야기꺼리를 삼아온 가십파들이 심심풀이로 씹다가 뱉어버린 껌과 같은 풍설이라고 생각하면 어지간히 쓴 것이었다. 그러나 지금까지의 이러한 쓴맛은 상상한 미각에 지나지 않는 것이었다. 오히려 아무런 근거도 없이 생긴 풍설이니만치 「인망」이라고 생각하면 「긍지」로 느낄 수 있었다. 그러나 풍설도 긍지도 사라지려는 지금에 이 같은 기사는 상상적 미각을 참으로 쓰게 맛볼밖에 없었다.

어젯밤에 근속 십년축하라고서 영이가 권하는 술에 취하였던 그는 아직도 어지러웠다. 그러나 어머니 처 딸 식모마저 예배당에 가고 없는 집안의 적막이 공연히 마음에 드는 듯하여 일어났다. 입술을 물고 마루에 가 앉았다. 이렇게 들리는 소리도 없고 아무런 생각도 없이 텅 부인 머리로 그리 맑은 하늘을 바라보고 있으면 얼마든지 이렇게 앉아있을 것 같았다. 실심한 사람같이.

전날 밤에 본 상동병자(常動病者)가 그러하였다. 두칸방 윗목을 절벽으로 막은 반칸방에 갇혀있는 게향의 오빠는 아직 三十전이라 한다. 그 방안에 불을 켰을 리 없었다. 적은 들창으로 새어드는 달빛으로는 해진 옷 밖으로 드러난 무릎위에 단정이 올리든 손이 보일뿐이었다. 또 발작을 할지 모른다고 아스라는 계향의 말을 우기고 회중전등을 비추어보았다. 흐트러진 머리카락과 정신병자가 되어 그런 가고 생각되는 숫진 눈썹아래 번적번적 눈이 빛나면서도 불빛을 피하지도 않고 몸을 좌우로 흔들고만 있었다. 그는 이방 속에서 사 년째나 조금도 쉬지 않고 시계추와 같이 저렇게 흔들고 앉았다고 한다. 혹시 광폭성을 발작함으로 가두어두지만 본증은 시계추와 같이 몸을 흔드는 저 동작을 죽도록 계속하는 것이다. 일전에 밥을 드리다가 갑자기 발작한 그에게 물렸다고 붕대를 감은 손가락을 다시 보이며 그만보라고 계향이는 졸랐다. 돌아서다가 계향이가 열어 잡고 들어가는 문안에 그의 아버지인 듯한 늙은이가 역시 시계추와 같이 몸을 흔들고 앉아있는 것이 보였다. 그로인도 상동병자일까? 아마 그는 윗방에 가둔 아들과 늙마의 신세를 생각하노라고 저러는 것이 아닐까? 혹시 지금쯤은 아무런 생각도 없이 그저 몸을 흔드는 버릇만이 남았을 지도 모를 것이다. 자기역시 이 목책안의 적은 길을 하루에도 수없이 걷는 때가 있거만 그때마다 무엇을 생각하는 것은 아니었다. 생각 없이 걷는 그 길은 목책 한 모퉁이로 굽이돌아와서 정원을 지나 맞은편 목책 밑으로 새어나간 길이다. 정원이라고는 하지만 지난 장마 전에 겨우 공사가 끝난 집이라 손을 대일 겨를이 없었든 것이다 멀리 시가지를 바라볼 수 있는 교외의 적은 산기슭에 자리 잡은 이 집의 정원은 대지(垈地)의 한 개를 밝히기 위한 목책이 둘려있을 뿐이다. 신축공사로 파고 무닌 자취가 푸른 잔디밭에 검붉은 상처로 보일뿐 그저 야산의 한 기슭을 목책 안에 가두어 놓은 것뿐이었다. 이 땅의 옛주인 격인 꼬부장한 소나무가 몇 그루 손님격이면서도 개화(開化)의 발자취를 따라 어디에나 넓게 자리를 차지하는 뽀푸라 아카시아 이 땅의 백성같이 성명없이 낳나 꺾기우고 사그러지는 꽃나무 오리나무 같은 잡목과 그리고 흔히 무덤가에 노란 꽃이 피는 사철화가 몇 떨기 난 그대로 목책 안에 갇혀있을 뿐이다. 집을 짓고 나서 文一은 정원을 생각하였으나 벌써 그의 처와 어머니의 소견대로 큰 세맨트 물통과 빨래판의 돌과 우람한 장독대가 들어앉고 남은 백 평도 못 되는 뜰에는 정원이라는 이름조차 옹색한 듯도 하였다. 그러나 조선가정에서 광이나 장독대나 변소에 내왕하는 길을 모아서 한 도막 신작로 같은 담 안에 갇힌 뜰에 비하면 그저 버려주기엔 넓은 편이었다. 그래서 정원을 생각하며 거닐든 어느 날 文一은 수풀 속에서 그 적은 길을 얻은 것이었다. 그 길은 짧은 거리지만 본시야산의 잔등을 지나간 길이라 조금이라도 높은 곳만을 톱화 이리저리 이루 삭어난 외발자국 길이었다. 그나마도 내내 뚜렷 지가 못하다. 발자국에 담든 자갈길을 두세 걸음 가다가도 조금만 긴 풀대가 마주 얽힌 데면 금시에 모호하여지고 그 모호한 곳을 헤치고 가면 반질반질 다른 잠띠 뿌리가 땅을 눑힌 듯이 깔린 길에 나서기도 한다. 그 길을 앗겨가며 걷노라면 그 좁은 길바닥에 정백인 손가락 한 매듭 같은 나무뿌리가 드러나 있기도 한다. 역시 반질반질 다른 그 뿌리는 어느 나무의 뿌린지, 그보다도 죽었는지 살았는지조차 알 수 없었다. 그곳을 지나 다시 걷노라면 기름만가서 그적은 길이 반나마 무너진 곳이 있었다. 지난 장마에 무너졌을 것이다. 만일 여기 집과 목책이 없이 아직도 전과 같이 이 길을 걷는 사람이 있으면 그들은 이 떨어진 곳을 에돌아서 구부러진 새 길이 생겼을 것이다. 그러나 지금 목책 안에 갇혀있는 이 길은 끊긴 그대로 나날이 스러져갈 뿐이었다. 그 실을 발견한 文一은 매일이다시피 그 길을 걸었다. 무슨 생각을 하는 것도 아니지만 하루라도 걷지 않으면 그 길은 더욱 걸어져서 이러고 말 것을 염려하는 듯이 걸을 뿐이었다. 文一은 이 길이 어데서 어디로 가는 길인가를 알려고 찾아 나섰던 것이다. 집 앞의 목책 밖으로 나간 길을 쫓아가면 얼마 안가서 기다란 밭이 가로놓여 있었다. 물론 그 밭을 꿰건너지 못한 그 작은 길은 도랑을 건너 밭의 뚝길과 이어지는 것이라고 밖에는 생각할 도리가 없었다. 그나마 그 뚝길도 밭이 끝나는 곳에서 이 주택지로 들어오는 새 신작로에 부딪혀서 녹 쓴 이 길의 꿈은 깨어지고 마는 것이다. 발길을 돌려서 집 뒤 목책 밖으로 나간 길을 가면 그 길은 이 넓은 산기슭에 바람 부는 대로 얽힌 수풀사이를 더듬어 간신이 언덕을 넘자 사태에 스친 붉은 장위에 흔적도 없이 끊기고 만 것이었다.

(下)

그러나 그 끊긴 길 다음 발자국부터 새 길에 발자국에 담들기 시작하였다. 그 새 길이 안개에서 사라지는 언덕 밑에는 몇 채의 초가지붕이 엎뎌있었다. 그중에 자세치는 않지만 어느 한 지붕 밑에는 늙은이와 젊은이가 지금도 시계추와 같이 몸을 흔들고 앉아있을 것이다. 그러한 집안이라 게향이는 부접을 못하고 그의 기생적동무인 옥주를 찾아 매일같이 서영군의 집으로 오는 것이라고 생각하였다. 게향이가 이 길로 매일 서영의 집을 찾아오기는 두어 달 전부터. 본시기생으로 몇 해 전에 동경으로 가서 딴 사기 되였던 것이다. 물론 첫사랑이라든가 그런 것은 아니었지만 일 년이 나두고 귀애하는 파트론과 동거하기로 작정되어 새방을 얻고 세간을 작만하려 같이 나갔던 밤거리에서 그 청년신사가 소매치기현행범으로 잡히는 통에 게향이도 붙들리었던 것이다. 며칠 후에 남자는 상급자로 송국 되고 게향이는 나왔지만 면목과 마음의 타격으로 이것저것 생각할 여유도 없이 미친 아들을 데리고 제가 보내온 돈으로 살아가는 부모의 집으로 데라왔다는 것이다.

"선생님이 그 애인과 같은 모습이었어서 첫인상에도 퍽 반갑더래요." 게

향의 내력을 말하고 난 옥주가 주어보태는 말에

"나와 그스리가? 히-."

이러한 말솜씨로 계향의 호의를 전하는 옥주의 말을 들을 때마다 잔등이 가려운 것은 물론이지만 그보다도 목을 빼고 기웃거리는 수탉의 모양을 자기에게서 먼저 본 것이 자기보다 계향이와 옥주인 것 같아서 얼굴이 붉어질밖에 없었다.

계향에게 배워서 토롯트를 가볍게 추리만치 되었을 때

"선생님 저 이집에서 자주 오시래든 예수진실한 부인이랑 오마니랑 달리 생각하시문 되갔어요 우리 소리판하나 정해두구 계향이가 온 적마당 틀거시니 꼭 오시라우요-얘 무슨 판이 도을까?"고 묻는 옥주의 말에 "글쎄-" 하는 기색도 없이 계향이는 극히 사무적으로 「도리고」의 세레나데를 골라놓았다. 옥주는 새삼스럽게 그 판을 들어보고 나서 바이오린은 소리가 적다고 「도시꼬」의 쏘푸래노로 작정하였다. 옥주와 계향이는 자기네의 풀각시놀이에 文一이가 의례히 한 목 드러놀 동무로 여기듯이 이렇게 작정하고는 저녁때마다 그 세레나데를 트는 것이었다.

지금 또 세레나데가 시작되었다. 요새 스텝만을 연습한 탕고-를 추어볼 날이여니-이렇게 머릿속에서 중얼거리며 文一이는 일어섰다. 그는 이렇게 나설 때마다 어느 듯 고질이 된 듯한 자기의 방문병(訪問病)을 염려하기를 잊지 않는 것이었다.

엄지가락에 붕대한 손을 받들고 앉아있던 계향이는

"미친 사람한테 물리면 미친개에게 물린 것처럼 미친다는 말이 정말일까요?" 한다.

"미치구말구-." 이렇게 거침없는 서영우 말이 농담인줄 알지만 오히려 그 억센 신경이 기가 질리운 듯이 한숨을 쉬고 있다가 "여기는 너무 조용해, 어떤 때는 정말 미칠 것 같애-" 하였다. 어디에선가 낮닭의 소리가 밤하늘이 별불같이 중낮 넓은 하늘과 스러진 시간 위에 흐르고 사라졌다.

모두 다 그 낮닭의 소리에 귀를 기울인 모양으로 잠잠하였다. 그중에도 실심한 사람같이 앉아있게 게향이는 금시에 시계추와 같이 몸을 흔들기 시작할 것 같이도 보였다.

文一이는 이렇게 앉아있는 게향이를 볼 때마다 내다른 걸음에 웨더 깊이 타락한 생활로 들어가지 않고 돌아왔을까 고 생각하였다. 그러나 게향이가 요새 기행허가를 다시 주선한다는 것을 아는 文一이는 남의 행운을 축복한다거나 그런 주제넘은 생각을 할 위인이 못된다고 생각하면서도 안심되는 것이다. 그러한 안심은 다시 제 길을 찾는 게향이를 위한 것 뿐 아니라, 기생이 되어 성안으로 들어가게 되면 십년 하루같이 아무런 감격도 흥분도 흥미도 없이 계속된 자기 생활감정을 잠시라도 흔드는 듯한 게향이가 생활곤난에서 없어지고 마는 까닭일 것이다.

"또 춰볼까요?" 갑자기 게향이가 일어나서 레코-드를 걸고 리-더의 자세로 文一이를 붙들었다.

"퀵퀵 스로. 네 돼서요, 홀로 아-기안(다시?)이어서 힘들지만 토롯드보다 좀 더 발을 길게 끄세요, 네 퀵퀵 스로-."

그때 아범이 손님의 명함을 가지고 왔다. 마침 명함을 받아든 서영군이

"S씨가 웨 왔을까?"

"S씨? 글쎄-" -文一이도 알 수 없었다.

"교장이 된다는 인사차로 왔나? 그런 고인도 명예나 지위라면 노상 범연치가 않으니가?" 하고 서영은 웃었다.

"또 오시라우요."

文一이는 이런 말을 들으며 문밖에 나섰다.

어떻게 이같이 먼데를 오셨느냐고 묻는 말에

"긴히 의론할 말이 있다."고 하며 서재에 들어와 창밖을 내다보다가 "아직 손이 돌잖았던가? 넓은 터에 화초나 좀 심지 않고." 혼잣말같이 말하면 S씨는 책상 위에 놓인 담배를 집어든다. 성냥을 그어 대며

"담배를 피우시던가요?" 文一이가 묻는 말에

"그저 피면 말면." 하고 S씨는 부쳐든 담배를 그리 피우지도 않고 묵묵히 옛날의 선생 그래도 근엄한 S씨 앞에서 文一이는 지금도 몸과 마음을 읍할 밖에 없었다. 마침내 S씨는 담배를 비벼끄고 나서

"다른 의론이 아니라 김군이 학교일을 맡아주시면 좋겠는데……?"

"아무리 생각하여도 내가 교장이 되는 것보다 김군이 좋을 것 같아서."

S씨의 말뜻이 분명해지자

"은 천만에." 文一이는 이렇게 놀랄밖에 없었다.

"이 문제는 무슨 명예로운 지위나 같이 서로 다투거니 또는 사양할 것도 아닌지……"

"교장은 진심으로 학교를 사랑하고 한사하고 지켜서 교육에 일생을 바칠 결심이 나는 사람이라야 할텐데, 김군이 그런 각오를 한다면 나는 두말없이 L씨에게 김군을 추천할 결심이요." 이렇게 말을 끊고 묵묵히 바라보는 S씨의 눈앞에서 잠잠히 있던 文一이는

"선생께서는 웨 사양하시고, 저 같은 사람에게." 이렇게 물었다. "나야." 이렇게 시작한 S씨의 말은

S씨는 학교를 사랑하고 지켜가려는 성심만은 누구에게 뒤지지 않는다고 자신할 수 있지만 시대에 뒤떨어진 사람이랄 밖에 없고 설혹 그 점만은 무릅쓰고 나선다하더라도 五十이 지났으니 오래지않아 후계자를 구하야 할 바에는 이번기회에 젊은 인재를 내세우는 것이 떳떳한 일이라고 말하고 나서

"그러한 인재가 나선다면 나는 교원을 사직하거나 또 사직 않더라도 남은 시간은 많으니까 아예 회계실로 나려가려오, 二十여 년 지나본 이만치 학교살림형편을 잘 아니까 별로 틀림없이 새 교장을 보좌할 자신은 있다고 생각하오…… 이런 말은 혹 수단에 치우처서 정당치 못하다고 할는지 모르지만……"

하고 계속하는 S씨의 말은 재정적으로 기초가 완전치 못한 학교라 다소를 막론하고 특지가의 원조가 필요한 이때에 이번에 교장후보로 나섰던 두 특지가의 성의를 존중하는 뜻으로도 그들과 간접으로나마 대립되었다고 할 수 있는 자신 역시 제삼자가 되어 그들의 특지를 바라는 것이 옳은 일이라고 하였다.

이야기를 잠시 끊은 S씨는 또 담배를 부첬다. 연기를 빨아 들이키는 것도 아니요 딴 정신을 팔고 있는 사람같이 그저 풀썩풀썩 푸른 연기를 피울 뿐이었다.

文一이는 그러한 S씨의 모양에서 蘭을 그리고 있는 교원실의 S씨를 보았다. 지금도 그의 앞에 조회와 붓과 먹이 있으면 S씨는 이 자리에서도 담배대신에 출사표를 읊으며 蘭을 칠서이라고 생각하였다.

이렇게 긴장에서 좀 노여 난 그의 귀에는 어느새 또 세레나데가 들리었다.

"요컨대 내말은 김군이…… 김군에게는 더욱이나 모교니까 이때에 학교를 위하여 일생을 바칠 결심으로 나선다면 나는 몸소 할 수 있는 때까지는 학교 안 살림을 받들어서 김군을 도울 결심이요…… 그런데 또 인심이 천심이라고."

한때 K씨가 나섰지만 지금까지 K씨의 태도로 미루어 학교의 주인이 될 사람이 아니었고 자기는 비록 L씨가 추천하더라도 시대에 낙오된 늙은 몸이라 또한 적임자라고 할 수 없는 이 처지에 오직 교육자의 본분만을 지켜온 文一이가 교장인망에 오른 것은 결코 우연한 풍설이 아니라고 하였다. 그 래서 교장문제가 생기자 부터 文一이를 두고 혼자 생각하여온 S씨는 자기의 생각이 文一이와 사제 간의 사정만이 아닌 것을 알고 더욱 자신을 얻었다고 하였다. 그리고 한때 망설이던 K씨까지 자퇴하여 지금 문제는 단순함으로 S 씨가 자기대신에 文一이를 추천하면 L씨는 물론 반겨서 찬성할 것이라고 말 하고 나서

"김군 결심하고 나서오."

"같이 일합시다." 하고 S씨는 말끝을 맺었다.

S씨가 대답을 기다리는 침묵에 文一이는 마음이 답답하였다. 아마 신도들 이 참회하는 심정은 어떤 경우에 솟아나는 것이라고 文一이는 생각되었다.

지금 S씨가 말하는 「인망」 그같이 엄숙하고 한사업을 위하여 일생을 바 칠 사람이라는 무서운 뜻을 지닌 「인망」이라는 그 말을 자기는 아무런 책임 감도 가진 줄 모르고 오히려 보잘것없는 자기의 긍지를 만족시켜온 것이다. 말하자면 자기의 자존심과 결벽성은 어느덧 세속에 더럽혀져서 가십파들이 씹다버린 껌과 같은 「인망」이라고 생각하면서도 그것을 슬며시 집어서 씹어 보는 것으로 굶주린 긍지를 만족해보려고 한 것이다. 그뿐만 아니라 S씨같 이 배후의 추천자도 없고 K씨같이 내세울 조건이나 활동력이 없어서 풍설에 그치고 마는 그 「인망」을 아깝게 여겨온 것이다.

이렇게 생각하는 文一이는 비록 지금까지 자기반생에, 받들고 천국으로 갈 자랑도 지옥으로 짊어지고 갈 죄라도 없이 그날그날을 살아온 생활이었 지만 이때에 나의 자존심과 결벽성만은 살려야겠다고 생각하였다.

소경처녀같이 웃는 운명의 미소라고 할까? 우연한 행운을 좋은 기회라거 나 당연한 일같이 받아들이기까지는 아직도 나의 자존심이나 결벽성은 그 렇게 더럽혀졌거나 마비된 것은 아니라고 말하고 싶었다.

"선생의 말씀은 잘 알아듣겠습니다.

그러니만치 저는 더욱 감당할 수가 없습니다."

"⋯⋯⋯?"

이렇게 文一이를 쳐다보며 입을 열려는 S시의 말을 앞질러서

"결코 겸양의 말씀이 아니라 거기 대해서 저는 아무런 마음의 준비가 없습니다. 선생이 저를 그렇게 생각하시는 것은 제 소년시대에 오년 그리고 제 청년시대에 십년 그렇게 모시게 되는 제게 대한 정이시겠지요 그것뿐입니다. 그밖에 무엇이 있다면 선생의 지인지감이 밝지 못하시다는 밖에 없을 것입니다. 저는 선생이 말씀하시는 그런 결심이나 각오를 해본적도 없고 앞으로도 없을 것입니다."

"아- 김군⋯⋯."

"그 말씀은 그만하시지요." 이렇게 망연히 바라보고 있는 S씨 앞에서 자주 꺼낸 시계-태엽을 무거운 침묵 중에 소리 내여 틀고 나서

"세시에 만나기로한 사람이 있어서 황송하지만." 하며 세시가 다 된 시계를 S씨에게 보이며 일어섰다.

그리 급한 문제는 아니니 잘 생각해보라는 말을 남기고 총총히 갈밖에 없는 S씨를 대문 밖까지 전송하였다.

또 시작된 세레나데를 들으며, 흰 수목 두루마기자락을 펄럭이면서 거칠어진 가을 보잘것없는 풍경사이를 걸어가는 S씨의 멀어진 뒷모양을 바라보고 있는 文一은 구걸 왔던 낙천한 넷 친구가 축객한 듯이 마음이 괴로웠다.

"어데 안 오나 볼까?"

"그래 자꾸 틀어요."

미상불 이렇게 말이 되어 틀린지도 모를 세레나데에 재촉되어 S씨를 축객한 것은 물론 아니었다. 그러나 또 세레나데를 따라가고 보면, 자기의 심정으

로는 도저히 떠받들 수밖에 없는 S씨의 엄숙한 심정과 침묵을 피하기 위하여서 한 축객이었다고 내 자신에게나마 발명이 될 것인가 고 생각하였다.

다시 집으로 들어오려던 文一이는 현관문 밖에 큰 옴두꺼비 한 놈이 명상에 취한 듯이 앉아있는 것을 보았다. 금테안경을 눈알 속에 낀 듯한 옴두꺼비에 눈을 바라보다가 단장을 집어 들고 옴두꺼비에 명상을 건드리었다. 놀란 옴두꺼비는 띄엄띄엄 뛰어서 文一이가 거닐던 그 좁은 길에 들어섰다. 몇 번 뛰고는 충심각기병자같이 헐떡거리며 다리를 떨고 앉는다.

이 길을 걷는 것은 자기 혼자뿐이 아니었다고 속으로 웃으며 文一이는 쉬고 있는 옴두꺼비를 재촉하듯이 건드리었다. 부들부들 떨고 있는 옴두꺼비의 볼기짝도 가을바람에 여위어서 초라하게 파리한 뒷다리로 겨우 밟아 뛰는 것도 그나마 힘없는 앞발은 몸을 가누지 못하고 꼬꾸라지는 것이다. 그 꼴을 보는 文一이는 어릴 적에 경험한 잔인성을 손에 잡은 단장에 힘주어 느끼었으나 뛰기를 단념하고 기어가는 옴두꺼비를 따라갔다. 적으나 얼마든지 완중스럽게 볼 수 있는 옴두꺼비의 기는 발을 볼 때 등골을 기어가는 징그러운 이를 감촉하였다. 마침내 옴두꺼비는 그 길을 거의 다 가서 목책 모퉁이에 있는 사절화 숲 속으로 들어갔다. 단장 끝으로 그곳을 헤치고 본즉 사절화 떨기 밑에 있는 구멍으로 옴두꺼비의 뒷다리를 꿈에 잡았던 손같이 사라지고 마는 것이었다. 그리고 그 구멍에서는 적은 물줄기가 흘러내리고 있었다. 웬 샘물일까? 하고 단장 끝으로 후비며 들여다본즉 그 구멍은 횟집이 무너앉은 고총(古塚)이었다. 文一이는 단장을 던지고 일어서서 침을 뱉었다. 무덤 구멍에서는 재와 같이 썩은 나무 조각이 쇠동록이 풀린 듯한 검붉은 물에 떠나왔다.

文一이는 옴두꺼비의 안내로 의외에 발견한 무덤가에서 생명체이든 형태조차 이미 없어진지 오랜 빈 무덤 속에 드러누웠거나 앉아있을 옴두꺼비를 생각하며 자취방에 누워있는 자기를 눈앞에 그려보았다.

옴두꺼비는 지금 무덤 속에 들어간 채로 오랫동안의 동면을 시작할 작정인지도 모를 것이다. 동면이 아닐까? 동면기간의 양식이 되는 꿈은 그의 생활기인 봄, 여름, 가을 동안에 축적한 생활경험의 재음미일 것이다. 그러한 재음미로서 낡은 껍질을 벗고 새로운 몸으로 새봄을 맞으려는 꿈은 결코 악몽이 아닐 것이라고 文一은 생각하였다.

　-(了)-

출처: 『여성』 2-3호, 1938.

박영준

중독자

첫눈에도 값싼 물건이라는 것을 알아차릴만하나 그래도 세비로 양복이라고 몸에 걸치었으며 불그스름한 인조견 넥타이를 매고 세로 줄난 외투를 입었으니 아무리 기구한 생활을 하는 사람들만이 이 차를 타고 북쪽으로 간다는 상식을 긍정한다 해도 나를 여편네 잃고 만주로 가는 사람이라 추측할 이가 이 차간 안에는 있을 상 싶지 않다. 짐이래야 사진기계 세우는 삼각이 기차선반위에 있을 뿐 이민 가는 사람들같이 지저분한 보따리도 안 가졌으며 처음으로 기차를 탄 사람처럼 정신을 모으지 못하고 조급히 서둘지도 않으니 누가 나를 주의해보려고도 하지 않으며 내 사정을 궁금히 생각하려는 이도 분명히 없는 상 싶다. 김상현이란 가장 많은 성을 가진 나라는 사람이 어떠한 일 때문에 이 길을 밟지 않을 수 없는가 하는 것은 나 자신에게 있어서는 중대할는지 모르나 매일 수백 명을 먹었다 토해버리는 기차에게 있어서나 아무 자극도 없으리만큼 눈에 익은 이 열차를 보는 사람에게 있어서나 돈을 제대로 내고 내 갈 길을 가는 나 같은 존재에게 일분동안은 사념이나마 빌려줄 흥미가 없게 사실이다.

나는 벌써 국경을 넘었고 봉천을 지나 해가 뜰 때부터 넘어갈 때까지 계속해서 무연한 벌판을 달아나는 만주국땅위에 있으나 나 역시 조선서부터 같은 차에 타고 같은 의자에 앉은 사람에게 내 이야기를 한마디 아니했으며 또 말을 듣고 나서는 새로운 기억을 머리에 새겨야 한다는 부채를 지고 싶지 않아 그들의 이야기를 청구하지도 않았다.

결국 사람을 교제한다는 것은 부채를 주고받는 것밖에 없다.

내가 내 처를 잃어버리고 만주로 간다는 것도-물론 만주가 나의 머리에 그리 외로운 인상을 준 곳이 아니지만-만주를 몹시 쓸쓸한 곳으로 예상했음에도 불구하고 아무런 의지 없이 홀몸으로 가지 않을 수 없는 것도 내가 진 부채와 내 처에게 준 부채를 내 스스로 청산할 수가 없기 때문이다. 결혼하기 전까지는 생판 보지도 듣지도 못하던 남의 집 딸인 그 여자를 집에다 모셔놓고 그 여자를 위하여 내가 살고 나를 위하여 그 여자가 일을 해주는 것이 어머니 배속에서 나오기 전부터 결정이나 했던 것처럼 당연한 일로 여기게끔 친숙했다는 것이 벌써 부채를 늘이었던 것이 아니었던가. …내가 아닌 남에게 부채를 준다는 것은 나라는 사람이 살기 위하여 하는 것이라고 말할 수 있으나 그 부채를 주는 동시에 내가 또 채무자가 안 될 수 없는 이 모순을 없애기 위하여서는 아무래도 무거운 금액의 채권자나 채무자가 됨을 포개해야 한다는 도리밖에 없을 것 같다.

"가엾구려!" 하는 동정을 받기도 싫으며 "당신도 불우한 사람입니다."라는 말을 입 밖에 꺼내어 나 자신과 그 사람을 컴컴한 구렁에 묻어버리고 싶지가 않을 뿐 아니라 사람의 약점을 스스로 광고하는 불길한 말을 입 밖에 내어 목구멍을 울리고 싶지부터 않았다.

평양역에서 할빈까지의 거리가 가깝지 않다는 말로 표시하기에는 너무나 지루한 동안을 나는 그래도 마음의 약속을 위약하지 않으며 할빈까지 도착했다. 지구위에는 나를 맞이해줄 곳이 있을 리 없고 또 그러한 마음에 없는 기대를 가지는 것부터도 부정해버린 뒤라 넓으나 넓은 곳은 시가지에 내 몸을 세워놓고 눈에 익지 않은 황발(黃髮)의 인간과 느껴보지 못한 이국의 정서를 맛보아도 미궁에 들어간 듯한 공포가 떠오르지 않았으며 마찬가지 인간들이 사는 곳이라는 점에서 외국인이라고 무조건하고 숭배하던 호기심을 도리어 경멸해보았다. 정열이 구속받지 않고 정서가 자유로워 걸음걸이부터 산 기운을 나타내는 그들에게 대한 관념도 사진기계를 둘러메고 표연히 외국의 한복판에서 추위에 웅크리고 걸어가는 장구의 그들과 매춘부임에 틀림없는 홍안(紅顔)의 여자가 지나가는 사내를 하나 빼지 않고 흘겨보는 것을 바라볼 때 나이외의 사람을 부러워한다는 것이 결국은 나를 경멸하는 것밖에 안됨을 느끼지 않을 수 없다. 그들은 정열을 자유롭게 발전시킬 용기가 없다. 그 용기라는 것은 말하자면 고리대금업자이상으로 채권자가 되고 싶은 욕망이 아닐까!

영하 30도의 북극이라는 것을 모르고 온 것이 아니지만 용서 없는 추위는 차라리 알코올병 속에 나를 집어넣어두었으면 하리만큼 안타깝게 매웠다.

"어이!"

지나가는 인력거를 불렀다.

"여관에!"

내말이 서투른 곳이니 긴말을 한다는 것은 도리어 듣는 사람에게 괴로움을 주는 것이라 요령 있는 말 한마디를 했으나 직업에는 귀신이 되었는지 머리를 끄덕이고 내 몸이 실린 인력거를 끌기 시작하는 인력거군은 추운 것도 모르고 달음질했다. 그러나 인력거꾼과 나와의 거리가 너무나 가까우며 또 내가 움직이는 것은 씩씩거리는 딴 사람의 코 힘 때문이라는 것을 느끼니 병신 아닌 내가 남의 등에 업힌 것 같으며 어린애가 엄마를 의지하듯 딴 사람을 아무나 가까운 위치에 놓았다는 불쾌가 일어나 그 자리에서 뛰어내리고 싶었다. 셀룰로이드로 만든 인력거의 창구멍으로 밖을 노릴 때 골목길로 들어가는 길모퉁이에 선 작은 간판《경성여관》을 보았다.

안내하는 사람이 도적이라는 것을 느낄 때와 같이 성큼 내리여 삿전 20전을 달라는 대로 집어준 나는 남에게 업히지 않고 내 다리로 걸을 수 있다는 기쁨을 느꼈다.

취미 없는 생활에 염증이 난다는 아내의 호기심을 사기 위하여 코닥을 사서 반년이상 사진을 찍어보았으며 그가 도망친 뒤 입던 옷까지 다 없이 한 나의 생로를 사진업으로 이어보려고 사진관 견습생 반년의 생활을 지나 사진에 대한 기술을 남부끄럽지 않게 가지였다고 생각되는 나라 해도 생소한 곳이며 말을 모르는 데라 지리와 언어를 배우기 위하여 나는 경성여관에 얼마동안 머물지 않을 수 없었다.

코닥을 판돈으로 낡은 사진기계 하나와 헌옷 한 벌과 이곳까지 오는 차표를 사고도 아직 밥값으로 지불할 만 한 돈을 얼마 가지고 있다. 물론 나의 재산이란 것은 전부가 아버지에게서 물려받은 것이었으나 그 재산을 아내와 동거하고 그를 내 아내란 명목 하에 안정시키기 위하여 전부를 탕진해버린 뒤 나의 쓰라린 추억까지 곱게 씻기 위하여서는 코닥 하나나마 남기지 않았어야 할 것이나 서투른 이역에서는 추억의 실마리를 내게 강요하는 이 돈이 또한 나에게 생명이상으로 필요한 것 같다. 사진관이 썩어 넘을 듯이 많은 크나큰 도회지에서 전문적 기술을 경쟁할 만큼 한 기능을 못 가진 내가 당장에 고용될 수도 없는 것이며 또 생소한 사람들을 붙들고 얼굴을 빌려주면 네 얼굴을 만들어줄 터이니 돈을 내라고 길가에 나설 수도 없는 것을 미리부터 짐작했기 때문에 나는 말을 배워가지고 시골이나 오지로 들어가야 할 것을 안다는 것은 즉 내가 시간의 여유를 가질만한 안정이 필요한다는 것이다. 시골이나 도회지나 인구의 밀도가 다를 뿐 사람이 서로 어울려 산다는 점에서는 마찬가지일 것이나 자기를 위하여 살겠다는 생활수단이 도회지에는 너무나 노골화했다는 것이 나같이 사람의 관련을 꺼리는 사람에게는 견딜 수가 없기 때문에 도회지의 생활을 단념한 원인이 거기에 있을는지도 모르나 깊은 시골로 들어가기 위하여 며칠 동안 집안에 박혀 만주어를 공부하는 나에게는 앉아있는 시간이 가시방석이상의 불안을 주었다. 며칠 만에 먹은 밥값을 내려고 돈을 꺼내면 돈의 유래가 꼬리에 꼬리를 물고 내 머리를 조선으로 몰아내며 그런 뒤에는 기필코 아내가 눈앞에 나타난다. 한 끼에 30전씩 하는 밥을 하루 두 끼씩 먹으며 화려하지 못할 것이 분명할 뿐 아니라 무엇을 찾기 위하여 살려는지도 모르는 미래의 생명을 위하여 기억 안 되는 외국어의 단자를 삼십 넘은 내가 외우노라고 얼굴 살을 찌푸릴 때 나의 옷을 쪽 벗기어버린 내 아내는 지금 어떤 남자에게서 또한 나에게와 같은 행동을 취하고 있을까, 그는 아름다운 여자라는 점에서 어떠한 사내든지 사내를 긁어먹을 권리가 있을는지 모른다. 사랑이 참이라는 것을 잊어버리고 아름다움과 기쁨을 찾으려고 할 때 그는 미운 것과 괴로움을 동시에 맛보지 않으면 안 될 의무가 있다면 나의 아내는 그러한 사내를 마음대로 주무를 수가 있으며 또 그 사내에게 아름다움의 기쁨을 뺏어 갈 권리가 있을는지 모르나 그 권리가 명희(내 아내였던 여자의 이름.)의 생명이고 그 생명이 살아있는 동안 나와 같은 사내가 가엾어 보일 뿐이다. 한사람을 가엾게 생각한다고 할 때 그 불운의 원인을 만드는 사람이 원망스럽고 밉다고 한다면 나는 아직까지도 명희를 생각하고 있는 것이 분명하다. 한사람을 미워한다는 것은 그 동기를 어디다 두든 간에 명희를 잘 알고 명희를 사랑했다는 점에 있을 것이며 그 사랑이 완성되지 못한 비분에 시민적 분노를 가진 때문이 아닐 것인가! 나는 현재를 잊어버리고 머릿속에 남은 기억을 들추게 된다. 지금 생각하면 그러한 재력이 참으로 내게 있었던가 하고 의심하리만큼 훌륭한 양식응접실에서 새로 만든 이브닝드레스를 입은 명희가 자기의 얼굴만이 아니라 몸과 옷까지도 자기를 아름답게 해주는데 비로소 놀란 듯한 기쁨으로 내 품에 안기며 돌아가는 축음기 소리에 스텝만 맞추어 폭스트롯을 출 때

"우리 평생 죽지 말어. 응!"

하고 응석부리던 소리가 나를 깜짝 놀라게 하여 그러한 기억을 경멸해버리기에 노력하지 않으면 안 된다. 그러다가는 극단의 기억이 또 나를 부르기도 하였다.

"또 마작을 하러 갔었군. …내가 싫고 집에 마음이 없거든 내가 어디로 사라지리다. 당신이 나를 피할 거야 무어 있소."

"당신이 싫어 놀러 다닌다구 누가 말합디까? 사내가 좀 나다니기도 해야지…"

"그럼 여편네는 무엇 때문에 데려다 논게요? 나가다니다가 심심할 때 보려고 주어다 논게 여자란 것인가요? 남자가 딴 데서 웃고 짖고 하며 야단할 때 여편네는 집구석에서 혼자 적적하게 지내도 남자는 그 책임을 안 진단 말이지요?"

나는 이런 대화에 더 대답을 못한 것은 그의 말이 논리적이라는 것보다도 나의 재상명부가 점점 좀을 먹어 마음의 공허를 잊어보겠다는 생각을 입 밖에 낼 수가 없었기 때문이다. 내가 돈으로 그의 아름다움을 사려던 것과 같이 그는 그의 아름다움으로 나의 재산과 나의 육체전부를 사려고 했으며 또한 나의 청춘을 뺏어갔다. 기억을 꺼내지 말자. 미워하고 싶지 않은 생각과 같이 사랑하고 싶은 마음도 없는 나에게서 어떠한 구석으로라도 내어 쫓자. 무감각한 생활이 나의 앞길에 놓여있는 오로지 한 갈래의 선이라고 하면 애착심을 강요하여 무가치한 것도 가치 있게 만들고 미운 것도 아름답게 하여 몸을 움직이지 못하게 하는 미련을 구태여 가질 필요가 어디 있는가?

코닥을 팔아 주머니에 넣고 온 돈이 점점 그 밑바닥을 들여다보게 할수록

만주인만이 사는 시골서도 내가 무엇 하는 사람이라는 것을 알릴 수 있을 만큼 단어가 늘어갔으나 이전부터 내 살림이, 내가 믿고 생각하는 사람이 있는 곳이 아니라 별다른 세상 속에서 나만이 살 수 있는 곳이라는 생각에 주머니를 완전히 털므로 이때까지의 나를 청산하고 길을 떠나고 싶어 이삼일을 더 유하기로 했다. 특별한 기대를 가지려고 하지 않는 마음이 변함없음과 마찬가지로 어디로 가야 할 것인가 하는 생각에 갈 곳을 몰라 헤매지도 않는 나지만 헌 방바닥에 연기 꼬이듯 하는 추억을 싫어하면서도 마지막인 이삼일 동안이 무척 무료하게 머리를 복잡하게 하여 무척 괴로웠다. 죽음과 같은 생활로 나간다는 절망적 생각은 피푼 한 푼어치도 아니하지만 그래도 설레는 듯 하는 가슴은 나도 모르는 사이에 미련으로 하여금 큰 자리를 빌려준 탓인가보다. 이럴 때 주인도 내가 멀지 않아 떠나갈 사람이라는 것을 알았던지, 그렇지가 않으면 빈방이 없었던 탓인지 그것은 내가 알 바 아니지만 어쨌든 조선서 처음 들어왔다는 이제 나이 스무 살이나 되었을까 말았을까하는 사람을 내 방으로 안내했다. 조선서 왔다는 생각에서 그 사람에게 호기심을 가진다면 나의 연상을 늘여 명희의 냄새를 맡아보려는 부질없는 생각이 안 나리라 보증 할 수도 없는 일이기 때문에 아예 입을 다물려 했으나 내가 이 역 사람이라는 점에서 그의 말을 듣지 않을 수 없었다.

중학을 학비 때문에 못 마치고 부모도 모르게 도망질하여 돈을 좀 벌어보겠다는 욕심이 그가 만주에 온 목적이라고 해서 그런지 휘딍구는 새까만 눈동자라든가 나불나불하며 잠시나마 가만두지 못하는 입술이 돈에 대한 흥미를 무척 가졌다는 것을 말해주었다.

나와는 정반대의 인간이라는 것을 느끼면서도 말씨가 서울말씨라는 것을 안 뒤

"고향이 어디십니까?"

하고 물은 내 마음은 나를 떠난 명희가 서울로 가있음을 알기 때문이었으리라.

"서울입니다. 손님의 고향은 어디십니까?"

내 말에 대답해준 보수로 다시 내게 물어볼 권리가 있는 듯 그 사람이 내 얼굴을 쳐다보았으나 내 입으로 서울이라는 말을 꺼내고 싶지 않은 괴롭고 징그러운 마음과 또 내가 서울 사는 사람이 아니라는 안도의 생각에서

"평양입니다."

라는 말을 가볍게 해버리었다. 그가 서울에 있었다고 해서 명희소식을 알리여 주리라는 공포에서가 아니라 그의 입으로 서울이라는 말을 하게하고 싶어 한 나의 마음이 미워졌기 때문에 나는 그 뒤로부터 입을 딱 다물어버렸다. 미운 것을 생각하는 것을 또 미워하는 마음-이것은 어느 것이 나중인지 알 수 없는데서 나의 울분이 또 떠오른다.

밥값과 내 돈이 꼭 맞아떨어지기 전날까지 통성명을 하지 않았기 때문에 이름도 모를 그 사내는 밤낮 거리로 나가서 일할 자리를 구하기에 초조하여 밥맛까지 잃고 덤비더니 내가 떠나려는 날 아침에는 나보다 일찌감치 어디로 사라졌다. 나에게 어디로 가게 됐다는 말을 하고 헤지는 인사를 아니 했으되 어디를 가나 돈 벌수 있는 사람이라는 첫인상 때문인지는 몰라도 어디로 갔을까 하는 생각마저 가지게 되지 않아 아무 생각 없이 나의 출발을 혼자서 준비하고 있을 때 여관주인이 문을 벌컥 열고 첫눈에도 노기가 등등한 얼굴을 보이며 들어왔다.

"같이 있던 사람이 어디 갔소?"

"내가 어찌 알겠소!"

"건방진 소릴 말어! 한방에 있던 사람이 어디 갔는지도 몰라?"

"내가 그와 같이 온 사람이 되어 알겠소. 그의 친구가 되어 알겠소? 돈벌

이가 생기여 갔으리라 생각하나 당신은 간 곳까지 알아야 할 것은 또 뭐요?"

"이놈 얼굴에 철판을 씌운 모양이지. 밥값 안낸 놈을 슬쩍 빼놓고도 그런 뻔뻔한 수작을 해? 너도 오늘 나간다고 하드니 돈을 내놔…돈 없는 놈들의 공몬 줄 모를 줄 알고…"

나는 터무니가 없었다. 밥값을 밀려보지 않다가 나가는 날에 이런 대접을 받아야 하나 하는 생각을 하니 울화가 치밀어 올라 여관주인을 공격해주고 싶었다. 그러려면 우선 밥값을 털어주어야 겠기 때문에 지갑 넣은 주머니에 손을 넣어보았으나 어제저녁까지 분명히 있던 그 지갑이 없어졌다. 내가 고개를 한번 외로 틀어보고 미심하다는 듯이 외투주머니까지 뒤져볼 때 난데없는 주먹이 따귀에 소리를 내며 불을 일으키었다. 변명이 효과를 낼 때가 아니므로 때린다는 가장 더러운 수단을 옳다고 생각한 그 사람에게 아무런 대항도 하지 않으려니 그의 행동이 점점 난폭해짐과 동시에 나의 머리를 거슬러 올라 나의 힘이 그에게 지지 않으리라는 것을 보여주고 싶었다. 그러니 나의 위치가 불리한데 놓여있다는 것을 생각할 때 내가 다시 사람과 더불어 관련을 맺은 보수를 받아야 하는 장면이로구나 하는 회한과 자각 속에서 따귀의 감각을 느껴보고 싶은 충동이 일어나 그의 손길이 감각의 질서를 주리만큼 조금 늘여 주기를 바랐다.

이렇게 생각을 해서 그런지 따귀에 큰 소리가 나도 그리 아프다는 생각과 그가 나를 경멸한다는 마음이 들지 않았으며 도리어 그의 분노를 내게 주는 응징이 이것뿐인가 하는 일종의 조롱 비슷한 감정이 들어 내게로 향해 쏜살같이 내려오는 그의 손목을 잡고 조금 불그스름해진 손바닥을 보았다. 나를 아프게 하기 위한 행동이라면 때리는 사람은 조금의 고통도 느끼지 않아야 완전한 괴로움을 내게 주는 것이 될 터이나 도끼질을 종일 한 것같이 충혈된 손바닥은 나에게 미소를 주었으며 독기가 등등한 그 사람의 얼굴은 도리어 울고 싶어 하는 사람같이 보여 측은한 마음을 일으키었다.

"두 놈의 밥값을 전부 내기 전에 한걸음이나 나가나보자.…"

말소리에까지 자기의 노기와 위엄을 보이려고 덤비며 나가버렸으나 내가 이만한 것으로 그 사람의 일시적 분노를 풀어주었으며 또 내가 잘못한 것이 있어 그것을 이만한 정도로 풀어놓을 수 있었던가 하는 생각을 하니 무엇을 잃어버린 듯한 어설픈 마음이 들었다.

다시 돌이켜 혼자 생각을 하니 나에게는 잘못이 없다. 내가 한방에 있던 사람들을 주인 모르게 내보낸 것도 아니며 나만 하더라도 자기네 밥값을 주기 위하여 곱게 준비해두었던 돈을 어제저녁까지도 가지고 있었으며 설사 지금 가지고 있지는 못하나 악으로 써버린 것도 아님에도 불구하고 그의 복수가 크든 작든 간에 나는 경멸과 학대를 받은 것이 사실이다. 한방에 있던 사람을 경계 못한 것은 내가 그 이상 더 괴로움을 받아야할 나의 잘못이지만 내가 딴 의미로 여관주인에게 학대를 받았다는 것은 아무리 생각해도 터무니가 없는 일이다. 내가 줄 수 있는 정도 안에서 주인에게 괴로움을 완전히 주지 않고는 견딜 수가 없을 것 같았다.

내가 할빈을 떠나 북안진이라는 작은 고을에 도착되기는 그 뒤 약 20일이나 지난 다음이었지만 그곳 어떤 커잔(여관)에 들리려 할 때 문득 할빈 경성여관이 생각되어 발걸음을 돌리고 뛰어나오고 말았다.

두 사람이 같은 날에 도망을 쳤다는 점으로 그들의 의심을 확실케 해주고야말았다는 불쾌가 이제야 일어났다는 것은 그새 한 번도 영업적인 여관에 들어보지 못한 때문이었을는지도 모르나 잘 자기 위하여 여관을 찾는 나의 주머니에 돈이라고 10전밖에 없어 이번에야말로 내가 도망질하여야 할 때가 아닌가 하는 생각이 안 생길 수 없었기 때문이었을 게다.

20일 동안 여관도 없는 곳을 두루 다녔을 뿐 아니라 잠잘 때마다 이부자리를 덮어보지 못했다. 밥을 얻어먹고는 밥값으로 3전씩 주어 도리어 고맙다는 말을 들었으며 잘 재워준 집에는 1전씩을 줌으로 내 얼굴을 다시 쳐다보게 하여 쓸데없는 돈을 쓰는 사람이라는 생각을 하게 하였으니 고생이라고는 할 수 있으나 구걸을 하거나 창피한 꼴을 보여주지는 아니하였으므로 내 자신에 대한 불평을 느껴볼 겨를이 없었다. 어떻게 해서든지 사진을 찍어 밥값과 잠 값을 빚지지 않겠다는 노력이 컸다는 것과 고량 죽과 외양간의 수면으로 나의 육체를 지탱해나갈 수가 넉넉히 있다는 생각은 그 생활이 파괴되거나 중도에 중단되지 않는 한 정신의 고통을 느끼지 않게 했을 것이다. 그러나 천릿길이나 걸은 뒤 생각조차 못해본 곳에 이르러 여관 아니고는 잠잘 수가 없는 곳이란 생각을 하게 되니 완전히 잊었으리라고 믿었던 사바의 기억이 일어나 도적맞은 2,3원의 돈까지 나에게 미련을 준다. 남을 의지한다는 마음보다는 조금 귀여운 점이 있을지 모르나 도적질을 하고 금시 피신을 하는 비겁한 행동을 하는 사람의 심리는 아무래도 타기해야 할 것이다. 그 돈을 잃지 않았다고 해도 아직 내 주머니 속에 있어 이 추운 날 밤의 안식을 줄 미끼가 될 수 없을 것은 확실하나 당장에 춥고 떨리는 감각은 속일수가 없었다. 제일 하등 여관에 가면 10전이라도 하룻밤을 지낼 수 있다고 하니 다음날에 돌아다니며 사진을 찍을 셈치고 우선 여관을 잡아야 하겠는데 원체 작은 곳이라 등수를 매길 만큼 별다른 여관도 없으며 그 수도 또한 적으므로 커웬잔(客遠棧)이란 글자를 좁다란 나무판에 써서 벽에 붙인 집을 찾아갔다.

주인이 말하는 숙박료와 내 주머니에 든 10전의 돈과 꼭 들어맞을 때 나는 가벼운 한숨을 쉬고 내 방이라는 곳으로 들어가 두 끼의 밥을 먹지 못하여 비명을 일으키는 위의 하소는 둘째로 온몸에 휴식을 주기 위하여 쓰러져

누웠으나 방바닥은 얼음속의 돌같이 선뜻하며 싸늘한 바람은 벌거벗은 몸처럼 나의 살을 떨게 했다. 불을 좀 때달라고 큰소리를 했더니 주인은 밖에서 땠다든지 못 때겠다는 소린지 잘 들리지 않게 웅얼거리므로 나는 문을 열어젖힌 다음 불을 때고 이부자리를 내라 야단하는 수밖에 없었다. 얼마동안 배운 나의 만주어가 이렇게 흥분했을 때까지 의사를 소통시킬 만큼 능란하지 못할 것이며 타이른다기보다 말해버리려는 듯이 주워섬기는 주인의 말을 알아들을 수도 없어 나는 나대로 불 때라는 말과 이부자리 달라는 말만을 대여섯 번 이상으로 연거푸 했다.

두 사람의 대화가 듣기에 민망했던지 이때 어떤 젊은 여자 한사람이 나와서 통역을 해주었다. 아무리 불을 때도 그 방은 그리 덥지가 않으며 이부자리는 손님에게 주는 법이 없다고 주인의 말을 그 여자가 조선말로 내 귀에 들려줄 때 돈을 받고 그런 법이 어디 있느냐 만약 그렇다면 딴 방으로 안내하라고 나도 조선말로 주인을 보면서 그 여자에게 통역을 청했다. 그 여자는 어느 편에도 기울어지지 않게 말을 잘해주었으나 싫으면 딴 데로 가라고 하는 주인의 말이 나온 뒤 어디를 가야 거의 마찬가지니 하룻밤을 고생하시고 감이 어떻겠느냐고 몹시 나를 동정하듯 나를 유심히 바라보며 말했다.

"할 수 없지."

하고 나는 문을 닫은 다음 방에 누워 잠이나 자려고 했다. 돈 주고 자는 잠이라고 해서 그런지 밥을 몇 끼 못 먹은 허기 때문인지 목도리를 끌러 머리를 싸맨 다음 외투를 벗어 온몸을 감고 다시 잠을 청했을 때 어느새 눈이 감기어지고 말았다. 아침에 눈을 떴을 때 얼굴까지 감았던 목도리가 허옇게 언 것을 보니 분명 잠은 들었던 모양이나 깨고 난 뒤의 추위는 더욱 심한듯했다. 흔한 콩국이라도 몸을 녹이고 싶었으나 주머니에 든 돈은 숙박료를 주어야 할 것이므로 일찌감치 단념을 한 뒤 사진틀을 메고 여관을 나섰다.

아침부터 저녁까지 종일을 돌아다니며 자그마한 상점과 웬만한 사삿집을 샅샅이 뒤지었으나 사진을 찍어주는 이는 하나도 없었으며 도리어 낯선 집 개를 보듯 이상한 눈치로 돌려보냈다. 오륙백 호 이상이 들어있는 곳이나 말하자면 소도시라 외지에서 들어온 낯선 사람을 몹시 경계하는 모양이었다. 좌우간 저녁때가 되었으니 다시 잠잘 곳을 정해야 하겠는데 빈주머니로 재위달라는 말을 할 면목이 서지 않아 거리에서 망설이었으나 농촌과 달라 외양간도 없을 것이며 있다 해도 나를 재워줄 사람이 없을 터라 일찍부터 발길을 돌려야 할 나 자신을 후회하면서도 다시 어젯밤 잔 곳으로 걷고 있었다. 하룻밤의 낯도 익도 또 사정을 말한 뒤 사진을 찍어 달랠 수라도 있을 듯한 마음에 그 방이라도 다시 빌려달라고 했으나 벌써 내 속을 알았던지 주인은 돌같이 차게 거절해버리며 두말을 못하게 했다. 태양과 지구는 어째서 한곳에 머물러있지를 못하고 빙빙 돌며 밤이란 어두운 시간을 주는 것인가.

얼마 살지를 못한다고 탄식을 하면서도 밤이 되기만 하면 방 속에서 잠을 자야 한다는 게으른 습관을 사람은 어째서 본능처럼 만들어놓은 것일까! 만들어진 세상에서 호흡하고 거기서 적당하며 평탄한 호흡을 할 수 있다는 것이 또한 진리로 되어있는 것이며 수만 년 동안 습관으로 되어온 것을 잠잘 곳 없는 내 입으로 중얼거린대야 나의 무능을 말하는 것뿐 아무것도 아닐 게다.

나는 거리에 나와 딴 여관을 찾아갔으나 재워달라는 말보다도 사진 한 장을 찍으라는 권유를 먼저 시작했으며 “부요.(싫다.)” 한마디로 거절을 할 때도 사진앨범을 꺼내어 서투른 말로 웃어가며 설명함으로 호기심을 사려 했다. 이래도 찍을 마음이 없느냐고 내가 반문을 했으며 “부요.” 하고 찍고 싶은 마음은 있는데 하는 눈치도 안 보이고 거절할 때

“여기 오셨을 줄 짐작은 했지요!” 하는 부드러운 소리가 뒤에서 들렸다. 커웬잔에서 전날 밤 통역을 해준 여자가 이상한 눈치를 보이며

"돈이 없으면 누가 재워주나요?" 하고 나를 조롱하는지 내 대답을 기다리는지 내 얼굴을 빤히 쳐다보고 있었다. 남의 곤궁을 비웃고 남의 괴로움을 고소하게 보기 위하여 세상을 살아가는 사람도 있구나 하는 생각이 문득 들자 무엇 때문인지는 몰라도 그 여자가 매춘부같이 보이려 남용의 대답을 꺼리였다.

"치운데 어디로 가세요?"

나의 뒤를 따라오며 극히 동정하는 듯한 말씨로 물을 때 나는 멈칫 서서 그의 얼굴을 바라보았다. 나의 행동에 간섭을 하고 나를 동정해준다는 월권을 나의 승낙도 없이 가진다는 것이 미워 그를 노려볼 때 나의 마음은 확실히 그 여자의 몸에 매질을 하고 있었으며 다시 발걸음을 움직일 때의 가벼운 마음은 그를 책하였다는 안심에서 온 것일 게다.

그 뒤로 몇 마디인가 자기 방으로 가도 괜찮다는 말을 따라오며 했으나 나는 그 말에 아무런 감각도 느끼지 않고 한참 걸었다. 그 여자가 없어졌다는 생각과 어디서 자나 하는 생각이 일시에 들 때는 내가 북안진의 한끝까지 갔을 때이므로 잠자기 위해서는 다시 시내를 돌아쳐가야 했다. 배도 고프다는 정도가 지나 무감각상태에 있는지 배를 만져보아도 텅 비어있는 것 같지는 않으나 조금 전에 자기 방에는 쌀도 있으니 밥을 좀 먹고 자라고 하던 그 여자의 말이 머리에 떠오를 때는 내가 무엇 때문에 내 육체를 학대해야 하나 하는 생각이 들어 나의 위가 마치 내 육체에서 떨어진 물체처럼 측은하게 여겨졌다.

나는 커웬잔으로 가서 그 여자의 방을 두드리기로 하고야 말았다. 내가 남에게 동정을 받는다는 것은 나의 생리가 허락지 않는 것이나 내가 무엇을 주고 그 대가로 무엇을 또한 받는다면 그는 주고받는 상업적보수관계이외에 딴 부채를 질것이 없다. 만약에 내가 그 여자의 말을 고맙게 생각하여 그를 따라가서 하룻밤과 몇 끼의 밥을 신세진다면 그는 신세로써 나의 머리에 언제나 새겨두어야 하며 그것을 잊어버려서는 안 될 의무가 있는 것이나 이제 내 발로 손님을 찾아가는 데는 그런 힘든 문제를 제거한 뒤라고 할 수 있다.

"사진 한 장 찍지 않으시겠습니까?"

나는 문밖에서 이런 청탁을 하고

"찍지요."

하는 대답이 있은 뒤에 그 방안으로 들어가 앨범을 꺼냈다.

"이것은 1원50전, 이것은 2원인데 이왕이면 좀 크게 나오는 것으로 하시오."

그 여자는 앨범을 보는 듯 마는 듯 내 말도 듣는 듯 마는 듯 고개를 끄덕이었으나

"내일아침 사진을 찍어드릴 테니 우선 50전만 주십시오."

하고 손을 내밀 때 그 여자는 호호하고 가는 웃음을 웃었다.

"배가 고프시지요?"

"네, 좀 고픕니다."

그 여자는 돈을 주는 대신 나를 끌고 작은 요릿집으로 가서 요리를 시키었으나 나는 내일 사진 값을 받으므로 갚아 주리라는 생각에 마음껏 요리를 먹었다.

여관으로 다시 돌아와서 딴 방을 내라고 주인에게 말하려할 때 이불도 없이 추운 방에서 자느니 불도 잘 땐 자기 방에서 자는 것이 어떠냐고 내 얼굴을 보았다. 단발을 하고 양장을 한 젊은 여인이었다. 내 마음이 그 말을 승낙할리 없었다.

"알지도 못하는 사내를 내 방에서 자라고 할 때 이상히 들으실지 모르겠습니다만 이 먼 이국에까지 온 사내나 여자가 굳은 마음 없이 떠날 리도 없을 것이며 따라서 그러한 사람이 곤궁하고 추울 때 방을 내주는 것도 딴마음

이 있을게 아닐 터이니 안심하고 주무십시오."

하는 말에 그만한 마음까지 가졌다면 나를 유혹하거나 내가 유혹당할 리도 없을 것 같아 손을 떼고 싶지 않으리만큼 따스한 방바닥에 그냥 늘어붙었다. 한편 옆에는 축음기가 있고 이부자리도 깨끗하게 또는 곱게 개어있는 것과 드레스가 걸린 흰 벽을 이상한 눈으로 둘러보았으나 이왕 이렇게 된 셈이니 그 여자의 신분을 생각해볼 필요도 없으며 또 알고 싶은 호기심이 있다면 그것은 벌써 내가 유혹을 당하고 있다는 것이라 생각하여 눈을 감으려했다. 위확장이나 안 되나 하는 근심을 하리만큼 배가 부르고 숨이 가쁘다가는 심장이 약한 사람이 뜨거운 목욕탕에 들어갔다 나온 것처럼 온몸이 노곤하여질 때 포근한 잠에 들고 싶었으나 방주인인 그 여자는 나를 사로잡은 다음 그대로 내버려두기가 아까운지 말을 건네기 시작했다.

"고향이 어디십니까?"

"글쎄요!"

"그런 것은 잊어버리려고 합니다."

"여기 오면 돈벌이가 될 줄 알고…"

"그저 살고싶어서라고 해두시오."

나에게 가장 흥미 없는 말뿐이었다.

"그래도 남자들은 좋을 겁니다."

그 여자는 무엇을 손에 쥐고 정신이 어디 있는지 알 수 없게 그것을 만지면서 이야기를 꺼냈으나 자기 사정을 하소연하려는 것이 목적인 모양이었다.

"나는 돌아도 오지 않을 남편을 기다리고 있답니다. 민적에도 없는 저를 남겨두고 나가버렸으니 두 번 다시 돌아올 사내의 마음이 아니겠지요. 그래도 저금해두고 간 몇 백 원을 가지고 그 돈이 없어지기 전에야 돌아오려니 하고 기다리고 있으니 나 같은 바보가 또 어디 있겠습니까!"

말을 그친 뒤 가벼운 한숨을 내쉬었다는 것은 나에게 준 반영을 엿보기 위한 때문이었으리라.

"뻔히 안 올 기대를 품고 청춘을 홀로 보내니 불행하기 짝이 없지요!"

"기대를 가질 바에야 오려니 하는 기대를 가져보구려!"

"그렇게 해보려고 해도 안 되니 고통이지요."

"기대를 가지고야 살 수 있는 사람이라면 자기를 속여가면서라도 그것을 붙들어야지요!"

그 여자는 눈물을 흘리었다. 자기의 괴로움을 나라는 사내에게 전염시키어 고통을 분할시켜보겠다는 노력이 눈앞에 보이므로 나는 적이 불쾌를 느끼었으며 따라서 여자의 눈물이라는 데에 명희를 연상케 하여 그 방에 들어온 것을 후회하게 되었다. 명희도 자기가 외로울 때는 눈물을 흘리었다. 남편이라는 내가 생활에 대한 의혹을 가지고 한 사내가 한 여자에게 행복을 주고 환심을 얻기 위하여 자기를 없이하고 지내는 것을 회의하기 위하여 시작할 때 명희는 외로워했다. 그때 명희는 눈물을 흘리었다. 그때 나는 명희 없이 살수가 없고 명희가 즉 나라는 생각을 가져 모든 것을 잊을 수 있는 행복감을 영원히 붙들려고 했다. 그 뒤 꺼져가는 화롯불을 보듯 생활의 권태를 점점 느낀 때 나는 명희를 내 옆에서 떠나주지만 않게 있는 힘을 다하여 노력했으며 설마라는 털끝같이 가느다란 기대에 목을 걸고 있었다. 이제 내가 새로 만난 여자의 말이 진정이라고 한다면 나는 나의 비극의 과정이 그 여자보다 앞섰다는 생각밖에 들지 않았으나 그 여자 역시 명희처럼 목숨을 딴 사내에게 걸거나 육체와 정신을 어떤 사내에게서 뺏어먹음이 없이는 못살 사람이라는 것을 느낄 때 내 마음은 냉정해졌으며 행복을 만들기 위하여 괴로움의 채바퀴에서 떠나려고 하지 않는 세상 사람을 내가 아랑곳할 바 없다는 냉정한 생각이 머리에 떠올랐다. 내 옆에 있는 사람을 보고 그의 불행을 들으면서도 냉정할 수 있다는 것은 그 사람을 위한다느니보다 나를 위하여 관대한 것이 아닐 수 없다.

"나이 스물밖에 못되어 벌써 이런 고통을 맛볼 줄이야 누가 알았어요!"

"너무 일찍부터 행복을 찾으려 했구려!"

그 여자는 자기의 감정을 될 수 있는 대로 길게 끌어볼 심산인 듯했으나 무표정한 나의 대답은 지나가는 바람결에 불려 보내듯 그의 호흡과 조금도 맞지 않았다. 푹신거리는 솜이불 속에 잠기여 오는 잠을 깃들이게 하는 것이 나의 소원의 전부였으나 그 여자는 불복인지 무슨 소리를 중얼거리고 있었다.

"내일 어디로 가실 작정입니까?"

얼마동안 혼자 말하는 이야기를 꿈결같이 들으며 눈을 감고 있었으나 자기를 보아달라는 듯이 목청을 돋우어 갈 길을 물을 때 나는 눈을 뜨고

"글쎄, 아무데로나 가지요!"

라는 대답을 하려 했으나 입을 아주 벌리기 도전에 눈을 감아버렸다. 명희를 떠난 뒤에 이제까지 보지 못한 젊은 여자의 육체-슈미즈까지 벗어 한편에 던지려는 살결의 산 색채, 냉혈의 어류가 아니라 체온과 체취를 능히 맛볼 수 있는 풍부한 살결이 내 눈에 들어와 온몸의 피를 마라톤식 경주를 하게 했으며 붉은 피의 색채를 일층 더 검게 만들어주는 듯했다.

"불을 끌까요?"

석유등잔이 내 머리에 가깝게 놓여있기 때문에 그 여자의 말을 주인의 명령이라 생각하고 머리를 쳐들어 입김을 불려 할 때 "어이구머니나!" 하며 이때까지 내놓았던 몸을 이불로 가리려는 여자의 포즈가 다시 눈 속으로 들어와 입김도 불지 못한 채 얼굴을 이불속으로 감추었다.

"제가 끌까요?"

나는 어찌하여야 좋을지 몰랐다. 불을 끈다면 아무것도 잊어버려야 하는

컴컴한 세상을 만드는 것이고 불을 켠 대로 둔다면 나도 모르는 새에 눈을 뜨게 하여 몸을 떨린다. 식물성인 나와 동물성인 내가 한 오거니즘 속에서 싸우고 있는 이 전쟁을 조정해줄 사람이 없는가? 나는 아직까지 철학을 공부하지 못했으나 이런 경우에 내가 하소를 하고 구원을 청구한다면 서로 입을 벌리고 나를 괴롭힐 철학자가 얼마든지 있을게다. 그러나 그들이 들려주는 말이란 한입에서 나오는 것같이 권위를 갖거나 통제의 힘을 가지지 못하였을 터이니 나는 내 현실에서 내 손으로 해결하는 수밖에 없다. 내 생활을 체험하지 못한 사람에게 무엇을 의뢰한다는 것부터가 얼마나 어리석은 짓이냐!

"불을 켜고 자지요."

켜진 불을 끄기는 쉬워도 꺼진 불을 다시 켜기는 힘들 것 같아 우선 켜진 대로 내버려두게 했다. 여자는 방긋 웃는다. 두 뼘도 못될 거리를 두고 딴 자리에 누웠을망정 좁다란 방에서 같이 숨을 쉬고 있는 그 여자와 나와의 간격을 먼저 생각해야 했다. 아직까지도 이름조차 모르는 나를 한방에 눕혀놓았고 이런 일을 만들기 위하여 나의 발걸음을 뒤따라까지 왔던 그 여자는 아무래도 몸을 벗기고 웃음을 웃어보아야 할 본능적인 욕망을 가지고 있나보다. 나는 이 이상 딴 의미로 그 여자를 평가하고 싶지는 않다.

이렇게 단정할 수 있으리만큼 내 마음의 평형이 잡히었다는 것은 나에게 유리할 뿐 아니라 다음 나의 위치를 생각해내기에도 편리했다. 나는 과거의 기억을 잊어버리려고 하는 동시에 새로운 기억을 만들지 않으려 한다. 이나 벼룩 같은 기억을 길러내어 그 놈에게 고생을 당하여 나의 마음을 사로잡히고 싶지 않을 뿐만 아니라 애정을 느끼지도 않으며 앞으로 가질 생각도 없이 육체적 행동을 감행하기가 싫었다. 더욱이 능동적인 여자에게 피동적인 내가 이러한 계기로 그의 뒤를 줄줄 끌리게 되는 경우가 없으란 법도 없지 않을 것이며 몸도 움직이지 못하고 그 여자의 감시 밑에 살아갈 것이 무섭게 생각되지 아니할 수 없다. 나는 불을 끄지 않기로 해버렸다. 만약 내가 능동적으로 나가지만 않았다면 상대자가 여자인 만큼 환한 불빛아래에서 차마 나를 건드리지 못하려니 하는 마음에서다. 이런 생각을 하다가 혹시 잠이나 들지 않았나 하는 마음이 갑자기 들어 그 여자의 편을 흘겨보니 조금도 나에게서 눈을 떼지 않았던 것처럼 깜짝 아니하는 눈살을 잔잔한 물결이상으로 가볍게 움직이었다. 또 웃는 얼굴이었다.

"여기는 기름값이 비싼데요!"

무슨 말을 하건 웃지만 말아줬으면 좋으련만…꺼버리고 말까하고 나의 손이 등잔을 향해 움직이려 할 때 온몸은 다시 싸늘해져왔다. 피가 한참 올라 얼굴을 뜨겁게 하다가는 다시 아래로 내려가 잔잔해지는 것이 마치 조숫물 같다. 이날 밤은 성급한 바다처럼 조숫물을 수십 번 오르내리게 했다. 명희가 없었고 남녀의 관계라는 것이 무엇인지를 알지 못했으며 또 거기서 쓴 맛까지 맛보지 못했다면 이날 밤이 그렇게도 괴롭지는 않았으리라. 명희의 이름을 끄집어내어 이런 때까지 원망하려는 본의가 조금도 없었으나 내가 사람을 두려워하고 경계하려는 노력이 또한 명희라는 여자에게서부터 생겨 났으니 내가 죽을 때까지 이러한 마음을 근절시킬 수는 없을 것이다. 그가 지금 어떤 사내와 어떠한 생활을 하든간에 내가 이러한 굴레를 벗어날 수 없어야 하는 것이 또한 나에게 대한 명희의 빚이니까.

그날 밤에 대한 것은 이만 적고 말려한다. 알지도 못하는 예수나 보살들의 이름을 몇 번씩이나 거듭 외며 동물성인 나를 돌과 같이 광물성인 마음으로 억누르기에 한밤을 꼴딱 새우고난 다음 창이 훤했을 때야 편히 잠든 그 여자를 겨우 보았다. 눈과 입을 꼭 다물고 숨만 쉬는 그 여자는 다시

"나는 당신에게 맡긴 몸이니 무슨 말이 있겠습니까?"

하고 마음 놓은 채 잠든 것으로만 보이어 내 자신이 귀신인가 사람인가 하는 의심을 가지게 되었다.

"일어나, 고약한 년."

고약한 년이란 나만이 들을 수 있을 만큼 가늘었으나 내가 이 이상한 여자로 말미암아 속을 쓸 기력이 없다는 비명임에 틀림없으리만큼 악을 지른 뒤 잘 깨지 않는 그 여자의 몸을 발로 흔들었다. 냄새로 판단하는 사냥개같이 자기 몸에 아무 변화가 없음을 이상하게 생각하는 그 여자의 눈초리가 조소로 보이든 경멸로 보이든 옷만 속히 입어주면 그뿐이었다.

사진을 찍고 이불속에서 현상까지 해준 뒤 사진 값 2원을 받아 밥값 60전(저녁과 아침 두 끼와 잠 값 10전)을 준 뒤 나는 도망치듯 북안진을 떠났다. 밥값과 방값이 그 이상의 가격을 칠 수 있을 것이나 내가 고가의 돈을 주고 호화로운 하루를 보내기 위함이 아니었다는 생각에서 그것마저 안 받겠다는 것을 여관주인에게 던져버리고 나온 것이다. 당신같이 냉정한 사람이 어디 있느냐, 떠날 때에는 노상 슬픔의 눈물까지 흘리던 그 여자의 말이 한 10일 동안 시골길을 걷는 새 전부 잊어버릴 지경이 됐다. 이국에서나 볼 수 있는 여자라 몹시 경멸해버리고 싶기도 하나 길가에서 둥근 돌을 만져보고 지나버리듯 마음에 걸려둘 필요도 없는 여자에게 그런 악의를 품는 것이 도리어 내게 짓궂어가기만 하는 것 같아 정처 없는 길을 걸을 뿐이었다.

사진이란 것이 어떤 것인 줄도 모르는 만주 농민들에게 앨범을 보여주고 당신의 얼굴도 사진만 찍으면 그대로 종이위에 나타난다고 설명해주면 고개를 외로 틀었다 바로 틀었다 하며 나를 요술쟁이처럼 생각하다가 값이 1원 이상이란 말을 해줄 때 그들은 또한 마술쟁이처럼 무서워하며 도망질치니 이따금씩 이민부락에서 몇 장을 찍는다 해도 값을 값대로 못 받을 뿐 아니라 그 싼 밥마저 마음대로 사먹을 수가 없을 지경이라는 데서 시골도 싫증이 났다. 생활의 고행을 각오했으며 풍부한 생활이 주는 시간적 여유를 도리어 기피하여 나의 여생을 빈틈없이 생활에만 바치리라고 했으나 한 개 3전이라는 고량 죽도 끼대로 먹지 못할 때 나의 육체는 줄어들어가는 듯 또한 괴로움을 준다. 어머니 배속에서 나와 명희를 떠날 때까지 배고픈 경지를 당해보지 못하고 살아왔다는 영향이 만주벌판에 서있는 내 배속에 미친바 있음인지 원체 사회라는 것을 인정하여 나와의 관계를 연결시켜 생각해보려는 뜻도 안 가지였으나 의지하려야 의지할 건더기도 없다는 것이 지구우라는 생각을 더욱 갖게 한다. 그러나 북안진에서 만났던 여자를 조금도 건드리지 않았다는 쾌감을 느낄 때 내 생명이 편하기는 했다. 이삼일을 더 걸었다. 하루만 더 가면 사진 찍을 사람이 많을 것이란 말을 듣고 그 말이 얼마큼 자신 있게 들리어지는 것인가 적이 의심을 하면서도 많은 대신 적게나마 있어 주기를 바라며 얼마동안을 걷고 있노라니 멀리 커다란 집과 작지 아니한 도시의 윤곽이 눈앞에 보이고 코로 맡았는지 귀로 들었는지 도회의 냄새가 머릿속에 스며들었다. 그 도시의 이름을 묻기 전에 사람이 왁작거리는 지옥이 싫어졌으며 그 풍경을 보기 전에 미끼를 기다리는 거미줄이 무서워졌다. 갈까 말까 하는 망설이는 마음이 다시 생기지 않을 수 없을 때 일평생을 무엇에 끌리어 살아야만 하는 인간이 불쌍해져 오던 길을 그대로 걸었다. 망설이고 망설이다 죽음까지 망설이면서도 제 손으로 살아왔다는 게 부끄러운 일이 아닐까! 당장 돈이 필요한 나에게 도회지를 가릴 필요가 없으며 당장 명희와 나와의 역사를 도회지에서 만들었다 하나 보다 더 환락경이요 말초신경이 발달된 할빈에서도 이렇다 할 터무니를 남기지 않았으니 만주국에서도 중심지를 떠나 국경 한 모퉁이에 있는 이 작은 도시에 겁을 먹어 스스로를 어리석게 할 필요가 없다. 무엇 때문에 무서워하는가…무서워한다는 것은 자기를 너무나 믿지 못한다는 것일 것이며 상대방을 너무 고가로 평가할 것밖에 없을게다.

진남포만큼 큰 도회지를 해륜이라고 하며 심경의 변화가 어떻게 되었든 지간에 내가 취직된 곳은 《흑목사진관》이라는 곳이다. 작지 않은 곳이며 사람들이 제할 노릇을 다해가며 사는 곳이다. 사진쯤 찍을 사람이 없지는 않은 곳이나 나보다 먼저 돈벌이에 눈을 뜬 사람들이 거리로 헤매는 나를 비웃을 지경이니 그야말로 룸펜처럼 빙빙 돌아다니기가 싫으며 따라서 추운 겨울날 시골의 경험을 한때만이라도 면해볼 생각에 월급 25원을 불평 없이 받게 되었다. 내가 월급자리로 들어설 때 월급의 적고 많음보다도 혹시 일이나 없어 빈둥빈둥 놀며 마음의 여유를 주지나 않을까 하는 걱정이 컸으나 흔적거릴 만큼 손을 놀릴 수 없음에 도리어 몸이 가뜬해짐을 느꼈었다. 아무리 정신을 육체보다도 고가로 평가하고 정신의 활동이 있음으로 해서 동물과 구별된다고 하나 이 고생과 괴로움을 맛볼 기회와 충동을 일부러 줄 필요가 도대체 어디 있는지 나에게는 후생도 없다. 내가 죽으면 김상현이란 묘비를 세워줄 사람도 없다. 행복을 찾을 수 없다 하나 구태여 불행을 찾을 필요는 어디 있는가.

나는 하숙하고 있는 집 식모계집애가 이제 열여덟 났을까 말았을까 하는 나이에 혼자 앉아 한숨 쉬는 것을 보고 고것이 벌써부터 무엇을 깊이 생각하려는 버릇을 가졌으니 반드시 불행 속에서 살리라 하는 예감을 느끼어 "에익, 어린것이…" 하고 그의 등을 치며 가슴속에 있는 생각을 없이하여 준 적도 있지마는 재미라는 것을 행복으로 알고 그것을 느끼려는 그의 생각이 재미없는 세상에서 벌써 배척당하고 이혼한지 오래였다고 나는 본다. 어떤 날 저녁 밥상을 물려놓고 혼자 앉아있으려니 하숙집 하녀인 순자가 밥상을 가지러 들어와 말을 붙인다.

"사람은 무엇 때문에 사는가요?"

"내가 그것을 아니? 그것을 안다면 이런 곳에 오지 않았거나 벌써 죽었거나 했을 게다."

"그래도 무슨 낙을 바라고 사는 것이 아닐까요!"

"글쎄, 네가 말하는 낙이란 결국 유쾌나 재미를 말하는 것일 터인데 낙이란 것은 어떤 자극으로 흥분된 상태에 느끼는 마음의 변동이 아니겠지…그렇다면 벌써 낙이란 게 일시적 물건에 지나지 못하여 사람이란 순간적인 그것을 바라는데서 더 큰 불행을 느끼지 않을 수 없게 되는 거야. …"

순자는 나이가 어리였으나 로씨야에서 출생되어 부모 없이 자라나 여기도 혼자 몸으로 와서 일을 하여주고 있으니 여러 가지 고통과 쓰린 생각을 가졌을 게다. 내 눈으로는 이따금씩 보고 있으나 주인부부에게 책망을 듣고 때로는 매까지 맞은 뒤 머리털은 노라나 검은 눈동자를 반짝이며 눈물 흘릴 때 나도 보지 않은 것만 같지 못해 눈을 딴 데로 돌리곤 하였다.

이날도 무슨 일이 있었던지 "나는 죽고 싶어요." 하는 말까지 했다.

"죽는다는 건 바보의 소리다. 네 나이 아직 어리니 그런 생각을 할는지 모르나 죽음이란 것은 너무나 무의미한 것이야. 무엇을 가지려 바득바득 애쓰다가 그것을 못 얻을 때 죽으려 하는 것인데 그렇게 요구되는 게 대체 무엇이냐? 나가서 일이나 해라."

밥상을 들고 내 방에 들어올 때나 밥상을 가지고 내 방을 나갈 때에나 이러한 짧은 대화를 가질 수 있는 것인데 나와 순자는 꼭 같이 남에게 매인 사람이라 휴식시간이나 담화의 시간을 한가롭게 가질 수도 없어 나는 손님, 그는 하녀 이러한 관계를 얼마동안은 무난히 지키어왔다. 키는 나이 이상으로 크다. 애티가 분명히 나고 손님 말이라 일부러 만들어서라도 나에게 불쾌감을 안주려고 하나 나는 그의 얼굴에서 가냘픈 정경을 때때로 발견했다. 그러나 순자가 내 마음의 얼마를 점령하리만큼 나와의 거리가 그리 가까운 것이 아니었으며 또한 불쌍한 애라는 레테르를 붙여 건방진 동정심을 가지려 애를 쓰지 않는 나이기 때문에 기회 있을 때는 거짓 없는 말을 했으며 마음까지는 손님과 하녀라는 관계에서 한걸음도 나아가지 않았던 것이다. 이렇게 말하자면 대범한 마음을 가진 채로 한겨울을 보냈다.

어떤 때 순자가 주인집 부부에게 매를 맞으며 우는 것을 보았고 두 사람이 힘을 합해 어린 순자를 사정없이 주물러주는 광경을 목격도 했으나 주인과 하녀의 사이에 내가 들어설 필요를 느끼지 못했으며 그러는 것이 쑥스러운 것 같아 못 본 체했다. 내 눈에도 그리 대수롭지 못한 일에 순자를 괴롭히는 주인을 볼 때 아무래도 한편이 약하다는 관념이 있어 그런지 주인을 나무라주기도 했으나 그런 일이 지난 뒤 밥상을 들고 들어온 때야

"어떻게든지 네 손으로 네 목숨을 살려간다는 결심을 가져라."

하고 위로도 아니고 설교도 아닌 말을 해주었다. 만약에 다른 말을 해준다면 자기를 편들어주는 사람이 있다는 것을 생각하고 마음을 약하게 먹음으로 자기를 망치지 않을까 하는 두려움도 없지 않았다.

그러다가 모래가 섞인 거센 바람이 불기는 하나 그렇게 날카롭지 않은 봄날이 왔을 때였다. 사진관에서도 드물게 일찍 돌아오던 나는 하숙집에 발을 들여놓기 전에 찢어지는 듯한 여인의 목소리를 듣고 얼핏 주인여편네가 무슨 일을 저지르나보다 하는 예감을 갖고 발을 움칫 뒤로 물리었으나 그렇다고 해서 안 들어간다는 이유를 발견하지 못하겠기에 그냥 내 방으로 들어갔다. 내가 들어온 것을 알았는지 몰랐는지 떠드는 소리는 그대로 요란했으며 떠드는 것만으로도 속이 시원치 않은지 나무를 두드리는 물체의 소리까지 났다.

일 떠드는 소리로 순자가 또 무슨 일을 잘못했구나 하는 생각을 가졌으나 변변치 못한 인간일수록 코딱지 같은 권리에 애착을 가지고 그것을 과장하려

는데 구역질이 나서 나는 하등의 이해관계가 없으면서도 순자를 못살게 구는 주인을 마음속으로 경멸하고 있었다. 그러나 나는 들려오는 시끄러운 소리에 귀를 기울이려 하지 않았다. 듣고 나면 결국 나의 손해다. 사람이란 아무래도 편향성을 가지게 되므로 시시비비를 가리려 하여 시에 대한 긍정과 비에 대한 부정을 내릴 때 벌써 나에게는 어떤 부담이 생기는 것이니까. …

정신을 딴 데 두기 위하여 그새 모은 사진을 한 장씩 들춰보려 했으나 그래도 가슴을 울리는 듯한 소리에 생리적으로 오는 불쾌를 느끼어 순천공원으로 산보나 가리라 생각했다. 옷을 걸쳐 입고 송아지 같은 개들이 왔다 갔다 하는 만주인 거리를 지나 공원에까지 와서 발길로 돌을 걷어차며 거닐고 있으려니 순자가 외로운 곳에 혼자 남아있는 듯한 생각이 들었다. 어린애를 잡아다놓고 뼈째 삼켜버리려는 늑대처럼 집주인이 잔인한 동물로 보이기도 했다. 사람과 동물을 겨누어 생각하고 또 순자를 동물과 타협하지 못하는 인간으로 생각할 때 그가 이상하게도 고결해보였다. 돌쳐 뛰어가 순자를 데리고 나올까 하는 생각까지 해보았으나 무심코 벤치에 앉아 운동장에서 놀고 있는 어린애들을 바라볼 때 내 옆에 사람의 그림자가 서 있음을 느꼈다. 옆에 서있는 사람이라고 해서 반드시 쳐다보아야 할 것도 없으련만 고개를 돌리자마자 앉으라는 말을 기다리는 듯한 순자를 발견할 때 놀라 일어난 나는 그를 꺼안으려고 팔을 내밀었다. 이는 순전히 내 머리의 반사작용이라고 생각하나 멋없게 팔을 오므리고는 그를 벤치에 앉게 한 뒤 그의 노란 머리를 쓸어 만져주고 상처 난 얼굴을 들여다보았다. 내가 공원에 도착한지 5분도 못된 사이에 순자가 이곳까지 왔다는 것은 나를 따라 그 집을 도망쳐 나온 것이리라 추측되었으며 푸른 점이 문둥병환자를 연상시키는 얼굴이 징그럽게 보였으나 이럴 때에는 경박한 말이 엄숙하고 비통한 공기를 비속화시킬까 두려워 아무 말도 꺼내지 못했다. 그는 자기의 비분으로 마음의 틈이 바늘 들어갈 만큼도 없을 것이며 나 역시 묵직하고 또 설레는 가슴을 어찌할 수 없어 얼마동안 두 사람사이에는 침묵만이 흘렀다. 나 같은 동정을 동정이라고 말할 수는 없으리라고 생각한다. 반항 없는 개가 병들어 누워있을 때 짓궂은 애들이 못살게 학대해주는 것을 보고 개편이 되어 어린애들을 욕해준다는 것은 생을 옹호하는 삶의 본능이며 감정이전의 세계일 것이니까. …내 흥분이 조금 사라진 뒤 나는 그의 어깨를 흔들었다. 꿈속에서도 그리고 흥분 속에서도 살수 없는 현실 앞에 그의 잠을 깨워준다는 나의 노력이었다. 이 의지의 노력은 본능의 세계를 극복하기 곤란했으나 그의 어깨를 흔드는 내 손은 무엇을 바랐는지 몰라도 확실히 어떤 무엇을 재촉한 것이 사실이었다.

"나는 다시 그 집에는 안 가겠어요."

얼굴의 동요도 없이 까만 눈동자가 반짝이는 순자의 말이었다. 내가 이런 말을 들으리라고 예상도 하지 않았지만 그의 가슴에는 그 말만이 가득 차있는 모양이었다. 그의 생활이 그의 집을 나옴으로 호전될 것이 아니련만 하나의 괴로움에서 권태를 느낄 때 그것 역시 괴로움임에 틀림없을 것이지만 새것을 맛보려고 하는 하나의 호기심도 순자에게는 커다란 의의를 갖는 것이리라. 순자의 말을 부정해버릴 수가 없어서 나는 그와 함께 걷기를 시작했다. 어디를 가든 제 스스로 살아가야 할 운명임에 순자를 전에 있던 집으로 돌아가게 할 필요도 없을 뿐만 아니라 온몸에 나타나고 있는 그의 사념이 큰 무엇에 눌리우고 있는 것 같아 나는 입을 열려 하지 않았다. 두 사람의 발이 다다른 곳은 어떤 여관 앞이었다. 나는 순자를 하룻밤 여기서 재운 뒤 내일부터 일자리를 구하도록 해야겠다는 생각이 앞장을 서서 문간으로 들어섰지만 순자는 행동에 아무런 생각도 안 가진 것처럼 여관간판도 보지 않고 제집에 들어서듯 나를 따랐다. 방에 들어가서 유치장에 들어온 사람들처럼 간격을 두고 앉아있으려니 그 때부터 순자가 눈물을 흘리기 시작했다. 10분이나마 소리를 내며 울고도 그칠 줄 모르기에

"하늘을 보았니? 시커먼 구름이 비를 쭉 내리고 나면 새파래지는 하늘을! 그만 울었으면 네 마음도 개였겠구나.…"

하고 한마디 했다.

"비가 내리기만 했으면 좋으련만 금방 수증기가 증발하여 비를 다시 만들고 있으니 하늘이 언제 개여 보이겠어요."

이 말은 나의 가슴을 떨리게 했다. 언제까지나 구름이 끼여 있는 순자의 마음이 나의 눈에 너무도 우울하게 보였기 때문이리라. 그러나 저녁때도 이미 늦었으며 그 자리가 나에게 너무나 짐스러워 내일아침 올게 잘 자라는 말을 하고 일어서려 하였다.

"가세요?"

순자가 처음으로 내 얼굴을 쳐다보았다. 파래진 얼굴과 힘이라곤 한 푼어치 없는 몸뚱아리가 금시 쓰러질 것 같았다. 끝없는 지평선에서 아무 힘없이 하늘을 쳐다보는 가엾은 처녀, 욕망도, 의지도, 용기도 아무것도 잃어버린 고아.

"가세요.…"

순자가 두 번째 "가세요." 하고 하는 말을 물어보는 것이 아니라 가려거든 가라고 명령 비슷한 말이었다. 그 말을 하고난 뒤에는 고개를 내려뜨리고 길게 나오려는 한숨을 숨을 죽여 가며 막아버리었다. 만약에 순자가 가지 말아달라고 애원을 했다면 나는 어떻게서든지 그 방을 나왔을 것이다. "가세요.…" 아아, 듣는 나를 원망하고 싶어 하는 그 말이 나의 발길을 멈추게 하고야 말았다.

"순자야…"

나는 순자를 안아주고야 말았다.

순자야! 십칠억이라는 수다한 인간 중에서 하필 김상현이란 내가 너의 순정을 빼앗고야말다니…육체가 숨 쉬는 동안 너는 내 육체를 볼 것이며 내 육체를 볼 때마다 너는 내 몸을 사랑하듯 나의 체취를 향기롭게 맡아야 할 것이니 이 또한 무슨 인연이냐? 너는 내가 가장 미워하는 사람가운데서도 보다 더 미워해야 할 사람을 왜 사랑했었더냐? 아아, 사랑이란 말을 꺼내고 싶지도 않다. 사랑! 나에게는 죽음보다도 더 미운 것이다. 만약 그날 밤이 지난 뒤 "저는 저 혼자서 못 살겠어요." 하고 눈물을 흘려가며 나에게 부둥켜안기지 않았던들 나는 다문 하루라도 너와 같이 있었을 것이다. 나는 하룻밤사이에 너의 육체가 나이이상으로 성숙했다는 것과 나를 얼마큼 사랑해왔다는 것을 아무 생각 없이 느꼈다. 그러나 너의 역사에 금 하나를 그어준 그날 밤이 지난 뒤 그러지 않아도 생각이 헛갈리어 어쩔 줄 모를 때 너는 그 하룻밤의 역사로 나를 붙들 권리가 생긴 것처럼 말했지? 나는 겹처 돌아가는 생활이 싫어 만주로 온 사람이다. 너는 너의 순정을 자랑할 만큼 깨끗한 것이라 말할 것이다마는 진디물의 단물을 빨아 먹지 않고는 살 수 없는 개미와 같은 그 애정이 나에게서 멀리 떠난 지 오래다. 나는 너에게 빼앗길 것도 없고 빼앗기지도 않을 것이나 너의 순정을 빼앗을 것 없는 나의 우상을 옆에 놓고 보고만이라도 참으로 기쁨을 얻겠다는 욕망이외에 딴 무엇이냐? 너의 불행을-그 불행을 간직한 마음자리를 나라는 우상의 관념으로 메워보겠다는 순정이외에 나는 너의 순정을 딴 말로 평가할 수가 없다. 그러나 순자야, 나는 너를 미워하지 못한다. 미워하기 전에 내가 가진 부담을 두려워해야 하겠다. 너는 매일 새로운 괴로움을 느끼며 죽을 때까지 나의 이름을 잊어버리지 못하리라. 그게 나의 부담이다. 너에게 진 나의 부채다. 그 부채에 억눌리어 내 몸을 움직일 수가 없다. 내가 나를 원망하고 내가 너를 두려워함은 응당 있어야 할 윤리이리라.

그러나 너를 떠나 이 먼 오지에 와있는 것 같이 나는 내 마음에게서도 멀리 떠나있다. 그래서 정신이 말똥말똥해지려는 이 순간을 단축시키기 위하여 다시 아편 령매소에 가야겠다. 나는 일금 20전을 주고 이 중독 속에 빠짐으로 안식을 구하건만 너는 값도 치를 수 없는 관념에 중독되어 얼마나 괴로워하겠니? 나를 비웃지 말라! 너는 내가 소설가들이 취재할 소설구성의 한 소재밖에 안 되는 것이니까. …그러나 너는 아편중독으로 내가 잠이 들어있을 때까지 나를 혐오하고 원망할 수 있는 자존심이나마 가지고 살아라.

1935.

출처: 『신인단편집』, 조선일보사, 1938.

김창걸

스트라이크

1

1926년의 크리스마스가 앞으로 며칠 남지 않은 어느 날.

씨잉쨍, 쌔앵쌩, 코앞을 분간하기도 힘들게 사나운 눈보라가 지난 밤 포근히 내린 눈을 휩쓸어 말아가지고 오르막길을 줄달음치고 있다.

영국데기에 제나란 듯이 우뚝 자리 잡은 E중학은 이 거리의 동남쪽에 있는 일본영사관 건물 한복판에 도드라진 꼭대기보다 한 미터가 더 높다거나 꼭 맞먹는다거니 하여 이 중학교 학생들은 늘 그것을 자랑삼아 외우고 있다.

우리 일학년 갑반에서는 이날 두 번째 시간— 영어 시간이 끝나기 바쁘게 교실 밖 복도로 우루루 몰려나갔다.

아우성치는 눈보라 소리를 들으며 오늘로 멀리 맞은편에 보이는 영사관 뾰족집 꼭대기를 억누를 듯한 긍지감에 싸여 E중학에 들어온 기쁨을 다시 한 번 느끼고 있었다.

"허, 글쎄 조선 사람은 태초에 하느님께 죄를 지었기에 지금 이처럼 고생한다누만! 참."

그때 바로 우리 반 남쪽 방이 교실로 된 사학년 학생들도 마침 하학이 되어 나오는데 그중에서 키꼴이 좀 큼직하고, 지나가고 지나오는 말들을 하기

좋아하는 한 학생이 불쑥 이렇게 내뱉듯 말하는 것이었다. 우리 반 학생들은 그 말을 듣고,

"거, 무슨 소리유? 누가 그러던가유?" 하고 그 학생을 다가가 둘러쌌다. 나는 열네댓 되나마나한 어린 축이지만 공부성적이 괜찮다고 해서 반장이 되고 있는 관계로 뒤따라가 이야기에 끼우게 되었다.

"이목사가 방금 성경 시간에 그렇게 말했어, 원."

"아니, 그래 그런 말 듣구두 가만 있었는가유?"

"그러니, 모두들 가만있을 리 있겠수? 옳다 긇다 말썽이 생겨 시간두 채 못 보았어!"

이렇게 오가는 말들을 들으면서 나는 적은 주먹이나마 불쑥 쥐어짐을 어쩔 수 없었다.

"에익, 민족적 양심이 꼬물도 없는……" 하고, 당금 눈앞에 이목사가 서있기라도 한 듯이 분개를 느끼었다.

이것은 방금 하학한 사학년의 성경 시간에 구약전서를 강의 받는 가운데서 생긴 일이다. ─동산 예배당에 현직목사로 있으면서 우리 학교 성경과목을 맡아 강의하게 된 이목사가, 이 세계는 하느님이 창조했고 그 창조하던 때의 원뜻대로 세계가 움직여진다는 성경의 뜻을 강의하면서

"믿어야 합니다. 태초에 하느님이 작정한 대로 세계가 움직여진다는 것, 이 만고불변의 진리를 믿어야 합니다."

마치 여자의 목청 같은, 그러나 맵짠 쇠 갈리는 목소리를 뽑아대며 찬동이라도 구하려는 듯이 40여명 되는 학생들을 한 바퀴 휘둘러보았다. 그러나 최성희란 학생이

"선생님, 한 가지 묻겠습니다. 물어도 좋습니까?"

하며 불쑥 일어서더니 질문을 꺼내었다.

"예, 모를 것이 있으면 얼마든지……"

"인간은 태초에 하느님이 작정한 대로 되어가는 것이라면 조선 사람이 나라가 망하여 해외에 유랑하면서 갖은 천대와 멸시를 받으며 고생하는데 이것도 하느님이 태초에 작정한 것입니까? 조선 사람은 무슨 죄를 지어 이런 고생을 하게 되는 것입니까?"

이것이야말로 아닌 밤중에 홍두깨 내밀 듯 뜻밖의 '엉뚱한' 질문이었다. 그저 모든 것이 하느님의 뜻대로 되는 것이라고 고스란히 믿고 아무런 잔말도 없었는데 이런 질문이 나오리라고는 생각하지도 못했었다. 그래서 미리 준비가 없는 탓인지 그저 얼굴빛이 홍당무가 되면서 가부간에 확실한 대답을 못하고

"저, …… 그건……" 하고 입 안의 소리로 얼버무리고 말았다.

간도의 서울이라고 불리는 용정에는 4대 중학이라고 해서 남자 중학교 넷에 여자 중학교도 둘이나 있었다. E중학이란 카나다 장로교회에서 경영하는 남자 중학교로서 물론 예수교 신자나 그 자족자제들이 입학하여 공부하지만 독신자(篤信者)가 아니더라도 조선 사람에게 '복음'을 전하려는 것이 목적이기에 누구나 와서 공부할 수 있었다. 이른바 '영국데기'라고 불리는 용정거리 동쪽 구릉지대에 자리 잡은 초록색 사층 집 교사에는 230여 명의 학생이 있었고 그 교사의 서북쪽에는 선교사인 동시에 이 중학교 교장인 카나다 사람의 으리으리한 사택 세 채가 나보란 듯이 도사리고 있었다. 그리고 이 학교는 학교의 종지가 그런 만큼 '수신(修身)'시간 대신에 성경과목을 넣어 일학년부터 삼학년까지는 신약전서를 배우고 마지막 학년인 사학년이 되면 구약전서를 배우게 되어 있었다. 매일 조회때나 학교의 무슨 모임이 있을 때이면 의례히 찬송가를 부르고 기도를 올리는 것이지만 성경시간에도 에누리 없이 기도를 드리고 나서야 강의가 시작되는 것이다.

"우리는, 하느님의 뜻에 의하여, 즉 죄를 지었기 때문에 그 죗값으로 조선이 망했고 그래서 고생하는 것이라면, 그런 공정하지 못한 하느님을 어떻게 믿을 수 있겠습니까?"

최성희란 학생의 질문에 뒤이어 곁에 있는 다른 학생이 또 이렇게 들이대었다. 성경교원인 이목사는 점점 더 말문이 막히었다. 수업시간에는 조용히 교원이야 범을 개라고 하던 사슴을 말이라고 하던 머리를 끄덕거려야 할학생들이 곁사람과 수군거리거나 책장을 험상스레 번지는 통에 수업시간의 공기는 폭풍우 직전의 정적과도 같았다.

하느님의 뜻에 의하여 조선이 망한 것이라고 이미 말한 대로 우기자니 학생들이 곧이듣지 않을 것이고 그렇지 않다고 하자니 그것은 기독교의 교리에 어긋나는 일이다. 그저 꽂지도 빼지도 못할 진퇴양난이 되었다.

"그래도 어쨌든 전지전능한 하느님이 우주의 모든 것을 주재한다고 믿어야지!" 하는 골예수쟁이 가정출신의 학생이 있는가 하면,

"그것은 우리 조선민족에 대한 최대의 모욕이야!" 하고 최성희 학생의 편에 서는 학생도 있었다. 물론 그대로 믿어야 한다는 학생보다 부정하는 학생이 절대다수인 것은 틀림없었다고 그 사학년 학생은 덧붙여 말했다.

"암, 그렇고말고, 조선 사람은 죄를 진 탓으로 고생하는 것이라고 한다면, 그렇다면 일본 사람은 '선덕'을 쌓았기에 그 '선덕의 갚음'으로 조선을 먹고 거드럭거리는 것이란 말인가?"

나는 비록 아직 어린 나이지만 들으며 비위가 꼴리어 손을 들고 나서며 말 참녜를 하였다.

"에익, 민족적 양심이란 손톱눈만큼도 없는…… 개 밸로 말끔히 바꿔 넣은……"

내 말이 떨어지자마자

"응, 논리로 보아서 그렇구만, 조선 사람은 죄를 지어 고생하는 것이고 일본 놈들은 '선덕'을 닦은 보답으로 조선을 먹고…… 그런 말이지 뭐야!"

이번에는 우리 반에서 뽈차기꾼으로 이름 있는 K란 학생이 역시 분노에 찬 눈길로, 헐떡거리는 가슴을 억지로 누르면서 부르짖는다.

"그래, 그 선생을 가만 놔두었어?"

"하학벨이 일시적으로 이목사를 난관에서 구원해주었지. 우선 하학종이 울려 숨을 쉬게 되었지."

사학년 학생은 모여든 학생들을 한 번 쭉 돌아보고 나서 말을 잇는다.

"흥, 자꾸 들이대었대야 그저 그렇지, 바른대로 말한다면 목사나 교원에서 목이 달아날 것이 아니겠는가? 뭐, 이목사도 조선 사람인 이상 양심이 그렇게도 없겠는가. 먹기 위해 거기 붙어살려니 그렇게 하는 것이지. 그러니 눈을 감아주는 수밖에 없다시피 속으로 쓴웃음을 짓고 말았지."

하고 그 사학년 학생은 이렇게 어리뻥뻥하게 말하고 정말 쓴웃음을 지어보이는 것이었다.

"어쨌든 민족적 양심은 조금도 없는 말이야." 하고 나는 도리어 그 학생의 말에 불복이었다. 나도 성경을 배우면서, 하느님이 이 세상을 엿새 동안에 창조하였다 거니, 남자의 갈비 대를 빼어 여자를 만들었다 거니 하는 말들은 그대로 믿지 않고 역시 코웃음 치는 정도였으나 어쨌든 차차 과학을 배우면서 기독교의 '배반자', 이단(異端)이 되어가고 있는 때인데다가 정작 조선 사람은 죄를 지었기에 죗값으로 고생하고 일본 놈들은 '선덕'을 닦았기에 태초에 조선을 먹게끔 되었다는, 이런 문자에 부닥치자 나의 초보적인 신념은 긍정적으로 옳았다고 믿게 되었다.

그리고 보니 그 두루뭉술한, 방금 말하던 사학년 학생의 마지막 취하는 태도는 가당치 않다고 생각되었다. 왜 사학년 학생들이 이런 문제에 들고 일어나지 않는 가고 의심스러웠다.

눈보라는 계속 기승을 부리며 학교를 삼킬 듯이 유리창문을 부여잡고 울부짖는다. 영사관 건물 꼭대기는 눈 아래 십여 미터나 내려다보이는 듯하다. 조선 사람은 죄가 있어 망한 것이 아니라고, 일본 놈은 선덕을 닦았기에 조선을 먹은 것이 아니라고 그런 설교를 부정하듯이—.

그런데 이 문제를 전교적으로서나 사회적으로 시비에 붙여 토론할 것까지는 없다고 생각한 까닭인지 이럭저럭하는 사이데 뒤로 익살부리는 학생은 있었으나 앞으로는 별로 문제가 없이 가라앉고만 셈이었다.

나도 공부하기에 여념이 없이 그럭저럭 보내었다. 더구나 우리 반에서 벌어진 일도 아니고 졸업반에서 생긴 일이기에 거기에 머리를 쓸 여유도 필요도 없었다.

그러나 어찌 알았으랴! 묻은 불은 끝내 일어나고야 말았다. —두어 달 지나 졸업시험을 치르는 때에 최성희란 그 학생은 졸업시험 답안을 쓸 자리에 정작 답안은 안 쓰고 말하자면 '백지'를 내었다. 물론 성경과목에만 그랬던 것이다.

"우리는 조선이 하느님의 뜻으로 망하였다고는 하는, 그리고 태초에 지은 죗값으로 망국노의 운명을 당하게 되었다는 설교를 믿지 않습니다. 왜냐하면 우리는 조선 사람이기 때문입니다. 우리 민족의 거룩한 명예를 위하여 이렇게 하지 않을 수 없는 민족적 양심을 가졌기 때문입니다. ……"

이런 말을 답안 쓸 자리에 써놓고 자리를 물러나오고 말았던 것이다.

2

성경교원인 이목사는 그 시험지를 보자 공연히 분이 상투밑까지 치밀어 올랐다.

"음, 백지를 내다니! 그 말썽 있던 문제를 낸 것도 아닌데. 이런 발칙한 법이 어디 있담?"

그래서 이목사는 제혼자만 알고 깔아치웠으면 좋으련만, 교원실에 들어가자마자 그것을 자랑이라도 하듯이 그대로 이야기하고 학감선생에게 하소연하듯 제기하였다. 다음날도 아니 당금 그날로 교원회의에서 이 문제가 '큰 사건'으로 토론에 올랐다. 그도 그럴 것이 개교이후 그리 큰 '사변'은 처음 있는 일이었으니까 말이다.

앞으로 학교의 운영에까지도 관계되는 중대한 사건이라고 해서 교장인 카나다 사람까지도 참가하였다.

"이목사님 말씀 천만지당합네다. 우리 카나다 사람 여기 와 많은 경비 쓰고 학교 경영하는 일, 그런 사람 교육하려는 것 아닙네다. 그런 학생, 벌 받아야 합네다."

하고 교장은 매부리코에 건 금테안경을 벗어 닦으면서 학감의 의견대로 다른 학생들과 동시에 졸업장을 태워줄 수 없다는 것이었다. 그래서 그 최성희란 학생만은 응당한 처벌로 석 달 후에 졸업장을 주기로 만장일치로 결정 짓고 말았던 것이다. 그것도 학생 본인의 전도를 보아 최대의 '선심'을 쓴다면서—.

졸업증서란 무슨 취직을 하는데 없어서는 안 될 절대적 역할을 놀 수 있는 보귀한 증명이거나 화수분은 아니지만 그래도 4년 동안 쌀 팔고 나무 팔아 공부한 '값'으로 얻어 쥐는 것인데 졸업식 날에 졸업장도 못 탄다는 것이 될 말인가!? 4년 동안 한 방에서 한 책상에서 고락을 함께 했는데, 정정당당한 이유로 백지를 내었는데, 한 학생만 남겨두고 다른 사람들만 졸업장을 받아 쥐고 나갈 수 있는가!

학교의 그 결정이 학생들(졸업반 학생들)에게 알려지자 그들은 함께 졸업시켜야 한다고 천만 번 지당한 요구를 제기하였다. 그러나 학교 당국의 거절을 당하고 말았다.

"학교에서 한 번 결정했으면 학생들은 시행할 의무가 있을 뿐이요. 그 결정을 뒤엎을 권리는 없소."

하고 단마디에 잡아떼는 것이었다.

이 소문은 인차 재학생들에게도 퍼졌다. 그래서 끼리끼리 마주앉으면 수군덕거리기는 하나 상제보다 복재기가 더 서러워할 것은 없다고 굿이나 보고 떡이나 먹자고 하는 것이 일반적인 생각이었다.

이러는 사이에 1927년 3월 중순 어느 날, 졸업식을 하는 날이 닥쳐왔다. 그날 졸업식은 바로 학교의 언덕 밑에 있는 동산 예배당에서 거행하기로 되어 이른 아침부터 부산히 번적거려댔다. 학교의 급사는 말할 것도 없고 예배당에서 심부름하는 중년 여인까지 동원되어 졸업식에 쓸 의자 등속이며 물품이며 심지어 옷걸이며 하는 것들을 날라오고 있었다.

'E중학교 제5회 졸업식'이라고 대필로 멋지게 쓴 모조지를 붙이고 한 장씩 떼기로 된 프로그람도 갖다달고 성경책과 찬송가책을 비롯하여 중서묶음과 상품도 갖다 연탁 우에 주런이 놓았다. 졸업증서묶음과 졸업 기념상품으로 마련한 가죽가위 성경책이 한 사람치씩 빠진 것은 더 말할 것도 없었다.

재학생에게 줄 수업증서와 개근증서도 갖다놓았다. 재학생 가운데 우수 학생에게 수여할 상품도 갖다 무져놓았다.

졸업식을 거행할 시각이 다가오자 교장과 학감을 비롯한 교원들이 모두 들어와 자리에 앉았다. 졸업식을 축하하러 온 내빈들이 꾸역꾸역 모여들었다. 내빈 가운데는 시내 각 중소학교의 대표들, 각 교회와 단체의 대표들은 물론이고 외지의 교회의 대표들, 심지어 멀리 옹성라즈의 교회의 목사도 왔었다. 특히 이채를 띤 손님으로서는 영사관 경찰서의 조선 사람 경부보인 현아무개가 경찰석에 와 앉는 것이 아니라, 번지는 양복을 쭉 빼어 입고 나비넥타이를 매고 점잖이 들어와 학감의 바로 곁에 좌정한 것이다.

졸업식을 시작할 아홉시가 거의 되니 졸업생들 40여명이 흰 동정에 검은 두루마기를 입고 들어와 맨 앞에 앉고 그 뒤로는 재학생들— 일학년 학생부터 순서대로 들어와 마룻바닥에 자리를 잡고 앉았는데 자기가 가지고 온 방석이 있는 사람은 방석을 내어서 깔고 있었다. 그들은 모두 신발을 벗어 신칸에 넣고 들어왔기에 신발 소리도 내지 않아 아주 조용하였다.

그리고 졸업식을 축하하기 위하여 역시 카나다 장로교회에서 세운 M여학교 합창대(찬양대) 20여 명도 들어와 여러 사람들의 시선을 끌었다.

아직 일학년이고 또 키가 거꾸로 서너 번째 되는 나는 키 큰 졸업생들의 바로 뒤에 앉게 되어 앞에 앉은 두 사람 틈새로 목을 늘이고 강단을 내다보았다. 어쩐지 무슨 '불길'한 예감이 들기만 하는 듯해서—.

아홉시 정각이 되자 교장이 매부리코를 한 번 슬쩍 만지면서 강단에 올라 찬송가를 부르고 나서 학감의 기도가 있었다. —하느님의 은덕으로 오늘 졸업식을 성대히 거행하게 된다고.

다음 학감이 계속해서 연혁보고를 하기 시작했다. 그런데 첫마디를 떼려는 판에 갑자기 졸업식 가운데서 여창순이란 학생이 불쑥 일어서더니

"한 가지 묻겠습니다. 오늘이 어떤 날입니까?" 하고 질문을 들이대는 것이었다. 매우 성난 듯 험악한 기세가 나타났다. 바로 졸업생들 뒤에 자리 잡고 있는 나는 마음이 선뜻해났다. "아, 끝내 벌통은 터지고 마는구나!" 하고

"오늘은 제5회 졸업식 날입니다. 졸업생이 어찌 졸업식인줄 모르고 왔습

니까? 왜 그러십니까?"

학감의 답복을 듣자 여창순이란 학생은 또 계속 질문하는 것이었다.

"졸업식인데 왜 어떤 사람은 졸업장을 안 줍니까? 우리 동창 최성희는 정정당당한 일을 했는데 왜 졸업장을 안 주는가 말입니다!"

그러자 몇 사람씩 머리를 맞대고 수군거리던 식장 안은 갑자기 와— 하고 들끓기 시작했다. 그리고 여창순을 비롯한 C ,M 등 몇몇이 강단 위로 달려 올라갔다. 그들 몇이 올라가더니 졸업식이라고 쓴 종이를 와락 찢어버리었다. 다음 프로그람을 와락 찢어버리었다. 강단 위에 쌓아놓은 데로 손이 가더니 찬송가와 성경을 강단 아래로 팽개친다. 졸업증서묶음을 홱 팽개친다. 졸업상품무지가 강단 아래로 흐트러진다. 나머지 증서무지가 팽개치어 흩어진다. 재학생에게 줄 상품무지도 강단 아래로 흐트러져 떨어진다.

내가 받아야 할 재학생 우수상품도 강단 아래로 흐트러져 떨어진다. 그러나 졸업생들의 일을 생각하면 내 일은 아무것도 아니라고 느껴졌다. 처음에는 그저 가슴이 후둑후둑 떨리기만 하더니 일은 끝내 되어갈 대로 되는구나 하고 생각되었다.

강단 우는 그저 반반하게 되었다. 여창순이란 학생(아니 졸업생이다)은 양쪽 팔을 허리에 올려붙이고 연설을 하기 시작하였다.

"여러분, 오늘은 우리가 졸업하는 날인데, 사년 동안 고락을 하께 하던 동창생 최성희 한 사람만은 졸업장을 못 타고 쫓겨나가게 됩니다. 원체 조선 사람은 죄를 지었기에, 그렇게 태초에 하나님이 작정했기에 망국노의 고생을 한단 말입니까? 여러분, 그래 일본 사람은 '적선'을 했기에 지금 조선을 먹고 거드럭거릴 수 있다는 말입니까? 그래, 이것이 그럴 수 없다고 조선 사람으로서 천만지당한 말을 했고, 그런 시험에 불응한다고 해서 졸업장을 안 주니 우리 어찌 가만히 있겠습니까? 여러분, 우리는 조선 사람의 자존심, 선량한 민족적 양심에서 출발하였습니다. ……"

여창순은 눈에 불이라도 팔팔 붙는 듯 주먹을 내흔들었다. 그의 말에 누구도 아니라고 대답할 말이 없었다. 졸업생들은 말할 것 없고 재학생들도 숱한 내빈들까지도 갑자기 쥐 죽은 듯 그의 연설에 귀를 기울이고 있었다. 졸업식 축하의 구실로 정탐이라도 하러 왔던 경부보 현아무개까지도 눈이 뚱그래서 말문이 막혀 헛입만 다시었다.

그 바람에 강단 한 쪽에 비켜선 교장은 한 대 얻어붙어 울까보아 왼손으로 안경다리를 잡고 뒤쪽에 가 박히어 부들부들 떨고 있었다. 학감도 뒤쪽에 가 떨고 있었다. 이목사도 떨고 있었다. 다른데 교회에서 온 내빈들도 떨고 있었다. 다만 현경부보만은 감히 내게야 누가 손을 붙일 건가 하는 듯이 강잉히 태연한테 하고 있었다. M여학교 찬양대 여재대원들은 더욱 부들부들 떨고 있었다.

나는 처음에는 가슴이 두근거리다가 차차 마음이 가라앉고 통쾌해졌다.

"아무렴, 그렇고말고, 민족적 양심이 조금이라도 있다면야—" 하고 입속으로만 외우던 말이 마침내 곁사람에게 들리지 않을 수 없었다. "참, 통쾌하군!"

여창순은 연설을 계속하였다.

"…… 그래, 우리가 최성희만 떼어놓고 우리만이 졸업장을 받을 수 있단 말입니까? 우리는 이런 도리에 맞지 않는 졸업식을 근본적으로 부정합니다. 그럼, 잘못 되었다고 빌고 그 소위 결정을 취소할 용의를 가지고 있습니까? 어디 교장이나 학감이 대답해보시우."

그러자, "옳소, 대답하시우!", "그렇소, 이 자리에서 대답하시우!"

하고 강단 아래 졸업생 자리에서 부르짖는 소리가 장내를 뒤흔들게 되었다.

"에헴, 에헴!" 하고 억지로 안 나오는 기침을 짖는 소리가 여기저기서 일어났다.

나는 그저 어쩐지 통쾌하기만 했다. 우등상품으로 내 몫에 차려질 그 상품생각은 벌써 가뭇없이 머리에서 사라지고 말았다.

졸업식은 어느새 수라장으로 되었다.

"학생들, 이렇게 하면 매우 좋지 않습네다. 이런 일, 하느님께서 용서 아니합네다. 반드시 벌 받게 됩네다."

낯빛이 파래난 교장은 더욱이 조선말도 잘 나오지 않아 떠듬떠듬 말이라고 했다. 뒤쪽에서 태연한 듯 강작하면서 떨고 있던 학감과 이목사는 자기 발끝만 내려다보고 있었다.

교장과 학감이 수군거리더니 학감이 일어나 폐식을 선포하였다.

"뒷일은 학교에서 다시 토론 연구하겠습니다. 오늘 '졸업식'은 여기서 폐식하겠습니다."

어쩐지 나는 다시금 통쾌하기만 하였다.

3

이렇게 졸업식이 묵사발이 되어버리자 학교 당국은 재학생들에게도 춘기 방학을 선포하지 않을 수 없었다. 그래서 농촌에 집이 있는 재학생들은 한 열흘 되나마나한 짧은 봄방학에 거개 제 집으로 흩어져갔다.

나도 부모와 동생들이 있는 고향인 M촌으로 돌아갔다. 집에 가서 며칠 동안 쉬면서 책들로— 주로 문예서적을 보면서 그날그날 지내는 중에 아직 방학이 절반도 지나지 않았는데 갑자기 용정으로 돌아오라는 기별이 왔다.

재학생의 진급식도 못 치르고, 물론 상품도 못 받고 온 것이라 워낙 궁금하여 그러지 않아도 내려가 보고 싶던 판이라 곧 오라는, 상급생에게서 온 기별을 받고 30리 되는 산길을 걸어 내려갔다.

나는 곧 내가 오기를 기다리는 박기주란 상급생을 만났다.

"정세는 아마 기울어지는 모양 같소. 우리의 뜻대로는 안 될 상 싶소. 끝내 스트라이크를 해야 할 것 같소. 군을 우리는 이학년 갑반 대표로 생각하는데, 그래 어떻소? 할 만하겠지?"

박기주는 이렇게 나는 보고 히죽이 웃으며 유난히 높을 코를 만지는 것이었다. 그는 사학년에 올라간, 한 동네에 있는 상급생으로서 '박콧대'란 별명으로 불리는 좋은 청년이었다. 강직하고 바른 말 잘하고 불의를 몹시 미워하는 젊은이였다.

원체 나는 나이는 어리거니와 울뚝불뚝하는 성미도 없고 무슨 일이나 곰곰이 재어보아 틀림없이 처리하는 모사형도 아니어서 우리 반의 대표를 될 수 있다고 하는 생각은 해보지도 못했었다. 그래서 처음에는 꽤 막연한 생각도 있었으나 공부를 착실히 하여 우리 반 동창들에게 신임이 있다는 것, 그리고 시키는 일은 틀림없이 해낼 수 있는 사무형이고 또 이랬다저랬다 드놀거나 심지어 간에 붙고 염통에 붙고 하는 알락수를 모르는 진짜배기라는 데서 상급생들이 믿어주는 것이 고맙기도 하였다. 그보다도 나는 당시에 예수교의 교리에 환멸을 느끼고 더욱이는 조선민족으로서의 이른바 민족적 양심이 있다고 자처하는 만큼 조선민족은 태초에 하느님께 죄를 지었기에 그 벌로 망국노의 설움을 받는다는 그 말 자체에 강한 반감을 가진 것만큼 박기주의 말에 선뜻 응해 나섰다.

"박형, 감사합니다. 힘은 없지만 믿어주시면 일을 드팀없이 하렵니다."

나는 박의 얼굴을 바라보며 역시 히죽이 웃었다. 수줍음을 감추려는 굳은 마음을 표현한 웃음이었다.

이윽고 우리는 각 반에서 대표 한사람씩 나오되 사학년만은 박기주 외에

두 사람 더 선정하여 가지고 동맹휴학위원회를 내오기로 하였다.

우리는 동맹휴학을 하게 된 경위와 조건을 사회에 공포하는 성명을 내었다. 조선민족이 태초에 하느님께 죄를 지었기에 그 죗값으로 망국노의 징벌을 받는다는 설교를 철저히 부정하고 반대한다. 그럼에도 불구하고 졸업생 중에서 문제를 제기한 학생을 졸업시키지 않는 학교 당국의 그릇된 처사를 배격하고 나서 우리는 그런 교육으로 자신을 노예화할 수 없기에 민족적 양심에서 출발하여 동맹휴학을 하지 않을 수 없다고 공포하였다. 이 성명서 작성에는 나도 위원의 한사람으로 참녀하였다. 그것은 글재주가 좀 있다고 인정받았기 때문이다.

이렇게 되어 당금 새 학기 개학을 해야 할 우리는 개학 대신에 휴학을, 그것도 당당한 이유와 조건을 내걸고 동맹휴학을 하였던 것이다.

동맹휴학의 조건으로는, 첫째, 조선민족이 태초에 하느님에게 죄를 지었기에 그 죗값으로 망국노의 설움과 고생을 하지 않을 수 없다는 설교를 전적으로 취소하고 그 설교가 잘못되었다는 것을 학생 전체 앞에 공개적으로 선포할 것. 둘째, 그 설교의 직접적 장본인인 이××목사를 면직시킬 것, 셋째, 지난번 졸업생 최아무개에게 즉시 졸업장을 주고 다시는 이와 유사한 사건이 발생하지 않도록 보장할 것, 넷째, 이상 조건의 승리를 위하여 끝까지 버티겠으니 그 때문에 받는 손실을 학교에서 완전히 책임질 것, 이러루한 것들이었다.

우리네 학생대표들은 각각 자기네 반 사람들을 상대로 하여 한두 사람씩 찾아다니면서 동맹휴학에 대한 선전을 하는 동시에 찬동여부를 따지게 되었다. 한 번 찾아가 안 되면 두 번, 두 번에 안 되면 세 번 네 번, 이렇게 반복적으로 일하게 되었다. 먼저 거리에 사는 학생을, 또는 제 집으로 안 가고 거리 하숙집에 머물러 있는 학생을, 그리고 농촌 제 집으로 갔다가 일찍 먼저 돌아온 학생을 찾아보고 계획대로 일을 시작했다.

"암, 그래야지, 그건 우리 민족에 대한 최대의 모욕이야!"

하고 대번에 선뜻 두 손을 들고 찬동하여 나서는 학생이 대략 절반 정도 인데 대부분이 독신(篤信)가정 출신이 아니거나 '독립운동'의 영향을 받은 그런 가정 출신의 학생들이었다. 그러나 독신자 가정 출신이거나 농촌에서도 비교적 유족한 살림을 하는 집이거나 거리에서 장사깨나 하는 그런 가정 출신의 학생들은 아주 반대는 아니 하나 '좀 더 생각해 보겠다'고 어정쩡한 태도를 취하는 학생이 거의 절반이나 되었다. 그중 몇몇은 동맹휴학 조선이 완전히 찬동되지 않노라고 하며 제 부모의 의향을 들어보아야 알겠다고도 하였다.

우리는 매일 밤 위원들이 모여 그날의 성과들을 이야기하며 적어도 삼분의 둘은 쟁취하여야 한다고 계속 밀고 나갔다. 절대다수를 차지해야 할 터이니까―.

나는 어느 하루 반대태도를 가지고 있는 김종호란 학생을 세 번째로 찾아가 또 이야기하게 되었다.

"최군, 좀 조용히 할 이야기가 있는데, 뭐, 가슴을 가라앉히고 들어주겠나?"

하고 은근히 말을 걸었다. 말하자면 내가 머리말을 떼자마자 쌍꺼풀눈에 웃음을 띠우고 이렇게 말하는 것은 무슨 보귀한 의견이라도 내는가 싶어

"암, 귀를 가시고 들어야지!" 그랬더니 그는 한참 머뭇머뭇하면서 말하기 어려워 하다가

"저, 다른 게 아니라 최군은 카나다로 유학 갈 생각이 없어?" 하고 뚱딴지 같은 물음을 꺼내는 것이었다.

"암, 공부만 할 수 있다면 좋지. 그런데 그건 왜?" 눈을 더욱 깜박거리며

먼저 웃음부터 띠우는 김종호는 마침내 하고 싶은 말을 하기 시작하였다.

"이건 최군의 일생에 관계되는 대사란 말이야." 하고 나지막이 속삭이듯 하는 그의 말에 의하면, E중학교는 카나다 장로교회에서 경영하고 지금 교장은 그 교회에서 명망이 높은 분인데, 이 학교의 졸업생 가운데서 공부를 잘하는 '수재'를 선발하여 카나다에 유학시킨다, 그 후선인을 선발하는 데는 우선 독신자가정 출신이어야 하고 무엇보다 본인이 공부가 출중해야 하는데 자기 보기에는 내가 그럴싸하다고, 그 소식은 보통사람에게서나 아니라 목사공부를 하는 자기 아버지에게서 들은 것이니 백프로로 믿을 수 있다고 하였다.

나는 그 말 속의 말을 감촉할 수 있었다. "뭐, 내가 그 후선에 들 수 있다고? 교장이 나를 정말 뽑아 보낼 수 있다고? 그보다도……"

"그러니 그 좋은 찬스를 놓치지 말아야 하는 거야!"

"그 조선이란 독신자일 것, 공부를 잘해야 할 것, 그것뿐인가?"

"그럼 노골적으로 털어놓고 말하지. 그럼, 이번 동맹휴학에 군은 삐치지 마는 것이 어때? 그렇잖아?"

나의 추측은 추측인 것이 아니라 면바로 들어맞았다. 너무나 갑자기 제기된 문제인지라 나는 어리뻥뻥하기도 하려니와 좀 더 사색할 여유를 가져야 하리라고 생각하였다.

"내 좀 더 생각해보고서……" 라고 하고는 그날 밤 집에 돌아와 그야말로 심사숙고하겠다고 하였다.

나는 그날 밤 이리 뒤척 저리 뒤척 하면서 복잡한 많은 생각에 모대기었다. 현실적인 이상과 환상적인 공상이 한데 뒤엉키어 분간할 수 없었다. 하늘에서 저절로 굴러 떨어지는 호박을 받을 것인가 물리칠 것인가? 아무리 올리 생각하고 내리 생각하더라도 결국 지금의 현실에 발을 붙이고 생각하지 않을 수 없었다.

—과연 카나다 사람들이 조선 사람을 '하느님의 아들'로 일시동인하여 조선 사람을 공으로 공부시킬 것인가? 이 문제에 긍정적인 대답을 스스로 가질 수 있는가? 조선 사람을 어떻게 볼 것인가, 제 나라 사람을 모조리 구원하고 여유가 있어 '미개인'으로 보는 조선 사람을 위해서 여기 왔는가? 하느님께 죄 지은 값으로 망국노의 생활을 하는 것이라고 보는 그들이 아닌가? E학교의 지난날의 몇 몇 회 졸업생 가운데는 나보다도 공부를 썩 잘하는 사람이 얼마든지 있을 터인데 아직까지 누구하나 카나다 사람의 '은덕'으로 유학을 갔다는 말을 듣지 못한 것이 아닌가?

나는 끝내 환상세계에서 현실세계에로 돌아왔다. 더욱이 나는 '배반자'가 되려고 하지 않았다. 자원적으로 나선 동맹휴학의 길, 이제 어떻게 '배반자'로 된단 말인가! 민족적 양심을 갖고 살려는 내가 이번 동맹휴학에서 배반자가 된단 말인가! 더욱이 나는 예수교의 허위성에 대하여 처음 눈을 뜨기 시작한 지 몇 달이 되는데 이제 배반한다는 것은 사람으로서의 양심이 허락할 수 있는가? 내가 지금 걷는 길은 결국 천 번 만 번 옳다는 결론을 얻고 말았다.

그래서 나는 이 문제로 하여 늘 믿어오는 박기주를 찾아갔다.

"흥, 쐐기를 박는군!" 하고 쓴웃음을 짓고 나서 "그거야 최군의 양심에 물어보아 할 일이지!" 하고 지난 밤 내가 생각하던 바와 꼭 같은 말을 하고는

"어쨌든 얼렁수에 넘어가서는 안 돼!" 하고 말을 끊고, 지금 학교 당국에서는 지연책략을 써서 시간이 늘어 가면 우리가 저절로 항복하고 말 것이라는 학교의 움직임을 알려주는 것이었다.

나는 개운한 기분으로 거리에 나와 종호를 만나서 나의 굳은 결의를 말하고 그의 '호의'를 거절해치웠다.

그 다음날 우리는 영국데기 선교사가 있는 삼층 사택에서 가족들의 전송

을 받으며 길을 떠나는 교장을 그는 회색 양복에 스프링코드를 받쳐 입고 개화장을 흔들면서 연송 갈구리 같은 매부리코를 만지면서 영국데기 밑으로 내려오고 있었다.

"교장선생, 어디로 가십니까? 우리의 요구조건을 해결하지도 않고……"

당돌하게 묻는 나의 말에 그는 머리를 한 번 기웃하더니

"조선 원산에서 회의 있어 갑네다. 무슨 의문 있습네까?"

"물론 의문이 있습니다. 우리 문제는 해결 짓지도 않고 교장이 먼저 빠져 가는 법이 있습니까?"

"나, 빠지는 것 아닙네다. 교회일로 가는 것 하느님 뜻입네다. 그것, 나의 신성한 자유입네다. 학생들, 나의 자유 구속하면 영사관 경찰에 알리겠습네다. 남의 자유, 방해하면 하느님 용서 안 합네다. 알겠습네까? 물러나십시오."

교장이란 작자는 평시처럼 '토'가 안 달린 조선말을 지껄이며 움푹 들어간 눈을 더욱 쪼프리면서 안경을 벗어가지고 안경수건으로 문질렀다.

"학교일은 학감선생이 처리할 것입네다. 학생들 일은 학생들 자신이 처리해야 합네다. 조선 가는 것 내 자유입네다. 알겠습네까?"

하고 기세등등해서 제 쪽에서 콧대를 세운다.

"그럼 영사관 경찰에 고발하시오."

"피해가면 단줄 압니까?"

"우리 일은 해결하지 않으면 절대 못 갑니다."

우리들은 비교적 점잖은 말로 질문을 들이대었다. 그런가 하면

"그놈, 한 개 맛보여줄까……"

"덜미를 집어 돌려 세우자꾸나!" 하고 곁에 욱 모여 섰던 학생들이 중구난방으로 떠들어대었다.

옳다 그르다, 된다 안 된다 말썽이 오갔으나 때마침 박기주가 달려와서

결국 그 '신성한 자유'도 꺾어져 파란 눈동자를 뒤룩뒤룩 굴리면서 끌리다시피 제 집으로 끌려가고 말았다. 끌려가면서 연신 "이렇게 하면 하느님 벌을 줍네다." 하고 앙탈했으나 박기주의 억센 손아귀에서 벗어날 수는 없었다.

"글쎄 집에 가서 곰곰이 생각해보시우. 피해가서 될 일인가고—"

그런데 집에 온 교장은 씩씩거리다가 정신이 들자 영사관 경찰에 '고발' 해서 학생들을 취체하라고 전화를 걸었다. 그런데 영사관 경찰서에서는, 아직 학생들이 하는 학교 내의 일이기에 취체하기는 좀 이르다고 해서 거절당했다는 풍설이 곧장 들려왔다. 이렇게 자유는 구속으로 되어 교장은 침대에 벌렁 드러누워 머리를 툭툭 치며 어쩔 줄 몰라 모대기며 악을 썼다.

길 가는 어린애와 물어도 천만 지당한 요구라고 할 우리의 동맹휴학의 조건이 완고한 학교 당국에는 꼬물도 용납되지 않았다. 어느 한 조건도 승인할 수 없다고 뻗대는 것이었다.

그런데 벌써 한 20일 지속되는 바람에 동맹휴학에 환멸을 느끼고 어정쩡한 태도를 가지는 사람이 한둘씩 생기었다. 더욱이 휴학선언에 마지못해 따라오던 사람, 그중에도 독신자 학생들은 우리의 '정보'를 학교 당국에 고자질하는 자들도 있다는 소문이 났다. 그래서 우리는 더욱 굳게 뭉치어 끝까지 버티는 동시에 그런 동요분자들에 대한 감시도 하게 되었다.

그날 밤 우리 몇몇이 "그래도⋯⋯?" 하는 생각으로 학감선생의 집문 앞에 이르러 동정을 살피는데, 방문이 사르르 열리더니 키꼴이 자그마한 어떤 사람이 그 방에서 살짝 나오고 그 뒤에는 학감선생인 듯한 사람이 은근히 바래주는 것이었다. 우리는 곧 학생모를 쓰고 검정 두루마기를 입은 그 학생이 김종호라는 것을 그의 행동거지로 알아맞히었다.

"아, 저놈 붙잡아라. 네 거기서 무슨 스파이질 했어!" 좀 경박한 한 친구가 소리치는 바람에 우리는 욱 쓸어 모이었다. 분명히 김종호였다.

"스파이? 무슨 경찰선가유? 선생님의 댁인데유!" 하고 오히려 도적개 코세다는 격으로 뻗대는 것이었다. 그러자 모여들었던 우리네의 주먹맛을 보고 말았다.

"네, 그저 잘못했습니다. 죽을 땔 만나서…… 한 번만 용서해 주십시우!" 하고 커다란 눈에 눈물이 그렁그렁해서 손이야 발이야 하고 빌게 되자 그때 마침 박기주가 와서

"뭐, 주먹질은 왜? 말로 해도 될 일을 가지고……" 라고 타일러서 그를 놓아주었다.

그러자 요새 와서는 학감은 물론이고 이목사랑 심지어 뾰족뾰족한 축에 드는 교원들까지도 낮이면 문을 닫아걸고 밤이면 집을 비우고 딴 데 가서 밤을 새우고 온다는 소문이 들려왔다.

그럭저럭 세월은 흘러, 길가에 말 풀이 돋아나는 사월 그믐께가 가까워왔다.

"…… 학교 당국에서는 우리의 요구를 들어주기는 새려 도리어 뻣뻣이 머리를 쳐드니 어쩌겠습니까. 그렇다고 석 달 넉 달 끌 수도 없고, 학교를 들부실 수도 없고……"

박기주의 말에 모두들 고요히 머리를 숙이고 생각에 잠겨있었다.

"어쨌든 공부는 해야겠고, 그렇다고 망국노의 죄업을 쓰고 들어갈 수는 없고. 자유의 날개를 펼칠 학원은 없을까요?!"

나는 무거운 분위기, 납덩이같이 무거운 분위기를 깨뜨리고 말을 꺼내었다.

"동맹퇴학, 그렇습니다. 동맹휴학이 성공 못했을 때 동맹퇴학의 길이 있을 뿐입니다. 진정한 자유의 학원이 곁에 있지 않습니까?"

박기주가 이렇게 가슴 속의 말을 하자 모두들 고개를 끄덕거리었다.

"그렇게 합시다. 바꿔 탄 배는 벌써 떠난가 봅니다."

박기주는 이날이 마침내 올 것을 예상하고 이 거리에 있는 D중학과 T중

학에 가서 교섭하여 보결시험도 없이 또는 입학금도 없이 각각 제 학년에 들어가기로 하였던 것이다.

그래서 1927년 4월 그믐께, 그때가지 학교에 남은 학생 130여명은 E중학교 교사현관을 배경으로 하고 동맹퇴학 기념사진을 찍었다. 입학 기념사진을 못 찍은 우리들은 동맹퇴학 기념사진을 찍었다.

아, E중학교여, 잘 있거라!

전정, 자유와 양심을 키워주는 과학의 전당으로 우리는 간다!

1938년 명동에서.

출처: 『해방전편 김창걸단편소설선집』, 요녕인민출판사, 1982.

김창걸

그들이 가는 길

    나는 나의 반생을 통하여 잊을 수 없는 은인 세 분이 있다. 그분들이란, 내가 학비 때문에 공부를 계속할 수 없게 된 때에 강개스럽게도 학비를 대어주어 공부를 계속 하도록 한 분들이다. 나는 지금 단돈 열 몇 장에 목을 맨 시골교원의 월급쟁이지만, 이만큼 된 것도 모두 그분들의 덕으로 노루 꼬리만한 글이나마 읽었기 때문이다. 그리고 그분들의 그 뒤의 가는 길이 또한 서로 비슷해서 나에게 감명과 영향을 주고 있는 점에 있어서도 그분들이 잊혀지지 않는다. 모르기는 해도 내 목숨이 붙어있는 동안에는 그분들을 진정 잊을 수 없다고 생각한다.

1

    겨울눈이 푸실푸실 내려서 학교 앞마당에 선 살구나무 가지에 눈꽃을 피우는 포근한 날씨이다. 조회시간에 교장선생이 한 스물예닐곱 되어 보이는 청년을 강단에 올려 세우고 새로 부임한 선생님이라고 취임인사를 시키는 것이었다.

    우리 학생들은 모두 일제히 그 새로 오신 교원이 어떤 분인가고, 앉았던 몸을 절반쯤 일으키며 바라보았다. 그분은 우선 머리가 어찌나 큰지 온몸의 절반의 절반은 되는 상 싶은 것이 눈에 확 띄었다. 그렇게 크고도 넓적한 얼굴에 머리카락을 싹 빗어 넘기었는데 좀 얽죽얽죽한 모습이 다음으로 눈에 안겨왔다. 그 교원은 자기의 이름을 최기창이라고 말하고 나서 첫마디로 한다는 말이

"이국땅에서 고생하는 여러분들이 나라를 다시 찾기 위해 이렇게 공부하고 있는 것을 보니 참으로 눈물 납니다.……"라고 하자 나는 '사상객(思想客)이로구나' 하고 대뜸 알아차리었다. 왜냐하면 당시는 독립운동에 참가한 사람들을 '사상객'이라 불렀으며 따라서 그런 사람들을 학생들은 존경하였기 때문이다.

이렇게 최기창 선생이 온 뒤부터 우리는 소학교 4학년이지만 '한문'이란 과목을 더 넣었고 그 선생은 한문과 작문을 가르치고 있었는데 한문을 그저 구학서당에서 하는 식으로 가르치는 것이 아니라 문법적으로 제법 명사, 동사, 형용사 등으로 갈라 설명하며, '총독부' 교과서를 팽개치고 교과서도 없이 분필 끝으로 흑판을 똑똑 뚜드리면서 맹자, 논어는 물론이고 '고문관지' 같은 것을 외따로 내어 내리쓰고 가르치는 것이었다.

그런데 그 선생이 어느 지방에서 왔으며 어떤 학교를 졸업하였는지는 아는 사람이 없고 심지어 그의 본명이 무엇인지도 아는 이가 없다. 다만 자신의 호가 월헌(月軒)이라고 하기에 최가란 것도 변성일 것이라고 해서 월헌 선생이라고 호를 부르게끔 되었다. 그의 신분에 대해서도 여러 가지 뜬소문이 있으나 어쨌든 조선에서 '독립'운동을 하다가 망명하여 왔거나 '독립'운동을 하려고 간도로 왔을 것이라는 말이 떠돌고 있었다. 따라서 가족이 있는지 없는지도 잘 모르겠으나 아주 영리하고 총명한 어린애가 있었는데 불행히 죽어버렸다는 말과 아내도 병으로 죽고 말았다고 하는 정도의 말만은 한 일이

있었다.

어제 한 번, 교원과 학생들의 무슨 모임이 있어 끝난 다음 여흥(餘興)이 있었는데 그때 월헌 선생은 처음 듣는 노래를 불렀다.

"선죽교 피다리 개성군 선죽교야,
정포은 죽은 지 묻노니 몇 해냐
오백년 끼친 한 비할 데 있으랴. ……"

그 후부터 우리는 '선죽교(善竹橋)'선생으로 월헌 선생을 대체하여 부르게 되었다.

어쨌든 우리 M학교는 당시 민족주의, 배일(排日)사상이 극도에 이르렀는데 그 노래 '선죽교'는 그야말로 '선죽교 선생'의 '사상객'다운 풍모를 나타내는 것이었다.

그리고 학생들의 조회 때나 일요일 예배 때 기도드릴 차례가 되면 선죽교 선생은

"나라를 빼앗기고 해외에서 망국노의 설움을 받고 있는 우리 조선 사람을 사랑하시는 하나님 아버지시여……" 하고 의례히 첫머리를 떼곤 하였다. '전지전능'이라거나 '무소부재'따위로 하나님을 수식하는 것보다 훨씬 비위에 알맞아 학생들의 환영을 받고 있었다.

선죽교 선생은 언제 한문시간에 "남녀 일곱 살이면 자리를 함께 하지 않는다." 는 대목을 말하다가 "그럼, 지금 기차에도 남자가 타는 기차와 여자가 타는 기차가 따로 있어야 할 것인가?"고 말해서 모두 웃은 일이 있었지만 완고한 봉건사상인 것이 아니라 새로운 사회의 남녀평등을 주장하는 사람이라고 느껴졌다.

일본이 조선을 합병하게 되자 서울 어떤 신문에서 양××이란 분이 「이 날에 목 놓아 통곡한다」는 사설을 발표했다는 이야기며, 헤그에서 만국회의가 열렸을 때 이×이 조선의 밀사로 갔다가 인정되지 않아 배를 갈라 피를 뿌린 이야기며, 이러루한 애국지사들에 대한 이야기를 들으며 가슴이 찌르르했던 것이다. 그리고 애국지사들의 한시 같은 것을 베껴주기도 하였다. 때로는 학생들더러 장래 무엇이 되겠는가고 지망을 말해보라고 해서 '독립운동가'와 '교육가'가 되겠다고 하는 사람들을 극구 칭찬하고 '종교가'가 되겠다는 학생을 그다지 칭찬하지 않는 것으로 보아, 그 선생이 예수를 믿는다는 것은 그야말로 믿는 것처럼 보이기 위해서인지 진정으로는 믿지 않는 것이라고 뒤에서 수군거리는 것도 일리가 있었다.

그런데 소학교 졸업반이 되자, 우리 집에서는 가정 경제형편이 점점 말이 아니었다. 그야말로 파산될 형편이어서, 아버지께서는 나를 공부를 아마도 계속 못 시킬 바에는 그까짓 소학교야 졸업하면 어떻고 안하면 어떤 가고, 차라리 그럴 바에는 아예 일찌감치 시름 놓고 그만두는 것이 좋겠다고 생각되어서인지 나더러 학교에서 퇴학하라는 것이었다. 그도 그럴 것이, 백태농사를 지어 '구제회' 빚이나 물려고 했는데 백태 한 수레를 박아 싣고 장거리에 가서 팔아도 3원도 못 받으니 가정 경제형편은 그렇게 되지 않을 수 없었고, 또 공부시켜보았댔자 점점 더 구차해가기만 하는 판이어서, 아버지는 악이 나서 공부고 뭐고 다 모르겠다고 자포자기했던 모양이다.

인제는 소학교도 마치지 못 하는구나 하고 떼쓰며 울다가 잠간 잠들었는데, 이웃집 동창생 S가 와서 깨우는 바람에 일어나니 선죽교 선생이 찾는다는 것이었다. 왜 며칠째 학교로 안 오는 가고 물어서, 나는 사실대로 이야기하였다. 내 말을 듣고 난 선죽교 선생은 학비—월사금과 학용품은 선생자기가 다 대어줄 터이니 그런 걸랑 근심 말고 학교로 나오라는 것이다.

이렇게 되어 나는 난생처음 선생에게서 학비보조를 받아 공부를 계속하게 되었다.

그때 선죽교 선생의 봉급이 얼마였는지는 알 수 없으나 다직해야 스무 장이 될지 말 지 한데, 홀몸으로 지내지만 별로 여지 있는 생활은 아닐 것이다. 그리고 우리로 말하면 달마다 좁쌀 오승 되로 서 말은 팔아야 할 터인데, 그러잖아도 어머님이 풋 남새를 한임 잔뜩 이고 가서 팔아 좁쌀되나 사오는 처지라 커다란 도움이 되었던 것이다.

그런데 아버지는, 다시 생각한 바가 있어서인지 그 뒤 한 학기 동안만 이른바 학비보조를 받고는 집에서 사회하고 말았던 것이다. 아버지는 그야말로 막혔던 개울물이 터지듯이 옹색한 궁리가 탁 트인 셈인가, 그 다음해에 나는 중학교에 입학할 수 있었던 것이다.

그 뒤 선죽교 선생은 뒤해 더 있다가 어디론가 떠나가고 말았다.

원체 선죽교선생은 그 당시 학교 아랫마을 갑부라고 일컫는 A의 집에 하숙을 정하고 있었는데 하루는 느닷없이 그 하숙에서 뛰쳐나와 매우 생활이 구차한 H란 학생의 집으로 하숙을 옮기었다. 왜 잘 사는 집에서 못 사는 집으로 하숙을 옮기었는가고 물으니, 부잣집에서 잘 먹고 잘 지내는 것보다 못 사는 집에서 잘 못 먹고 지내는 것이 마음 편하다고 할 뿐이었다. 후에 안 일이지만 그 선생의 A의 집에 하숙하고 있을 때 구차한 사람들이 밭문서를 잡히고 '구제회' 빚을 썼다가 밭을 빼앗기게 되고, 그것을 A라는 부자가 무마하기는 새려 직접 부추겨 주는 데서, 또는 당시 '구제회'나 '민회'의 직원 나부랭이들이 들락날락하면서 한 동아리가 되어 날뛰는 꼴이 눈꼴 사나와 못 견디겠더라고 말하더라는 것이었다.

그리고 당시 태용이라고 하는, 공부 잘하고 귀엽게 생긴 학생이 자기 집 경제형편이 거덜 나서 여학교 다니는(M학교는 여학교가 따로 있었다) 누이까지 떼어가지고 온 가정이 정처 없이 북만으로 떠나가게 되자, 그 선생은 더욱 화기를 거두고 침울해지고 말았다. 그러자 당시 용정 일본총영사관에 호출되어 갔는데 한 주일나마 구류당하고 취조 받다가 마침내 놓여나오기는 했으나 무슨 '불온분자'로 배일사상을 가진 사람이라고 몹시 얻어맞은 모양인지 얼굴에 시퍼런 멍이 지게 얻어맞고 허리도 팔다리도 꼼짝 쓰지 못하더니 며칠간 웅담이랑 한약첩이나 쓰고 몸이 좀 춰서게 되자 학교에 사직서를 내고는 책이랑 옷견지랑 꾸려가지고 떠나가고 말았던 것이다.

나는 당시 용정에서 중학교에 다니는 때인지라 떠도는 말로 들었을 뿐이었다. 의병부대도 없는 판인데 어디 가서 '선죽교' 노래를 부를 것인 가고 생각은 하면서도 편지 한 장 받지도, 하지도 못하고 있었다. 북만 지방으로 갔다는 풍문만 들고 있었다.

그러다가 나는 1920년대 말기에 K란 곳에 볼 일이 있어 갔댔다. 그날 밤 군중들의 무슨 오락모임이 있어 모두 소학교 강당에 모이었는데, 여흥이 얼마쯤 진행되었을 때

"저 이동무의 '민중의 기'를 듣는 것이 어떻소?" 하자 군중들의 우레 같은 박수 소리가 울려왔다. 그러자 수수한 조선옷 두루마기 차림에 회색 캡을 받쳐 쓴 한 서른 나마 되는 청년이 강단에 올라 노래를 부르는 것이었다. 그 '이동무'라고 하는 청년은 기침을 한 번 하고나서 부드러우면서도 억센 목청으로 부른다.

민중의 기 붉은 기는
전사의 시체를 싼다.
시체가 식어 굳기 전에
혈조는 기발을 물들인다.

그 노래의 주인공 '이동무'는 머리가 유난스레 크고 좀 얽은 것이 분명히 그 전날의 선죽교 선생이었다.

나는 반갑게, 정말 반갑게 인사를 하였다. 그 '이동무'도 너무 반가와 내 손을 으스러지게 쥐어흔든다.

"선생님, 어쩌면 '선죽교'가 '민중의 기'로 변했습니까?" 하고 나도 그의 손을 잡고 어쩔 바를 몰라 하였다.

"허, 동무, '민중의 기'란 길이 옳은 데야 내라고 어찌 완고통이 되라는 법이 있겠수? 동무, 안 그렇수?"

선죽교 선생— 월헌 선생, 아니 '민중의 기' 선생은 나를 동무라고 부르면서 내 어깨를 두어 번 두드리며 유쾌히 웃는 것이었다.

2

나는 E중학에 붙었는데 그것도 시험료와 입학금만 변통해가지고 집에서 용정까지 도망쳐 오다시피 해서 된 일인데 정작 학교에 붙으니 집에서는 태도가 달라졌다.

물론, 공부를 시키면 시킨 보람이 있을 터이니 어떻게든 학비를 대어주라고 곁에서 극력 권고하기도 했지만, 공부를 시키면 소학교 교원이라도 하든지 어느 상점에 점원 노릇이라도 하든지, 그만한 일은 염려 없을 것이라고 하는 바람에 설복되었던지 그건 알 수 없으나 그 대신 우리 가정은 아주 파산을 당하고 말았다.

내가 용정에 유학하노라고 쓴 돈이 식비, 학비, 의복대까지 합쳐서 한 해에 겨우 96원 각수 밖에 안 되었지만 이 돈을 뽑아대노라고 큰길 옆에 있던,

겨우 남은 밭 소상하루갈이도 팔아버리었고 셋째 삼촌은 송지주네 집에 달머슴으로 한 해 여름 벌어주고 나니 우리 경제형편은 정말 말이 아니었다.

나는 워낙 그 당시는 철도 들지 않았지만 내 공부 때문에 집안이 거덜 난다는 것만은 알고 있었으나, 물지게 장사를 하면서도 자식 공부시킨다는 우리 민족의 전통이라는 것도 믿어왔던 것이다.

그런데 첫 해인 일학년을 마치면 내 공부도 따라서 끝난다고 생각한 나는 나의 고향땅에 있는 팔촌형님에게 학비를 보조해달라고 요청하기로 하였다.

나의 팔촌 형인 임창진 씨는 서울 H중학교 졸업생으로서 제 고향에 돌아와 그곳 보통학교 교원으로 이태째 근무하는 분이다. 그의 가정이라야 겨우 자작농이나 되는데 그의 아버지 즉 나의 칠촌숙부가 면사무소에서 회계원으로 일하게 되어 촌사람으로서는 꽤 넉넉히 지우는 형편으로서, 우리가 생활이 어려워 간도로 올 때에도 먹으나 굶으나 간도에 떠나가지 말고 함께 살자고 하며, 우리가 끝내 떠나올 때에 거의 십 리나 따라오며 눈물에 옷깃을 적셨다는 분이다. 그래서 간도로 온 뒤에도 서너 달에 한 번씩은 편지왕래가 있었던 것이다.

나는 그 큰 집에 소학교 사학년 때 여름방학에 한 번 고향이라고 찾아가 본 일이 있을 뿐인데, 그때 역시 방학이 되어 집에 내려온 팔촌형을 만나보았다. 간도 가서 어떻게 사는 가고 아주 친절히 묻고 소학교를 졸업하면 서울 가서 고학이라도 하라고 관심하는 것이었다.

창진 형님은 키도 큰 축이고, 어깨가 쩍 벌어지고 이마가 넓고 콧날이 쭉 선분으로서 늘 웃음기를 띠우고 사람을 잘 대해주었다.

나는 그때 창진형에게서 들은 이야기를 잊지 않고 있다.

당시 서울에서 고향 명천까지 오는 데는 원산이북은 철길이 몇 구간 이어지지 않아, 기선을 타고 오게 되었는데 이번 방학에 내려올 때 있은 일이라고 한다. 뱃멀미로 하며 선실에 누워 뒹굴며 먹은 것을 막 토하고 있는 판에 어떤 키꼴이 몽톡하고 되바라지게 생긴 일본사람이 자리를 비키라고 호통질하는 것이었다.

"나도 돈을 내고 배표를 샀소!"라고 하니 그 일본 사람은

"'요보'가 무슨 잔소린가. 비키라면 비키는 것이야!" 하면서 창진형을 발길로 걷어차게 되었다. '요보'란 말은 당시 조선 사람들이 "여보", "여보시오" 라고 하는 말을 비웃어 모욕하는, 즉 조선 사람을 깔보아 왜놈들이 항용 쓰는 말이었다.

"'요보'란 뭐냐? 아니, 여기가 너희들 일본 땅인 줄 아느냐?"

하고 한 대 맞박아 놓게 되자 말다툼은 손찌검으로 벌어졌고 마침내 경찰에 붙잡혀가서 '일본양반'에게 버릇없이 '행패'를 부린 배일사상가라고 귀싸대기를 몇 개 얻어 붙이우게 되었던 것이다.

창진형은 이번에 당한 이런 억울한 이야기를 하고는

"망국노— 나라가 망한 종놈이란 말이 정말 맞는 말이야, 어때? 간도도 역시 그렇겠지! 음!" 하고 긴 한숨을 쉬는 것이었다.

배일사상이 휩쓰는 간도에서 몇 해 있은 사람인지라, 왜놈의 창자로 바꿔 넣은 얼간이를 제하고는, 조선의 청년 학생들은 모두 다 그럴 것이라고 흐뭇이 생각되었다.

나는 그 뒤로도 추월색 물감을 풀어서 잉크로 삼아 공책책장을 떼어내어 가지고 몇 번 창진형에게 편지를 하곤 하였다. 들려오는 말에 의하면 맨 처음으로 고향을 떠나 간도로 온 우리들을 매우 관심한다고 한다. 그도 그럴 것이 우리네는 원체 일가가 다성하지도 못하거니와 우리 조부가 몇 형제 중에서 막내 동생이었고 너무도 구차하여 우리만이 간도 땅으로 왔기 때문이다.

그래서 나는 그 팔촌형에게 학비보조를 해달라고 편지를 하였다. 그런데

뜻밖에도 매달 5원씩 보조해주겠다고 답장이 왔다. 나는 하늘에 오를 듯이 기뻤다. 편지에는 이런 사연이 적혀있었다. ─그 동네의 한씨네는 한 '선각자'가 서울공부를 하고 돌아오자 그의 일가와 친척들이 모두 그의 연줄로 서울 공부하는 것을 부럽게 생각하였다, 우리 일가에서도 그래야 되겠다고 생각은 하나 공부시킬만한 '인재'가 없어 뜻 두고도 이루지 못하던 차이다, 이젠 나더러 그런 '인재'가 되기를 바란다고 하였다.

그 뒤로는 달마다 그맘때가 되면 꼭꼭 돈을 부쳐 보내왔다. 들으매 그때 보통학교교원이면 월급이 25원이나 기껏해야 30원 되나마나 하다는데 참으로 감사한 일이었다.

내가 예수교 학교인 E학교를 그만두고 '사회주의 학교'라고 불리는 D중학으로 전학했다고 하니, 그에게서는 답장이 왔다. ─사회도 관심하겠지만, 아무 학교든 공부를 명심해하고 부디 유용한 인재가 되라고 할 뿐이었다.

나는 소학교시절에 직접 한 번 만나보았고, 편지로 이렇게 왕래가 있을 뿐이다.

문예방면을 즐긴다고 한 번 편지했더니 곧 답장이 왔다. ─글을 읽거나 쓰는데 있어서 사회와 제 민족을 위하는 원대한 이상이 있어야 한다고, '서푼짜리' 문사는 절대 되지 말아야 한다고 간곡히 부탁하였다. 그리고 당시 서울에서 출판되는 『조선지광』 같은 잡지들을 보내주었다.

그 학비보조를 거의 한 해 받아가며 공부하는 판에 그 다음해 2월달에 갑자기 학비보조를 더는 계속할 수 없노라고, 매우 유감스러운 일이지만 양해하여 달라고, 학비구멍을 다른데 어디 뚫어보라고 편지가 왔다. 그 이유라면, 아무래도 그 형자신이 공부를 더해야 하겠기에 보통 학교훈장을 걷어 장지고 일본 도꾜로 떠나기로 되었다는 것이다. 그것은 그야말로 할 수 없는 일이었다. ─내 학비보조 때문에 그런대로 교원생활을 계속하라고 할 수도 없는 일이고, 그가 공부를 하자면 그 집에서도 여간 어려울 것이 아닐 터인데 자기 공부를 하면서도 학비를 보조해달라고 요청할 수도 없는 일이었다. 그러지 않아도 나는 내가 창진형의 보조로 공부를 하게 되어 매우 고맙다고 편지나 기별을 했어야 마땅할 것이나 그 집에는 알리지도 않고 비밀에 붙이고 있었다. 왜냐하면 그 집 다른 사람들이, 특히 안식구들이 안다면 무슨 돈이 그리 흔해서 팔촌 아우에게까지 공부하라고 대어주는 가고 말썽이 있을 듯싶어서였다.

어쨌든 나는 팔촌형의 덕택으로 꼭 한 해 동안 공부를 계속하였고 다음 해에는 공부를 계속할 가망은 없게 되었다.

창진형은 일본으로 건너간 후 어떻게 어느 학교에 들어가 공부하는지는 전혀 모르지만, 어떤 야간대학에 들어가(경제과에 들어간 듯싶다) 고학하는 중이라는 편지가 있었을 따름이었다. 당시 도꾜에서 출판된다는 '프로레타리아 문화운동'이란 잡지를 보내주어 한두 번 받아보았을 뿐이었다.

그 뒤 이럭저럭 두루두루 하다나니 서로 편지왕래도 없이 몇 해가 지나서였다. 창진형이 어떻게 되어 다시 조선으로 나오게 되었다는 소식을 풍편으로 얻어들었다.

그 뒤 사 년 만에 나는 조선 신문을 보다가 갑자기 놀랐다. 사실은 놀랄 일이 아니라 의례 걸을 길을 걸은 것이었지만—. 서울에서 ××사건으로 많은 일본 유학생들이 검속되었는데 그 가운데 임창진이란 이름이 있었다. 그 뒤 거의 반년이나 끌던 그 사건의 예심종결서가 또 신문에 발표되었다. 징역 3년으로 판결되었던 것이다. 그렇게도 점잖고 온순하고 의협심 있고 동정심 많은 창진형은 마침내 그 길을 걷는구나!

3

나는 또 공부를 그만두지 않으면 안 되게 되었다. 작년 한 해 동안 꼭꼭 학비를 보내주던 창진형이 도꾜로 유학을 갔기 때문이다.

나는 이른바 고학이라도 하려고 애써보았다. 신문 배달자리를 하나 얻어 하면 되지 않을까 싶어 거리에 있는 신문사와 신문지국을 찾았으나 우리 학교의 고학생들이 이미 들어가 있는데다가 기껏해야 한 곳에서 한 200부 되는 신문인지라 여러 사람을 쓸 수 없는 처지여서 모조리 퇴짜를 맞고 말았다. 우리 학교에서 소사(심부름꾼) 한 사람을 겨우 밥이나 먹여주며 대낮시간에는 공부(상학)하고 그 나머지 시간에는 학교 심부름을 하는 사람이 하나 있었으나 그것도 H라는 우리 반 동창생이 이미 들어가 자리를 차지하고 있었고 그것도 겨우 한 사람밖에 쓸 수 없는 학교인지라 먼저 들어간 사람의 발등을 디디고 빼앗을 수도 없는 일이었다.

나는 그해 개학이 되어 3학년에 올라는 갔으나 4월초 개학 후에 한주일도 못 되어 끝내 학교를 그만두고 집으로 돌아오고 말았다.

물론 나는 울기도 하였다. 부모를 원망도 해보았다. 그러나 하기는 고사하고 그해 농양도 떨어져 허리띠를 조이며 풀대죽으로 창자를 달래며 농사라고 하는, 밭갈이 소도 없이 억지로 껴들어 농사하는 처지에 학비를 대어달라고 떼쓸 염치는 없었다.

어쨌든 울음밖에 나오지 않는다. 새 학기에 네댓새 용정에 머물러 있었다는 것은 공부하기 위해서라기보다 공부 못하는 설움에 겨워 울다가 떠난 것이었다. 그런데 나는 정식 퇴학수속은 안 하고 떠났다. 몇 번간 퇴학원서를 썼다가 찢어버리고 무고결석을 하는 것처럼 하고 떠났다. 물론 어떻게 하든지 함께 공부하자고 붙들고 말리는 동창생도 있었으나, 사실상 그들도 동무를 생각하는 마음뿐인지 무슨 뾰족한 수는 없었던 것이다. 나의 가장 친근한 벗인 R은 자기의 학비로 둘이 억지로 먹으나 굶으나 함께 공부하자고 만류하기도 하나 차마 그렇게 할 수는 없어서 뿌리치고 떠났다.

헌 교과서권을 싸가지고 집에 돌아온 나는 갑자기 말수가 드물어져 묻는 말도 대답을 겨우 하며 따스한 날에는 강냉이 그루와 조 그루를 곡괭이로 쳐서 때일 나무를 보태어주는 일도 하였다. 내 거동을 보고 아버님은 아무런 말도 안 하시나 어머님만은 몇 번 정주구석에서 해어진 치맛주름에 눈물을 씻으며 멍하니 나를 바라보시는 것을 보았을 뿐이다.

그럭저럭 시간은 흘러만 갔다. 집에 온지 거의 한 달이 되는 어느 날, 건넛마을에 있는 동창생 A가 토요일에 집으로 다니러 왔다가 나를 찾아와서 우리 학교 물리선생이 나를 한 번 왔다가라고 기별하더라는 소식을 전해주었다.

나는 그 이튿날 곧 용정으로 내려갔다. 그래서 인차 물리 선생을 찾아갔다. 이 물리 선생이란 분은 물리와 대수를 가르치는 이정열이라고 하는 분으로서 일본 어느 물리과 대학에서 3년을 공부하고는 중퇴하였다고 한다. 집은 한남 어디라고 한다. 그는 혼자 몸으로 간도에 들어와 용정 우리 중학에서 교편을 잡고 있는데 어떤 여관집 뒷방에 하숙을 정하고 계시었다.

"선생님, 안녕하셨습니까. 거의 한 달 동안 못 뵈었습니다. 그동안……"

"응, 잘 있었어? 지금 오는 길인가?"

이정열 선생은 쾌활히 웃으시며 반갑게 맞아준다.

나의 눈길은 그 선생의 턱 아래 때 묻은 희스무레한 칼라에 미끄러져 내려갔다. 역시 평시와 다름없는 '때칼라' 그대로이다. 원체 검정빛 칼라는 아닌데 자주 빨지 못해서 검정 때가 스며든 흰 칼라이지만 당시 학생들은 선생의 별명을 짓기 좋아하는 풍기가 있어 아예 '검정 칼라'라고 부르기도 하고 그 성격이 날카롭고 또 좋은 것은 좋다 나쁜 것은 나쁘다고, 조금도 어물어물하거나 두루뭉술하게 말하는 것이 아니라 마치 날카로운 칼로 사과를 베이듯이 쫙쫙 갈라 말한다고 해서 '면도칼'이라는 별명으로도 불렀다.

"창빈이, 왜 한 달이나 학교를 무고결석 했는가?"

이정열 선생은 무슨 책망이라도 하려는 듯이 나를 건너다본다.

"사실은 공부를 그만둘까 해서 그랬습니다." 나는 머리를 숙이고 겨우 이렇게 대답하였다.

"응, 뭐? 공부를 그만둔다? 왜?" 나는 일이 이렇게 된 바에 기일 것도 없다고 생각되어 사실대로 말할 수밖에 없었다. 내 말을 다 듣고 난 이정열 선생은 마치 성난 사람같이 말하는 것이었다.

"음! 망할 놈의 세상! 돈 있는 놈은 공부를 싫어 안 해 걱정이고 공부깨나 할 만한 사람은 돈이 없어 공부 못하고, …… 음, 있는 놈의 술 한 잔 값도 안 되는 그놈의 돈푼이 없어서, 음!"

한참 멍하니 나를 쏘아보던 이정열 선생은 무엇을 결심이라도 한 듯이

"그럼 한 달에 얼마면 공부를 계속 할 만한가? 창빈이!" 하고는 내 대답을 기다리는 것이었다.

"글쎄요. 한 6원 되면 식비와 월사금은 될 듯합니다."

"자, 그럼 좋아. 매달 6원씩 대어줄 테니 공부나 계속 잘하라구!"

이렇게 그야말로 면도칼 식으로 끊어 말하고는 호주머니에서 돈을 꺼내어 내 앞에 불쑥 내어 미는 것이었다.

"이거, 원. 선생님도 넉넉히 지내시는 것도 아니신데, 어떻게……"

나는 갑자기 목이 메어 더 말을 할 수가 없었다. 목구멍에서 꾹 하는 소리가 나며 가래가 아니라 눈물이 꿀꺽 넘어가는 것이었다.

내가 알기에는 그 당시 D중학에는 교원이 한 여라문 분쯤 되는데 매 선생에게 한 달에 35원씩 차례진다고 한다. 그런데 겨우 낯이나 아는 한 학생에게 달마다 6원씩이나 보조해준다면 가뜩이나 꾀죄죄한 생활이 더욱 꿀려져

'검정 칼라'는 더욱 말이 아닐 것이 아니겠는가!

어쨌든 이렇게 되어 나는 다시 버젓이 책보를 끼고 학교로 나가게 되었다. 이정열 선생은 아무 말도 안 하지만 나 자신이 교원한테서 학비보조를 받는 것이 어떤 영향이 미치게 될까 염려하여 동창생들에게는 그런 내색을 조금도 나타내지 않고 집에서 어떻게 변통해서 공부를 계속한다고만 말했다.

우리 학교가 생겨서 처음으로 되는 학업성적이라고 학교에서 벅작 고아댄 것은 내가 공부를 웬만큼 한 것이 그 주요한 원인이겠지만, 그 '검정 칼라'를 번갈아 빨래할 비용과 한 달 수입인 35원과 내게 보조해주는 6원을 비례를 따져보면 그것은 단지 내가 공부를 괜찮게 한다고 해서만 주는 돈이 아닐 것이라는 것을 생각할 때 나는 진정으로 감사를 느끼며 어찌나 그 선생의 기대에 어긋나지 않도록 공부하리라고 마음먹었다.

그 후 이정열 선생은 한 달에 한 번씩 담배종이 조각에 돈 6원이라고만 쓰고 도장을 꾹 찍어서 주었는데 내가 그것을 가지고 회계과 선생에게 가면 아무 말도 없이 돈을 주는 것이었다. 단지 돈 얼마라고만 쓰고 아무런 딴 말도 안 쓴 것으로 보아서 내가 보조를 타는 것을 비밀에 붙인 것이 옳았다고 생각되었다. 그 선생도 그저 그렇게 줄 뿐, 다른 선생들에게도 자자하게 알리지 않는다는 것도 눈치로 알아차리었다.

그 당시 우리 학교에는 그저 이름만 걸고 노라리치는 건달학생도 꽤 있었다. 한 주일에 겨우 한두 번씩 학교로 나오는 학생도 있어 대수숙제 같은 것을 풀라면 그저 뻔뻔한 공책만 번지기도 했는데 그때마다 이정열 선생은 매우 근엄하게 훈시하는 것이었다.

"……사회운동도 해야 하지만 그것을 더 잘하기 위해서는 학생시절인 만큼 공부도 훨씬 잘해야 하지 않겠수? 그저 그날그날 헛보낸다면 반드시 후회할 날이 있을 것이우! 부모의 피땀으로 공부한다는 걸 잊어서는 절대 안 되오!" 이럴라치면 학생들은 갑자기 조용해지는 것이었다. 너무 긴장해지자 이선생은 생뚱 같은 이야기를 꺼내었다.

"한 배 속에서 나와서도 형제가 아닌 게 무어겠소?" 이런 뚱딴지같은 말에 학생들이 멍히 선생의 얼굴을 쳐다보니 선생은 헤쩍 웃으면서

"학생들은 저, 기선을 타보았는지, 그 한 배 속에 탄 사람이라고 해서 다 형제가 되는 것이우?" 라고 하여 모두들 허허 웃어댔다.

또 한 번은 여름철이 되어 학생들이 수업 중에 끄떡끄떡 졸고 있을 때 이선생은 책을 탁 덮더니 무슨 이야기나 하겠다고 말꼭지를 떼고는 이런 말을 하였다.

"……융희란 임금이 참말 머저리였지우. 나라를 왜놈에게 빼앗겨 아주 망하게 되자, 그래도 그 여편네는 꽤 셈이 든 모양이던지 하루 저녁은 융희를 보고 '오백년이나 지니던 나라가 망했으니 이제 무슨 면목이 있는가'고 말하니 그 남편 되는, 임금이란 작자가 하는 말이 '여보, 아무렴 우리 일생에 이밥이야 끊겠수, 걱정 마우.'라고 하더라는구먼. 그런 작자가 임금이랍시고 용상에 앉아있었으니 그 백성이 어찌 망국노의 설움을 안 받는단 말이우?"

그 후부터 학생들은 "이밥이야 끊겠수?" 하는 말로, 억지로 자기위안을 가지려는 어리석은 행동을 대체하여 우스갯소리로 써오게 되었다. 어쨌든 평시에 존경해오던 이정열 선생을 우리는 더욱 존경했다.

그런데 그해 겨울에 나는 쏘련 연해주로 가게 되어 학교를 그만두지 않으면 안 되게 되었다. 그래서 하루저녁 나는 이선생을 찾아갔다. —갈라지게 되는 인사나 하려고.

"선생님, 저는 연해주로 가게 되었습니다. 학교도 그만두게 되었습니다. 선생님의 은혜는 태산 같사오나 부득이 그렇게 되었습니다."

나의 말을 들은 이정열 선생은 한참 아무 말도 없이 무슨 사색에 잠겨 있

다가

"그럼, 가오. 그런데 공부는 계속해야 할 것이 아니우? 가게 되면 소왕영(지명)에 가서 조선 사람 중학교를 찾아가오. 그 중학교에 탁선생이란 분이 있을 것이요. 그 선생을 만나서 내 이야기를 하면 공부시켜줄 것이니 공부를 계속하도록 하우. 어쨌든 아는 것이 힘이니까. 아직 배워야 할 나이가 아니우?" 이렇게 말씀하시는 것이었다. 나는 그저 "네, 그렇게 그대로 하겠습니다. 선생님." 하고 진심으로 사례하였다.

"거기 가면 보결은 문제없을 것이고 학교에 붙기만 하면 국가에서 책임지고 거저 공부시켜줄 것이요. 여기보다는 다르단 말이우, 알겠수?"

이런 말을 끝으로 덧붙이는 것이었다.

나는 이선생을 하직하고 그 하숙을 나왔다.

"자, 그럼 잘 가우. 또 반갑게 만날 날이 꼭 있을 거요!" 이선생은 나의 손을 으스러지게 잡아주었다.

그 뒤 나는 말 그대로 소련 연해주에 갔댔다. 해삼위와 수청지방을 돌아다니다가 그 이듬해 봄에 간도로 다시 나오게 되었다.

그런데 유감스럽게도 소왕영으로는 가지 못 하였고 따라서 그곳 조선 사람 중학교에서 교원생활을 하고 있다는 탁선생을 찾아도 못 보고 편지로도 알아 못 보고 떠나왔던 것이다.

다시 간도로 돌아오면 이정열 선생을 반갑게 만나리라고 머릿속에 그려보면서 우선 용정에 이르렀다. 동창생을 찾아 이정열 선생의 안부부터 물어보았다. 그 동창생은 나를 이윽히 쳐다보더니

"허, 상기 모르구 있구먼. 이선생은 그 뒤 ××사건으로 몸이 위태롭게 되자 연해주로 주자(走字)를 놓고 말았지요." 하고 매우 처연한 기색을 짓는 것이었다.

그 뒤 거의 10년이란 세월이 흘렀건만 다시는 이정열 선생을 만나보지는 못 하였다. 다만 거기서 활동하고 있다는 뜬소문을 들었을 뿐이다.

× ×

그 뒤로 나는 이분들의 확실한 소식은 모르고 있다. 따라서 편지왕래도 없다. 그분들은 험악한 세상인심은 뛰어넘어 가까운 후대들에게 커다란 기대를 걸고 거름을 주고 북을 돋우어준 분들이다.

생각하면 나는 그분들의 기대에 너무나 어긋나지 않는가, 산골에서 단돈 몇 푼에 목을 매운 초라한 인간이 되리라고는 생각지 못했을 것이 아닌가? 참말 부끄러운 일이다.

그분들은 같은 시대에 살고 있다. 그러나 살고 있는 지대는 다르다. 겪은 생활도 구체적으로 각각 다르다. 그런데 그들의 걷는 길은 아주 비슷하다. 아니, 꼭 같은 길을 걷고 있지 않는가!

이것은 먼 뒷날에 가야 역사적으로 해명될 일도 아닌 상 싶다. 유명한 사회과학가의 연구에 의하여 해명될 일도 아닌 상 싶다. 알고도 말은 못 할 벙어리 가슴인가 보구나!

1938년 명동에서.

출처: 『해방전편 김창걸단편소설선집』, 요녕인민출판사, 1982.

김창걸

두 번째 고향

회령읍에서 조선 이주민들이 서러운 회포를 담고 흐르는 두만강을 건너면 이쪽은 간도땅, 용드레촌으로 들어오는 길을 따라 꾸불꾸불 하루길 착실히 걸려 '선바위'가 가로놓여있고 그 '선바위' 조금 못 미쳐 큰길 오른쪽에 여라 문집 방금 쓰러질 듯 옹기종기 모여 앉은 자그마한 오막살이들이 숨 쉬고 있는 마을이 있다.

이 마을이 바로 스물네댓 되는 경철이란 젊은이가 에누리 없이 열이나 되는 식구를 데리고 간도땅에 들어와 처음 자리 잡은 수남촌이란 마을이다.

이 마을 북쪽으로는 잔잔한 시냇물이 흐르고 바로 그 시냇물을 건너면 한백여 호 되는 큼직한 마을이 있는데 그것이 간도땅에서도 너무나 이름 있는 장재촌이다. 이 마을이 주체가 되어 그 마을의 부속처럼 되어있는 수남촌은 원래 장재촌 수남이라고 불렀는데 보통 단독으로 그저 수남촌이라고도 했다.

이 마을에서 간도의 첫 학교라고 하는 M학교가 바로 두어 마장 동쪽에 있었는데 M학교는 소학교뿐만 아니라 간도에서 맨 처음 세워진 중학교까지 있어 간도 일대는 말할 것도 없고 조선이나 로씨야 연해주에서도 유학생들이 모여들어 매우 성황을 이루고 있었다.

아직 북상투를 쫓은 데다 갓망건을 쓴 젊은 경철이는 바로 그 전해 가을에 이 수남촌에 먼저 들어와 사는 먼 일가인 김영감의 연줄로 여기 먼저 들어와 보고는 올해에 가을도 대강 끝내고는 온 식구들을 데리고 이삿짐을 꾸려가지고 여기로 이사 왔던 것이다.

이사는 왔으되 집이란 시그러지다가 괴운 말장에 의하여 채 넘어지지 못한 초가 육간집(북도의 육간집이란 세통집이다.), 거기에 경철의 내외에 늙은 부모, 경철의 어린애 둘, 그리고 동생 넷과 어린 누이 하나, 그러니 꼭 열한 식구인지라 사람도 삼대나 옳이 거꾸로 누워 자는 형편이었다.

그런데 바로 뒤 마장 되나마나한 곳에 M중학이 있고 또 의병운동이 한창 고조에 이르렀기에 경철이는 상투나 잘라버리고 신식문명을 받아들일 수 있지 않겠는가고 한 가닥 희망을 가지고 있는 판이다.

"집이 너무 배좁겠구나. 콧구멍만한 게 말이다. 어떻게든 앉아 먹을 수야 있겠지만." 하고 아버지가 걱정할라치면

"아버지 뭐, 집을 뜯어먹고 살겠어요? 우선 배곯지 않게 먹고 살면 되지 않겠어요?" 경철이는 무슨 자신이나 있는 듯이 대답하는 것이었다.

우선 한 달나마 비웠던 집에 가지고 온 가마짝을 걸고 백지로 발라 기운 헌 동이로 우물물을 퍼들이고 해서 조밥이나마 푸짐히 지어먹고 나서 김영감을 비롯한 동네 사람들과 이야기를 하다가 온종일 걸어서 피곤한 다리를 펴고 두루 드러누우니 살 것 같았다.

"이제는 내지(당시 조선족 이주민들은 조선에서 살던 고향을 내지라고 불렀다— 작자 주.)와는 아주 하직이구나! 간도 백성이 되고 말겠는걸!"

아버지는 숭늉을 마시고 곰방대에 잎담배를 꾹꾹 담아 피우면서 후 한숨을 내쉬며 서운한 느낌이 나는 듯 내뱉었다.

"그럼요. 오늘부터는 아주 간도 백성이 되고 마는 겁지요.……" 경철이도 아버지의 말에 갑자기 서글픈 듯이 대답했다.

경철이는 대답은 그렇게 했지만 어쩐지 고향 떠난 생각에 느닷없는 향수

가 치밀어 오름을 어찌는 수 없었다. 생각하면 그는 고향을 영영 잃어버린, 마치 '집시'와도 같은 허전한 생각에 사로잡히고 마는 상 싶었다.

'나는 참말 고향을 영영 잃어버린 사람이 되는가? 그렇다면 타향살이가 몇 해일까, 몇 십 년일까? 아니, 몇 백 년일까— 몇 백 년 산다 치고—'

경철이는 워낙 고향인 명천군에서 태어났다. 어릴 적부터 퍼그나 대담하여 범이 득실거린다는 솔밭으로 나무하러 점심때까지 오지 않으므로 집에서 찾아 떠나니 새끼 범 네 마리를 안고 노느라고 정신이 팔렸다는 일화가 있는 사람이다. 위산 너럭바위처럼 떡 벌어진 어깨, 눈초리가 우로 째어진데다가 고르로운 두 눈에 광채가 도는 키 큰 사나이다. 담력 있기로 이름난 젊은이였다.

그의 종조부는 북도포상으로 전라도에까지 돌아다니며 돈푼이나 벌어 밥술이나 별로 그립지 않도록 밭이랑이나 장만했었다. 그의 조부는 빈털터리로 세간이라고 났으나 일가의 밭을 부치면서 자라났다.

경철의 당대에 와서 일곱 남매가 고스란히 한 집에서 자라는 판에 소작만 부쳐서는 도무지 살아갈 수가 없었다. 더구나 경철의 아버지는 장가갈 때 토시도 없어 일갓집 남색모본단토시를 빌어 끼고 첫날을 지냈는데 그 이튿날 식전에 토시임자가 찾으러왔다는 일화가 있는 그런 집 살림이었다.

경철이는 귀여운 맏아들이어서 겨울마다 동네 서당에 다니며 제 이름자나 착실히 알게 되어 어느 겨울철에 해변의 자그마한 마을에 가서 어떤 구멍가게의 서사노릇을 하면서 명태장사를 좀 하노라고 하다가 밑지는 바람에 없는 살림이 더욱 거덜 나게 된데다가 열이나 되는 식구가 살아가기 너무도 힘겨워 땅이 흔한 간도땅은 미운 놈 기장밥 준다는 곳이라고 하기에 수남촌에 있다는 일가인 김영감을 찾아갔다. —그 결과 간도로 이사해오기로 했던 것이다.

처음에는 경철이네가 간도로 이사 가는 것을 일가친척들이 찬성하지 않았다. 경철의 종조부 세 분이 아주 반대하였다.

"팔자란 타고난 것인데 간도로 간다고 다 잘 살게 된단 말인가. 빌어먹어도 제 고장이 그래도 제일인 법이야!" 하고.

다만 경철의 처가에서는 반대도 찬성도 안하고 그저 마음대로 하라는 것이었다. 기실 경철의 장인인 황생원은 한일합방이 되고 문명한 세상이 된다고 해서 상투를 자르는 바람에 골선비로 글만 읽다가 '상투피난'을 하노라고 간도땅에 들어가 골샌님들의 덕택으로 한 뒤해 지내다가 다시 제 고향으로 돌아온 사람이기에 가고 싶으면 가라고 오히려 권고하는 편이었다.

그러나 경철의 일가와 근친들은 계속 반대하였다.

"우리네 열촌인 사람은 한 집도 고향을 안 떠났는데 너희들이 간도땅으로 가다니!" 하고. 고향을 떠나고 싶지는 않지만 너무 배고픈 고생이 심해서 하는 수 없이 쌀이 흔한 곳으로 간다고 하면

"먹어도 같이 먹고 굶어도 같이 굶고 한데서 지내자꾸나. 설마 너희들만 굶어죽으라고 할 텐가!" 고 하는 것이었다.

그럴수록 경철이는 굽어들지 않았다.

"우리 익산 김씨는 고향이 어딘가요? 여긴가요, 익산인가요?"

"그야 익산이 본향이지! 왜?" 하고 종조부가 말하는 것이었다.

"그럼 우리 조상이 몇 백 년 전에 익산으로 이사 갔겠지요?"

"그거야 아마 5백년도 더 될 것이다, 익산으로 옮겨 갔지."

"그럼 그때 북쪽 어디서인지 살다가 익산으로 나갔지 않았어요?"

그러자 이번에는 경철의 종조부가 빈 대통을 탁탁 털면서 더럭 성을 낸다.

"그러니 너희들도 간도로 이사 가는 것이 당연하다는 말이로구나! 음."

"그렇습니다. 그때는 남으로 이사 갔고 그 뒤에는 서울서 살다가 갑자사화(甲子士禍) 때인가 또 북으로 이사해왔다고 족보에 적혀있지 않습니까?"

"그러니 너희들도 또 북으로 이사 가겠단 말이구나. 음, 네 마음대로 해라. 기어이 가고프면 썩 가거라!"

종조부는 안 나오는 가래를 뱉으면서 홱 돌아앉는 것이었다.

"할아버지, 생각해보세요. 우리 선조들이 익산으로 간 것도 그런 사정이 있었고 또 서울 온 것도 그런 사정이 있는 것이옵고 서울서 또 그때만 해도 인적이 드문 북관으로 이사해 온 것도 그러지 않을 수 없는 사정이 있은 것입지요. 지금 종갓집도 그렇지만 지차 집은 살아갈 수 없으니 간도땅으로 살러 가는 것이 무에 그리 이상할 것이 있겠어요. 우리도 떠나고 싶지는 않지만 정말 배고프고 등 시려서 할 수 없이 가려는 것입지요. 우리를 먹여살려 줄 수야 없지 않아요? 물론 할아버지 댁하고 굶더라도 같이 지내고 싶은 것이 마땅한 인정인줄은 압니다마는……"

이렇게 되어 문중회의에서도 경철이네가 간도로 이사 가는 것을 동의하지 않을 수 없었다.

음력 9월 9일이 되자 작은 봉 중턱에 모신, 벌써 환갑 전에 돌아가신 할아버지와 할머니의 산소에 가서 고향 떠나는 마지막 제사를 지내어 선조에게 하직을 고하였다. 만일 할아버지와 할머니의 영혼이 계시다면 강도땅 간 뒤에라도 그 자손들을 잘 돌봐달라고 온 식구가 마음속으로 축원하면서.

경철이네는 뭐나 닥치는 대로 두드려 팔았다. 원체 개똥밭은 한 이랑도 없지만 앞개울의 돌각담밭을 몇 푼 받고 팔아서 소수레와 소를 장만하였다. 간도땅에 가면 밭은 문제없지만 자기의 소와 수레가 있어야 한다고 하기에. 더욱이 명천에서 회령까지 몇 백 리 되는 길에 철도가 놓인 구간은 겨우 60리 밖에 안 되니 그 나머지 구간은 소수레에 늙은이, 어린이, 부인네들을 앉히고 가야 하기 때문이었다.

"간도땅은 미운 놈 기장밥 주는 곳, 홍두깨 같은 강냉이이삭과 베개만한 감자를 먹을 터인데……" 하고 경철이는 희망에 부푸는 속심을 금할 수 없었다. 다만 나고 자란 고향땅 선조의 산소가 있는 고향땅, 활쏘기연습을 하던 앞개울가의 모래밭, 봄이면 천렵에 물고기 듬뿍 잡히던 박골소(沼), 뻐꾹새 울어예던 소나무숲, 떠나려니 물론 서글픈 일이지만 장차 잘 먹고 잘 입고 잘 살 간도땅을 생각하니 서운한 느낌도 한결 가시는 상 싶었다.

"돈을 벌어가지고 다시 나와 같이 살도록 하게!" 하고 일가의 노인들도 배웅을 나와서 손을 흔들고 있었다.

"가서 자리를 잘 닦소. 우리도 조만간에 갈 터이니……" 하고 이별을 아쉬워하는 먼 젊은 일가도 있었다.

경철이는 원체 사내대장부가 이사 길에 눈물지으랴 싶어 그저 허허 웃으면서 잘 있으라고 인사하나 부모와 아내는 그렇지도 않아 처음부터 옷깃과 치맛자락에 눈물을 흘리어 전송하는 사람들을 더욱 서럽게 하였다.

어린 누이와 동생, 그리고 어린애들만은 오히려 무슨 잔칫집마냥 웃고 있을 뿐 가다가 호떡개나 사먹으라고 쥐어주는 일가친척의 푼돈에 좋아라고 떠들어대고 할 뿐이다.

그럭저럭 전송꾼들도 모두 돌아들어가고 고향을 떠나 두어 마장 와서 용구고개에 올라서니 고향벌이 산에 가리어 잘 안보이게 되자 북으로 어랑벌이 내다보이었다.

경철이는 그때까지 뚜벅뚜벅 소수레를 말없이 몰고 오다가

"아, 내 고향, 나서 자란 고향, 이것으로 하직인가?!" 하고 두루마기소매로 눈물을 쓱쓱 씻었다. 이것이 고향을 떠나면서 처음 떨어뜨리는 눈물이었다.

"아, 쫓겨 가는 내 고향, 부디 잘 있으라!" 하고는 다시 고향 쪽을 향하여

넋 잃은 듯 멍하니 바라보다가 무엇을 잊어버리기나 한 듯이 소채찍으로 소 등을 툭툭 치는 것이었다.

그럭저럭 한주일이나마 걸려 회령읍에 이르러 또 하룻밤을 새었다. 다음 날은 두만강을 건넌다. 두만강만 건너면 간도땅이 된다.

쌀쌀한 늦은 가을, 나뭇잎은 제법 단풍들어 푸른 소나무숲 속에 군데군데 알락달락 물들어 강산은 그림 같다.

경철이네는 두만강 역에 나왔다. 그들처럼 소수레를 가진 사람들, 남녀 간에 이고지고 해서 바가지 짝을 찬 사람들, 솥 나부랭이와 도깨그릇을 쪽지게에 받쳐진 사람들, 어느덧 강가는 살 길 찾아 두만강을 건너려는 가난한 백성들로 붐비었다.

"경철이, 이 사람!"

이때까지 아무런 별말도 없이 수걱수걱 걷기도 하고 드문드문 수레에 앉아오기도 하던 아버지가 말을 꺼내었다.

"예, 말씀하세요."

"이 사람! 왜 강산이 이렇게 다른가? 이쪽에는 송림이 울창하고 양지바르고 한데 저쪽이 마도강이라고 하지, 왜 저쪽은 저리도 편하고 뿌옇고 자욱하고 어두운가?"

그 말을 듣자마자 어머니도

"마도강이 그렇지 별 수 있겠수? 이제 건너가면 언제 다시 이 강을 되건너오노?" 하고 말하면서 처연한 빛을 띠운다.

"글쎄요. 아무려나 우리는 북으로 가게 마련이 아닙니까? 그런데 가서 좋은 고장으로 만들어얍지우!"

경철이는 자신 있듯 대답은 했으나 이제 이 두만강을 건넌다고 생각하니 무등 서러운 회포를 금할 수 없었다. 경철이는 저도 모르게 손수건을 눈굽으로 가져갔다.

"이 사람 경철이, 언제 다시 돈 벌어가지고 돌아오게 될까?"

"가봐야 압지우. 어찌 지금 미리 점칠 수 있겠어유!" 경철이는 그저 이렇게 미심쩍게 대답하는 수밖에 없었다.

"월조소남지(越鳥巢南枝)라, 월나라 새는 남쪽 가지에 둥지 튼다고 했거늘 사람으로서 어찌 고향을 안 그릴 수 있겠느냐 말이다!"

"고향이야 어디 살아나기 나름입지요. 살면 다 고향이 되는 법이 아닙니까? 익산 사람이 북관 와서 살듯이 말입니다."

"그도 그렇기는 하다마는……"

그때 강역 파출소에서 있는 조선 사람인 헌병 보조원과 왜놈 순사가 나와 순시하다가 그 이산꾼들을 보고 묻는 것이었다.

"어이, 어디로 가는 이삿짐인가?"

"보면 모르겠어유? 간도땅 가는 길입지요!" 그러니 그놈들은 도깨그릇하며 헌 털뱅이 이불견지들을 실은 수레를 슬슬 만지더니

"뭐 나쁜 것이 없어?" 하고 으르대는 것이었다.

"뭐 헌 누데기뿐인뎁소. 맘대로 들춰보시구려!" 그제야 놈들은 짐짝을 슬금슬금 만져도 보고 찔러도 보고 한다.

그때 강을 건너는 이주민 가운데 한 40쯤 되어 보이는 한 중년이 늙은 부모를 모시고 가는데 때가 다닥다닥한 토스레치마를 입은 어머니가 눈물을 흘리는 것이었다. 처음에는 눈물을 삼키다가 나중에는 서러워 목 놓아 울고 있었다. 제창 초상 때와 같이.

"아이구, 약 한 첩 못 먹여 보이고 생때같은 너를 파묻고 우리는 살자구 마도강 가는구나! 흐, 흑……"

헌병 보조원과 순사 놈들은 힐끗 건너다보다가

"왜, 좋은 데로 돈 벌러 가는데 울긴? 방정맞게!" 하고 눈을 흘기는 것이었다. 그 이사꾼들은 마지막으로 울 자유조차 빼앗긴 것이다.

경철이네는 말없이 묵묵히 강심을 들여다보면서 더러는 수레를 타고 더러는 나룻배를 타고 강을 건넜다. 그런데 서로들 말은 없으면서도 속으로는 강심에 눈물을 떨어뜨리었다.

경철이네는 다른 이주민들과 같이 두만강을 건너오자 간도땅에 발을 디디고 강 저쪽을 바라보았다. 배사공은 그들을 부리워 놓고는 무심한 듯이 배를 돌려 또 강 저쪽으로 다른 패를 실으러 건너갔다.

"아, 고향은 인제 정말 하직이구나!"

경철이는 두 번째로 울음을 터뜨렸다. 울지 말자고 몇 번이나 다진 일이지만. 그는 눈물을 씻고 한참 멍하니 고국땅 푸른 소나무 숲을 바라보았다. 강물은 이제나저제나 변함없이 잔잔한 물결을 일구며 흘러가고 있다.

그는 강 저쪽 모래불에서 주어가지고 온 공깃돌 같은 동그란 돌을 한 번 꺼내어 다시 보고는 또 호주머니에 그대로 집어넣고 길을 재우쳤다.

꼬불꼬불 올리막길, 그저 후미진 산길만이 뻗어있다. 이름을 익히 들어오던 오랑캐령도 넘어 달라즈거리에 거의 미쳐서였다. 길가에 한 대여섯 사람이 모여서 어정거리고 있었다. 길 복판에 마대를 펴놓게 얼굴에 때가 다닥다닥 앉은 중년 남자가 하나 앉아 무슨 종이패쪽을 가지고 들었다 놓았다 하면서 외치는 것이었다.

"자, 돈이 거저 먹어, 한 장 붙여 한 장 먹어, 두 장 붙여 두 장 먹어!" 하자 역시 그 사람과 비슷한 몸매에 비슷한 옷차림을 한 사나이가

"자, 대었다. 이것이야!" 하고 엎어놓은 패쪽을 뒤엎으니

"음, 또 잃었구나!" 하고 박을 잡은 사나이가 돈 일 원을 내어준다.

"응, 그러면 그렇지 갈 데 있나? 친구, 친구두 한 번 붙여 먹어보라구!" 하

고 곁사람에게 권하는 것이었다. 이것이 이른바 '야바위'라는 노름으로서 간도땅에 들어오는 멋모르는 이주민들의 호주머니를 노리는 날강도 같은 노름판이었다. 돈을 붙여 따먹는 그 사람은 진짜노름이 아니라 '협조군'인 한 패거리로서 돈을 쉬이 따먹는 시늉을 하는 것이다.

여기 이런 싸개질에 걸려들어 가진 돈을 다 털리고 빈손으로 일어서는 이주민도 적지 않다. 패쪽 석 장에 두 장은 무깍지이고 한 장만은 무슨 용인지 범인지 그린 것인데 박을 쥔 사람이 석 장을 뒤집어 보이면서 쥐었다 놓았다 하다가 환히 알리도록 펴놓으면서 그 따로운 한 장을 맞추라고, 거기에 돈을 대이는 것이었다. 그런데 어찐 감투끈인지 무슨 조화가 붙어서인지 꼭 그 패쪽이 옳게 보이어 돈을 붙이고 번지면 왕청같이 무깍지가 나오는 것이다.

이런 귀신같은 노름판에 길주에서 이사 온다는 한 중늙은이가 걸려들어 간도 오면 밭 사고 쌀 사고 살림하려던 돈 백 소시를 몽땅 털리고 땅을 치고 울다가 떠나는 것을 보고 경철이는 그런 거저먹는 판이 어디 있었기에 그걸 넋 잃고 보고 있는 가고 그것을 들여다보고 있는 동생네들을 옆을 찔러가지고 제 길을 떠났다.

"음, 새발의 피란 말이야. 이산꾼들의 주머니를 털려구 이런 노름판을 벌려놓고, 그리고도 그걸 말리는 관청도 없단 말이야!" 하고는 수레를 재우쳤다.

아까 노름판에서 돈을 까바친 그 중늙은이가 팔소매로 눈을 비비며 따라오고 있었다.

"아이구, 분하고 원통해라. 온 밑천을 다 까먹었으니 당금 오늘 저녁부터 밥 사먹을 돈도 없게 되었수다!"

힘 없는 맥 빠진 걸음을 터벅터벅 옮기는 것이었다.

이렇게 간도땅 온 첫날을 지내고 수남촌이란 동네에 들어와 이삿짐을 부렸다. 물론 먼저 들어온 일가인 김영감이 반가이 맞아주었고 또 동네 어른들도 남녀 간에 다 모여들어 마중하고 시중해주는 것을 고맙게 받았다.

처음 며칠 동안은 매우 바쁘고도 부산하게 보내었다. 먹을 양식도 사야했고 소먹이짚도 사야 했다. 그리고 장거리에 가서 살림살이 할 도깨그릇도 사와야 했다. 마지막으로 동생까지 학교에 넣으니 일이 엔간히 뜸해졌다.

간도로 무사히 와 새해 농사차비도 실수 없이 했다고, 온 식구들 모두 탈없이 잘 지낸다고 고향에 편지를 내었다. 그리고 동생을 학교에 붙이었다는 소식을 특별히 알리었다.

편지를 띄운 날 저녁 아버지는 또 고향이야기를 시작하였다.

"큰 새터 집에서는 어떻게 보낼까?"

"물론 무사히 지내시겠지요. 아무튼 배고픈 고생은 꽤 하실겁니다."

"그거야 더 말할 것도 없겠지. 정말 허리띠를 졸라매고 겨울을 지낼 거다."

저녁 후에 배좁은 구들 위에나마 모여앉아 이야기하는 판에

"이 집이 경철이네 집이 옳은가?"

굵고 우렁찬 목소리가 갑자기 들리었다. 뒤미처 소달구지 소리도 들려왔다.

"애, 나가봐라, 누가 찾는다."

그러자 후닥닥 방문을 열고 내다보던 경철이는 깜짝 놀라 소리 질렀다.

"아니, 이게 누구요? 선돌집 형님이 아니우?!"

온 집안이 마구 떨쳐나와 새로 온 선돌집 식구들을 맞이하였다. 선돌집에서도 역시 소수레에 짐을 싣고 도깨그릇이랑 어린 아이들이랑 싣고 온 것이다.

"선돌집 형님네도 끝내 오셨구만!"

"아이구, 길에서 얼마나 고생했수?"

이렇게 떠들어대면서 아이들을 부축해 들인다. 소달구지를 벗기고 소를 외양간에 들인다 야단법석이었다.

"글쎄 이 집에서 떠난 뒤 그래도 앉아 배길까 했는데 끝내 뒤따라 왔수다!"

"저런! 왜놈들이 더욱 살판 치겠지?!"

"그야 더 이를 데 없지우. 저, 이사 초년에 고생이 막심하시겠지?"

"뭐. '이식위천'이라구 우선 먹을 게 있으니 살아가지유! 동넨 다 무고한가요?"

"누운돌집 할아버지가 상사나시구 그밖에는 별일들 없어유!"

이렇게 서로 주거니 받거니 하며 큰 연락이나 벌어진 듯 즐거워했다.

선돌집과는 그리 가까운 일가는 아닌 탓인지 고향에 있을 때는 그다지 자별한 사이가 아니었지만 간도에 와서 서로 같은 처지에 만나니 참말로 반갑기 그지없었다.

저녁식사를 끝내고 또 이야기판이 벌어졌다.

여기 와서 어떻게 잡도리를 했는가, 밭은 얼마나 갖췄는가, 곡식 값은 얼마인가, 겨울에 무슨 딴 벌이가 있는가, 사람들의 인심은 어떤가…… 이러루한 이야기에 한창 꽃을 피우고 있는 판에 개 짖어대는 소리가 요란스레 들려온다. 사람 몇이 문 앞으로 걸어오는 기척이 들리더니 갑자기 방문이 화닥닥 열리며

"어쩐 사람이 이리 많아? 응?" 하더니 총 끝이 문 안으로 쑥 들어오고 바로 그 뒤에 부연 군복을 입은 사람 셋이 달려들었다.

"응, 어쩐 사람인가?" '부연군복'이 눈을 부라리며 거퍼 묻는 것이었다.

경철이는 그들이 선바위 밑에 있는 순경국에서 온 순경인 것을 알고 두 손을 공손히 마주잡고 아뢰었다.

"저, 고향에서 일가 사람들이 간도로 들어오는 걸음에 찾아 들었사와요."

"뭐, 일가사람들이? 언제 왔는가?"

"방금 왔사와요. 저녁을 곧장 치른 길인뎁소."

경철이는 양수거지하고 사실대로 말하였다. 먼저 들어왔던 순경 우두머리는 공연히 소 탄 개처럼 우쭐렁거리며 상판대기를 찌그리다가 퉁명스레 내쏘는 것이었다.

"너, 여인숙 허가 있나? 객주 허가 말이다."

"객주 허가라니? 우리가 객주집인가요? 여기 온지 몇 달 안 되는데 언제 허가내고 객주를 하겠습니까?" 진속대로 말하며 아주 죄송히 머리를 숙였다.

"너, 그럼 객주집 허가도 없이 왜 지나가는 행객을 유숙시키는가?"

순경은 더욱 으르렁거리었다. 경철이는 너무나 억이 막혀 말을 못했다.

"객주집 허가도 없이 사람을 유숙시키는 게 그래 잘했냐 말이냐?"

"그건 잘못되었습니다. 그러나 원체 한 고향에서 잘 아는 집안분이기에……"

"뭐? 잘못했다고 말만 하면 되나? 이 자식!"

이번에는 순경 놈의 오른손이 경철의 귀싸대기를 찰칵 치는 것이었다.

"응, 이놈아 벌금이다, 벌금이야! 객주 허가도 없이 사람을 재우고. 응, 벌금이야! 알았어?"

경철이는 얼얼하게 맞은 볼때기를 만지며 그저 잘못했다고 빌붙었다.

그러자 이번에는 '손님'인 선돌집 형님이란 분이 일어나 빌었다.

"이 주인 되는 분은 아무 차실도 없습니다. 우리들이 노수가 부족해서 객주에 들지 않고 아는 집안사이라고 해서 찾아온 것이 잘못되었습니다. 나리님, 그저 한 번만 용서해주십시오."

이때가지 그저 나를 잡아주시오 하고 빌기만 하던 경철이는 상투를 한 번 씻어 올리더니

"그래 한 고향 살던 집안 분을 들인 것이 무에 잘못인가유?"

하고 갑자기 밸을 참지 못하는 모양이다. 관자노리가 툭툭 튀고 있다.

"이놈 자식, 뭐 어찌구 어째? 이 자식 법도 모르고 자랐구나!"

이번에는 그놈이 장갑을 벗고 제법 귀싸대기를 이쪽저쪽 마구 갈겨대고 곁에 섰던 다른 순경 놈은 총탁으로 경철의 아랫배를 찌르는 것이었다.

"가자! 이 자식 순경국에 가 겪어봐!" 하고 방아쇠를 한 번 다뤄보고는 경철이를 끌고 갈 차비를 한다.

"가자면 가지요. 나 원, 죽을죄를 지었는가, 여기도 법 있는 곳이겠지!"

경철이는 무엇을 믿는 것인지 계속 누그러들기는커녕 뻗대는 것이었다.

온 집안이 떠들썩해졌다. 순경의 팔을 붙잡고 말리는 아버지와 선돌집 나그네, 어머니와 아이들까지 순경의 팔에 매어달려 주저앉히려 하였다. 그러나 그들은 순경의 총탁에 밀리고 말았다.

"아이구, 이게 무슨 변이람? 간도땅 살자고 왔다가 이게 무슨 꼴인가?"

갑자기 울음판이 벌어졌다. 그러나 경철이는 얼굴과 살쩍에 내리 드리운 상투머리를 취올리고 갓 우에 휘항을 푹 내리쓰고 그리고는 미투리를 찾아 신고 떠났다.

"아무 근심 마십시오. 가자고 하니 가기는 합니다마는 인차 도로 올 테니까. 간도땅에 법이 있겠지. 생사람을 뭐 어찌겠소?"

경철이는 순경들 셋이 호위되어 두어 마장 되는 선바위 밑에 있는 순경국으로 갔다. 호위된 것이 아니라 제법 붙들려갔다.

"당신네는 한 고향 사람이 오면 밥 한 끼 안 먹이고 밤 한 번 안 재우겠수? 그게 무슨 죄란 말이우?"

"그건 인정이고 법은 법이란 말이야. 객주집 허가 없이 손님을 치지 못하는 법이란 말이야!"

역시 그놈이 그놈이다. 순경이든 순장이든 모두 그놈이 그놈인 이상 그야말로 주먹은 가깝고 법은 먼 셈이다.

"그러니 특별히 사정을 보아서 객주 허가 없이 손님을 친 벌금 3원하고 또 '문턱세' 2원하고 모두 5원이다. 알겠느냐?"

경철이는 깜짝 놀랐다. 벌금이란 귀에 못이 박힌 말이지만 '문턱세'란 난생처음 듣는 말이 아닌가!

"네? '문턱세'라니?"

"우리나라 법에 관청문턱을 한 번 들어오면 문턱세를 물기로 되어있어! 잔말 말고 두 가지로 벌금 5원을 낸란 말이다! 알만하냐?"

뒤미처 민간 행정상 어른인 갑장이 찾아와서 사정사정해서야 벌금을 3원으로 결정하고 내일 오전에 바치기로 하고 그날 밤 늦어서야 놓여나오게 되었다. 경철이가 붙잡혀온 뒤 그 동네의 한 청년이 건넛마을 장재촌에 있는 갑장한데 가서 사실을 말하고 갑장더러 순경국에 가서 사정하도록 하였던 것이다.

"아, 억울하구나! 살아보려고 온 식구 끌고 간도땅 찾아왔다가 이런 변을 당하다니! 아, 참 원통하구나!"

경철이는 순경국에 놓여나와 캄캄한 길을 걸어 돌아오면서 울음을 터뜨렸다. 세 번째 우는 울음이다. 첫 번은 고향을 하직하고 용구고개에 올라서서 고향을 마지막으로 되돌아볼 때였고 두 번째는 두만강을 건너와 고국을 마지막으로 하직할 때였고 세 번째는 이번이었다. 간도땅에 와서 첫 시련이 너무나 벅차구나! 너무나 힘겹구나!

경철이는 수남촌으로 갈라져 들어가는 길 어름에 앉아 자꾸 울었다. 속이 쑥 내려가는 것은 아니지만 엔간히 후련해질 때까지 울다가 집을 향하였다.

그 뒤 경철이는 한 사날 모대기다가 하루는 M중학에 다니는 한 동네의 학생 철호란 청년을 찾아가 가위를 주면서 말하였다.

"철호, 내 머리를 베어주!"

"뭐, 머리를 깎다니 댁의 아버님이랑 모두 승낙하였소?"

철호란 학생은 어안이 벙벙해 눈이 휘둥그레지며 물었다.

"아버님은 벌써부터 찬성하는 눈치였소. 내가 좀 완고해서……" 하고 경철이는 시무룩이 웃어 보이는 것이었다.

"참 잘 생각했소. 벌써부터 권고하고 싶었는데 참 잘 되었소!"

"어쨌든 망국노가 되고선 서러워 못 살겠단 말이요. 살아도 죽은 거나 마찬가지거던. 난 머리 깎고 M중학에 붙을 작정이요."

"그렇게만 되면 얼마나 좋겠소! 또 그리고는?" 하고 철호는 경철이를 물끄러미 쳐다본다.

"그래 중학교를 졸업하고는 의병으로 갈 생각이요. 의병운동을 해도 글은 알아야 하겠더구만!"

경철이는 이렇게 말하면서 상투를 풀어헤치고 썩둑 잘라달라고 들이대었다. 철호는 무등 기뻐하였다.

"몸은 부모에게서 받았으니 터럭도 다치지 않는 것이 효도라고? 얼마나 어리석은 일이었소? 서양 사람은 칼라머리만 해도 세계를 쥐락펴락하지 않소? 우리들이 상투를 가지고 간도땅에까지 와서 해싼 일이 무엇이우? 모욕밖에 당하는 게 없지요!"

철호는 경철의 상투를 뭉척 잘랐다. 기다란 머리카락과 배코자리에 있는 자른 머리카락을 함께 듬뿍 한 줌 쥐고 그대로 경철에게 보이면서 말했다.

"수천 년 지배하던 동양의 봉건꼬리여, 잘 가라! 너와는 영영 하직이다! 상향!"(지난날 제사를 지낼 때 축문의 맺음말.) 경철이는 '상향'이란 말에 히죽이 웃음이 절로 나왔다.

머리를 깎고 나니 경철이는 제법 딴 사람 같은 끼끗한 미남자가 되었다.

망건자리는 남았을망정 말끔하게 깎은 이마는 넓적하고 귀밑을 가리던 살쩍터럭도 깡그리 깎아치우니 어글어글한 치째어진 맑은 눈, 숱진 눈썹, 아주 딴 사람같이 변해졌다.

바로 그 이튿날, 스물네 살에 중학생이 되려는 경철이는 아침 일찍 M중학교를 찾아갔다. 우선 교장선생을 직접 만나 이야기하게 되었다. 상투를 어제 자르고 신식 공부하러 온 사정을 말하였다.

"그럼 장가갔겠는데 아이들은 없소?"

"일찍 장가들다니 어린애 둘이나 있습니다. 그러나……"

경철이는 좀 부끄러운 기색으로 얼굴이 붉어짐을 감촉하였다.

"장가간 것은 허물될 게 없소. 우리 학교에는 '아이애비 학생'이 수두룩하오. 장가갔다고 국사를 못 할 건 없지 않소?"

김교장은 한참 생각하다가 이미 무엇을 공부했는가고 묻는 것이었다.

"별로 읽은 것이 없습니다. 농사지으면서 겨울마다 구학서당에서 공부했습니다."

"구학글은 무슨 책까지 읽었소?"

"맹자와 논어까지는 떼었습니다."

"산학(算學)은?"

"산학통편을 알만합니다. 산판도 사칙은 문제없습니다."

"거 무던히 공부했소. 저 역사와 지리는? 조선 것 말이요."

"자습해서 대강 알고 있습니다. 단군 반만 년 역사는 알고 있습니다."

김교장은 한참 생각하다가 책상서랍을 들추고 나서 또 물었다.

"동물, 식물, 광물 같은 거나 물리, 화학은 들어도 못 보았겠지?"

"동식광물은 직접 겪어본 것으로 알고 있으나 물리와 화학은 처음 듣는 말인데 뭐 배우면 알리라고 생각합니다."

"음, 그리 쉽사리 알게 되는 건 아닌데…… 어떨까?"

김교장은 잠깐 교원사무실로 나갔다. 교원하고 무슨 말인가 의견을 묻는 듯하였다. 돌아와서 또 묻는 것이었다.

"창가와 체조는 배워보았소?"

"신식 창가는 잘 모릅니다. 다만 고향에서 명절 때마다 구식 타령 같은 것을 불러보았습니다. 또 신식 창가도 여기 들어와서 학생들이 부르는 걸 들어서 대강 압니다. 저, 불러보랍니까?"

"어디 한 번 불러보시오!"

"네, 잘 못하지만 부르겠습니다."

배를 갈라 만국회에 피를 뿌리고
육혈포로 만인 중에 원수 죽이던
이준씨와 안중근의 용진법대로
우리들도 그와 같이 원수 쳐보세.

"허, 학생, 노래 잘 부르오. 노래는 합격이요. 그리고 체조는 행진하는 법이나 아는지, 그리고 아령체조도……"

"저 고향에서 겨울이면 활쏘기내기를 했습지요. 신식 체조는 못 배웠습니다마는 왼다리 들고 하나 오른다리 들고 둘 하는 그런 것쯤은 알고 있습니다."

하고 이번에는 제법 행진하는 자세로 본을 보이었다. 어쨌든 붙을 욕심으로 있는 실력은 다 보이려는 것이다.

"자, 그만하오. '엎드려 총' 하는 것은 못해봤겠지?"

김교장은 만족스레 히죽 웃고 나서

"알만하오. 학생, 무엇보다 젊은이다운 정신과 기백이 좋소!"

하고 입학지원서를 들여다보고 나서 목책을 꺼내어 무엇을 적어 넣었다.

"그럼 물리, 화학 같은 과목은 못 배웠다니 가외로 공부할 셈치고 우선 1학년에 입학시키겠지만 구학 지식도 있고 또 공부하려는 기개도 좋으니 2학년에 입학하시오. 내일부터라도 다니시오."

그리고 또 말을 계속하였다.

"상투를 자르고 학교에 입학하는 건 참 용감하오. 우리는 그런 학생을 환영하오. 공부를 잘해서 훌륭한 의병이 되어주오."

이렇게 되어 경철이는 어린애 둘이나 있는 '늙은' '애아비 학생'이 되었다. 물론 한문지식이 있으니 몇 가지 관련되는 과목은 그럭저럭 따라갈 수 있었지만 처음 배우게 되는 신식 과목이 있어 경철이는 밤늦도록 겨릅등이나 기껏해야 석유등잔불을 켜놓고 밤늦게 공부하여 차차 따라가게 되었다.

세월은 쉴 사이 없이 흘러 경철이네는 간도에 들어와 첫 설을 지냈다. 대보름까지 한 반 달 동안은, 고향을 떠나 마치 주막에 든 바디장사와 같이 안정되지 않은, 언제 어디로 흘러갈지 생각조차 하기 어려운 백성들이었으나 그래도 명절기분에 싸이어 있는 판이다.

수남촌에서는 좀 널찍한 팔간집인 최도감네 아래 윗방과 정주간까지 터뜨려놓고 온 동네 남녀노소가 모이여 명절놀이를 하게 되었다. 퉁소 부는 사람, 북 치는 사람, 꽹과리 치는 사람, 양산도나 성주풀이를 멋지게 넘기는 사람, 때로는 건넛마을인 장재촌에서 '원정'오는 사람도 있어 제법 그럴듯한 여흥판이 벌어진다. 간혹 가다가 어른들만 놀 수 없다고 해서 어린 학생들의 신식 창가도 섞이게 된다. '학도가', '송죽가', '이순신 노래' 등을 부를라치면 귀여운 학생들을 더욱 자랑차게 바라보곤 한다. 흥이 오르면 전날 광대판에 돌아다녔고 하는 이첨지의 춤도 멋들어졌고 또는 중년 부인네들의 나불나불 추는 춤도 제법 볼만하였다.

이때만은 남녀의 부동석이 거의 해소되어 서로의 눈길만이 아니라 말을 주고받는 것도 거의 자유스러워져 그야말로 봉건사회에 오아시스를 제공해 주는 것이다. 그런가 하면 처녀들과 새 각시들은 끝동저고리 입고 영초댕기를 드리고 널뛰기를 하게 된다. 한 번 솟아 반 키, 두 번 솟아 한 키, 자랑찬 재주를 보여주는 것도 봉건사회의 부녀들의 '천당'으로 되는 것이다.

대보름날 밤이면 며칠 밤 동네끼리 편을 갈라가지고 횃불싸움을 하게 된다.(남선 지방에서는 '쥐불'이라고 한다.) 남자들은 겨릅이나 조짚으로 홰를 만들어 불을 달아가지고 싸울 내기를 하는데 진 편은 그해 농사가 잘 안된다고 한다. 어쨌든 이기는 편에서는 만세를 부르면서 개선하게 된다.

그리고 대보름날 밤 둥근달 아래에서 금, 목, 수, 화, 토란 글자를 각각 쓴 윷가지 다섯을 가지고 윷을 치면 그 윷글자를 해리한 달윷책을 보면서 글 아는 늙은이가 해석해주는데 때로는 처녀더러 언제 어느 방향으로 시집갈 신수라고 할라치면 곁에서들은 까르르 웃으면서 놀려대기도 한다.

이 모든 명절놀이들은 모두 고향땅에서 지난날 몇 백 년 동안 전통적으로 하여오던 것대로 그대로 가지고 와서 하는 노릇이다.

경철이네도 이런 명절기분에 잠겨 떠나온 고향이 그리운 생각, 이곳 간도땅도 고향과 다름없는 제법 고향이 된 듯한 생각이 겹쳐들었다.

"그저 고향땅에서 명절 쇠는 것 같구나! 여기도 오래면 정이 붙을라!" 수다와는 담쌓은 과묵한 어머니가 어쩐 일인지 느닷없이 말하자 경철이는

"그렇습니다. 뭐 억지로 살란 데가 있나요. 다 제멋에 사는 건뎁소." 라고 대답하며 시무룩이 웃어댔다.

"글쎄 살아가노라면 차츰 정들어가는 법이지!" 아버지가 이렇게 끼어드는 바람에 더는 모두 아무 말도 없었다.

그런데 보름 후 일주일도 되나마나 해서 경철에게는 참기 어려운 커다란

불행이 닥쳐왔다. 대들보와 기둥처럼 믿고 있던 아버지가 불행히도 급병으로 세상 뜬 것이었다. 원체 젊어서부터 식구 많은 집에 가난한 살림살이를 한 어깨에 메고 너무나 뼈가 휘어드는 고생을 하였기에 겉늙고 해소병은 있었으나 50이 되나마나한 나이에 참말 뜻밖에도 일찍 돌아간 것이다. 사실인즉 똑똑한 병명도 알아 못 내고 따라서 약첩도 변변히 써보지도 못했던 것이다.

"아이구, 원통해라. 그 좋은 고향에서 쫓겨나 마도강으로 잘 살아보자고 왔다가 첫 해 농사도 못 짓고. 응, 아이구, 원통해라, 어찌 눈을 감는구?"

넋두리하며 목이 메이는 어머니의 울음에 모두들 너무나 설음에 겨워할 뿐이다. 경철이 내외는 물론 동생들과 누이들 모두 통곡을 터뜨렸다.

그럭저럭 초상을 치르고 양지바른 언덕에 남향으로 무덤을 쓰고 아무개 무덤이라고 목비를 세워놓았다.

경철이는 아버지가 돌아간 것이 어쩐지 꿈같이 생각되었다. 얼마나 불쌍한 분인가! 여라문 되는 식솔을 건지노라 고생은 얼마나 했던가? 간도로 오게 되니 잘 살아보겠다고 아무 반대도 없이 고향을 떠나시던 분이 아닌가? 한해농사 다 지어봤더라면 얼마나 좋으랴마는…… 아! 하늘이 너무도 무정하다고 느껴졌다.

아버지는 평소에 늘 이런 말을 하시었다. "고향 떠나 빈손으로는 다시 돌아가지 말아야 하느니라, 더 모욕과 천대를 받는 법이느니라. 어쨌든 간도땅으로 온바 하고는 더 북으로 들어가지 않으면 다행이느니라. 북으로 들어가며 살게 마련이느니라. 발붙일 곳이 고향이 되고 마는 법이느니라. 그러자면 고생은 무척 해야 하느니라. ……"

그리고 아버지는 임종할 때에 더듬더듬 유언을 남기시었다.

"……내 뼈는 앞산꼭대기에 부디 남향으로 묻어라. …… 그리고 내 뼈를 고향으로 면례해가노라고 쓸데없는 짓은 하지 말아라. …… 여기가 좋으니 여기서 사는 한 일 년에 한 번씩 벌초나 해라.……"

경철이는 "아, 인제는 여기 이 간도땅이 아버지의 뼈를 묻는 진짜 고향이 되는구나!" 하고 생각되었다.

가장 믿던 '실농꾼'인 아버지가 세상 뜨니 농사짓기도 턱이 닿지 않는 것이 아닌가?

"에라, 모르겠다. 공부는 못할 신센데 헛애만 쓰지 말고 퇴학하여야지!"

하고 하루는 김교장 선생을 찾아갔다. 찾아가서는 그동안 아버지가 세상 뜬 이야기를 하고 나서 공부를 더 계속할 형편이 못 되어 학교를 그만두겠다고 하였다.

"경철이, 학생의 내심은 이해할 수 있소. 참으로 비감한 일이요. 그러나 그만한 일로 해서 큰 뜻을 굽히고 중도에 학교를 그만두다니, 다시 잘 생각해 보오!"

하교 김교장 선생은 경철이를 바로 쳐다보았다.

"저도 상투를 자르고 학교로 들어올 때는 비상한 각오가 있었습니다. 그러나 부득이한 사정이 아니겠습니까?"

경철이는 저도 모르게 눈물이 핑 괴었다. 교장은 더 부드럽게, 그러나 엄격하게 타일렀다.

"학생의 아버님은 어쨌든 병으로 세상 뜬 것이요. 많은 애국지사들은 병으로 가마 목에 누워 세상 뜨는 것이 아니라 국사에 선뜻 목숨을 바치는데 거기 대이면 학생의 경우는 참아낼 수 있지 않소? 학생이 처음 학교 붙으러 왔을 때 부르던 노래가 생각나지 않소? 저, '배를 갈라 만국회에 피를 뿌리고 육혈포로 만인 중에 원수 죽이던 이준씨와 안중근의 용진접대로……' 하던 노래 말이요. 그걸 생각하면 그만한 일에 굽어들고 장래를 망쳐서야 되겠소?"

경철이가 대답을 얼른 못하고 머뭇머뭇하고 있는 것을 보고 김교장은 계속해서 말한다.

"순풍에 돛단 듯 되는 일이 어디 있소? 더구나 먹히운 나라를 되찾자고 큰 뜻을 품고 공부하는 일에 말이요! 다시금 생각해보오. 어느 길이 옳은가 말이요. 학생!"

"네, 깨달았습니다. 제 너무 옹졸하게 생각했댔습니다. 오전에 학교에 가 공부하고 오후에 집에 와 농사짓더라도 어떻게든 퇴학은 안하겠습니다."

마침내 경철이는 교장 선생 댁으로 퇴학하러 갔다가 도리어 설복당하고 공부를 계속하기로 하였다.

"교장 선생님, 안녕히 계십시오, 공연히 귀중한 시간만 헛되이 보내시게 하였습니다."

"참 옳이 잘 생각했소. 정말 기쁘오. 경철이!"

그 뒤 한 열흘 지나니 1939년 3월 13일이었다.

조선에서 '3.1'독립만세사건이 일어난 기별이 간도에도 전해왔다. 여기서는 3월 13일에 독립만세를 부르기로 되었다. 우선 이 근방에서는 M학교 학생들이 일제히 일어났다. 전날부터 태극기를 만든다, 점심밥을 싼다 하고 준비에 바삐 돌아쳤다.

경철이도 아침 일찍 M학교 학생들의 대오에 들었다. 중학생은 물론이고 소학생도 3학년까지는 참가하게 되었다. 그래서 30리 되는 용드레촌(용정)으로 만세 부르러 가는 길이다. M학교를 중심으로 하고 그 주위 한 사오 리 되는 촌락에 사는 보통 백성들도 총동원 되다시피 되었다. 그중에는 물론 머리를 빡빡 깎은 사람이 절대다수이지만 상투바람에 휘항만 쓰고 나선 사람도 있고 특히는 머리태를 들들 감아올렸거나 늘어뜨린 덜먹 총각도 더러 섞이었다. 이렇게 십여 리에 뻗은 장사진은 용정 가는 큰 길에 늘어서 나가고 있다.

선두에는 M학교 교기가 펄럭거리고 있다. 그 교기는 커다란 무궁화꽃송이가 양쪽으로 휘어든 그 속에 보습 모양으로(혹은 심장 모양이라고도 한다.) 된 학교의 모표가 한복판에 그려져 있고 맨 밑에 ××학교라고 한문글자정자가 씌어있다.

태극기 하나씩 손에 든 군중들은 마을을 지날 때마다 "독립 만세!"를 소리높이 외친다. 때로는 '전진가', '독립가' 같은 노래를 부르기도 하고 가담가담 M학교 교가를 부르기도 한다.

흰 뫼(白山, 즉 백두산)가 우뚝코
은택이 호대(浩大)한
한배검(王儉, 즉 단군)이 끼치신 이 터에
그 씨와 크신 뜻
넓히고 기는 나의 M동.

이런 교가를 처음 듣는 사람들은 더욱 황홀해한다.

수천 명 군중들의 앞에는 M중학이 섰고 그 선두의 한 사람으로 경철이도 서있었다. 용정거리로 들어설 때에는 경철의 목은 거의 쉴 지경이 되었다. 목이 터지도록 "독립 만세!"를 계속해서 불렀으니 말이다.

동쪽에서 모여드는 M학교패하고 '용정 지명 기원의 우물'이란 비석이 서 있는 곳에서 다른 쪽에서 모여드는 군중들과 합쳐서 정거장 북쪽 발전소가 있는 근방에서 대회를 하게 되자 이 모임의 회장인 ×××이 '조선독립선언'을 낭독하여 선포하고 모두 용정 시내를 시위행진하게 되었다. 만세 소리는 더욱 천지를 진동하고 있었다. 지나간 십 년 동안 자나 깨나 잊지 못하던 독립 만세가 아닌가?

시위군중들은 일본 영사관 쪽으로 나아가면서 더욱 높이 만세를 부르고 또 불렀다. 왜놈들더러 들으라고.

왜놈 영사관에서는 겁에 질려 숨도 크게 못 쉬고 쥐죽은 듯 그저 사태의 진전을 보고 있을 뿐이다. 그러자 총영사란 작자는 피뜩 머리에 떠오르는 생각이 번쩍하였다.

"옳지 됐어. 그러면 우리는 아무 시비도 안 들을 테란 말이야!" 하고 소위 행진을 제지시키려고 하는 육군단장인 맹아무개를 사촉하여 일을 무마시키려고 하였다. 거기에는 사복한 왜놈밀정이 끼어 있은 것은 말할 것도 없었다. 맹아무개는 드디어 시위군중을 향하여 사격명령을 내렸다. "탕, 탕" 하고 총소리가 연방 났다.

손에 태극기밖에 안 가진 군중들, 바늘 하나도 안 가진 시위군중들은 만세를 부르다가 하나 둘 총탄에 맞아 쓰러졌다. 망원경을 들고 이 광경을 숨어보던 영사관 왜놈들은 속으로 너털웃음을 웃었다.

눈 없는 탄환은 정말 사정을 몰랐다. 끌끌한 청년들, 팔팔한 학생들, 낙락한 교원들, 서근서근한 상인들, 마구 탄알에 맞아 피를 흘리며 쓰러졌다. 그 자리에서 16명이나 숨을 지었고 거의 30명이나 부상을 당하였다.

M학교의 학생, 쏘련 연해주에서 유학하러 왔던 독자인 학생 김병영이 피를 흘리며 쓰러지는 통에 바로 그 곁에 있던 경철이는 팔에 부상을 당하고 쓰러졌다.

영국 데기 제창병원에 입원되어 대강 구급을 한 경철이는 한 닷새 만에 제 집으로 돌아왔다.

왜놈들의 탄압은 날마다 우심해갔다. 간도에 따라와서까지 조선의 의병운동을 압살하려고 날뛰었다. 회유정책을 쓰는가 하면 숱한 밀정들을 풀어놓아가지고 감시, 체포, 살해를 마음대로 하고 있다.

경철이는 팔에 감았던 붕대를 풀었다. "하나 둘, 하나 둘" 하면서 움직여

보았다. 아령체조까지 하고나서 "이젠 아주 아물었구나! 아무 일도 없어!" 하고 좋아하였다.

그 며칠 후 경철이는 김교장 선생을 찾아갔다.

"어떻소? 경철이 그래 팔은 다 낳았소?"

김교장은 벌써 희어진 윗수염을 비탈아 만지면서 웃음을 띠우는 것이었다.

"교장 선생님, 전 아마도 멀리 떠나야 하겠습니다."

느닷없이 불쑥 꺼내는 말에 교장 선생은 눈이 휘둥그레져 "왜?" 하는 눈치가 나타난다.

"인제는 공부를 그만하면 되지 않겠어요? 내일부터는 총을 메고 싸워야 하겠습니다."

"총을 메다니 그래 의병으로 가겠단 말이우?"

"네, 홍범도부대로 갈까 합니다. 그것이 사는 길인 것 같습니다. 가만히 앉아있는 길이 죽는 길일 것이고…… 그렇지 않습니까? 교장 선생님!"

김교장 선생은 아무 말 없이 눈을 지그시 감고 한참 생각을 가다듬더니 "좋소. 가오, 장하오. 찬동이요." 이렇게 외마디 말을 연거푸 하고 또 말을 계속하였다.

"경철이, 그만하면 어떻게 무엇을 위하여 살겠다는 진리는 알았으니 되었소. 그 뜻과 기개가 무엇보다 탄복할 만 하오. 부디 가서 잘 싸우오. …… 그럼 내 홍범도 대장에게 편지 한 장 써주지! 어떻소?"

경철이는 너무나 기뻐서

"그러지 않아도 그 때문에 찾아뵌 것이옵니다. 한 장, 수고스럽지만……"

경철이는 처음으로 교장 선생과 굳은 악수를 한 것이 아니라 늙은 교장 선생이 경철이를 즐겁게 보내노라고 먼저 손을 내밀었고 또 거의 으스러지게 꼭 잡았던 것이다.

그 뒤 이틀 밤 지나 경철이는 보던 책들과 헌옷견지를 싸가지고 한밤에 집을 떠나 북으로 향하였다.

"나라를 위해 떠나니 언제 돌아올지 알 수 없소. 아이들을 잘 키우오. 어려운 살림에 식구는 많고 해서 고생하겠소. 부디 잘 있소!"

자기보다 두 살 위인 아내에게만 이렇게 부탁하고 길을 떠났다.

교장 선생은 홍범도 대장에게 편지까지 써주어 경철이를 보냈다는 말을 워낙 입 밖에도 내지 않았지만 경철이 자신도 아내 외에는 다른 어느 누구에게도 말을 내지 않았다.

그 뒤로는 누구도 경철의 행방이나 소식을 모르고 있다. 비슷한 소문이 더러 뒤로 돌고는 있지만 그것은 순전히 추측일 뿐이다. 물론 교장 선생만은 알고 있었던 것이다.

그 뒤 홍범도 대장이 쏘련으로 가게 되어 레닌을 직접 뵈옵고 레닌께서 친히 자기가 차고 다니던 권총까지 선사로 받게 되어 극진한 대우를 받는다는 소문이 들려왔다. 그러나 경철이도 홍대장을 함께 따라갔는지 또는 무슨 다른 임무로 떨어져 있는지 그것은 아무도 모르고 있다. 다만 교장선생만은 응당 홍대장을 함께 따라갔으리라고 믿고 있었다.

경철의 늙으신 어머니만은

"밤에 떠나간 사람은 밤에 들어오는 법이느니라!"

하면서 문을 걸지 않고 거의 십 년을 기다리고 기다리고 한다.

어디에 가 있든 지간에 경철이는 지금 두 번째 고향을 생각하고 때로는 그리운 생각에 모대기고 있을 것이다. 언제나 다시 돌아올지 참말 막연하구나! 응당 '주의자'로 전변했을 터인데……

1938. 명동에서.

출처: 『해방전편 김창걸단편소설선집』, 요녕인민출판사, 1982.

현경준

密輸

오늘아침 조회(朝會)시간에도 수석교원K는 좁은 마당에 넘칠 지경 몰려선 중대가리들을 향하여 밀수(密輸)에 대한 이야기를 목이 찢어지도록 열심히 하고 있다.

중대가리들은 아무 흥미도 느끼지 않는 듯 무표정한 얼굴로 그저 멍-하니 초점 없는 시선을 허공에 보내고 있을 뿐 그러나 K는 목대에 핏줄을 세워가며 때로는 발까지 구른다.

"너희들의 가끔 좋지 못한 행동을 하기 때문에 학교에다가 얼마나 불명예스런 오점을 씻어주는 지 아느냐? 이 학교는 다른 학교와 달라서 순전히 우리들의 손으로 만들어진 학교며 그리고 이만큼이나마 키워온 학교다. 그건 너희들도 잘 알고 있는 사실이 아니냐. 그렇기 때문에 금후로도 이 학교를 명예스럽게 잘 키워나가자면 너희들의 행동부터 철저해야 한다."

K의 음성은 차츰 목멘 소리로 변해가며 애원한다.

"이것은 내가 항상 너희들에게 들려주는 것인데 아직도 내 말을 듣지 않구 학교에다가 더러운 집을 찍어주는 사람이 많단 말이다. 특히 밀수에 관해서는 거의 애원하다시피 타일러왔는데두 불구하구 어저께 또 밀수하다가 발각되어 학교명예를 손상시킨 학생이 있단 말이다."

순간 중대가리들의 얼굴에는 그 무슨 어두운 빛갈이 언뜻 떠오르는 것 같았으나 이내 제대로 되돌아져버리고 여전히 멍-하니 허공을 바라본다.

K의 음성을 점점 침통하여간다.

이곳은 두만강의 허리띠 같은 강폭을 사이에 두고 조선을 눈앞에 마주 건너다보는 만주국의 입구 밀수로서는 달리 그 류를 찾아볼 수 없는 국제도시가(街)다.

그리고 K학교는 이곳 조선 사람들의 교육기관이다.

그런데 항상 그들이나 교원들의 두통거리는 생도들의 밀수사건이다.

하기야 그렇단 분위기 속에서 자라나는 그들인지라 비록 열두어 살 된 어린것일지라도 소금(鹽)이나 성냥(磷寸)쯤의 밀수야 보통이라 하겠지만 그러나 그것이 학교당국의 문제로 화해버리는 데는 참말 골치가 아픈 일인 것이다. 따라서 주의가 온다.

그럴 때마다 학교당국에서는 아이들을 불러 세우고 훈시한다기보다 애원을 하여가며 타일러오는 것이지만 아무 효력도 없다.

어저께도 책보에다가 인조견(人造絹)을 싸가지고 넘어오다가 세 관리에게 봉변을 당한 생도가 있기에 수석훈도 K는 세관까지 가서 생도 때문에 배배 사과를 한 다음 간신히 감금당한 생도를 빼내왔던 것이다.

그래서 오늘아침에도 이처럼 기를 쓰며 말하는 것이지만 아이들의 표정을 조금도 움직이지 않는다.

그러나 K는 약 반시간이나 걸려서 침통한 일장설화를 끝냈다.

아이들을 제각기 교실로 들여보낸 후 동료들과 같이 사무실로 들어오니 어쩐지 마음의 공허를 느끼게 되며 자신의 덧없음을 느끼게 된다.

그래 그는 그럴 때면 의례히 하는 버릇으로 이내 분필통과 출석부를 집어들고 짐짓 용기를 내어서 벌떡 일어섰다.

첫 시간이 끝난 다음 사무실로 돌아오니 五학년담임 S는 기다렸다는 듯

이 K를 마주보며

"그런데 선생님 큰일 났어요." 하고 위선 첫머리를 떼여놓고는 K의 기색 부터 살핀다.

"또 무슨 일이 생겼습니까?"

K의 얼굴빛은 이내 흐려져 간다.

S는 잠시 주저거리다가 거북한 양으로

"저……" 하고 말을 꺼낸 다음 떠듬떠듬 있는다.

"五학년 영순이가 오늘 아침에 다리를 넘어오다가 교두(橋頭)세관에서부 터 붙잡혔답니다.

"에?" K의 안색은 대변에 창백하게 질려간다.

"영순이 뿐만 아니라 여럿이랍니다." 하고 S는 조심스레 뒤를 이었지만 K 는 어안이 막힌 듯 그저 멍-하니 S의 얼굴만 건너다본다.

그 모양이 너무나 가슴에 젖어드는 것 같아야 S는 그만 입을 다물어버렸다.

이윽고 六학년담임 R의 보고까지 들었을 때 K는 마치 실신한 사람처럼 앉은 자리에서 일 줄을 몰랐다.

그는 그다음 시간이 끝날 때까지 줄곧 앉은 자리에서 일지 않고 있었다.

전신에 기운이 하나도 없이 지친 듯한 그의 모양은 비길 데 없이 침통해 보이며 서글퍼 보인다.

동료들은 아무 말도 못하고 제각기 우울함에 사로잡혀서 괴로운 침묵만 지키고 있었다.

점심시간에 세관서는 례에 어김없이 학교당국자의 출두통고가 왔다.

직원들은 약속이나 한 듯이 K의 안색을 살폈다.

그러나 K의 표정에는 조금한 움직임도 뵈지 않는다.

방과 후 직원들은 K가 밖으로 나간 틈을 타서 서로 상의한 결과 오늘의 책임은 결국 二학년 담임H가 지기로 결정하였던 것이다.

그래서 H는 K가 들어온 후 그 사유를 말한 후 그의 대답을 기다렸으나 K는 일언의 대구도 없다.

실내에는 형언할 수 없는 무거운 공기가 숨가쁘게 떠돈다.

H는 피우던 담배가 다-탈 때까지 기다렸으나 아무 응대도 없는 것을 보고 그만 큰맘으로 일어서며

"그럼 댕겨(다녀)오겠습니다." 하고 문밖에 나섰다.

그래도 K는 반응이 없다.

그저 힘쌀 풀린 눈으로 멀건-이 교정을 나가는 H의 뒷모양을 바라볼 뿐이다.

H는 교문을 돌아지며 다시 한 번 사무실 쪽을 돌아다본 후 언덕 아래로 사라져버린다.

그 순간 이때까지 벌떡 일어서서 문밖에 나선다.

그러고는 조급히 H를 부른다.

"선생님 꼬생님"

언덕 밑 길을 뚜벅뚜벅 내려가던 H의 얼굴이 돌아지는 것을 보고 K는 한층 소리 높인다.

"선생님, 이리 오십시오."

"웨 그러십니까?"

"잠깐 오서요."

R는 잠깐 생각 놓은 양을 하다가 그만 K의 앞으로 되돌아온다.

그가 앞에 이르자

"선생님, 그만 두십시오. 내가 가지요." 하고 K는 아무 어색한 양 없이 씽글 웃는다.

"아닙니다. 제가 그냥 갔다 오겠어요." 하고 H는 우정에 넘친 어조로 따서

말했다.

"그건 안 됩니다. 세관에 가는 건 내 책임이니까요." 하고 어엿하게 고개를 쳐들고 말하는 K의 태도는 전에 없이 엄숙하게 보인다.

"대체 당신네 학교에서는 글을 가리켜주지 않고 밀수하는 걸 배워줍니까?"

세관리의 퉁명스런 소리다.

K는 아무 말도 못하고 그저 입술만 악물었다.

"아무리 어린놈들이라지만 정도가 있어야지…… 이건 아주 한다하는 밀수꾼들을 웃짐을 처먹으니 어떻게 해요." 하고 세 관리는 처음보다는 다소 어성을 낮춘다.

K는 여전히 잠잠하니 앉아서 나직이 한 숨 지었다.

근 반시간이나 걸려서 세관을 나선 K는 뒤에 따라오는 아이들을 제각기 돌려보낸 후 힘 없는 다리를 강변으로 옮겼다.

강변의 가을은 한창 무르녹았다.

조촐하게 핀 들국화도 풍치가 있어보이려니와 그보다도 석양바람에 휘날리는 갈꽃은 짜장 가을의 청취를 자아내게 하여준다.

하늘은 맑고 높고 강물은 유유히 흐른다.

K는 조그마한 돌 위에 걸터앉아 우두커니 강물을 바라보다가 문득 세관리의 말을 생각해냈다.

그의 얼굴은 다시금 화끈 달아오른다.

"당신네 학교에서는 글을 배워 주잖구 밀수하는 걸 배워줍니까?"

K는 자기의 주위를 살펴보았다.

마치 세관리가 곁에 있기나 한 것처럼

그리고는 다시 수면으로 시선을 보내며 세관리가 말하던 사건의 경과를 생각해보았다.

N시에서 통학하는 아이들은 전부가 다―벤또를 싸가지고 다닌다.

그런데 그들은 돌아갈 때면 벤또바꼬 속에다가 쌀이나 무엇이나 다만 얼마라도 밀수품을 넣어가지고 넘어간다.

그것이 차츰 묘득을 얻게 돼서 마지막에는 아침에 올 때면 소금을 넣어가지고 왔다가는 갈 때면 그 속에다가 사탕가루나 쌀 같은 것을 바꾸어가지고 넘어간다.

그 액수는 작은 것 같지만 사실에 있어서는 적잖은 수입을 얻게 되며 그것으로 생활비까지 얻게 되는 것이다.

세관서도 처음에는 그런 줄을 모르다가 차츰 한 아이가 벤또를 두 개세개씩 가지고 다니는데서 눈치를 채고 오늘 아침에 뒤져보았던 것이다.

"이렇게까지 천진하게 밀수방법이 강구된 줄은 참말 몰랐어요. 히히." 하고 어이가 없어서 고소하던 세 관리의 모양을 생각고 K는 자기도 역시 혼자서 고소했다.

어느 날 그는 조회시간에 참여하지 않고 사무실에서 하염없는 생각에 잠겨있었다.

아이들에게 대한 훈시는 R교원이 대신하는 모양이다.

첫 시간을 보는 동안 K는 가끔 제 자신을 돌아보고는 방금 아이들에게 들려준 이야기를 되씹어보았으나 도무지 무엇을 이야기했는지 까마득하다.

그리고 아이들의 얼굴도 안개에 가린 듯 뽀얗게 흐려져 보이며 사무실 쪽에서 들려오는 하학종소리도 아―득한 꿈속에서 들려오는 것 같다.

맞은 편 교실에서 아이들이 와―쏟아져 나온다.

사무실로 돌아오니 동료들의 시선은 자못 근심스럽게 K의 얼굴에 쏠린다. 바로 그때 사학년 여생도가 달려 들어오며 숨 찬 듯이 쌔근거리다가

"저, 선생님. 저 뒤에서 쌈이 났어요." 하고는 교원들의 얼굴을 번갈아본다.

그러나 때는 아무 대답도 주지 않고 바깥만 내다본다.

여 생도는 불자연한 실내의 공기에 어룸어룸하다가 그만 돌아서려 한다.

그러는데 또 한 여생도가 달려 들어온다.

"선생님, 저 뒤에서 쌈이 났어요. 밀수하던 애들이 五학년 영순이를 때려 줘요."

"뭐?"

이때까지 실신한 것처럼 앉아있던 K는 반발된 듯이 벌떡 일어선다.

그러고는 화들화들 떨리는 다리로 아이들의 뒤를 뒤따른다.

六학년교실 뒤다.

七八명이나 되는 애들이 五학년 영순이를 끄러 엎어놓고 난타를 하는 중이다.

전부가 다-어저께 세관서 데리고 나온 놈들이다.

다짜고짜로 사무실에 끌고 와서 조사를 해보니 까닭이란 다름이 아니라 자기네가 세관리한테 들킨 것은 영순이가 벤또를 세 개씩이나 가지고 온 때문인 고로 그에 대한 제재라.

그 순간 K는 가슴이 울컥 치밀었다.

그는 정신없이 구식에게 의논 몽둥이를 집어들었다. 형언할 수 없는 비명들이 일시에 왈칵 터진다.

사무실안은 졸지에 수라장으로 화해버렸다.

책상 밑으로 기어드는 놈, 구석으로 대가리만 처박는 놈, 잠자빠지는 놈, 뒹구는 놈.

그 속에서 K는 성난 맹수처럼 씨근거리며 채찍을 휘날린다.

얼마나 정신없이 채찍을 내저었던지 그가 앗질 하는 비명을 느끼고 의자에 탁 몸을 내던졌을 때는 채찍은 토막토막으로 불러져버리고 동료들은 하나도 보이지 않는다.

다만 이 구석 저 구석에 쓰러져서 흘쩍흘쩍 느끼는 아이들의 울음소리만이 뼈저리게 들릴 뿐

그는 들먹이는 아이들의 어깨를 물끄러미 나려다보았다.

어쩐 일인지 눈자위가 자꾸 뜨거워 오르며 금시에 윗몸이 왈칵 터질 것만 같다.

학교 안은 잠든 듯이 고요한데 가끔 二학년 교실에서는 H의 목소리가 발악하듯 들려온다.

그 이튿날부터 五학년 영순이의 자리는 비기 시작했다.

처음에는 하루나 이틀쯤 결석하는 줄만 알고 그다지게 의치 않았으나 차츰 이틀이 사흘이 되고 사흘이 나흘이 되감을 따라 K의 마음은 알 수 없게도 궁금해나며 슬그머니 근심이 나는 것이었다.

그것은 영순이가 전교에서 가장 얌전하고 공부를 잘하는 모범생이기 때문에 일어나는 불안인 것이 아니라 그보다도 어쩐지 그의 신변에는 그 무슨 변동이 생긴 것만 같아 설레는 마음을 걷잡을 수가 없었다.

닷새 째 되는 날도 영순이는 안 왔다.

K는 진종일 생각다 못해 저녁을 먹고 N시로 영순의 집을 찾아갔다.

언제나 느끼는 것이지만 천교를 건너 N시에 들어서니 정다운 옛집에 돌아온 듯한 따사로운 기운이 온몸에 자욱이 찌도는 것 같고 돌아다보면 방금 건너온 T시는 아득한 천 리 밖까지 느껴진다.

이전에 들어두었던 기억을 뒤져가며 이리저리 찾아보았으나 영순의 집은 도무지 알 수가 없다.

그러다가 마침 그는 二학년생도를 만나서 물어가지고 겨우 찾았다.

어두운 좁다란 골목을 한참이나 헤맨 후 조그마한 오막살이 앞에 이르렀을 때 그는 무의식중에 한숨을 내쉬었다.

참말 보잘 것 없는 토막이었다.

그래도 방 안에서는 반듯이 불같은 불빛이 흘러나오고 글 읽는 소리가 들려나온다.

K는 몇 번이나 주저하다가 나직이 불렀다.

의외의 방문에 안에서는 잠시 망설이는 양으로 바스락거리며 얼른 대답을 못한다.

"이 집이 한영순의 집입니까?"

K는 다시 불렀다.

그제야 안에서는 벌떡 일어나는 것 같더니

"예, 누구십니까?" 하는 영순의 목소리가 나며 동시에 창문에 재차진다.

"아, 영순아!"

K는 끌린 듯이 한 발짝 다가섰다.

영순이는 깜짝 놀라며 뒤로 물러선 다음 멍-하니 내다보기만 하며 아무 말도 못한다.

"내다. 영순아."

"아, 선생님!" 하고는 뒷말을 잇지 못한 채 그는 방안을 돌아보며 어쩔 줄을 몰라 한다.

"들어갈만 하냐?"

"예…… 저……"

영순이는 민망해하는 표정을 띠고 자꾸 뒤만 돌아본다.

K는 그제야 방안을 살펴보니 아랫목에는 누군지 이불 밑에서 신음하고 있다.

"누가 편찮으시냐?"

"예…… 저 어머니가 좀." 한 다음 그는 힘없이 고개를 숙여버린다.

"아, 그러냐? 어디가 편찮으시냐?"

그러나 영순이는 숙여버린 고개를 쳐들지 못한다.

K도 그 이상 더는 추급치 못하고 조용히 고개를 돌렸다.

그러는데 갑자기 이불것이 움직이더니

"애 누구 오셨는지 왜 그렇게 서구만 있니." 하는 맥없는 소리가 가느다랗게 흘러나온다.

그래도 영순이는 대답이 없다.

K는 잠시 어둠을 노려보다가

"저…… 다른 사람이 아니라 전 영순이가 댕기는(다니는) 학교에서 일보는 사람인데요." 하고 어색하게 모자를 벗었다.

이불 밑 여인은 앓던 것 같지 않게 발딱 일어난다.

"아 그렇습니까? 이거 원…… 얘 영순아! 너 멀 하고 서 있니? 선생님이면 진작 그렇게 말해주지 아이구 참…… 방안이 누추해서 이기 원 들어 오시라고도 못하고……" 하며 그는 이불을 밀쳐놓고 풀어진 머리를 틀어 얹는다.

"아니 가만 누워 계세요. 어디가 편찮으신지 매우 수척해 뵈는데."

K는 자기편에서 도로히 당황하게 서둘렀다.

"아 머 제 병 같은 거야…… 하긴 어떻게 해서…… 방이 어지러워져……"

K는 그 소리에 용기를 얻어가지고

"천만에요. 사실은 요즘 영순이가 안 오기에 무슨 까닭이 있는 가 해서 찾아왔는데…… 그럼 잠간 실례하겠습니다."

하고 선뜻 방안에 들어섰다.

말할 수 없는 추기가 콧구멍에 확 숨어든다.

"아이 까실 것두 없구."

"천만에요. 가만 누워 계세요."

"후--"

가슴이 꺼지는 듯 한 한숨을 쉰 다음 영순의 어머니는 아들을 돌아다본다.

아들은 여전히 고개를 숙인 채 말이 없다.

K는 그제야 몹시 수척해진 영순이 어머니를 정면으로 마주 보았다.

어두운 불빛이 보아서 그런지 산사람의 얼굴이라고 하기에는 너무나 풀우러보이고 앙상하여 보인다.

영순의 어머니는 한참동안 두 눈을 감고 무슨 생각인지 잠겨진듯하더니 후하고 다시금 한숨을 내뿜은 후

"참 진일에는 저애 때문에 얼마나 걱정하셨습니까." 하고 애처로운 표정으로 K를 쳐다본다.

"아녜요. 걱정이 무슨 걱정입니까?"

K는 어쩐지 가슴속에 답답해졌다.

영순의 어머니는 아들 때문에 학교에 루를 끼친데 대하여 몇 번이나 거듭 사과한 다음 차츰 저도 모르는 동안에 신세타령을 풀기 시작한다.

-자식을 더구나 공부시키는 자식을 밀수를 시킬 생각은 털끝만큼도 없다. 어떻게 해서든지 남부럽지 않게 공부를 시켜주고 싶다. 그래서 그는 여자의 손으로 혼자서 이때까지 길러왔었고 공부도 시켜왔다. 만은 어떻게 하랴? 원수 같은 나이가 차츰 불어 감을 따라 몸은 쇠약해지고 더구나 심병까지 뛰쳐나서 자리에 누어버린 이후로는 부득이 이런 것의 밀수로서 살아오지 않으면 안 될 운명에 떨어지고 말았다. 여기까지 이야기한 다음 그는 지친 듯이 살며시 벽에 기대앉는다.

하는 그 모양을 멍하니 바라보다가

"그럼 영순의 아버지는 안 계신가요" 하고 조심스레 물었다.

여자는 쓸쓸히 웃는다.

"큰일을 위해 몸을 바친다구 하면서 떠나간 지가 벌써 열두 해가 됐어요."

K는 아무 말도 못한 채 자리를 일었다.

문밖에 나와서야 생각고 그는 전송을 나온 영순에게 ―원지페 두 장을 꺼내주었다.

"그래 오늘부터 댕기러(다니러) 왔지."

이튿날도 영순이는 등교하지 않았다.

K의 눈앞에는 그의 집 환영이 자꾸 어지럽게 어른거려 도무지 진정할 수가 없었다.

그러다가 그 이튿날 해쓱한 얼굴로 등교한 영순의 초췌한 모양을 보았을 때 K는 하마터면 그에게 매달릴 뻔 했다.

"영순이 왔니? 그동안 어머니는 어떠시냐?"

"예. 그저 그렇게 계십니다."

하고 영순이는 이내 고개를 숙인다.

K의 이 말에 영순의 고개는 더한층 수그러진다.

순간 K는 모든 것을 다-알아챘다.

무언지 모르는 굵은 돌 같은 것이 내려앉는 것 같은 가슴속을 지긋-이 눌러가 공간을 노려보는 그의 눈앞에 나타나는 어지러운 그림자들.

병석에서 눈물로 하소하던 영순의 어머니. 세관리의 퉁명스럽던 그 얼굴 동무들의 제재를 받던 영순의 그 모양. 마지막에는 한 번도 만나본 일 없는 영순의 아버지까지 이때까지 자기가 만난 과거의 그 사람들 속에서 찾게 되는 것이었다.

실내는 무덤 속 같이 조용하다.

갑자기 영순의 어깨가 들먹이는 것 같아 돌아다보니 그는 두 손으로 얼굴을 가려버린다.

K는 물결치는 그의 어깨를 흐릿한 눈으로 물끄러미 바라보다가 슬그머-니 일어나서 책장위에 얹혀있는 상자를 집어내린다.

상자 속에는 퇴원서용지가 들어있다.

그것을 보더니 영순이는 그만 책상위에 팍 쓰러진다.

K는 조용히 두 눈을 감아버린다.

쭈르륵 볼 위에 흘러내리는 두 줄 눈물.

열어젖힌 창문으로서는 오후의 햇볕이 비스듬히 엿본다.

(十一月七日圖們에서)

출처: 『비판』, 1938.7.

작가 색인(가나다라 순)

강경애   채전(1933)

축구전(1933)

母子(1935)

원고료 이백 원(1935)

마약(1937)

김광주   鋪道의 憂鬱(1934)

남경로의 창공(1935)

북평서 온 '영감'(1936)

野鷄(1936)

김국진   설(1936)

김동인   붉은 산(1933)

김산   기묘한 무기(1930)

김창걸   수난의 한 토막(1937)

그들이 가는 길(1938)

두 번째 고향(1938)

스트라이크(1938)

박영준   중독자(1938)

백야생   一年后(1920)

신채호   용과 용의 대격전(1927)

안수길	장(1936)
	함지쟁이 영감(1936)
주요섭	殺人(1925)
	인력거꾼(1925)
	첫사랑 값(1925)
	봉천역 식당(1937)
최명익	逆說(1938)
최상덕	황혼(1927)
최서해	고국(1924)
	기아와 살륙(1925)
	탈출기(1925)
	해돋이(1926)
	홍염(1927)
최승일	鳳姬(1926)
현경준	密輸(1938)

엮은이 소개	

이광일(李光一)

중국 길림성 연길시에서 태어나 연변대학교 조선언어문학학과를 졸업하였고 동 대학원에서 문학박사학위를 받았다. 연변대학교 조선언어문학학과 교수이고 박사연구생 지도교수이다. 저서로 『해방 후 조선족소설문학 연구』, 『조선족문학사』 등 다수가 있다. 논문으로 「잠재창작과 김학철의 장편소설 '20세기의 신화'」 등 70여 편이 있다. 작품집 주편으로 『중국 조선족문학 대계-해방 후 편』(전20권), 『21세기 중국 조선족문학 작품선집』(전10권) 등이 있다. 수상으로 길림성 제7차 사회과학연구 우수상 등이 있다.

김 강(金剛)

중국 연변대학교 조선언어문학학과 전임강사. 연변대학교 조선언어문학학부를 졸업하였고 동 대학원 석·박사 과정을 졸업했다. 다년간 한국 근현대문학 및 한중 비교문학에 대한 연구를 진행하고 있으며 연구논문으로는 「김안서의 격조시형론과 중서시학 관련연구」(2016) 등이 있다.

'한국근대문학과 중국' 자료총서 ❸

단편소설 I

초판 1쇄 인쇄 2021년 9월 17일
초판 1쇄 발행 2021년 9월 27일

지은이   최서해 외
엮은이   이광일 · 김 강
기 획   『'한국근대문학과 중국' 자료총서』 편찬위원회
펴낸이   이대현
편 집   이태곤 문선희 권분옥 임애정 강윤경
디자인   안혜진 최선주 이경진
마케팅   박태훈 안현진
펴낸곳   도서출판 역락
주 소   서울시 서초구 동광로 46길 6-6 문창빌딩 2층
전 화   02-3409-2060(편집), 2058(마케팅)
팩 스   02-3409-2059
등 록   1999년 4월 19일 제303-2002-000014호
전자우편   youkrack@hanmail.net
홈페이지   www.youkrackbooks.com
字 數   464,514字

ISBN   979-11-6742-018-3   04810
            979-11-6742-015-2   04810(전16권)